# Sylfeini Cyfieithu Testun

# Sylfeini Cyfieithu Testun

Cyflwyniad i Gyfieithu Proffesiynol

Ben Screen

GWASG PRIFYSGOL CYMRU

2021

*www.gwasgprifysgolcymru.org*

Mae cofnod catalogio'r gyfrol hon ar gael gan y Llyfrgell Brydeinig.

ISBN 978-1-78683-815-5
e-ISBN 978-1-78683-816-2

Cydnabyddir cymorth ariannol gan y Coleg Cymraeg Cenedlaethol a Chymdeithas Cyfieithwyr Cymru ar gyfer y cyhoeddiad hwn.

# Cynnwys

# CYDNABYDDIAETHAU

Mawr yw fy niolch i lawer am y cymorth hael a dderbyniais wrth ysgrifennu'r gyfrol hon.

Hoffwn ddiolch yn ddiffuant am gymorth ariannol y Coleg Cymraeg Cenedlaethol trwy'r Cynllun Grantiau Bach. Mae'r Coleg wedi cefnogi sawl menter a doethuriaeth ym maes Astudiaethau Cyfieithu, sy'n dangos ymrwymiad amlwg y Coleg i'r proffesiwn.

Hoffwn ddiolch yn ddiffuant hefyd i Gymdeithas Cyfieithwyr Cymru am ei chymorth ariannol hithau a'r cefnogaeth a roddodd i'r gwaith. Dyma ddiolch yn arbennig hefyd i Nia Wyn Jones am y sylwadau manwl ar y deipysgrif.

Hoffwn ddiolch o galon i'r Dr. Jeremy Evas am roi o'i amser, ac yntau ar ganol symud tŷ, i ddarllen y Cyflwyniad a thair pennod yn y deipysgrif. Aeth ati â'i fanylder arferol a gwellwyd y gwaith yn fawr o'i herwydd.

Dyma ddiolch hefyd i Ffion a Glenn am yr anogaeth er i fy amau fy hun yn gyson, ac i Ffion yn enwedig am ei charedigrwydd pan oedd y pwysau i wneud cyfiawnder â'r proffesiwn hwn yn drwm arnaf.

Eiddof i yw pob gwall a saif.

# Ffigurau a Thablau

# RHAGAIR

Wrth imi ysgrifennu hyn o ragair, mae cannoedd o bobl ym mhob cwr o Gymru yn gweithio'n ddiwyd i droi dogfennau Saesneg yn rhai Cymraeg, a nifer lai yn troi dogfennau Cymraeg yn rhai Saesneg. Wrth wneud hynny maent yn cyfleu ystyron y naill iaith yn y llall gan ddefnyddio ystod o sgiliau gwahanol ac yn manteisio ar nifer o strategaethau a thechnegau. Disgrifiad twyllodrus o syml yw hwn serch hynny o waith sydd ag effaith gymdeithasol eang. Trwy wneud y gwaith hwn, mae'r uchelgais bod pobl yng Nghymru yn cael byw trwy gyfrwng y Gymraeg yn cael ei gwireddu. Sicrhau cydraddoldeb ieithyddol y mae cyfieithwyr felly, a da o beth fyddai inni gydnabod cyfraniad cyfieithwyr proffesiynol i'n gallu i'n galw ein hunain yn gymdeithas ddwyieithog. Ond beth yw'r sgiliau hyn? Pa dechnegau a strategaethau a ddefnyddir? Er bod cannoedd o gyfieithwyr yn gweithio rhwng y Gymraeg a'r Saesneg, er gwaethaf pwysigrwydd cyfieithu i'n gallu i wireddu nodau polisïau ieithyddol, er gwaethaf y ffaith bod cyfieithwyr yng Nghymru yn ysgrifennu miliynau o eiriau Cymraeg bob mis, ac er gwaethaf yr angen amlwg am gyfieithwyr medrus oherwydd hynny, prin yw'r deunydd sydd ar gael i gyfieithwyr i'w rhoi ar ben ffordd ac egluro hanfodion y gwaith iddynt yn Gymraeg. Mae peth wmbreth o lyfrau o'r fath yn y Saesneg, ond nid ydynt yn rhoi fawr o sylw i gyfieithu yng nghyd-destun ieithoedd lleiafrifol ac nid yw'r Gymraeg yn cael sylw bron byth. Dau brif nod sydd i'r gyfrol hon felly. Y cyntaf yw cyflwyno'r sgiliau, y strategaethau a'r technegau hyn i gyfieithwyr newydd i'r maes. Y gobaith yw y bydd y penodau sy'n dilyn yn eu cynorthwyo i gymryd golwg fwy strategol dros eu gwaith, ac yn eu helpu i allu dadansoddi testunau cyn eu cyfieithu, darllen yn bwrpasol i ganfod ystyron, ac i gyfleu'r ystyron hyn wedyn yn fedrus ac mewn modd dealladwy ac eglur sy'n cadw urddas yr iaith. Yr edefyn a red trwy gydol y gwaith yw mai cyfathrebu â darllenwyr o gig a gwaed y mae cyfieithwyr. I'r perwyl hwn, mae pennod gyfan am ddarllen er cyfieithu, pennod gyfan am y technegau safonol y gellid eu defnyddio i gyfleu ystyron mewn modd naturiol, a phennod gyfan arall am wirio'r testun gorffenedig i sicrhau ansawdd ac i sicrhau ei fod yn addas i'w gynulleidfa. Ymchwil gymdeithasol am y defnydd o'r Gymraeg ac o wasanaethau Cymraeg sydd wedi sbarduno'r ail nod. Mae ymchwil yn dangos bod nifer fawr o siaradwyr y Gymraeg yn dewis defnyddio gwasanaethau yn y Saesneg yn lle'r Gymraeg, yn y gred y bydd y Gymraeg yn chwithig ac yn gymhleth. Mae sawl rheswm am y canfyddiad hwn ac ae sawl peth yn achosi'r ffenomen hon. Fodd bynnag, nid y lleiaf yn eu plith yw cyfieithu anfedrus, gorlythrennol a chyfieithu amhriodol o ffurfiol. Trwy ddarllen yn iawn cyn cyfieithu, llunio cyfieithiadau ar sail yr ystyr ac nid ar ffurfiau arwynebol yr iaith ffynhonnell, a thrwy feddwl am y defnyddiwr terfynol yn gyffredinol, mae modd gwella'r sefyllfa hon. Er mwyn cynorthwyo cyfieithwyr i wneud hynny, mae trafod helaeth yn y gyfrol hon ar y strategaethau a'r technegau i wneud hynny, ac er mai cyfieithwyr newydd a dibrofiad yw'r gynulleidfa, y gobaith yw y bydd y gyfrol hon o ddiddordeb i bawb sydd am weld gwell cyfieithu rhwng y Gymraeg a'r Saesneg. Ar wahân i fod yn llusern ar daith cyfieithwyr newydd ac yn gymorth i fyfyrwyr, prin bod modd imi wadu trydydd nod hefyd. Prin yw'r gydnabyddiaeth y mae cyfieithwyr yn ei derbyn am eu gwaith. Mae'n wir bod lle i wella ond mae'n wir hefyd bod y maes yn gyforiog o weithwyr proffesiynol medrus ac ymroddedig sy'n gweithio i'r safonau proffesiynol uchaf. Dyma ymgais hefyd felly i egluro'n gwaith ni i bawb arall, i gyflwyno'r arbenigedd y mae cyfieithu o safon yn gofyn amdano ac i ddangos yn glir nad yw'r gallu i ysgrifennu mewn dwy iaith yn ddigon ar ei ben ei hun.

Mawr obeithiaf felly y bydd y gyfrol hon yn gyfraniad bach at well ymwybyddiaeth o waith cyfieithwyr cymwys, ac yn gymorth i'r cyfieithwyr newydd y mae, ac y bydd, alw mawr amdanynt.

Ben Screen
*Trefforest*

# CYFLWYNIAD

Mae gan y Gymraeg statws swyddogol yng Nghymru, ac mae cyfraith gwlad yn mynnu na chaiff y sector cyhoeddus drin y Gymraeg yn llai ffafriol na'r Saesneg. Mae hyn yn golygu fod angen i wefannau, apiau, dogfennau, ffurflenni, adroddiadau a gohebiaeth o bob math fod ar gael yn y Gymraeg (a hynny heb yr angen, yn y rhan fwyaf o achosion, i rywun ofyn am y Gymraeg ymlaen llaw). Mae'n anochel felly y bydd angen cyfieithu llawer iawn o'r deunydd hyn. Mae ymdrechion hefyd i gynorthwyo sectorau eraill i gofleidio'r Gymraeg, fel gwasanaeth *Helo Blod* gan Lywodraeth Cymru sy'n cynnig gwasanaeth ymholiadau, cyfieithu a gwirio testun ymysg pethau eraill i fusnesau a sefydliadau, a gwasanaeth prawf ddarllen darnau byr Comisiynydd y Gymraeg. Teg dweud felly na fyddai dwyieithrwydd swyddogol yng Nghymru yn bod heb gyfieithwyr, ac mae cyfraniad cyfieithwyr i normaleiddio'r iaith yn y byd o'n cwmpas y tu hwnt i wasanaethau cyhoeddus, o fwydlenni i hysbysebion ac o filiau nwy i apiau, hefyd yn un mawr. Serch hynny, prin yw'r deunydd hyfforddi neu gefndirol yn y Gymraeg i gyfieithwyr newydd a'r rhai sydd am fentro i'r maes am y tro cyntaf. Er bod toreth o ddeunydd o'r fath ar gael yn y Saesneg ac mewn ieithoedd eraill, nid oes digon o ddeunydd sy'n egluro hanfodion cyfieithu proffesiynol yn y Gymraeg ac o safbwynt Cymru. Mae'r gyfrol hon yn unioni hyn, ac mae iddi ddau brif nod:

- Trafod rôl y cyfieithydd yng Nghymru a chyfieithu proffesiynol o safbwynt Cymru;
- Egluro hanfodion cyfieithu i newydd-ddyfodiaid i'r maes.

## I bwy mae'r llyfr hwn?

Bwriedir y llyfr hwn i gyfieithwyr testun dibrofiad yn bennaf, ond hefyd i nifer o garfannau eraill o bobl, gyda diben gwahanol i'r llyfr i bob carfan.

### Cyfieithwyr newydd:

Y brif garfan yn gyntaf. Mae'r angen am gyfieithwyr yn tyfu o hyd, ac mae pobl yn mentro i'r maes hwn o sawl cyfeiriad; ar wahân i fyfyrwyr sy'n cyrraedd y byd gwaith am y tro cyntaf, mae nifer o bobl wedi troi eu llaw at gyfieithu, o'r byd addysg a meysydd eraill hefyd, felly y gobaith yw y bydd y gyfrol hon yn gyflwyniad defnyddiol iddynt hwy i'w gyrfa newydd. Gall fod yn ddefnyddiol hefyd i'r rhai sy'n ystyried gyrfa ym maes cyfieithu; efallai y bydd yn fodd o'u helpu i benderfynu ai'r byd cyfieithu yw'r dewis cywir.

## Myfyrwyr:

Mae astudio cyfieithu rhwng y Gymraeg a'r Saesneg ar lefel is-raddedig ac ôl-raddedig bellach yn bosibl mewn nifer o brifysgolion, felly gobeithir y bydd y gyfrol hon yn ganllaw i fyfyrwyr cyfieithu Cymraeg. Dyma ymgais i gyflwyno gwybodaeth am gyfieithu sydd fel arfer ar gael yn y Saesneg neu ieithoedd Ewropeaidd mawr i fyfyrwyr cyfieithu, fel y bo ganddynt gyfrol i droi ati wrth wneud eu hastudiaethau ac yn y blaen.

## Swyddogion iaith a swyddogion polisi:

Mae uwch-gyfieithwyr a rheolwyr cyfieithu yn gyfrifol mewn llawer o sefydliadau am y broses gyfieithu a gwasanaethau cyfieithu, ac mae nifer fawr hefyd yn rheoli cyfieithwyr eraill. Ond mewn nifer o sefydliadau, swyddogion iaith neu reolwyr gwasanaeth cyffredinol sy'n gyfrifol am hyn o ddydd i ddydd. Mae gan lawer o swyddogion iaith a rheolwyr ddealltwriaeth dda o gyfieithu, ond dyma ymgais i roi ar glawr gyflwyniad i gyfieithu i bawb arall. Gobeithir y bydd y gyfrol hon yn fodd iddynt ddod i ddeall gwaith cyfieithwyr yn well a dod i ddeall mai proffesiwn sy'n gofyn am gryn fedrusrwydd yw cyfieithu.

## Y cyhoedd yn gyffredinol:

Mae dealltwriaeth y cyhoedd o gyfieithu yn wael. Mae'r anwybodaeth hon yr un mor rhemp yn y Gymru Gymraeg ag ydyw ymysg siaradwyr Saesneg Cymru ar brydiau. Mae'r anwybodaeth hon yn effeithio ar nifer o bethau; ansawdd gwasanaethau Cymraeg ac enw da sefydliadau, sut mae cyfieithwyr yn cael eu trin a faint maent yn cael eu talu ymysg pethau eraill. Dyma obeithio felly y bydd y gyfrol hon yn gyfraniad at newid hynny.

A minnau wedi nodi i bwy y bwriedir y gyfrol, dyma nodi rhag blaen nad cyfieithwyr profiadol yw prif gynulleidfa'r gyfrol hon. Mae cyfieithu yn grefft sy'n cymryd blynyddoedd maith i'w meistroli, felly unig nod y llyfr hwn yw bod yn llusern ar daith cyfieithwyr newydd wrth iddynt ymgyfarwyddo â'u proffesiwn newydd, yn hytrach na chynnig cyngor i arbenigwyr. Gobeithir y bydd y gyfrol yn gosod sylfaen gadarn y gall cyfieithwyr newydd adeiladu arni, cyn iddynt fwrw iddi ac ennill y profiad hwnnw sydd mor anghenrheidiol i ymarfer cymwys. Gobeithir hefyd y bydd ambell ddernyn o wybodaeth ddefnyddiol, neu ambell ran fydd yn peri i rywun gnoi cil drosti, hyd yn oed i ddarllenwyr sydd wedi bod wrthi ers cryn amser.

Ni fwriedir y gyfrol hon i'r rhai sy'n ymhél â chyfieithu o bryd i'w gilydd ar gyfer posteri, arwyddion a'r cyfryngau cymdeithasol ac ati ychwaith. Prif ddiben ysgrifennu hyn o gyfrol yw cynorthwyo'r rhai sydd â'u bryd ar fod yn gyfieithwyr proffesiynol, ac sydd am wneud bywioliaeth o ddelio â'r rhychwant eang o destunau y mae gofyn eu cyfieithu yn y Gymru gyfoes. Mae'n bwysig bod pobl yn cael eu hannog i ddefnyddio eu Cymraeg, ac mae'n anochel y bydd hyn yn cynnwys symud rhwng y ddwy iaith a chyfieithu o bryd i'w gilydd. Dyma nodi felly nad yw'r gyfrol hon yn bwriadu trafod y defnydd answyddogol, anffurfiol (ond cwbl angenrheidiol) hwn o'r iaith, ac ni ddylai neb deimlo bod angen bod yn arbenigwr a llyncu cynnwys y llyfr hwn cyn codi arwydd neu ysgrifennu post Facebook.

## Yr hyn na fydd yn cael ei drafod

Mae diben clir i'r gyfrol hon, a sgiliau cyfieithu testun fydd dan sylw. O'r herwydd, ni fyddwn yn talu sylw i'r isod. Nid yw hyn yn golygu serch hynny y dylid anwybyddu'r rhain, ond nid oes modd mynd i'r afael â hwy yma.

### Cyfieithu ar y pryd

Llyfr am gyfieithu testun yw hwn. Er fy mod yn cydnabod bod nifer o gyfieithwyr yn cyfieithu ar y pryd *ac* yn cyfieithu testun, mae cyfieithu ar y pryd yn gofyn am gasgliad gwahanol o sgiliau ymarferol iawn, ac nid dyma'r lle i drafod y grefft honno. Dyma obeithio y bydd rhywun llawer mwy gwybodus na fi yn torchi llewys ac yn ysgrifennu am yr agwedd hon ar wasanaethau Cymraeg. O edrych ar y rheoliadau sydd wedi dod hyd yma yn sgil Mesur y Gymraeg (Cymru) 2011, mae'n debygol y bydd rhywfaint o dwf yn y maes hwn ac y bydd mwy o gyfieithu ar y pryd yn digwydd. Dyma gyfle felly i gyfieithwyr ar y pryd, yr arwyr hynny sy'n gwneud cyfraniad mor werthfawr i gynnal y Gymraeg mewn cymunedau Cymraeg ac sy'n hyrwyddo'r iaith ledled Cymru,[1] fynd ati i lunio cyfrol am eu gwaith hwy.[2]

### Is-deitlo

Mae is-deitlo, neu 'gyfieithu clyweledol' [*audiovisual translation*] yn arbenigedd arall, fel y mae cyfieithu testun a chyfieithu ar y pryd. Mae gan gyfieithu clyweledol ei systemau, ei egwyddorion a'i brosesau arbennig ei hun ac i'w wneud yn iawn mae angen casgliad unigryw o sgiliau a gwybodaeth benodol. Er bod rhai yn is-deitlo ac yn cyfieithu, ac er bod gorgyffwrdd rhwng y ddau faes, canolbwyntiwn yma ar gyfieithu testun. Fel yn achos cyfieithu ar y pryd, fodd bynnag, gwych fyddai gweld deunydd Cymraeg cyhoeddedig ar y proffesiwn hwn.

### Cyfieithu llenyddiaeth

Cyfieithu testun mewn cyd-destun proffesiynol sydd dan sylw yma ar gyfer anghenion y gymuned Gymraeg ei hiaith, yn bennaf yn sgil deddfwriaeth iaith. O'r herwydd, ni fydd modd rhoi sylw i lenyddiaeth yn y gyfrol hon.

### Sgiliau iaith a gramadeg

Fel y bydd y darllenydd yn gweld yn y penodau sy'n dilyn, mae cyfieithu testun yn gofyn am gasgliad o sgiliau. Mae'r casgliad hwnnw o sgiliau yn fawr, ac maent yn mynd y tu hwnt i sgiliau trin geiriau yn unig; trin testunau ac yn cyfathrebu y mae cyfieithwyr, ac mae'n swydd sy'n gofyn am gryn ymdrech feddyliol. Dyma o bosibl un pwynt dadleuol yma: ni waeth faint o ieithgi ydych chi, ni fydd hyn yn golygu y byddwch yn gyfieithydd da o reidrwydd. Hynny yw, nid yw sgiliau iaith datblygedig a dawn ysgrifennu yn ddigon. Dylai fod gennych wybodaeth drylwyr o ramadeg y Saesneg a'r Gymraeg cyn i chi ddechrau hyfforddi'n gyfieithydd. Byddwn yn trafod dwyieithrwydd a sgiliau iaith ym Mhennod 2, ond dim ond i nodi nad ydynt yn ddigon ar eu pen eu hun. Yn hynny o beth, darllenwch yn eang. Awgrymir i chi ddarllen *Gramadeg Cymraeg* David Thorne (Gwasg Gomer, 1996) a *Gramadeg y Gymraeg* Peter Wynn Thomas (Gwasg Prifysgol Cymru, 1996) hefyd, a hynny o glawr i glawr. Fe fyddwch yno am sbel, ond fe fyddwch yn gwybod at ble yn y cyfrolau hyn i droi pan fydd cwestiynau gramadegol yn codi.

## Diffiniadau

Wedi nodi mai ar gyfieithu testun y byddwn yn canolbwyntio, dyma roi ambell ddiffiniad rhag blaen.

### Cyfieithu testun:

Yn y llyfr hwn, **ystyr cyfieithu testun yw'r broses o gyfleu ystyr brawddegau mewn testun(au) a geir yn y naill iaith ddynol yn y llall, ac wrth gyfleu'r ystyr honno rydym yn sicrhau ein bod yn creu testun yn yr iaith darged sy'n ramadegol gywir ar lefel y frawddeg, ond sydd hefyd yn llifo'n dda**. Y tair elfen bwysig felly yw *mynegi ystyr* y testun gwreiddiol, creu *brawddegau gramadegol gywir* a llunio *testun sy'n llifo'n dda*. Gall fod mai diffiniad gorsyml ydyw, ond mae pob un o'r tair elfen yn gofyn am nifer o sgiliau datblygedig gwahanol (i'w trafod yn y penodau sy'n dilyn).

Byddai modd problemeiddio a herio rhai o'r syniadau sydd ymhlyg yn y diffiniad hwn, ond dyna yn y bôn y mae cyfieithwyr testun yn ei wneud. Dyma, serch hynny, roi ambell sylw rhag blaen. Gall ystyr fod yn gysyniad dyrys; wrth ddefnyddio 'cyfleu ystyr', cydnabyddaf y gall neges neu gysyniad fod yn ansefydlog, yn gyfnewidiol, yn rhwym wrth gyd-destun penodol neu'n gwbl ddieithr i gymuned iaith arall, ac felly'n anodd eu cyfleu mewn iaith arall mewn modd sy'n 'ffyddlon' i'r ystyr wreiddiol. Cyfrifoldeb y cyfieithydd serch hynny, fel cyfathrebwr ac awdur testun, yw penderfynu ar yr hyn y dylid ei gynnwys mewn testun, ac ar y strategaeth gyfieithu (o blith sawl) y dylid ei dewis.[3] Nid yw'r diffiniad hwn yn rhagweld cyfieithu air am air. Wrth gyfieithu'r frawddeg *'This year's festival will be held in Cardiff, the capital city of Wales'*, go brin y byddid yn disgwyl i'r cyfieithydd gyfieithu'n llythrennol a chynnwys 'ym mhrifddinas Cymru' yn y fersiwn Cymraeg. Ond o safbwynt swmp a sylwedd cyfieithu testun yng Nghymru, bydd neges y gwreiddiol, a allai fod yn hysbysiad bod ysgol yn cau, yn adroddiad cyngor, neu'n gofnodion cyfarfod, yn neges a fyddai'n ddealladwy i'r naill gymuned iaith a'r llall, na fyddai'n anodd iawn i gyfieithydd profiadol ei 'chyfleu'. Nid cyfieithu nofelau fel *Alice in Wonderland* y mae trwch cyfieithwyr testun Cymru yn ei wneud wrth eu desgiau bob dydd, er mor ddiddorol a phwysig yw cyfieithu llenyddiaeth i blant a llenyddiaeth o bob math.

## Cyfieithiad:

Y testun gorffenedig. Fe fyddwn yn cymryd yn y llyfr hwn y bydd angen i'r cyfieithiad fod yn barod i'w ddefnyddio fel petai'n destun gwreiddiol, lle na fyddai modd i'r darllenydd droi at fersiwn mewn iaith arall.

## Cyfieithydd:

Gweithiwr proffesiynol sydd, gan ddilyn y diffiniad uchod, yn trosi testunau rhwng dwy iaith ddynol i ennill y rhan fwyaf o'i fywoliaeth, ac sydd hefyd yn gyfrifol weithiau am reoli prosiectau cyfieithu a phrosesau gweinyddol. Bydd wedi cael addysg prifysgol i wneud y gwaith a bydd yn aelod o gorff cyfieithu proffesiynol. O ran y defnydd o'r gair 'cyfieithydd', bydd yn cael ei drin yn ramadegol gywir yn y gyfrol hon fel enw 'gwrywaidd'.

Dyna'r tri diffiniad pwysig; yn y tair pennod nesaf fe gawn weld faint o waith sy'n sail iddynt.

### Sut mae defnyddio'r gyfrol hon

Bydd y gyfrol hon yn dilyn patrwm strwythuredig; bydd penodau ac is-benodau ac mae pob pennod yn trafod un agwedd ar gyfieithu testun. Byddwn yn awgrymu i chi ddarllen pob pennod yn olynol yn y lle cyntaf, ond ar ôl hynny gallwch bori'r llyfr a dychwelyd at unrhyw ran benodol.

### Gair am ieithwedd y gyfrol

Mae'r gyfrol hon yn academaidd ei naws, a hithau'n gyfrol i ddarpar ymarferwyr mewn maes proffesiynol fel cyfieithu. O'r herwydd, mae'r ieithwedd a'r arddull yn ffurfiol. Y prif nod wrth ysgrifennu mewn cywair o'r fath yw sicrhau bod darpar gyfieithwyr yn ymgyfarwyddo, os nad ydynt eisoes, ag ieithwedd ffurfiol gan eu bod yn debygol o fod yn gyfarwydd ag ieithwedd fwy llafar eisoes.

### Nodiadau

1  Gweler Judith Kaufmann, 'Cymdeithaseg Cyfieithu: Dylanwad Cyfieithu ar y Pryd ar y defnydd o'r Gymraeg yng Ngwynedd' (traethawd PhD heb ei gyhoeddi, Prifysgol Bangor, Bangor, 2009) am drafodaeth ynghylch cyfraniad amhrisiadwy cyfieithwyr ar y pryd i gynnal y defnydd o'r Gymraeg ar lefel gymunedol, pan fyddai'r digwyddiad fel arall yn un Saesneg.

2  Byddai arbenigwyr yn y maes fel Franz Pöchhacker yn mynnu bod cyfieithu ar y pryd yn fath arbennig o gyfieithu, ac yn weithgarwch cyfieithu, lle byddai'r cyfieithydd yn canolbwyntio ar yr iaith lafar yn hytrach nag ar yr iaith ysgrifenedig. Byddai hefyd yn cynnwys cyfieithu ar y pryd yn rhan o Astudiaethau Cyfieithu traddodiadol. Nid yw'r awdur hwn yn cytuno ryw lawer â'r datganiad hwn; mae'n wir bod llawer o gyfieithwyr testun hefyd yn gyfieithwyr ar y pryd llwyddiannus, ond rhaid cofio bod y ddau

beth yn gofyn am set wahanol o sgiliau a phrofiadau. Mewn llyfr ymarferol fel hwn, ni fyddai'n briodol trafod cyfieithu ar y pryd. Eto, dyma annog cyfieithwyr ar y pryd Cymru i lenwi'r bwlch. Gweler Franz Pöchhacker, *Introducing Interpreting Studies* (London/New York, 2009) am drafodaeth bellach.

3    Byddwn yn trafod hyn yn fwy manwl wrth fynd i'r afael â theorïau swyddogaethol ym Mhennod 3 ac â sgiliau cyfieithu testunol ym Mhennod 6.

# PENNOD 1:
# CYFIEITHU YN Y GYMRU GYFOES

Bydd y bennod hon yn trafod hanes cyfieithu yng Nghymru a datblygiad y proffesiwn, cyfieithu yn y Gymru sydd ohoni a rôl y cyfieithydd yng Nghymru. Bydd hefyd yn trafod rôl y cyfieithydd mewn perthynas â chynllunio ieithyddol a chydraddoldeb ieithyddol.

## Deilliannau Dysgu:

Yn y bennod hon, byddwch yn:
1) dysgu ychydig bach mwy am gefndir cyfieithu yng Nghymru a sut mae'r proffesiwn wedi datblygu;
2) dod i ddeall dylanwad deddfwriaeth a pholisïau iaith, a sut mae'r sector cyfieithu yng Nghymru'n dibynnu i raddau helaeth arnynt;
3) dod i ddeall bod gan gyfieithwyr swyddogaeth bwysig yn y Gymru sydd ohoni, ac yn gweld bod mwy i gyfieithu na sicrhau cydymffurfedd gyfreithiol. Mae cyfieithwyr yn hyrwyddo'r iaith yn uniongyrchol ac yn anuniongyrchol, ac maent hefyd yn sicrhau cydraddoldeb ieithyddol;
4) dod i ddeall bod gan gyfieithwyr lawer iawn o gyfrifoldeb yn y pendraw, a bod rhaid cymryd y cyfrifoldeb hwnnw o ddifrif.

## Hanes byr datblygiad y sector cyfieithu yng Nghymru

Yn yr adran hon byddwn yn trafod sut mae'r sector cyfieithu wedi datblygu yng Nghymru, er mwyn rhoi ychydig o gyd-destun i ddarpar gyfieithwyr am y maes y maent am weithio ynddo. Mae'n bwysig i bobl sy'n newydd i'r maes ddeall y cyd-destun hwn gan fod y sector cyfieithu wedi datblygu'n wahanol i sectorau cyfieithu gwledydd eraill (er bod tebygrwydd rhwng sefyllfa Cymru a sefyllfa gwledydd eraill lle mae dwy iaith yn cyd-fyw). Er enghraifft, nid yw'r sector cyfieithu rhwng Saesneg ac Almaeneg, neu rhwng Pwyleg a Rwsieg, yn debyg iawn i'r sector rhwng Cymraeg a Saesneg oherwydd mai datblygiadau polisi sy'n sail i'n sector ni i raddau helaeth. Mae hyn yn ei dro yn effeithio ar y math o waith rydym yn ei wneud, ac ar faint o waith sydd ar gael.

I gychwyn, cyfieithu cyn dyfodiad gwasanaethau cyhoeddus a biwrocratiaeth. Ble bynnag y mae cymdeithas amlieithog, neu grwpiau mawr o bobl nad ydynt yn siarad prif iaith y gymdeithas honno, fe fydd cyfieithwyr hefyd. Cymraeg yw prif iaith hanesyddol

Cymru ac roedd mwyafrif pobl Cymru yn uniaith Gymraeg tan yr ugeinfed ganrif, ond mae Cymru hefyd wedi bod yn gartref i nifer o grwpiau ar hyd y canrifoedd nad oeddent yn defnyddio'r Gymraeg. O'r Oesoedd Canol Cynnar ymlaen, roedd hyn yn cynnwys siaradwyr Saesneg, Ffrangeg Normanaidd, Gwyddeleg ac o bosibl nifer o ieithoedd eraill. Byddai hyn wedi esgor ar ryw fath o weithgarwch cyfieithu rhwng gwahanol garfannau o bobl ac yr oedd cyfieithu llenyddiaeth, deunydd crefyddol a mathau eraill o lenyddiaeth rhwng y Gymraeg a'r Lladin hefyd yn digwydd ym mynachdai Cymru o'r Oesoedd Canol ymlaen, a thrwy gyfieithu y daeth llawer iawn o syniadau llenyddol a chrefyddol i Gymru.[1]

Rhaid troi at y bedwaredd ganrif ar bymtheg, fodd bynnag, i weld enghreifftiau cynnar o gyfieithu 'swyddogol' fel y byddem yn deall hyn heddiw. Byddai Llywodraeth Prydain a sefydliadau fel cwmnïau rheilffyrdd yn cyhoeddi deunydd yn y Gymraeg o bryd i'w gilydd ar sail ad hoc, megis rhai deddfau, posteri a thaflenni, ond ychydig iawn o gyfieithu oedd yn digwydd. Mae enghreifftiau o gyfieithu llenyddiaeth ac o gyfieithu deunydd crefyddol ar hyd y ganrif (a chyn hynny), ond yn Saesneg yn unig y gweinyddid Cymru ac nid oedd trefn sefydlog ar gyfer darparu cyfieithiadau swyddogol. Y maes cyntaf lle y dechreuwyd estyn croeso cynhesach i'r Gymraeg oedd addysg. Trwy gydol yr ugeinfed ganrif tyfai'r angen am adnoddau a thermau i ateb y galw am ddeunydd Cymraeg, ac nid oes dwywaith mai cyfieithiadau oedd nifer fawr o'r deunyddiau. Yr ail ddatblygiad arwyddocaol o ran cyfieithu swyddogol oedd Deddf Llysoedd Cymru 1942. Yn dilyn y ddeddf honno, câi diffynnydd ddefnyddio'r Gymraeg os gallai brofi y byddai dan ryw anfantais o orfod defnyddio'r Saesneg. O ran cyfieithu testun, cafodd rhai testunau cyfreithiol eu cyfieithu hefyd, fel llwon a chadarnhadau.[2] Dyma'r enghreifftiau cynharaf felly yn y cyfnod modern o gyfieithu testunau cyfreithiol, swyddogol. Yn dilyn hynny cafwyd Deddf Etholiadau (Ffurflenni Cymraeg) 1963, a fyddai'n caniatáu ffurflenni etholiad Cymraeg. Er bod y datblygiadau hyn yn swnio'n bitw ac yn ddinod, rhaid cofio mai dyma'r enghreifftiau cyntaf o gyfieithu testunau swyddogol i'r Gymraeg, a rhaid oedd dechrau rhywle. Dyma gadarnhau hefyd, yn dawel bach, fod y Gymraeg yn gyfrwng addas ar gyfer testunau o'r fath, pwynt na ddylid ei ddiystyru ar chwarae bach. Roedd y chwedegau yng Nghymru yn gyfnod pan welwyd nifer o grwpiau yn y Gymru Gymraeg yn codi llais ac yn mynnu chwarae teg i'r iaith, ac yn y cyd-destun hwnnw sefydlwyd pwyllgor dan gadeiryddiaeth David Hughes-Parry (cyfreithiwr uchel ei barch o Lanaelhaearn yng Ngwynedd), i ystyried sefyllfa'r Gymraeg. Yn sgil y pwyllgor hwnnw fe gafwyd Deddf yr Iaith Gymraeg 1967. Ni chafwyd gan y ddeddf honno ateb cynhwysfawr i fater anghydraddoldeb iaith yng Nghymru, ond ehangwyd ychydig ar y math o ddeunydd y gellid ei gyfieithu serch hynny (er bod rhai amodau i hynny). Canlyniad mwyaf arwyddocaol yr adroddiad serch hynny o safbwynt cyfieithu oedd sefydlu uned gyfieithu gyntaf Cymru yn y Swyddfa Gymreig, a ddaeth i fodolaeth yn 1966. Cyflogodd yr Uned y cyfieithwyr cyntaf yng Nghymru i ennill eu bywoliaeth trwy gyfieithu rhwng y Gymraeg a'r Saesneg. Y gyntaf mewn cyfres oedd yr uned a chafodd rhai eraill eu sefydlu mewn nifer o sefydliadau wedi hynny, yn enwedig yn y cynghorau wedi ad-drefnu Deddf Llywodraeth Leol Cymru 1972. Cafwyd argymhellion y pwyllgor ar arwyddion ffyrdd dan arweiniad Roderic Bowen yn 1972 hefyd, oedd wedi argymell y dylai arwyddion ffyrdd yng Nghymru fod yn ddwyieithog. Llwyddwyd i gael y maen hwnnw i'r wal ac mae arwyddion ffyrdd parhaol uniaith Saesneg yn gymharol brin erbyn hyn.

Parhâi'r gweithgarwch cyfieithu yng Nghymru i dyfu o'r 1960au a'r 1970au, ac yn ystod y cyfnod hwn mentrodd rhai cyfieithwyr ar eu liwt eu hunain a dechrau eu busnes cyfieithu eu hunain. Nid oedd fframwaith rheoleiddio na hyfforddiant cyson ar gael i gyfieithwyr ar yr adeg hon er gwaethaf y twf hwn yn y galw am wasanaethau cyfieithu, ac yn 1976 cynhaliwyd cyfarfod yn Aberystwyth i gyfieithwyr ddod ynghyd a thrafod problemau cyffredin. Ffrwyth y cyfarfod hwnnw oedd sefydlu Cymdeithas Cyfieithwyr Cymru, a thros y blynyddoedd mae'r Gymdeithas wedi datblygu'n gorff proffesiynol i gyfieithwyr sy'n gweithio rhwng y Gymraeg a'r Saesneg. Mae'n cynnal arholiadau aelodaeth, a llwyddo yn y rhain yw'r unig ffordd i ddod yn aelod ohoni. Mae aelodau'r Gymdeithas yn ymddwyn yn unol â'i Chod Ymddygiad Proffesiynol ac ynghlwm â hwn mae trefn gwyno. Mae'r Gymdeithas hefyd yn aelod o Fédération Internationale des Traducteurs (*International Federation of Translators*), sef y gymdeithas ryngwladol ar gyfer cymdeithasau cyfieithu.

Roedd y 1980au a'r 1990au yn gyfnod o dwf mawr yn y sector cyfieithu yng Nghymru. Aeth nifer o sefydliadau ati i gyflogi eu cyfieithwyr mewnol eu hunain a chafodd sawl cwmni cyfieithu ei sefydlu. Sefydlwyd Trosol yng Nghastell Newydd Emlyn yn 1983, Cymen yng Nghaernarfon yn 1987, Prysg yn 1989 sydd bellach yng Nghaerdydd, a Testun yn 1994, hefyd yng Nghaerdydd. Mae'r cwmnïau hyn o hyd yn bod ac erbyn hyn mae pob un yn cyflogi degau o gyfieithwyr proffesiynol a staff gweinyddol yr un.[3] Roedd nifer o ddatblygiadau yn y 1980au a'r 1990au oedd yn creu'r galw hwn am wasanaethau cyfieithu. Yn 1982, gyda sefydlu S4C, cynyddodd y galw am wasanaethau cyfieithu ac is-deitlo. Parhaodd addysg cyfrwng Cymraeg i dyfu trwy gydol y cyfnod hefyd a chreodd hyn yr angen am ddeunyddiau addysgol, llyfrau, gwerslyfrau, arholiadau a'r holl ddogfennaeth sy'n cyd-fynd â hwy, a thermau technegol Cymraeg. Ond y datblygiad mwyaf yn ystod y cyfnod hwn o bosibl, o safbwynt cyfieithu, oedd Deddf yr Iaith Gymraeg 1993. Sbardunodd y ddeddf hon gynnydd mawr yn y galw am wasanaethau cyfieithu; bu gofyn i sefydliadau cyhoeddus drin y ddwy iaith ar y sail eu bod yn gyfartal a golygai hyn yn aml iawn gyfieithu llawer o'u deunyddiau, o daflenni i ffurflenni ac o adroddiadau i wefannau (erbyn diwedd y cyfnod dan sylw). Roedd yr hyn yr oedd yn rhaid i sefydliad ei wneud yn y Gymraeg yn cael ei nodi mewn Cynlluniau Iaith, ac erbyn 2012 (pan ddiddymwyd Bwrdd yr Iaith Gymraeg a'i ddisodli gan Gomisiynydd y Gymraeg) roedd cynifer â 552 mewn grym.[4] Teg dweud i ddwyieithrwydd a chyfieithu ddod yn rhan gyffredin o ddarparu gwasanaethau i'r cyhoedd i nifer o sefydliadau mewn sawl rhan o Gymru yn dilyn y ddeddf hon (er y byddai rhaid aros am dipyn eto cyn i ddwyieithrwydd ddod yn norm yn y rhan fwyaf o sefydliadau, os yw hynny wedi digwydd o gwbl).

Erbyn diwedd y 1990au felly roedd sawl un yng Nghymru yn ennill bywoliaeth ym maes cyfieithu, ac roedd gwneud gradd yn y Gymraeg a mynd yn gyfieithydd proffesiynol yn bosibl i nifer o raddedigion. Ond roedd rhagor o dwf i ddod a rhagor o ddatblygiadau ar y gweill. Pleidleisiodd Cymru o blaid Cynulliad Cenedlaethol o drwch blewyn yn 1997 ac roedd gan Gymru ryw lun ar senedd genedlaethol am y tro cyntaf ers Senedd Owain Glyndŵr yn 1404. Roedd goblygiadau gwleidyddol, cyfreithiol a diwylliannol i sefydlu Cynulliad Cenedlaethol Cymru yn 1999, ond roedd yr effaith ar y sector cyfieithu hefyd yn un fawr. Bellach roedd angen nifer fawr o gyfieithwyr (a sawl cyfieithydd ar y pryd) i wasanaethu'r Cynulliad a'i bwyllgorau, ynghyd ag ieithyddion cyfreithiol i ddrafftio deddfwriaeth. Erbyn hyn, mae yn Llywodraeth Cymru a Senedd Cymru unedau cyfieithu gweddol fawr, ac mae'r ddau sefydliad yn defnyddio'r sector cyfieithu preifat hefyd.

Roedd datganoli i Gymru nid yn unig yn arwyddocaol am iddo gynyddu'r galw am gyfieithu ynddo ef ei hun, ond hefyd am iddo ei gwneud yn bosibl i Gymru basio ei deddfau ei hun ym maes y Gymraeg a chynllunio ieithyddol. Dyma basio Mesur y Gymraeg (Cymru) 2011. Nid heb helbul y cyrhaeddodd y Mesur hwn y llyfr statud, ac roedd yn ddigon dadleuol. Gwnaeth y Mesur nifer o bethau, yn eu plith sicrhau statws swyddogol i'r Gymraeg, sefydlu Comisiynydd y Gymraeg i warchod hawliau siaradwyr, sefydlu system o gwyno ac ymchwilio, sefydlu system rheoleiddio mwy tyn lle gall Comisiynydd y Gymraeg osod cosb sifil os yw sefydliad yn gwrthod cadw at y Safonau, a chreu cyfundrefn Safonau'r Gymraeg.

Mae Safonau'r Gymraeg wedi disodli Cynlluniau Iaith yn raddol mewn sawl sector, gan gynnwys Llywodraeth Leol a'r Gwasanaeth Iechyd, ac maent yn nodi beth yn union y mae disgwyl i sefydliad ei wneud yn y Gymraeg. Mae'r Safonau hyn yn mynd yn bellach na'r Cynlluniau Iaith, ac mae'r ystod o wasanaethau y gall y cyhoedd ddisgwyl ei derbyn yn y Gymraeg yn helaethach o lawer. Mae sicrhau bod y gwasanaethau hyn ar gael hefyd yn haws gan fod y drefn reoleiddio'n gadarnach. Mae'r Safonau'n cael eu cyflwyno trwy is-ddeddfwriaeth, mae'r Senedd yn cymeradwyo neu'n gwrthod yr is-ddeddfwriaeth, ac mae'r Safonau wedyn yn cael eu gosod ar sefydliadau trwy Hysbysiad Cydymffurfio. Mae Safonau wedi cael eu gosod ar nifer o sectorau erbyn hyn, ac mae hyn wedi cynyddu'r galw am wasanaethau cyfieithu unwaith yn rhagor. I'r sectorau sydd wedi cael Safonau, mae swmp a sylwedd y deunydd sydd ar gael i'r cyhoedd yn gorfod bod ar gael yn y Gymraeg, felly mae'n anochel bod angen cyfieithwyr i sicrhau y gallant gydymffurfio â'u dyletswyddau cyfreithiol.

Mae datblygiadau dros y blynyddoedd felly wedi creu'r angen am weithlu cyfieithu gweddol fawr, a gall fod cynifer â 500 o gyfieithwyr yn gweithio rhwng y Gymraeg a'r Saesneg.[5] Gallwn weld mai datblygiadau deddfwriaethol a pholisi sydd bennaf cyfrifol am y twf hwn ers y 60au, pan nad oedd ond rhyw lond llaw o gyfieithwyr yn gweithio rhwng y Gymraeg a'r Saesneg. Nid yw honni hyn yn gyfystyr â gwadu bod nifer o sefydliadau preifat, fel cwmnïau technoleg fel Google a Microsoft, siopau mawr fel archfarchnadoedd a bwytai a nifer o fusnesau eraill wedi gweld budd o gyfieithu i'r Gymraeg, ond rhaid cydnabod bod swmp a sylwedd cyfieithu i'r Gymraeg yn dod o ddeddfwriaeth a pholisi iaith.[6] Beth mae'r ffaith hon yn ei ddweud wrthym felly am le cyfieithu ym maes polisi iaith ac yn y gwaith o sicrhau cydraddoldeb ieithyddol?

## Cyfieithu, cydraddoldeb ieithyddol a hyrwyddo'r iaith

Yn yr adran hon, byddwn yn trafod y sefyllfa gymdeithasol y mae cyfieithwyr yn gweithio ynddi; fel y nodwyd uchod, mae sector cyfieithu Cymru yn wahanol i sectorau eraill. Mae'r cyd-destun gwleidyddol hefyd yn wahanol, ac mae'n rhaid i gyfieithwyr ddod i ddeall hwnnw hefyd cyn mentro i'r maes.

Mae'r ffaith bod datblygiadau polisi a deddfwriaeth i amddiffyn y Gymraeg a'i hyrwyddo wedi creu sector cyfieithu sy'n cyflogi hyd at 500 o bobl yn gwneud un peth yn glir: mae cyfieithu i'r Gymraeg yn hanfodol ac yn anhepgor i'r gwaith o sicrhau chwarae teg i'r iaith. Mae'r sector cyfieithu, mewn geiriau eraill, wedi datblygu ochr yn ochr â datblygiadau yn y maes. Beth felly yw gwir swyddogaeth cyfieithwyr yng Nghymru? Yn draddodiadol, mae cyfieithu wedi cael ei ystyried yn ddull o bontio'r gagendor rhwng dwy iaith a dau ddiwylliant, sy'n helpu pobl anghyfiaith i ddeall ei gilydd a chyfathrebu'n llwyddiannus, a dyma, i raddau helaeth, y mae cyfieithwyr yn ei wneud yng nghyd-destun ieithoedd mwyafrifol. Mae cyfieithwyr Saesneg/Ffrangeg i Iseldireg yng Nghomisiwn Ewrop er enghraifft yn sicrhau y gall siaradwyr Iseldireg ddeall rheoliadau a ddrafftiwyd yn un o ieithoedd gwaith y sefydliad, ac mae cyfieithwyr Tsienïeg i Saesneg yn sicrhau y gall cwmnïau technoleg Tsieniaidd fasnachu yn UDA a'r DU. Cyfieithwyr, felly, sy'n iro olwyni'r byd. Ond ble mae hyn yn gadael cyfieithwyr y Gymraeg, a chyfieithwyr eraill sy'n cyfieithu i iaith leiafrifol o iaith fwyafrifol? Os yw cyfieithwyr ledled y byd yn cyfieithu oherwydd na fyddai modd fel arall i'w cynulleidfa darged ddeall y testun ffynhonnell, pam cyfieithu i'r Gymraeg (neu i'r Fasgeg, i'r Wyddeleg)? Oni all siaradwyr Cymraeg ddeall y Saesneg?

Mae'n bwysig yn y cyswllt hwn gydnabod bod meddwl am gyfieithu i'r Gymraeg yn nhermau dealltwriaeth o'r Saesneg yn unig yn gorsymleiddio'r mater braidd. Fel y mae lle canolog cyfieithu ym mholisïau iaith Cymru yn dangos, mae gan gyfieithu i'r Gymraeg swyddogaethau ehangach na hyn. Y swyddogaeth gyntaf yw galluogi pobl i ddefnyddio'r iaith o'u dewis, ni waeth pa ieithoedd eraill y gallant eu siarad ac ni waeth beth fo'u hail iaith. Mae cael defnyddio'r Gymraeg yng Nghymru yn fater o *gydraddoldeb*, a dyna yw sail Safonau'r Gymraeg y soniwyd amdanynt uchod. Os yw siaradwr Cymraeg am arfer ei hawl i ddefnyddio'r iaith trwy ddarllen (h.y. darllen adroddiad, defnyddio ap a defnyddio e-wasanaethau i dalu am rywbeth neu archebu rhywbeth, gwneud cais am rywbeth trwy ddefnyddio ffurflen), yna trwy waith cyfieithydd y bydd y rhain ar gael iddo yn aml iawn. Mae'r ystod o wasanaethau cyhoeddus (a gwasanaethau gan gwmnïau preifat, fel trydan a nwy er enghraifft) sy'n dibynnu ar destun yn enfawr. Mae cyfieithu testun felly yn hollbwysig yn y cyswllt hwn, a bydd y cyfieithydd, mewn modd uniongyrchol, yn sicrhau cydraddoldeb ieithyddol gan mai'r cyfieithydd sydd wedi cyfieithu'r deunydd y mae'r siaradwr Cymraeg yn ei ddefnyddio.[7] Mae'n hanfodol bod cyfieithwyr newydd yn deall ac yn derbyn hyn; maent yn chwarae rhan hollbwysig yn y gwaith o sicrhau cydraddoldeb ieithyddol i siaradwyr Cymraeg, ac nid gweithred ddinod yw sicrhau cydraddoldeb i unrhyw grŵp cymdeithasol.

Mae swyddogaeth arall hefyd i gyfieithu ar wahân i sicrhau cydraddoldeb ieithyddol i siaradwyr Cymraeg, sef normaleiddio'r defnydd o'r Gymraeg a hyrwyddo'r iaith a, thrwy hynny, gyfrannu at sicrhau ei statws fel iaith swyddogol. Mae'n bwysig nodi yma bod sawl proffesiwn a maes yn cyfrannu at normaleiddio'r iaith a'i hyrwyddo, ond mae cyfieithu yn elfen hollbwysig serch hynny. Trwy sicrhau bod yr iaith i'w gweld mor aml â phosibl, trwy sicrhau bod deddfwriaeth a rheoliadau a mathau eraill o ddogfennaeth statws uchel ar gael yn y ddwy iaith,[8] trwy sicrhau bod siaradwyr Cymraeg yn cael defnyddio gwasanaethau a'r iaith yn gyffredinol yn yr un modd ac yr un mor hwylus ag y mae siaradwyr Saesneg yn cael gwneud hynny, mae'r iaith yn cael ei normaleiddio, ac mae'r defnydd ohoni'n cael ei hyrwyddo. Bydd hyn yn ei dro yn cynyddu'r defnydd o'r iaith a chyfrannu at ei gwarchod fel iaith fyw. Dyma beth sydd gan yr ysgolhaig Marta González i'w ddweud am yr agwedd hon ar gyfieithu i ieithoedd lleiafrifol, ac mae'n werth ei dyfynnu'n llawn gan ei bod yn crynhoi'n ddestlus agwedd bwysig ar waith cyfieithwyr y Gymraeg:

> When treating translation as a mere tool to enable understanding between two parties, at least in the context of minority languages, we are clearly forgetting an essential aspect of the activity: its role in language normalisation processes (i.e. in the attempts to cause a language to be normally used in all spheres of a speech community) can be of equal or even more importance for such languages than the communicative function itself.[9]

Mae cyfieithwyr y Gymraeg felly yn gwneud cyfraniad mawr at sicrhau cydraddoldeb i siaradwyr y Gymraeg, ac maent yn gwneud cyfraniad mawr hefyd at y gwaith o hyrwyddo'r iaith.[10] Ond ynghyd â chyfraniad unionyrchol cyfieithwyr, mae cyfieithu fel gweithred ynddi hi ei hun hefyd yn cyfrannu at ddatblygiad yr iaith a gallu pobl i'w dysgu a dysgu trwyddi. Mae cyfieithu i'r Gymraeg hefyd yn creu'r angen i greu a safoni terminoleg, ac mae'r cyfieithiadau eu hunain yn poblogeiddio'r termau hyn.[11] O ran cynllunio ieithyddol felly, gwelir bod cyfieithwyr yn cyfrannu at y pedwar maes cydnabyddedig sy'n rhan o gynnal a thyfu iaith leiafrifol; mae cyfieithwyr yn cyfrannu at gynllunio *caffael* iaith, cynllunio *statws* iaith, cynllunio *corpws* iaith a chynllunio *defnydd* iaith. Mae pob un o'r meysydd hyn yn rhan ganolog o bolisi iaith, ac yn angenrheidiol os yw iaith leiafrifol i ffynnu.[12]

Mae cyfieithu felly wedi gwneud, ac wrthi'n gwneud, lawer o'r gwaith caib a rhaw yn sgil polisïau sydd wedi ceisio newid y perthnasau grym rhwng y Saesneg, yr iaith fwyafrifol, a'r Gymraeg, yr iaith leiafrifol, er mwyn creu'r amodau sy'n ei gwneud yn bosibl i bobl ddefnyddio'r iaith. Nid yw cyfieithwyr felly wrth gyflawni eu dyletswyddau yn gwneud gwaith dinod hyd yn oed os gall eu cynulleidfa darged ddeall Saesneg; mae goblygiadau cymdeithasol a gwleidyddol pellgyrhaeddol i'w gwaith.

## Cyfieithu i'r Saesneg: Rhai ystyriaethau cymdeithasol a gwleidyddol

Rydym wedi canolbwyntio hyd yma ar gyfieithu testun o'r Saesneg i'r Gymraeg, gan mai dyna swmp a sylwedd gwaith y rhan fwyaf o gyfieithwyr testun yng Nghymru. Mae'r drafodaeth uchod am gyfraniad mawr cyfieithwyr i gydraddoldeb iaith yn berthnasol i'r cyfeiriadedd hwn yn unig, gan fod cyfieithu *o'r* Gymraeg *i'r* Saesneg yn rhywbeth gwahanol iawn. Wrth gyfieithu *i* iaith leiafrifol, mae'r cyfieithydd fel arfer yn herio'r strwythurau grym y byddai'n well ganddynt gyhoeddi neu weithio yn yr iaith fwyafrifol yn unig. Serch hynny, gall cyfieithu testun o'r iaith leiafrifol i'r iaith fwyafrifol wanhau'r iaith gan ddileu'r angen i'r grŵp mwyafrifol ddysgu'r iaith a chymathu. O gyfieithu arwydd am ddigwyddiad mewn pentref mwyafrifol Gymraeg i'r Saesneg er enghraifft, fe hwylusir cyfraniad y di-Gymraeg heb iddynt orfod ymwneud â'r iaith mewn unrhyw fodd ymarferol, ac oherwydd hyn gellid dadlau bod y broses gyfieithu yn cyfrannu at dranc y Gymraeg fel iaith hyfyw. Dyma ddywed Simon Brooks am hyn, ac mae'n werth ei ddyfynnu'n llawn:

Nid cyflwr ieithyddol niwtral yw dwyieithrwydd yng Nghymru felly, ond ffordd o ymestyn gafael diwylliannol y mwyafrif Saesneg. Mae'n ffenomen sy'n dilysu hawl Saesneg i'w lordio hi ar bob dim. Hwyrach yr ymddengys hyn yn baradocsaidd gan inni arfer synio am ddwyieithrwydd fel ymestyniad ar diriogaeth yr iaith leiafrifol, gan anghofio fod dwyieithrwydd hefyd yn golygu dwyn y Saesneg i beuoedd Cymraeg gan danseilio awtonomi'r gymdeithas leiafrifol, a'i gwneud yn haws i'w llyncu gan y mwyafrif.[13]

Fel mae'r ysgolhaig Michael Cronin yn dweud felly, '*Translation is never a benign process per se and it is misleading to present it as such*'.[14] Nid yw'r gyfrol hon felly, wrth ddadlau'n gryf ac yn angerddol bod cyfieithwyr yn gwneud cyfraniad unigryw at gydraddoldeb ieithyddol ac at y gwaith o hyrwyddo'r iaith, yn gwadu difrod cyfieithu popeth o'r iaith leiafrifol a gwrthod gadael i'r iaith fyw ar ei thir ei hun ac yn ei gofod ei hun, heb iddi orfod ei chyfieithu ei hun i bobl nad ydynt am ei dysgu. Ond rhaid cofio hefyd nad yw cyfieithu o'r Gymraeg o reidrwydd yn beth negyddol bob tro; go brin bod cyfieithu gohebiaeth o'r Gymraeg i swyddog cyngor yng Nghaerdydd neu ym Mlaenau Gwent yn mynd i effeithio ar yr iaith; byddai'r cyfieithydd, o wneud ei waith yn iawn, yn hwyluso'r broses gyfathrebu rhwng dau berson gwahanol sy'n defnyddio dwy iaith wahanol yn yr achos hwn, ac yn ei gwneud yn bosibl i siaradwr Cymraeg ddefnyddio'r iaith o'i ddewis. Y nod yma yw codi ymwybyddiaeth am yr agwedd hon ar gyfieithu testun o'r Gymraeg, i sicrhau bod cyfieithwyr newydd yn ymwybodol o'r dadleuon.

## Crynhoi

Rydym wedi trafod datblygiad y sector cyfieithu ac rydym wedi gweld sut mae deddfwriaeth a pholisïau'n ganolog i hyn. Rydym hefyd wedi trafod sut mae cyfieithu'n chwarae rhan hollbwysig yn y gwaith o sicrhau cydraddoldeb ieithyddol a hyrwyddo'r iaith. Yn sgil y drafodaeth hon daeth i'r amlwg bod swydd y cyfieithydd yn un gyfrifol a bod ei dylanwad ar y gymdeithas ac ar hyfywedd y Gymraeg yn bellgyrhaeddol. Rydym hefyd wedi gweld nad yw'r cyfieithydd byth yn bell o wleidyddiaeth, a bod angen meddwl o bryd i'w gilydd am effaith bosibl cyfieithu testun o'r Gymraeg mewn cyd-destunau diwylliannol a chymunedol.

## Nodiadau

1   Llinos Beverly Smith, 'Yr Iaith Gymraeg cyn 1536', yn Geraint H. Jenkins (gol.), *Y Gymraeg yn ei Disgleirdeb* (Caerdydd: Gwasg Prifysgol Cymu, 1997), tt. 1–15; Morfydd E. Owen, 'Functional Prose: Religion, Science, Grammar, Law' yn A. O. H. Jarman a Gwilym Rees Hughes (goln), *A Guide to Welsh Literature Volume 1* (Cardiff: University of Wales Press, 1992), tt. 248–276.

2   Gwilym Prys Davies, 'Statws Cyfreithiol yr Iaith Gymraeg yn yr Ugeinfed Ganrif' yn Geraint H. Jenkins (gol.), *Eu Hiaith a Gadwant? Y Gymraeg yn yr Ugeinfed Ganrif* (Caerdydd: Gwasg Prifysgol Cymru, 2000), tt. 207–239.

3   Nid y rhain yw'r unig gwmnïau cyfieithu mawr yng Nghymru erbyn hyn wrth gwrs; nodaf yma y rhai a gafodd eu sefydlu adeg y twf mawr yn y galw am wasanaethau cyfieithu yn y 1990au cynnar.

4    Comisiynydd y Gymraeg, *Adroddiad Blynyddol 2012–2013* (Caerdydd: Comisiynydd y Gymraeg, 2012), t. 35.

5    Sylvia Prys Jones, 'Theori ac Ymarfer Cyfieithu yng Nghymru Heddiw' yn Delyth Prys a Robat Trefor (goln), *Ysgrifau a Chanllawiau Cyfieithu* (Caerfyrddin, 2015). Ar lein: *https://llyfrgell.porth.ac.uk/View.aspx?id=1414~4k~jCaIVfFR* [Cyrchwyd: 03/02/2019].

6    Judith Kaufmann, 'The Darkened glass of bilingualism? Translation and interpreting in Welsh language planning', *Translation Studies*, 5(3) (2012), 327–344.

7    Mae goblygiadau mawr i'r ffaith hon, a byddwn yn eu trafod yn y penodau sy'n dilyn. Yn y bôn, *rhaid* i'r testun fod yn ddealladwy, a *rhaid* cyfieithu'r ystyr yn gywir.

8    Gall hyn gynnwys nifer o bethau gwahanol, ond yn y bôn golygaf yma ddogfennau swyddogol o bob math.

9    Marta G. González, 'Translation of minority languages in bilingual and multilingual communities' yn Albert Branchadell a Lovell Margaret West (goln), *Less Translated Languages* (Amsterdam/Philadelphia: John Benjamins Publising Company, 2005), tt. 105–125.

10   Gabriel González Núñez, *Translating in Linguistically Diverse Societies: Translation Policy in the United Kingdom.* (Amsterdam/Philadelphia: John Benjamins Publising Company, 2016), t. 129.

11   Mae hyn i ryw raddau yn gwanhau safbwynt pobl sy'n dadlau y dylid blaenoriaethu gwaith cyfieithu yn ôl faint o bobl sy'n debygol o ddarllen y gwaith neu ofyn amdano; gan roi mater cydraddoldeb ieithyddol i'r neilltu am ennyd, mae cyfieithu pob math o ddeunydd yn cyfrannu at ddatblygiad terminoleg yn yr iaith ac yn gwthio ei ffiniau ieithyddol.

12   Colin Baker a Wayne E. Wright, *Foundations of Bilingual Education and Bilingualism*, 6ed arg. (Bristol: Multilingual Matters, 2017), tt. 40–58.

13   Simon Brooks, 'Dwyieithrwydd a'r Drefn Symbolaidd', yn Simon Brooks a Richard G. Roberts (goln), *Pa Beth yr Aethoch Allan i'w Achub?* (Llanrwst: Gwasg Carrech Gwalch, 2013), tt. 102–127.

14   Michael Cronin, 'The Cracked Looking Glass of Servants', *The Translator*, 4(2) (1998), 145–162.

# PENNOD 2:
# PWY YW'R CYFIEITHYDD A BETH MAE'N EI WNEUD?

Gwelsom yn y bennod ddiwethaf fod swydd y cyfieithydd yng Nghymru yn hollbwysig i ddwyieithrwydd ac i sicrhau cydraddoldeb, a bod iddi nifer o agweddau cymdeithasol. Ond pwy yw cyfieithwyr a beth maent yn ei wneud o ddydd i ddydd? Beth yw natur swydd y cyfieithydd? Mae'n bwysig gofyn y cwestiwn hwn, gan y dylai unrhyw ddarpar gyfieithwyr sydd â'u bryd ar gyfieithu fel gyrfa ddeall beth sydd o'u blaenau a beth y bydd disgwyl iddynt ei wneud. Gallwn ystyried hyn trwy ddibynnu ar ymchwil am gymhwysedd cyfieithu. Gobeithir trwy drafod hyn y byddwch yn deall yn well natur cyfieithu fel proffesiwn, ac yn gweld beth fydd ei angen arnoch.

## Deilliannau Dysgu:

Yn y bennod hon byddwch yn:
1) dysgu am y gymysgedd o sgiliau a mathau o wybodaeth sydd gan gyfieithwyr;
2) dod i ddeall ychydig am ddwyieithrwydd, a'r gwahaniaeth rhwng y gallu i ddeall dwy iaith a'r gallu i gyfieithu;
3) dod i ddeall yn well natur y swydd a phenderfynu ai cyfieithu yw'r dewis cywir i chi.

### Sgiliau a Gwybodaeth Cyfieithwyr Proffesiynol

Byddai'r byd yn lle llwm heb gyfieithwyr; o'r Undeb Ewropeaidd i gwmnïau ceir rhyngwladol, o'r llysoedd i'r byd pêl-droed, y cyfieithwyr sy'n sicrhau y caiff pawb gyfrannu yn ei iaith ei hun. Os prynwch unrhyw beth electronig neu unrhyw ddarn o ddodrefn er enghraifft, bwriwch olwg dros y cyfarwyddiadau; bydd rhyw ddeg i bymtheg o ieithoedd yno fel arfer. Mae cyfieithu yn effeithio ar eich bywyd chi hefyd mewn dirgel ffyrdd felly, hyd yn oed os gallwch ddeall Saesneg. O ran y Gymraeg, pan ystyrir pwysigrwydd cyfieithu yng Nghymru hefyd i gydraddoldeb ieithyddol ac i hyrwyddo'r iaith, nid yw'n anodd gweld bod cyfieithu yn effeithio ar Gymru mewn nifer o ffyrdd yn yr un modd.

Yn syml, gan fod y byd o hyd mor amlieithog, mae'n anodd osgoi cyfieithu. Dyna pam mae Astudiaethau Cyfieithu ers y 1980au wedi bod yn dadansoddi sut mae'r gallu i gyfieithu testun yn datblygu, a sut mae cyfieithwyr testun yn gweithio. O ystyried pwysigrwydd cyfieithu i gydraddoldeb ieithyddol, gwleidyddiaeth ryngwladol a'r economi fyd-eang, mae prifysgolion ledled y byd (ond yn Ewrop yn bennaf fe ymddengys, ac yn Sbaen ac Awstria yn benodol) wedi bod yn ystyried sut orau i hyfforddi cyfieithwyr testun. Yr enw ar yr is-faes hwn yw *Translation Competence Research*.[1] Yr enw Cymraeg a ddefnyddir yma fydd Cymhwysedd Cyfieithu, a byddwn yn mynd ymlaen nawr i drafod hyn, gan fod yr ymchwil yn y maes hwn yn taflu goleuni ar beth yw cyfieithu a'r sgiliau a'r galluoedd sydd gan gyfieithwyr proffesiynol.

## Cymhwysedd Cyfieithu

Yn gyntaf oll, mae angen diffinio ystyr 'cymhwysedd' mewn perthynas â chyfieithu ac Astudiaethau Cyfieithu. Mae'r gair 'cymhwysedd' yn cael ei ddefnyddio mewn nifer o feysydd ac mae sawl diffiniad ohono.[2] Cawn ddiffiniad cynhwysfawr gan Lasnier:

> A competence is a complex know-how to act, resulting from integration, mobilization, and organization of a combination of capabilities and skills (which can be cognitive, affective, psycho-motor or social) and knowledge (declarative knowledge) used effectively in situations with common characteristcs.[3]

O ystyried y defnydd o'r gair mewn Astudiaethau Cyfieithu, ceir diffiniad hefyd gan Grŵp Ymchwil PACTE (rhagor am hyn isod): '*The underlying system of knowledge required to translate*'.[4] Cawn ddiffiniad arall gan Gomisiwn Ewrop ar gyfer ei gynllun graddau Meistr mewn cyfieithu (sef y Bwrdd EMT, i'w drafod isod yn ogystal): '*Competence means the proven ability to use knowledge, skills and personal, social and/or methodological abilities, in work or study situations and in professional and personal development*'.[5] Casgliad o sgiliau a gwybodaeth felly yw cymhwysedd yn y bôn, ac mae 'Cymhwysedd Cyfieithu' wedi derbyn cymaint o sylw am fod angen cynifer o gyfieithwyr ar y byd, ac oherwydd hynny mae angen gwybod sut orau i'w hyfforddi. Nid yw'r geiriau 'sgiliau' a 'gwybodaeth' yn cael eu defnyddio yma ar chwarae bach ychwaith, ac mae defnydd bwriadol ohonynt yn y gyfrol hon ac mewn cyhoeddiadau perthnasol eraill. Gan ddilyn diffiniadau Fframwaith Cymwysterau Ewrop, a fabwysiadwyd gan Fwrdd EMT Comisiwn Ewrop ar gyfer hyfforddi cyfieithwyr (rhagor am hyn isod),[6] ystyr sgil yw: '[...] *the ability to apply knowledge and use know-how to complete tasks and solve problems*', ac ystyr gwybodaeth yw '[...] *the outcome of the assimilation of information through learning. Knowledge is the body of facts, principles, theories and practices that is related to a field of work or study*'. A ninnau wedi trafod ystyron y cysyniadau canolog dan sylw felly, fe gawn fynd ymlaen nawr i drafod ymchwil sydd wedi dadansoddi pa sgiliau a mathau o wybodaeth sydd gan gyfieithwyr proffesiynol.

Mae Amparo Hurtado Albir, ysgolhaig adnabyddus yn y maes hwn, yn rhannu'r ymchwil yn ddau gyfnod, sef cyfnod Astudiaethau Cynnar a chyfnod Cydgyfnerthu.[7] Yr hyn sy'n nodweddu'r cyfnod cyntaf yw ymchwil gan unigolion a addysgai ddarpar gyfieithwyr eu hunain, a modelau o gymhwysedd a dueddai i rannu'r cymhwysedd hwnnw'n sawl cydran wahanol. Roedd y modelau cynnar hefyd yn seiliedig ar syniadau'r ymchwilwyr eu hunain, ac nid oedd syniadaeth a theorïau o faes Pedagogeg na Gwybyddiaeth yn sail iddynt bob tro.[8] Problem arall oedd nad oedd ymchwil empiraidd yn sail iddynt, felly nid oedd modd profi eu defnyddioldeb. [9] Serch hynny rhestrir isod, gan ddilyn Albir, brif nodweddion eu modelau gan fod rhai yn ddefnyddiol o hyd:

- Mae mwy i gymhwysedd cyfieithu na sgiliau o natur ieithyddol yn unig;
- Mae Cymhwysedd Cyfieithu yn cynnwys nifer o gydrannau (fel gwybodaeth ieithyddol, sgiliau trin dogfennau, y gallu i ddefnyddio offer fel meddalwedd a gwiriwr sillafu, y gallu i drosglwyddo ystyr rhwng dwy iaith gan ddefnyddio'r technegau priodol (Gweler Pennod 5 am ragor o wybodaeth am y rhain);
- Mae cydrannau Cymhwysedd Cyfieithu o wahanol fathau (gwybodaeth, sgiliau ac agweddau neu nodweddion personoliaeth);
- Mae natur cymhwysedd y cyfieithydd yn wahanol pan fydd yn cyfieithu i mewn i'w ail iaith o'i chymharu â chyfieithu allan ohoni.

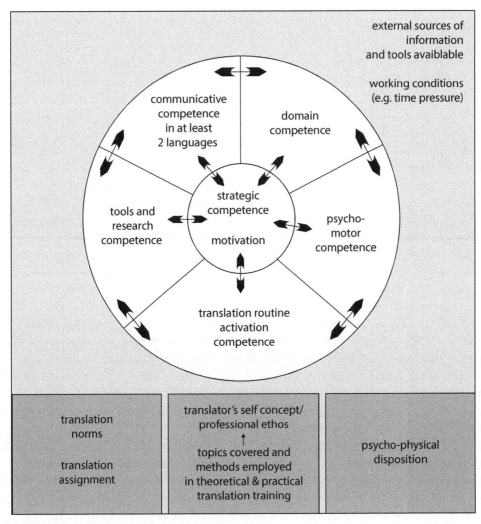

Ffigur 1 Model Cymhwysedd Cyfieithu TransComp

Mae rhai o'r modelau hyn yn annelwig braidd ac mae rhai o'u cysyniadau'n aneglur. Dyna pam rydym yn manylu ar rai eraill isod sydd wedi bod yn destun ymchwil gadarn.

Hyd yn oed mor hir yn ôl â'r 1980au felly, pan nad oedd Astudiaethau Cyfieithu ond wedi dechrau bwrw gwreiddiau mewn gwirionedd, roedd dealltwriaeth nad yr un peth yw'r gallu i siarad dwy iaith a'r gallu i gyfieithu. Cyhoeddwyd nifer o lyfrau ac astudiaethau yn ystod y cyfnod hwn ar y pwnc hefyd. Trown isod at dri model o gymhwysedd cyfieithu sy'n seiliedig ar ymchwil empiraidd, wyddonol ac ymchwil hydredol (astudiaethau sydd wedi dilyn cyfieithwyr dros amser wrth iddynt ddysgu a datblygu). Mae'r modelau hyn yn gynhwysfawr ac yn dangos yn glir, er gwaethaf y gwahaniaethau cymharol fân rhyngddynt, natur amlweddog a chymhleth gwaith cyfieithwyr proffesiynol. O'u trafod fesul un, y bwriad yw taflu goleuni ar y gwahanol sgiliau, agweddau a mathau o wybodaeth sydd gan gyfieithwyr.

## Prosiect TransComp

Dechreuodd prosiect TransComp yn Awstria yn 2008 o dan gyfarwyddyd academydd o'r enw Susanne Göpferich (1965–2017). Ei nod oedd astudio sut mae'r gallu i gyfieithu, a'r sgiliau a'r galluoedd sy'n rhan o hynny, yn datblygu dros amser. Ceir darluniad sgematig o'i model ar y dudalen flaenorol, ac mae'n amlwg o edrych arno ei fod yn cynnwys llawer mwy na gwybod dwy iaith gan mai dim ond un rhan ohono sy'n crybwyll hyn.[10]

Mae rhai rhannau'n hunanesboniadol, felly awn ar ôl y rhai sydd, ym marn yr ymchwilwyr, yn benodol i gyfieithwyr ac sydd ag enwau ychydig yn llai eglur. Y gyntaf o'r rhannau hyn yw 'Tools and Research Competence'. Yn y bôn, mae hyn yn cyfeirio at allu cyfieithwyr i ddefnyddio offer technolegol sy'n arbennig i'r byd cyfieithu fel meddalwedd cof cyfieithu, cronfeydd terminoleg, cyfieithu awtomatig a chorpora dwyieithog (gweler Pennod 7). Mae hefyd yn cynnwys sgiliau ymchwil uwch a gwybod sut i ddod o hyd i ystod o wybodaeth dechnegol yn effeithlon. Yn ail, mae 'Translation Routine Activation Competence' yn rhan bwysig iawn hefyd; mae hon yn cyfeirio at y wybodaeth a'r galluoedd angenrheidiol i adalw a defnyddio strategaethau cyfieithu safonol. Byddai gwybod y strategaethau safonol ar gyfer delio â throsiadau neu ag achosion o chwarae ar eiriau yn enghreifftiau da o hyn (Gweler Pennod 5 am ragor o wybodaeth am y technegau hyn). Mae'r gallu i drosglwyddo'r ystyr o'r naill iaith i'r llall yn gofyn am fyrdd o dechnegau o'r fath, ac mae gan bob cyfieithydd storfa feddyliol ohonynt hyd yn oed os na all eu henwi.[11] Mae nifer o strategaethau cyfieithu uwch fel hon, a rhaid eu defnyddio er mwyn cynhyrchu cyfieithiad llwyddiannus. Yn drydydd, mae'r Strategic Competence yn rheoli sut mae'r cyfieithydd yn mynd ati yn gyffredinol, a'r rhan hon, fel 'meta-competence', sy'n cael ei defnyddio wrth i'r cyfieithydd benderfynu ar lefel uwch sut yr aiff ati (ar lefel ddogfen-gyfan) (gweler Pennod 4 am ragor o wybodaeth am weithio ar lefel ddogfen-gyfan). Mae hefyd yn tynnu popeth ynghyd ac yn cydlynu'r gwahanol dasgau, ac yn rheoli'r gwaith o gydlynu'r rhannau eraill o'r model (pryd a sut maent yn cael eu defnyddio). Gallwn weld yn barod felly na thycia gwybodaeth o ddwy iaith ar ei phen ei hun; hyd yn oed heb drafod gweddill y model hwn, mae'r tair rhan uchod yn amlwg yn sgiliau arbennig y mae'n rhaid eu mireinio. Nid hwn yw'r unig fodel serch hynny, felly awn ymlaen i drafod un arall sydd wedi bod yn destun ymchwil, ac sy'n sail i addysg cyfieithu ledled Ewrop.

## Fframwaith Cymhwysedd yr EMT

Yn 2017, cyhoeddodd Rhwydwaith Graddau Meistr mewn Cyfieithu (*European Masters in Translation Network*) ei fframwaith diwygiedig ar gyfer hyfforddi cyfieithwyr, gan nodi pum maes y dylai cyrsiau Meistr eu cynnwys. Mae wedi ei seilio ar ymchwil yn y maes ac mae'n ddisgrifiad clir o'r sgiliau y disgwylir i gyfieithwyr cymwys feddu arnynt yn yr Undeb Ewropeaidd cyn iddynt ymarfer. Mantais fawr arall y model hwn yw bod ei awduron wedi ymgynghori'n helaeth ag arweinwyr addysg cyfieithu ledled Ewrop ac â sefydliadau uchel eu parch lle mae gweithgarwch cyfieithu yn hirsefydledig fel y Cenhedloedd Unedig a Chomisiwn Ewrop. O'r herwydd, mae'r model hwn (a'r modelau empiraidd eraill a drafodir yma) wedi ei ddefnyddio'n sail i gynnwys y gyfrol hon. Cyn mynd ymlaen, dylid nodi bod pob cymhwysedd yn cynnwys nifer o sgiliau gwahanol a sawl set o wybodaeth. Nid yw 'Iaith a Diwylliant' felly yn cynnwys y gallu i ddarllen ac ysgrifennu yn unig, mae hefyd yn cynnwys gwybodaeth sosioieithyddol a diwylliannol ddatblygedig mewn perthynas ag ieithoedd gwaith y cyfieithydd. Y pum maes yw 'Iaith a Diwylliant', 'Cyfieithu', 'Technoleg', 'Personol a Rhyngbersonol' a 'Darparu Gwasanaethau'. O dan 'Cyfieithu', rhestrir pedair ar ddeg o sgiliau gwahanol. Mae Tabl 1 yn rhestru'r sgiliau sydd eu hangen yn ôl y fframwaith hwn. Mae'n ddiddorol gweld cyfeiriad penodol yn y Fframwaith at ddarparu gwasanaethau hefyd, sy'n cynnwys cyfrifoldebau rheoli; mae hon yn agwedd bwysig ar waith llawer o gyfieithwyr, ac mae rheoli gwasanaethau cyfieithu yn gofyn am nifer o sgiliau gwahanol nad ydynt bob tro yn cael digon o sylw yn y modelau cymhwysedd gwahanol.[12] O ystyried mai canllaw o fath ar gyfer cynnwys graddau Meistr yw hwn, a bod y meysydd yn esgor ar 35 sgil wahanol, daw yn glir unwaith eto nad unochrog a syml yw gwaith y cyfieithydd proffesiynol, a bod angen dysgu a mireinio'r gwahanol ofynion. Yn olaf, trown at fodel cynhwysfawr Grŵp PACTE, sy'n ffrwyth ymchwil wyddonol hynod o fanwl yn y maes hwn dros gyfnod o flynyddoedd.

Tabl I  Fframwaith Cymhwysedd Cyfieithu EMT

| Iaith a Diwylliant | Cyfieithu | |
|---|---|---|
| Gwybodaeth o'r iaith hyd at lefel C1 | Dadansoddi dogfennau ffynhonnell, nodi anawsterau ac asesu'r strategaethau ac adnoddau sydd eu hangen. | Cyfieithu gwahanol fathau o ddeunydd ar wahanol fathau o gyfryngau, gan ddefnyddio'r offer a'r technegau priodol. |
| Gwybodaeth ddiwylliannol a thraws-ddiwylliannol | Crynhoi, aralleirio, ailstrwythuro a byrhau yn gyflym ac yn gywir yn yr iaith darged. | Cyfieithu a chyfryngu mewn cyd-destunau rhyngddiwylliannol penodol. |
| | Gwerthuso perthnasedd a dibynadwyedd ffynonellau o wybodaeth. | Drafftio testunau yn yr iaith darged. |
| | Caffael, datblygu a defnyddio gwybodaeth thematig a gwybodaeth bwnc-benodol. | Dadansoddi a chyfiawnhau eu strategaethau a'u datrysiadau cyfieithu, gan ddefnyddio meta-iaith briodol a chan ddefnyddio'r dulliau theoretig priodol. |
| | Defnyddio cyfarwyddiadau, arddulliaduron neu gonfensiynau penodol. | Gwirio a chywiro eu gwaith eu hunain a gwaith cyfieithwyr eraill. |
| | Cyfieithu deunydd cyffredinol a deunydd o faes penodol, mewn modd addas | |

| Technoleg | Personol a Rhyngbersonol | Darparu Gwasanaethau | |
|---|---|---|---|
| Defnyddio'r cymwyseddau technoleg gwybodaeth mwyaf perthnasol. | Cynllunio a rheoli amser, straen a'r baich gwaith. | Monitro gofynion newydd yn y gymdeithas a'r diwydiant iaith a chymryd y rhain i ystyriaeth. | Deall y safonau sy'n berthnasol i ddarparu gwasanaethau iaith. |
| Defnyddio peiriannau chwilio yn effeithlon, offer cyfieithu ac offer dadansoddi testun. | Cadw at ddyddiadau dychwelyd gwaith, a dilyn cyfarwyddiadau a manylebau. | Cysylltu â chleientiaid a chanfod rhai newydd gan ddefnyddio'r strategaethau cyfathrebu priodol. | Rhoi'r gweithdrefnau rheoli ansawdd ar waith i fodloni safonau ansawdd a ddiffiniwyd ymlaen llaw. |
| Cyn-brosesu, prosesu a rheoli ffeiliau a mathau eraill o ddeunydd, e.e. fideos. | Gweithio mewn tîm, a defnyddio'r technolegau cyfathrebu diweddaraf. | Ceisio eglurder am ofynion, amcanion a bwriadau'r cleient, defnyddwyr y cyfieithiad a rhanddeiliaid eraill. | Dilyn codau moesegol proffesiynol. |
| Meistroli hanfodion cyfieithu awtomatig a'i effaith ar y broses gyfieithu. | Deall ergonomeg sefydliadol a ffisegol y gweithle ac addasu iddynt. | Negodi â'r cleient (i gytuno ar ddyddiadau dychwelyd, cyfraddau, anfonebau, amodau gweithio a.y.y.b). | Dadansoddi ac adolygu'n gritigol wasanaethau iaith a pholisïau iaith ac awgrymu ffyrdd o'u gwella. |
| Asesu perthnasedd systemau cyfieithu awtomatig yn y llif gwaith, a defnyddio'r system priodol lle bo'n berthnasol. | Gwerthuso, diweddaru a datblygu eu cymwyseddau a'u sgiliau eu hunain yn barhaus trwy strategaethau personol a dysgu cydweithredol. | Trefnu a rheoli prosiectau cyfieithu a chyllidebu ar eu cyfer. | |
| Defnyddio mathau gwahanol o offer i hwyluso cyfieithu, fel systemau llif gwaith. | | | |

## Grŵp PACTE

Dechreuodd Grŵp PACTE (*Process of Acquisition of Translation Competence and Evaluation*) yng Nghatalwnia yn 1999 o dan gyfarwyddyd Amparo Hurtado Albir, a chyhoeddodd yn 2017 gyfrol gynhwysfawr yn manylu ar y prosiect a'r canlyniadau.[13] Prif nod y prosiect oedd canfod y nodweddion sy'n diffinio Cymhwysedd Cyfieithu a'r hyn sy'n nodweddu cyfieithwyr profiadol, a chanfod hefyd sut mae'r nodweddion hyn yn datblygu dros amser. Y prosiect hwn oedd y prosiect mwyaf cynhwysfawr yn y pwnc a wnaed erioed, a hwn hefyd yw'r model mwyaf dylanwadol o gryn dipyn.[14] O'r herwydd, ac fel uchod yn achos model EMT a ddefnyddir yn sail i raddau Meistr ledled Ewrop, mae wedi ysbrydoli llawer iawn o gynnwys y gyfrol hon.

Mae'r darluniad sgematig isod yn dangos gwahanol rannau'r model. Unwaith eto, mae'n amlwg nad gwybod dwy iaith yw'r unig sgìl sydd ei hangen.

Fel y gwnaed uchod, trafodir y rhannau pwysicaf yn y model a'r rhai sy'n benodol i gyfieithwyr. Fel yn achos model Göpferich uchod, mae rhannau o'r model sydd ym meddiant rhai pobl ddwyieithog (fel sgiliau iaith datblygedig), a rhannau eraill nad ydynt ond ym meddiant cyfieithwyr. Dechreuwn â '*Knowledge about Translation*'. Ystyr hyn yw'r wybodaeth ffeithiol sydd gan gyfieithwyr am gyfieithu ac agweddau arno. Mae'n cynnwys gwybodaeth am theori (gweler Pennod 3), normau a disgwyliadau o ran ymarfer, gwybodaeth am y strategaethau y gellir eu defnyddio (gweler Pennod 5), gwybodaeth am sut i ddelio â phroblemau fel testun aneglur neu wybodaeth dechnegol (Pennod 5) ac egwyddorion a moeseg broffesiynol yn y proffesiwn cyfieithu er enghraifft. Mae'r '*Extra-linguistic Sub-competence*' yn cyfeirio at wybodaeth sydd gan gyfieithwyr am bethau ar wahân i iaith a chyfieithu. Mae hyn yn cynnwys gwybodaeth pwnc, gwybodaeth ddiwylliannol, gwybodaeth am y sefydliad y mae'n gweithio iddo, a gwybodaeth ffeithiol gyffredinol. Byddai gwybodaeth o'r fath ym meddiant unrhyw weithiwr proffesiynol, ond mae'r wybodaeth yn cael ei chymhwyso mewn ffordd wahanol ym maes cyfieithu. Bydd cyfieithydd profiadol sy'n gweithio yn y system cyfiawnder, er enghraifft, yn well cyfieithydd wrth gyfieithu testunau cyfreithiol na chyfieithydd o faes gwahanol, gan fod ganddo afael gadarnach ar gysyniadau cyfreithiol a'r termau arferedig. Mae'r '*Instrumental Sub-competence*' yn cyfeirio at allu a sgiliau i ddefnyddio adnoddau a thechnoleg. Mae'r byd cyfieithu wedi gweld nifer o newidiadau pellgyrhaeddol yn yr adnoddau sydd ar gael iddo, ac mae'r dechnoleg sydd ar gael yn aml iawn yn dechnoleg arbenigol i gyfieithwyr (systemau cof cyfieithu, cyfieithu awtomatig, corpora dwyieithog at ddefnydd cyfieithwyr a.y.y.b (gweler Pennod 7)). Mae angen hyfforddiant i ddefnyddio'r rhain a gall gymryd amser i'w meistroli. Mae'r isgymhwysedd hwn hefyd yn cynnwys sgiliau chwilio am wybodaeth, boed hynny mewn geiriaduron, llyfrau cyfeirio neu ar y we. Yn olaf, mae'r '*Psycho-physiological component*' yn cyfeirio at nifer o bethau nad ydynt o reidrwydd yn ymwneud â chreu testun, ond yn ymwneud yn hytrach â phersonoliaeth a seicoleg. Mae hyn yn cynnwys y cof (dynol), y gallu i dalu sylw am gyfnod hir o amser a'r gallu i weithio'n annibynnol a mwynhau gwneud hynny ymysg pethau eraill. Mae hefyd yn cynnwys nodweddion personol fel hoffter o fod yn greadigol, chwilfrydedd deallusol, sylw i fanylder a'r gallu i gymryd gofal dros ddarnau o waith. Mae'n anodd iawn dysgu'r nodweddion hyn. Bydd unrhyw

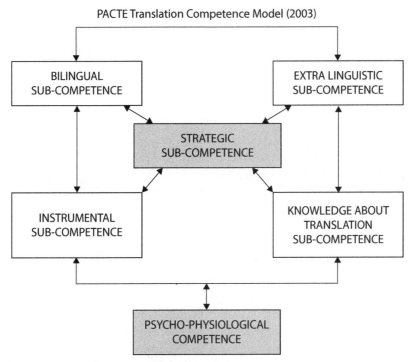

Ffigur 2 Model Cymhwysedd Cyfieithu PACTE

uwch-gyfieithydd profiadol yn adnabod pobl sydd wedi cefnu ar y gwaith ar ôl cyfnod gweddol fyr am nad oeddent yn hoffi'r gwaith, a iawn hynny. Mae'n annhebygol y bydd rhywun sy'n mwynhau bod yn ganolbwynt y sylw a gwibio o'r naill le i'r llall yn mwynhau gwaith sydd yn ei hanfod yn feddyliol-ddwys ac, ar brydiau, yn unigolyddol iawn. Yn yr un modd, heb chwilfrydedd deallusol, y gallu i fod yn greadigol, diddordeb mewn iaith a dealltwriaeth o bwysigrwydd cywirdeb, nid cyfieithu fydd y dewis callaf.

Yn ôl yr uchod felly, mae sawl maes (cyfieithu, iaith, testunau, gwybodaeth pwnc, technoleg, ac arweinyddiaeth a rheoli) sy'n esgor ar nifer o sgiliau gwahanol ac mae angen i'r cyfieithydd feddu arnynt oll er mwyn bod yn llwyddiannus. Pe na bai'r uchod yn dangos hynny, mae ymchwil hefyd yn dangos bod y prosesau niwrolegol sy'n sail i gyfieithu yn wahanol i brosesau cynhyrchu iaith arferol, a bod rhannau gwahanol o'r ymennydd yn cael eu defnyddio wrth gyfieithu, o gymharu â darllen ac ysgrifennu mewn cyd-destun unieithog. Y rhannau penodol hynny yw'r rhannau o'r ymennydd sy'n gyfrifol am resymoli, hyblygrwydd gwybyddol, cynllunio a datrys problemau ymhlith pethau eraill, ac nid y rhannau o'r ymennydd sy'n gyfrifol am iaith yn unig fel yn achos darllen ac ysgrifennu arferol.[15] Mae'r ymchwil niwrolegol hon felly yn cefnogi *strategic sub-competence* Göpferich a Grŵp PACTE uchod ac yn dangos bod cyfieithwyr cymwys yn gweithio'n wahanol i bobl ddwyieithog wrth gyfieithu.

Dylai fod yn amlwg hefyd, fodd bynnag, na fydd hyn oll ym meddiant myfyriwr graddedig yn syth, a bod angen meithrin y sgiliau hyn a datblygu'r wybodaeth dros amser. Gallwn weld felly nad yw cyfieithu proffesiynol yn waith hawdd ac nad yw bod yn ddwyieithog yn ddigon. Byddwn yn manylu ar hyn ychydig isod cyn mynd ymlaen, gan fod y camddealltwriaeth hwn yn ganolog i'r pwnc dan sylw ac mae angen cywiro'r myth sy'n rhy gyffredin o lawer ymhlith siaradwyr Cymraeg a'r di-Gymraeg fel ei gilydd. Ond cyn gadael y drafodaeth hon, dylid nodi bod unrhyw ymgais i ddiffinio'n union yr hyn a wna pob cyfieithydd o ddydd i ddydd yn dasg uchelgeisiol iawn. Terfynwn y rhan hon â'r dyfyniad isod:

> We agree that perfecting translation skills is a lifelong task: formal training can allow developing translation skills and techniques but this does not spare future professionals from trial and error. Translators extend and deepen their knowledge of their working languages and the subjects they work on while translating. Their skills also perfect with practice.[16]

## Dwyieithrwydd, cyfieithu a pham nad yw dwyieithrwydd yn unig yn ddigon

Mae'r gallu i ddefnyddio dwy iaith yn angenrheidiol i unrhyw gyfieithydd. Fodd bynnag, fel y gwelsom uchod, nid dyna'r unig sgiliau sydd eu hangen ar gyfieithydd da. Mae'n rhy gyffredin i bobl synied am gyfieithu serch hynny fel tasg seml o ddisodli un gair am un arall, neu fel ymestyniad syml o'r gallu i ddefnyddio dwy iaith. Os ydych am ddod yn gyfieithydd, bydd angen i chi anghofio am hyn nawr cyn cychwyn. Mae'r gamdybiaeth hon yn debygol o fod yn ganlyniad naturiol i sut mae pobl yn gweld pobl ddwyieithog, sef fel un person sy'n cynnwys dau unigolyn unieithog mewn un. Mae hyn wedyn yn arwain at y gred y gall unrhyw berson dwyieithog ddefnyddio'r ddwy iaith i'r un lefel ym mhob cyd-destun. Os gall rhywun dwyieithog ysgrifennu yn y Saesneg, pam na all wneud hynny gystal yn y Gymraeg? Os gall person dwyieithog drafod y rygbi yn y Gymraeg, pam na all drafod adroddiad ariannol blynyddol y sefydliad yn y Gymraeg hefyd? Yn y bôn felly, diffyg dealltwriaeth o wir natur dwyieithrwydd sy'n gyfrifol am y gamdybiaeth y gall unrhyw berson dwyieithog gyfieithu'n hawdd, yn gymaint â diffyg dealltwriaeth o gyfieithu. Mae sawl dimensiwn i ddwyieithrwydd; defnydd, gallu, y cyd-destun, y sefyllfa bresennol y mae'r siaradwr ynddi, addysg ac agwedd.[17] Mae'r rhain oll yn rhyngweithio â'i gilydd ac yn pennu i ba raddau y gall unrhyw unigolyn â dwy iaith ddefnyddio'r ieithoedd hynny. Bydd amlder defnydd y person o'i ieithoedd yn effeithio ar ei allu ynddynt; os nad yw person yn defnyddio'i Gymraeg yn aml iawn, fe fydd yn fwy rhugl ac yn fwy cyfforddus o'r herwydd yn y Saesneg. Mae'r cyd-destun hefyd yn bwysig; os nad yw person erioed wedi defnyddio'i Gymraeg i drafod materion academaidd, mae'n annhebygol y bydd yn gallu gwneud hynny'n dda, a gall fod yn anghyfforddus iawn yn ceisio gwneud hynny. Gall straen ac emosiwn effeithio ar allu rhywun i siarad ei ail iaith; mae'n well gan lawer o bobl ddwyieithog ddefnyddio eu hiaith gyntaf pan fyddant dan straen emosiynol. Bydd yr iaith yr addysgwyd y person ynddi hefyd yn bwysig; os cafodd y person dwyieithog ei addysg yn y Saesneg, gall fod yn well ganddo ysgrifennu yn y Saesneg er enghraifft. Mae agwedd y person at ei ieithoedd hefyd o bwys. Mae seicoleg siaradwyr ieithoedd lleiafrifol yn gymhleth; nid yw rhai pobl Gymraeg eu hiaith yn gyfforddus yn defnyddio'u Cymraeg er enghraifft am amryw resymau. Ar wahân i hynny oll y mae llythrennedd hefyd. Mae'r nifer o bobl sy'n dweud y gallant ysgrifennu Cymraeg yn llai na'r nifer sy'n dweud y gallant ei siarad. Hyd yn oed ymhlith y bobl sy'n dweud y gallant ysgrifennu Cymraeg, mae amrywiaeth arddulliol y Gymraeg a'i gwahanol gyweiriau yn golygu y bydd gafael pobl ar yr iaith ysgrifenedig yn amrywio. Bydd angen gafael dda ar bob un o gyweiriau'r iaith i allu cyfieithu'n effeithiol. Mae'r ffactorau gwahanol hyn yn golygu mai prin iawn yw'r bobl hynny sy'n arddangos dwyieithrwydd cytbwys, hynny yw y gallu i ddefnyddio'r pedair sgìl ieithyddol (darllen, ysgrifennu, siarad a gwrando) gystal yn eu dwy iaith ym mhob cyd-destun (os yw'r bobl hyn yn bodoli o gwbl).[18] Mae pobl ddwyieithog fel arfer yn gryfach yn y naill iaith neu'r llall, a gall hyn newid dros amser hefyd. O ran y sgiliau ieithyddol datblygedig sydd eu hangen i gyfieithu felly, dylid bod yn ofalus wrth ddewis ein cyfieithwyr; nid yw'r gallu i siarad Cymraeg yn golygu y bydd gan y person y sgiliau ieithyddol eraill sydd eu hangen, ac nid yw gwybodaeth o bwnc a bod yn ddwyieithog yn ddigon chwaith; ni fyddai meddyg dwyieithog *o reidrwydd* yn gallu creu gwell cyfieithiad o wybodaeth feddygol os yw'n gorfod ei chyfieithu, am y rheswm syml ei fod yn feddyg, nid cyfieithydd.[19] Pe bai angen prawf o hyn, mae astudiaethau sydd wedi cymharu pobl ddwyieithog â chyfieithwyr (ac â gweithwyr iaith proffesiynol eraill, fel athrawon iaith) wedi gweld bod cyfieithwyr proffesiynol yn gyflymach, yn creu testun gwell, yn gweithio ar lefel y testun cyfan yn lle ar lefel y frawddeg unigol, eu bod yn llawer mwy parod i ystyried y defnyddiwr terfynol a dealladwyedd yn eu strategaethau yn hytrach na glynu'n rhy agos wrth y testun ffynhonnell, a'u bod yn fwy 'strategol' a threfnus wrth ddelio â phroblemau cyfieithu.[20] Mae ymchwil hefyd wedi dangos y gall rhoi hyfforddiant penodol ym maes cyfieithu wella ansawdd cyfieithiadau'r cyfieithwyr, eu helpu i weithio mewn modd mwy effeithlon a strategol a'u helpu i lunio cyfieithiadau triw i'r ystyr a llai llythrennol.[21] Yn ôl un astudiaeth gynhwysfawr yn hynny o beth, roedd yr athrawon, cyn cael hyfforddiant penodol ym maes cyfieithu, yn gweithio ar lefel y gair ac yn llunio cyfieithiadau gorlythrennol ac anaddas, oedd yn anwybyddu'r cyd-destun, y gynulleidfa a diben y testun. Newidiodd hyn yn fawr ar ôl eu hyfforddiant trylwyr.[22]

Fodd bynnag, nid yw'r uchod yn golygu o reidrwydd na all rhywun dwyieithog nad yw'n gyfieithydd proffesiynol gyfieithu o dan unrhyw amgylchiadau. Fel y nodwyd yn y Cyflwyniad i'r gyfrol hon, nid y cyfieithu answyddogol, anffurfiol hwn sydd dan sylw yma. Mae pobl ddwyieithog yng Nghymru yn gwibio yn ôl ac ymlaen rhwng y ddwy iaith yn aml; mae rhai yn gwneud hynny sawl gwaith y dydd. Mae hefyd yn amlwg bod pobl ddwyieithog nad ydynt yn ennill bywoliaeth trwy gyfieithu yn troi eu llaw at gyfieithu yn eu priod feysydd yn achlysurol, ac yn creu testun yn y Gymraeg sy'n ddigon da at y diben. Nid yw'r bennod hon yn gwadu'r realiti hon. Yr hyn sydd dan sylw yma yw cyfieithu fel proffesiwn, a'r wybodaeth a'r sgiliau sydd eu hangen i lunio testunau o safon uchel, a hynny'n gyson, o ddogfennau o bob math gan gynnwys rhai technegol a chymhleth, sy'n diwallu anghenion y gymuned Gymraeg eu hiaith. Mae'r ysgolhaig Minna Kumpulainen yn rhoi'r gallu sydd ei angen i gyfieithu ar gontinwwm yn hynny o beth.[23] Mae'n dadlau bod gan bob person dwyieithog sydd â sgiliau ieithyddol datblygedig o ran darllen ac ysgrifennu 'gymhwysedd lleyg', ac y gall hwnnw fod yn ddigon da i gyfieithu o dan rai amgylchiadau. Byddai'r awdur yn cytuno â hi, ac mae cyflwyno cysyniad 'cymhwysedd lleyg' yn ddefnyddiol.

Fodd bynnag, ni ddylid credu y gall unrhyw un sy'n digwydd *siarad* Cymraeg gyfieithu unrhyw ddogfen yn ddidrafferth ac i safon uchel, a hyd yn oed pe bai gan y person hwnnw sgiliau ysgrifennu datblygedig ar wahân i'r gallu i siarad yr iaith, ni fyddai'r sgiliau hyn o reidrwydd yn cwmpasu'r sgiliau *cyfieithu* penodol y soniwyd amdanynt uchod. Dyma Lörscher i egluro rhagor ar y pwynt:

> the assumption that all bilinguals can translate can definitely not be corroborated. Several reasons seem to be responsible for that. The following three may be of special importance. First, even though bilinguals have competence in two languages, these languages are usually not of exactly the same kind. They may be more competent for a particular topic in Language A than in Language B. Second, bilinguals often lack the meta-lingual and meta-cultural awareness necessary for rendering a source-language text effectively into a target-language and culture. And third, bilinguals' competence in two languages does not necessarily include competence in transferring meanings and/or forms from one language into the other.[24]

## Crynhoi

Rydym wedi gweld felly sut mae ysgolheigion cyfieithu wedi dadansoddi cysyniad Cymhwysedd Cyfieithu, ac rydym wedi trafod astudiaethau hir a manwl sydd wedi ceisio diffinio'r hyn sy'n nodweddu arbenigedd cyfieithu. Gwelsom fod cyfieithu yn broffesiwn medrus iawn, a bod llu o sgiliau a mathau o wybodaeth y mae angen i ddarpar gyfieithwyr eu meithrin sy'n mynd y tu hwnt i ddeall dwy iaith yn drwyadl. Trwy drafod hyn oll yn fras, y gobaith yw y gall y rhai sydd â'u bryd ar gyfieithu ystyried y sgiliau hyn a gweld nid yn unig yr hyn y byddent yn ei wneud o ddydd i ddydd, ond hefyd gynllunio sut y byddant yn ennill y sgiliau perthnasol. Aethom ymlaen wedyn i drafod dwyieithrwydd, a pham na all pawb sy'n ddwyieithog gyfieithu'n dda o reidrwydd. Nodwyd ei bod yn bwysig mynd i'r afael â hyn, gan fod y gamdybiaeth y gall pawb sy'n siarad dwy iaith gyfieithu yn fyw ac yn iach ymysg pobl uniaith a phobl ddwyieithog fel ei gilydd. Hyd yma felly, rydym wedi trafod swyddogaeth gymdeithasol y cyfieithydd, y cyd-destun cymdeithasol a hanesyddol y mae'n gweithio ynddo, ynghyd â'r sgiliau a'r wybodaeth angenrheidiol i ymarfer y swyddogaeth honno. Ond cyn bwrw ymlaen, dylid nodi'n bras berthynas yr ymchwil sydd wedi ei thrafod yma â chyfieithwyr anfedrus. Wrth ddarllen am yr hyn sydd i fod ym meddiant cyfieithwyr cymwys, efallai y bydd rhywrai'n anghytuno yma ac yn dwyn i gof enghreifftiau o gyfieithu gwael gan gyfieithwyr maent wedi eu gweld yn y gorffennol, ac yn herio'r ddadl yma bod gan gyfieithwyr sgiliau arbennig. Dyma nodi rhag blaen felly i ymateb i hyn mai cyfieithwyr *cymwys* sydd dan sylw yma, nid pob un cyfieithydd sydd erioed wedi troi ei law at y gwaith. Un o broblemau'r diwydiant cyfieithu ar hyn o bryd, er gwaethaf rhai newidiadau yn y maes a drafodir yn y bennod '*Clymu'r edafedd ynghyd*' pan fydd pwysigrwydd aelodaeth o gorff broffesiynol dan sylw, yw ei bod o hyd yn rhy hawdd i bobl heb y cymwyseddau priodol ddod i mewn i'r maes a gweithio fel cyfieithydd. Hyd nes bod rheoleiddio mwy tyn ar y diwydiant, lle nad oes modd gweithio heb y cymwysterau priodol neu heb aelodaeth broffesiynol briodol (neu gymysgedd o hynny), bydd ansawdd gwaith cyfieithu'n amrywio'n fawr iawn ac ni fydd siaradwyr y Gymraeg yn cael chwarae teg bob tro pan ddaw i ddefnyddio gwasanaethau Cymraeg. Felly mewn ychydig eiriau, cyfieithwyr cymwys oedd dan sylw yma, a rhoi gwybod i ddarpar gyfieithwyr beth sy'n ddigwyliedig ganddynt fel ymarferwyr iaith proffesiynol. Awn ymlaen yn awr i drafod un arall o sylfeini ymarfer proffesiynol y cyfieithydd, sef theori.

## Nodiadau

1   Mae dwy agwedd ar y pwnc hwn, sef Cymhwysedd Cyfieithu a Chaffael Cymhwysedd Cyfieithu. Mae Cymhwysedd Cyfieithu yn canolbwyntio ar yr hyn sy'n nodweddu perfformiad cyfieithwyr proffesiynol, profiadol ac mae Caffael Cymhwysedd Cyfieithu yn canolbwyntio ar sut mae myfyrwyr yn datblygu'n gyfieithwyr dros gyfnod o amser. Byddwn yn tynnu ar y ddau yma i raddau, ond ar is-faes Cymhwysedd Cyfieithu yn bennaf.

2   Mohammad R. Esfandiari, Nasrin Shokrpour a Forough Rahimi, 'An Evaluation of the EMT: Compatibility with the Professional Translator's Needs', *Cogent Arts and Humanities*, 6 (2019), 1–17.

3   François Lasnier (2000), a ddyfynnwyd yn Esfandari, Shokrpour a Rahimi, t. 2. Ystyr '*declarative knowledge*', o'i rhoi'n syml, yw gwybodaeth ffeithiol a gwybodaeth sydd gennych *am* rywbeth. Mae'n wahanol i '*procedural knowledge*', sef gwybod sut i wneud rhywbeth. Mae'r ddau yn bwysig wrth gyfieithu ac mae pob model yn gwahaniaethu rhyngddynt o ran gwybodaeth a sgiliau cyfieithwyr.

4   Allison Beeby, Amparo H. Albir a Mònica Fernández et al., 'Results of the Validation of the PACTE Translation Competence Model: Translation Project and Dynamic Translation Index' yn Sharon O'Brien (gol.), *Cognitive Explorations of Translation* (London: Continuum, 2012), tt. 30–56.

5   Comisiwn Ewrop, *European Masters in Translation: Competence Framework* (Brwsel: Comisiwn Ewrop, 2017), t. 3.

6   Comisiwn Ewrop.

7   Amparo H. Albir, 'The Acquisition of Translation Competence. Competences, Tasks and Assessment in Translator Training', *Meta*, 602 (2015), 256–280.

8   Mohammad R. Esfandiari, Tengku Sepora a Tengku Mahadi, 'Translation Competence: Aging Towards Modern Views', *Procedia – Social and Behavioral Sciences*, 192 (2015), 44–52.

9   Gweler Marta Chodkiewicz, *Understanding the Development of Translation Competence* (Berlin: Peter Lang, 2020) a Jenny Williams, *Theories of Translation* (Basingstoke: Palgrave Macmillan, 2013) am drafodaeth o fodelau eraill cyn dyfodiad y modelau mwy empiraidd a drafodir yma. Am fodel arall o Gymhwysedd Cyfieithu a oedd yn destun ymchwil empiraidd ar sail Theori Perthnasedd Dan Sperber a Deirdre Wilson, ond sydd wedi ei feirniadu gan nifer, gweler Fábio Alves a José Luiz Gonçalves 'Modelling Translator's Competence: Relevance and Expertise under Scrutiny' yn Yves Gambier, Miriam Shlesinger a Radegundis Stolze (goln), *Doubts and Directions in Translation Studies: Selected Contributions from the EST Congress in Lisbon* (Amsterdam/Philadelphia: John Benjamins Publishing Company, 2004), tt. 41–55.

10   Susanne Göpferich, Gerrit Bayer-Hohenwarter, Friederike Prassl a Johanna Stadlober, 'Towards a Model of Translation Competence and its Acquisition: The Longitudinal Study TransComp' yn Susanne Göpferich, Arnt L. Jakobsen ac Inger M. Mees (goln), *Behind the Mind: Methods, Models and Results in Translation Process Research* (Copenhagen: Samfundslitteratur Press, 2009), tt. 11–39.

11   Oherwydd bod defnyddio'r technegau hyn yn rhan o '*procedural knowledge*', sef gwybodaeth bron yn isymwybodol o sut i wneud rhywbeth (sef cyfieithu yn yr achos hwn), mae'n anodd iawn i bobl sylweddoli eu bod yn eu defnyddio, ac o'r herwydd ni allant bob tro eu hesbonio ar lafar.

12   Oktay Esser, 'A Model of Translator's Competence from an Educational Perspective', *International Journal of Comparative Literature and Translation Studies*, 3(1) (2015), 5–15. Ond gweler Fernando Prieto

Ramos, 'The evolving role of institutional translation service managers in quality assurance: Profiles and challenges' yn Tomáš Svoboda, Łucja Biel a Krzysztof Łoboda (goln), *Quality aspects in institutional translation* (Berlin: Language Science Press, 2017), tt. 59–74.

13   Gweler *Researching Translation and Interpreting Competence by PACTE Group* (Amsterdam/Philadelphia, 2017).

14   Marta Chodkiewicz, *Understanding the Development of Translation Competence* (Berlin: Peter Lang, 2020), t. 1.

15   Fengmei Lu a Zhen Yuan, 'Explore the Brain Activity during Translation and Interpreting Using Functional Near-Infrared Spectroscopy' yn Defeng Li, Victoria Lai Cheng Lei a Yuanjian He (goln), *Researching Cognitive Processes of Translation. New Frontiers in Translation Studies* (Singapore: Springer, 2019), tt. 109–120; Keerthi Ramanujan K, Man Wi Kong M a Brendan Weekes, *An fMRI study of executive control during translation and oral reading in Cantonese-English bilingual speakers.* Academy of Aphasia 55th Annual Meeting 2019, ar gael ar y we: *https://www.frontiersin.org/10.3389%2Fconf.fnhum.2017.223.00040/ event_abstract* [Cyrchwyd: 06/03/2021]; Cathy J. Price, David W. Green, Roswitha von Studnitz, 'A functional imaging study of translation and language switching', *Brain*, 122(12) (1999), 2221–2235; Bingham Zheng, 'The Translator's Brain', *The Linguist*, cylchgrawn Cymdeithas Siartredig yr Ieithyddion, ar lein: *https://www.ciol.org.uk/translator%E2%80%99s-brain* [Cyrchwyd: 06/03/2021].

16   Nadja M. Acioly-Régnier, Daria B. Koroleva, Lyubov V. Mikhaleva a Jean-Claude Régnier, 'Translation Competence as a Complex Multidimensional Aspect', *Procedia – Social and Behavioral Sciences*, 200 (2015), 142–148.

17   Colin Baker a Wayne E. Wright, *Foundations of Bilingual Education and Bilingualism*, 6ed arg. (Bristol: Multilingual Matters 2017), tt. 3–4.

18   Colin Baker a Wayne E. Wright, t. 9. Ar nodyn arall, mae'r dadleuon yma yn gyfiawnhad cryf, pe bai angen un, dros wasanaethau Cymraeg. Fe *fydd* rhai siaradwyr Cymraeg yn fwy cyfforddus yn y Gymraeg, ac fe ddylid felly ddarparu gwasanaethau iddynt yn yr iaith honno. Mae hyn yn ei dro yn golygu bod cyfieithu testun i'r Gymraeg yn fwy na chwrteisi; gall fod yn angenrhaid.

19   Mae'r awdur wedi gweld enghreifftiau droeon o arbenigwyr mewn meysydd penodol yn honni y gallant gyfieithu testun yn well na chyfieithydd oherwydd bod y testun hwnnw am eu maes proffesiynol hwy. Nid yw gwybodaeth pwnc yn ddigon ar ei ben ei hun i gyfieithu, gan fod angen sgiliau cyfieithu hefyd. Am ymchwil academaidd sydd wedi dangos hyn, gweler Alexander Künzli, 'Investigating translation proficiency – A study of the knowledge employed by two engineers in the translation of a technical text', *Bulletin Suisse de Linguistique Appliquée* 81 (2005), 41–56; Inger Askehave a Karen Korning Zethsen, 'Translating for laymen', *Perspectives: Studies in Translatology*, 10(1) (2002), 15–29; Matilde Nisbeth Jensen a Karen Korning Zethsen, 'Translation of patient information leaflets: Trained translators and pharmacists-cum-translators – A comparison', *Linguistica antverpiensia: New series – Themes in Translation Studies* (2012), 31–49; Wioleta Karwacka, 'Quality assurance in medical translation', *The Journal of Specialised Translation* 21 (2014), 19–34.

20   Allison Beeby, Amparo H. Albir a Mònica Fernández et al., 'Results of the Validation of the PACTE Translation Competence Model: Translation Project and Dynamic Translation Index' yn Sharon O'Brien (gol.), *Cognitive Explorations of Translation* (London: Continuum, 2012), tt. 30–56; Luis Miguel Castillo, 'Acquisition of Translation Competence and Translation Acceptability: An Experimental Study, *Translation and Interpreting*, 7(1) (2015), 72–85; Susanne Göpferich, Gerrit Bayer-Hohenwarter, Friederike Prassl a Johanna Stadlober, 'Exploring Translation Competence Acquisition: Criteria of Analysis Put to the Test,' yn Sharon O'Brien (gol.), *Cognitive Explorations of Translation* (London: Continuum, 2012), tt. 57–86; Hurtado Albir (gol.), *Researching Translation Competence by PACTE Group* (Amsterdam/ Philadelphia: John Benjamins Publishing Company, 2017); Rusdi Noor Rosa, T. Silvana Sinar, Zubaidah Ibrahim-Bell ac Eddy Setia, 'Pauses by Student and Professional Translators in Translation Process', *International Journal of Comparative Literature & Translation Studies* (2018), 18–28; Arnt L. Jakobsen, 'Translation Drafting by Professional Translators and by Translation Students', yn Gyde Hansen (gol.), *Empirical Translation Studies* (Copenhagen: Samfundslitteratur Press, 2002), tt. 191–204; Susanne Göpferich, 'The Translation of Instructive Texts from a Cognitive Perspective: Novices and Professionals Compared' yn Arnt Lykke Jakobsen ac Inger M. Mees (goln), *New Approaches in Translation Process Research* (Copenhagen: Samfundslitteratur Press, 2010), tt. 5–55; Maureen Ehrensberger-Dow a

Gary Massey, 'Indicators of Translation Competence: Translators' Self-Concepts and the Translation of Titles', *Journal of Writing Research* 5(1) (2013), 103–131.

21   Heloísa Pezza Cintrão, 'Development of Translation Competence in Novices: A Corpus Design and Key Logging Analysis' yn Sharon O'Brien (gol.) *Cognitive Explorations of Translation* (London, 2012), tt. 86–107; Marta Chodkiewicz, *Understanding the Development of Translation Competence* (Berlin: Peter Lang, 2020); Yeh-zu Tzou, Jyotsna Vaid a Hsin-Chin Chen, 'Does formal training in translation/interpreting affect translation strategy? Evidence from idiom translation', *Bilingualism: Language and Cognition* 20(3) (2017), 632–641.

22   Maria Piotrowska, *A Compensational Model for Strategy and Techniques in Teaching Translation* (Kraków: Wydawn. Nauk. Akademii Pedagogicznej, 2002).

23   Minna Kumpulainen, 'Translation Competence from the Acquisition Point of View', *Translation, Cognition, & Behavior*, 1(1) (2018), 147–167.

24   Wolfgang Lörscher, 'Bilingualism and Translation Competence: A Research Project and its First Results', *SYNAPS – A Journal of Professional Communication*, 27 (2012), 3–15.

# PENNOD 3:
# THEORI: SYLFEINI YMARFER GWYBODUS

Rydym bellach yn gwybod ychydig bach mwy am gyd-destun cyfieithu yng Nghymru a swyddogaeth gymdeithasol y cyfieithydd, ac am y math o waith y mae cyfieithwyr yn ei wneud a natur y sgiliau sydd eu hangen arnynt. Awn ymlaen nawr i drafod sylfaen bwysig arall, sef theori cyfieithu. Efallai eich bod fel rhywun newydd i'r maes yn credu nad oes angen trafferthu â theori, neu os nad ydych chi erioed wedi ymwneud â'r maes hwn o'r blaen, fe fyddai rhywun yn maddau i chi am synnu braidd bod y fath beth â theori cyfieithu yn bod. Mae theori serch hynny yn rhan fawr o Astudiaethau Cyfieithu, ac mae ymwybyddiaeth o'r theorïau perthnasol yn bwysig; gallant roi'r meta-iaith angenrheidiol i chi, a'ch helpu i feddwl am eich gwaith mewn modd mwy bwriadol a phwrpasol. Y gwir amdani yw bod pob cyfieithydd yn theoreiddio wrth gyfieithu. Mae datganiadau fel 'bydd angen newid hyn, fydd neb yn deall', 'dylen ni symud y frawddeg hon a'i rhoi ar y diwedd, mae'n llifo'n well', neu 'dyw hyn ddim yn cyfateb i'r frawddeg Saesneg', oll yn ddatganiadau sy'n seiliedig ar theori o ryw fath. Fe fyddwn yn gweld yn y bennod hon bod sawl theori wedi ei chyhoeddi dros y blynyddoedd diwethaf, a bod rhai theorïau hynafol sy'n dal i gael eu harddel hyd heddiw. Byddwn yn ystyried y rhain cyn canolbwyntio ar dair theori benodol sy'n hollbwysig i waith y cyfieithydd testun proffesiynol: 'Synnwyr am Synnwyr', 'Swyddogaetholdeb' a 'Chyfystyriaeth'. Fe fyddwn yn gweld bod y theorïau hyn yn waelodol i'r hyn y byddwn yn ei drafod yn y penodau sy'n dilyn. Fe fyddwch wedyn, gobeithio, yn gallu olrhain rhai o gredoau isymwybodol, anlafaredig cyfieithwyr profiadol am gyfieithu i theori benodol, a thrwy hynny feithrin fframwaith theoretig meddyliol a fydd yn eich galluogi i gyfiawnhau eich dewisiadau a deall penderfyniadau cyfieithwyr eraill yn well.

## Deilliannau Dysgu

Yn y bennod hon, byddwch yn:
1) dod i ddeall bod cyfieithu yn faes y mae ymchwilwyr yn 'theoreiddio' yn ei gylch, a bod pobl wedi bod yn dadlau am yr hyn y gellir ei ystyried yn gyfieithiad ers canrifoedd;
2) dod i adnabod rhai o'r prif theorïwyr yn y maes, a disgrifio prif bwyntiau'r gwahanol theorïau;
3) dod i ddeall 'Synnwyr am Synnwyr', hanes y cysyniad a'i le canolog wrth lunio cyfieithiad da;

4) dod i ddeall 'Swyddogaetholdeb', a sut mae'r theori nid yn unig wedi gwyrdroi theori yn y maes, ond hefyd sut mae'n rhoi rhyddid i'r cyfieithydd gyfieithu mewn modd sy'n parchu anghenion ei gynulleidfa;

5) dod i ddeall lle naturiol ganolog 'Cyfystyriaeth', a sut mae ffyddlondeb a throsi 'ystyr' yn elfen greiddiol, ac yn wir yn rhan ffurfiannol, o theori cyfieithu.

## Pam theori?

Nodwyd yn fras uchod ddiben theori cyfieithu, ond dyma esbonio'n helaethach pam y dylai unrhyw gyfieithydd ymgyfarwyddo â theori cyfieithu a sut y gall wneud hynny ei helpu. Cymerwn enghraifft yn gyntaf o faes Addysg, ac athrawon iaith yn benodol. Pan fydd athrawon yn dysgu iaith i blant, fe fyddant yn gwneud hynny gan ddefnyddio technegau cydnabyddedig. Fe fydd y technegau cydnabyddedig hyn yn dod o faes Caffael Iaith. Mae Caffael Iaith yn faes astudiaeth o fyd Ieithyddiaeth Gymhwysol, sy'n astudio sut mae pobl yn llwyddo i ddysgu iaith arall, a pha dechnegau a strategaethau sy'n eu helpu i wneud hynny yn fwyaf effeithiol. Wrth astudio hyn, gallant weld beth sy'n gweithio'n dda yn yr ystafell ddosbarth a beth nad yw mor llwyddiannus. Wrth hyfforddi i fynd yn athrawon iaith, fe fydd darpar athrawon yn dysgu am hyn ac yn dysgu theorïau o faes Caffael Iaith. Yn yr ystafell ddosbarth wedyn, bydd eu cynlluniau gwersi a'u dulliau dysgu yn adlewyrchu'r theorïau hyn, ac fe ddylent allu dweud wrthych pam maent wedi dewis rhyw ddull penodol, neu ryw adnodd penodol. Go brin y byddech yn gweld heddiw resi o blant yn ailadrodd brawddeg ar ôl brawddeg mewn ymgais i ddysgu iaith. Y rheswm am hyn yw nad yw'r theori sy'n sail i Gaffael Iaith yn cefnogi'r fath beth, gan nad yw'n gweithio.

Gan ddychwelyd at ein proffesiwn ni, gall theori fod yr un mor ddefnyddiol mewn pedair ffordd. Yn gyntaf, gall helpu wrth lywio penderfyniadau cyfieithwyr. Mae'r strategaethau ym Mhennod 5 er enghraifft, sy'n seiliedig ar ddod o hyd i gyfieithiad naturiol yn yr iaith darged fel bod yr ystyr yn ddealladwy, yn seiliedig i raddau ar theorïau Swyddogaetholdeb a Dadlafareiddio (gweler isod). Hynny yw, rhaid i'r testun targed fod yn ddarllenadwy ac yn ddealladwy. Oni bai bod y cyfieithydd yn deall hyn, nid yw y tu hwnt i bosibilrwydd y byddai'n dilyn yr iaith ffynhonnell air am air bron (rhywbeth sy'n gyffredin ymhlith cyfieithwyr heb hyfforddiant). Fel y dywedodd y diweddar Peter Newmark:

> What translation theory does is, first, to identify and define a translation problem (no problem – no translation theory!); second, to indicate all the factors that have to be taken into account in the solving of the problem; third, to list all the possible translation procedures; finally, to recommend the most appropriate translation.[1]

Gall theori, yn ail, gyfrannu at wella statws cyfieithu fel proffesiwn. Trwy atgoffa pobl bod y maes hwn wedi bod o dan y chwyddwydr am ganrifoedd, a thrwy allu dweud bod ein gwaith yn destun gwaith academaidd ledled y byd, nid yw'n afresymegol credu y bydd statws cyfieithu yn codi ym meddyliau pobl. Yn drydydd, bydd dangos bod ein penderfyniadau yn cael eu gwneud ar sail theoretig, a dangos bod cyfiawnhad clir dros yr hyn a wnawn wrth gyfieithu, hefyd yn helpu i ddangos bod ein gwaith yn broffesiynol ac yn haeddu cydnabyddiaeth.[2] Yn olaf, mae ymwybyddiaeth neu ddealltwriaeth o theori yn helpu cyfieithwyr i fyfyrio ar eu gwaith. Cymerwch y senario hon yn enghraifft. Mae rhywun wedi gofyn am gyfieithiad o daflen wybodaeth. Mae'r daflen wybodaeth yn cynnwys y frawddeg hon. Mae cyfieithiad posibl isod:[3]

| |
|---|
| It is not advised that you take anticoagulants before this procedure. |
| Dydyn ni ddim yn argymell eich bod yn cymryd moddion i atal clotiau gwaed (gwrthgeulyddion) cyn y driniaeth hon. |
| Maes: Iechyd<br>Math o destun: Taflen wybodaeth i glaf cyn iddo gael llawdriniaeth<br>Cynulleidfa arfaethedig: Y cyhoedd yn gyffredinol |

Mae awdur y gwreiddiol yn cysylltu ac yn dweud bod aelod o'i staff sy'n siarad Cymraeg wedi holi pam mae un gair mewn cromfachau er nad oes dim o'r fath yn y Saesneg, a pham mae'r frawddeg yn cynnwys 'dydyn ni ddim' yn lle brawddeg oddefol. Rydych chi'n meddwl am y gynulleidfa a'r math o destun dan sylw, ac yn ystyried hefyd nod y testun hwnnw a'r hyn y mae'r awdur yn bwriadu ei gyflawni ag ef. Wrth gofio am theori Swyddogaetholdeb a defnyddioldeb testunau (gweler isod), rydych chi'n cyfiawnhau cynnwys esboniad o'r term trwy ddweud ei bod yn annhebygol y byddai pawb yn deall y gair 'gwrthgeulyddion', ac er sicrhau dealladwyedd, rydych chi wedi cynnwys esboniad yn y testun. Rydych chi'n esbonio, oherwydd natur y testun, ei bod yn bwysig iawn bod y claf yn deall. Rydych chi hefyd yn nodi bod brawddegau goddefol fel arfer yn perthyn i gywair mwy ffurfiol yn y Gymraeg er nad yw hyn bob tro yn wir yn y Saesneg, ac y gall eu cynnwys olygu y bydd y testun yn chwithig i rai. Mae'r cleient yn derbyn yr esboniad hwn, ac yn dechrau meddwl i ba raddau mae'r gair Saesneg '*anticoagulant*' ei hun yn ddealladwy i bawb ymysg y boblogaeth uniaith Saesneg. Dyna enghraifft felly o sut y gallai theori fod o fudd i'r cyfieithydd; gall theori eich gwneud yn *ymwybodol* o sawl cysyniad pwysig, a hynny er budd safon eich gwaith, gall rhoi'r meta-iaith angenrheidiol i chi, a gall eich helpu nid yn unig wrth *wneud* penderfyniadau, ond wrth eu *cyfiawnhau* hefyd. Yn wir, fel y gwelwyd uchod yn achos un model o gymhwysedd cyfieithu, sef yr EMT, mae'r gallu i wneud hynny yn rhan o waith proffesiynol y cyfieithydd.[4]

## Diffinio theori

Ymataliwyd rhag cynnig rhyw ddiffiniad o theori uchod gan y gall theori olygu sawl peth gwahanol yn dibynnu ar y maes a'r diben, ac oherwydd hynny mae mwy nag un farn am yr hyn y dylai theori cyfieithu ei gyflawni.[5] O ystyried mai'r nod yw cynnig fframwaith meddyliol i gyfieithwyr i'w helpu i lunio testun a chyfiawnhau sut yr aethant ati i wneud hynny, dilynwn yma ddiffiniad yr ysgolhaig ac athrawes cyfieithu adnabyddus Marianne Lederer o theori, sef set o egwyddorion a ddefnyddir i egluro dosbarth o ffenomena.[6]

Hynny yw, y theorïau y tynnwn arnynt yma fydd y theorïau hynny a ddefnyddir i *egluro sut* y gall cyfieithydd lunio testun. Ni fyddwn yn manylu ar theorïau felly sy'n perthyn i theori lenyddol, nac ychwaith ar waith beirniadol o faes llenyddiaeth. Fodd bynnag, wrth drafod theorïau sy'n taflu goleuni ar y gwaith o lunio cyfieithiad, cofier hefyd nad mynnu y mae'r theorïau hyn y dylai cyfieithwyr fynd ati mewn modd penodol; chi biau'r dewis yn ôl y cyd-destun y byddwch yn gweithio ynddo a'r sefyllfa y bydd y cyfieithiad penodol yn cael ei ddefnyddio ynddi. Mae theori felly yn *ganllaw*, a chanllaw yn unig, yn hytrach na set o reolau 'normadol'.[7]

Awn ymlaen yn awr i drafod y gwahanol theorïau dros y canrifoedd. Ni fydd y drafodaeth hon yn orfanwl; yn hytrach na bod yn drafodaeth hanesyddol hirfaith, byddwn yn canolbwyntio ar brif elfennau'r gwahanol theorïau. Bydd y gyfrol hon yn grwpio'r gwahanol theorïau hyn o dan y penodau isod:

1. Synnwyr am Synnwyr ac *Osgoi Ymyrraeth yr Iaith Ffynhonnell*;
2. Swyddogaetholdeb a *Phwysigrwydd y Defnyddiwr*;
3. Cyfystyriaeth ac *Adlewyrchu'r Ystyr*.

Penderfynwyd gwneud hyn am ddau reswm. Yn gyntaf, mae'r dadleuon dros y canrifoedd yn tueddu i fod ynghlwm wrth un o leiaf o'r grwpiau hyn, felly mae'n rhesymegol eu grwpio fel hyn yn lle ceisio trafod y pwnc astrus hwn yn gronolegol. Yn ail, mae'r tri grŵp hyn o theorïau yn cyfateb yn fras i dair o'r prif ystyriaethau pwysicaf i gyfieithwyr proffesiynol (creu testun targed sy'n ddarllenadwy ac yn gywir o ran ystyr, creu cyfieithiad sy'n parchu teithi'r iaith darged, a phwysigrwydd ystyried y defnyddiwr terfynol).

## Synnwyr am Synnwyr ac Osgoi Ymyrraeth yr Iaith Ffynhonnell

Honnwyd yn gynnar yn y gyfrol hon fod cyfieithu yn hynafol; mae'n debyg bod cyfieithu yr un mor hen ag iaith ei hun. Nid yw'n syndod felly fod tystiolaeth o drafodaethau hir a manwl am gyfieithu i'w cael mor gynnar â 46CC, os nad yn gynt, a hynny ledled Ewrop ac Asia.

### Dadleuon Hynafol a Theori Cyfieithu

Un o'r agweddau ar gyfieithu yr oedd trafod mawr arni yn gynnar iawn yn hanes theori oedd agosrwydd y cyfieithiad at y testun ffynhonnell. Dadleuai dynion llenyddiaeth mawr y cyfnod clasurol (gan mai dynion oeddent yn bennaf os nad yn ddieithriad ar yr adeg hon) fod dau brif ddull yn y bôn. Y dull cyntaf oedd cyfieithu bron â bod air am air; byddai'r cyfieithydd (o weithiau crefyddol a thestunau llenyddol Groeg yn bennaf yn y byd gorllewinol, a rhwng Groeg, Sanskrit, Arabeg a Tsieiniëeg yn yr India, Tsiena a'r byd Arabaidd) yn trosi'r darn o'i flaen gan gadw mor agos â phosibl at strwythur a chystrawen y gwreiddiol, a chan ddisodli'r gair gwreiddiol â'r gair cyfatebol agosaf yn yr iaith darged. Y cymhelliad mwyaf cyffredin dros wneud hyn oedd parchu 'ysbryd' neu awdurdod y testun, fel arfer yn achos testunau crefyddol; yng nghyd-destun gweithiau crefyddol, roedd hyd yn oed yr iaith ei hun, nid yn unig y cysyniadau crefyddol a fynegid ganddi, yn sanctaidd.[8] Yr ail ffordd o fynd ati oedd cyfieithu mewn modd mwy 'rhydd', lle byddai synnwyr neu ystyr neges mewn un iaith yn cael ei drosi i iaith arall yn ffyddlon (h.y. heb ei addasu), ond mewn modd a oedd yn parchu teithi'r iaith darged. Byddai'r testun yn yr iaith darged yn ddarn o ryddiaith gain ei hun, ac yn ddeniadol i ddarllenwyr yr iaith honno.

Un o eiriolwyr cyntaf y ddeuoliaeth hon rhwng cyfieithu llythrennol a chyfieithu 'rhydd' yn Ewrop oedd Marcus Tullius Cicero (106cc–43cc). Rhethregwr ac athronydd oedd Cicero ymhlith pethau eraill, ac roedd yn gyfieithydd mawr o weithiau Groeg i Ladin. Er mai cyfieithu air am air oedd y duedd yn ei oes ef, âi Cicero yn groes i'r graen gan gynnig cyfieithiad llawer mwy darlleadwy yn y Lladin a oedd yn fwy na ffordd yn unig o ddeall yr iaith wreiddiol. Tâl inni oedi ychydig i dafoli syniadau Cicero am gyfieithu gan fod Cicero yn un o feddylwyr mwyaf goleuedig ei oes, a wnaeth gyfraniad hirhoedlog at athroniaeth y byd clasurol ac at athroniaeth fodern fel ei gilydd. Roedd ei bwyslais ar athroniaeth ymarferol, ei syniadau am y weriniaeth orau er lles ei holl ddinasyddion, nod gwleidyddiaeth a'i gred ymhell cyn ei amser bod lle i bawb mewn cymdeithas wâr ni waeth beth y bo'i hil, oll yn tystio i allu a deallusrwydd syfrdanol o ystyried y cyfnod y bu fyw ynddo.[9] Ni ddylid gwneud y camgymeriad felly o ddiystyru ei syniadau am iddo farw ganrifoedd yn ôl pan nad oedd cyfieithu fel y'i deallwn ef heddiw yn bodoli. O ran cyfieithu felly, dadleuai y dylid cadw'r un syniadau, ond eu cyfleu mewn modd y byddai ei ddarllenwyr yn ei ddeall. Yn ei weithiau *De Optimo Genere Oratorum* a *De Finibus Bonorum et Malorum*, gosododd Cicero yr hyn a ddaeth yn sylfeini cyfieithu gweithiau llenyddol a gweithiau ymarferol am ganrifoedd. Yn wir, byddai dylanwad ei syniadau yn para dros 2,000 o flynyddoedd.[10] Nid Cicero, fodd bynnag, oedd yr unig Rufeiniwr huawdl a feirniadai gyfieithiadau prennaidd ei oes. Roedd y bardd Quintus Horatius Flaccus (neu Horas) (65cc–8cc) hefyd yn barod i fwrw ei sen dros gyfieithiadau nad oeddent yn ddim mwy na glosau Lladin o weithiau llenyddol mawr. I'r awduron hyn, rhaid oedd bod yn driw i ystyr ac ysbryd y gweiddiol, ond rhaid hefyd oedd gwisgo'r ystyron hynny mewn dillad y byddai'r Rhufeinwyr yn eu gwisgo eu hunain fel petai. Roedd gofyn i gyfieithiadau felly fod yr un mor gywrain â gweithiau llenyddol eraill, ond o ystyried 'obsesiwn' y Rhufeinwyr â safon eu Lladin a meistrolaeth rhethregwyr dros eu hiaith lafar, nid yw hyn yn syndod.[11]

Bu dylanwad y ddau Rufeiniwr enwog hyn yn hirhoedlog yn Ewrop, ac nid yn fuan yr anghofiwyd eu gweithiau polemig am gyfieithu. Ar adeg pan fu sawl fersiwn o'r Beibl yn cystadlu am statws, penderfynodd y Pab Damusus ofyn i'r Sant Jerome (342/347oc– 420oc) greu fersiwn swyddogol a safonol o'r Beibl yn y Lladin, sef y Fwlgat. Cafodd Sant Jerome, neu Eusebius Sophronius Hieronymus a rhoi ei enw llawn iddo, ei eni yn Dalmatia. Cafodd ei addysg yn Rhufain o dan yr ysgolhaig enwog ar y pryd, Aelius Donatus. Aeth ymlaen i astudio diwinyddiaeth yn Trier, a chafodd ei urddo'n offeiriad yn Antioch ar ôl cyfnod o fod yn feudwy yn anialwch Syria. Astudiodd wedi hynny yng Nghaer Gystennin o dan Grigor Nazianzen a Grigor Nyssa. Wedi dychwelyd i Rufain, denodd sylw'r Pab Damasus ac aeth yn ysgrifennydd preifat iddo. Roedd Sant Jerome yn ysgolhaig dawnus ac yn ddadleuwr o fri, ac oherwydd hynny cafodd y dasg o gyfieithu'r testunau Beiblaidd o Roeg a Hebraeg i Ladin. Fe wnaeth hynny, a fersiwn Sant Jerome oedd sail y fersiwn Catholig swyddogol am ganrifoedd wedyn. Roedd ei ysgrifau am gyfieithu, a'r sylw a roddodd i'w ddull o fynd ati mewn gohebiaeth ag eraill, yn hynod o ddylanwadol, ac ynghyd ag ysgolheigion ac awduron Rhufeinaidd gynt, yn ôl i'w waith ef y gellir olrhain llawer iawn o'r disgwrs Ewropeaidd am gyfieithu hyd y dwthwn hwn. Defnyddiodd Sant Jerome ddadleuon Cicero o ganrifoedd ynghynt i'w amddiffyn ei hun rhag beirniadaeth. Dengys hyn yn glir y dylanwad a gafodd syniadau Cicero ar gyfieithwyr a ddaeth ar ei ôl. Mewn llythyr at Esgob Caersalem yn 395oc, eglurodd Sant Jerome ei strategaeth gyfieithu gyffredinol, ac mae'n debyg mai'r frawddeg hon yw'r un enwocaf a ysgrifennwyd erioed am theori cyfieithu (yr awdur biau'r pwyslais):

> Now I not only admit but freely announce that in translating from the Greek –except of course in the case of the Holy Scripture, where even the syntax contains a mystery – *I render not word-for-word, but sense-for-sense*.[12]

Manylwyd ychydig arno yma gan mai Sant Jerome yw nawdd sant cyfieithwyr ledled y byd. Eto felly, nid ffurf na chystrawen yr iaith wreiddiol oedd pennaf pryder y cyfieithydd, eithr y syniadau a'r negeseuon yr oedd yr awdur am eu cyfleu. Ymhellach, er mwyn gwneud cyfiawnder â'r syniadau a'r negeseuon hyn, rhaid oedd defnyddio iaith y byddai darllenwyr y cyfieithiad yn ei deall ac yn ei gwerthfawrogi. I gyfieithwyr Ewropeaidd cynnar fel Cicero a Sant Jerome, rhaid oedd ymwrthod â dull cyffredin y cyfnod o gyfieithu am ei fod yn creu cyfieithiadau na allai trwch y boblogaeth eu deall. Yn y bôn, ni fyddai modd deall cynnwys y testun gwreiddiol oni bai bod y strategaethau cyfieithu priodol yn cael eu defnyddio wrth drosi'r cynnwys hwnnw.

## Y tu hwnt i theori Ewropeaidd yn y cynfyd

Ond nid yn Ewrop yn unig y cynhelid dadleuon mawr am yr hyn y dylai cyfieithydd ei wneud. Mae cyfieithu yn cyd-fynd â bodolaeth amlieithrwydd, felly dylid edrych y tu hwnt i Rufain a Groeg am ddeunydd ar y pwnc hwn. Trown yn gyntaf at y byd Arabeg ei iaith. O ystyried i gyfieithu a chyfieithwyr fwynhau statws na allai rhai cyfieithwyr heddiw hyd yn oed freuddwydio amdano,[13] nid yw'n syndod bod gan gyfieithwyr Arabeg cynnar lawer iawn i'w ddweud am grefft y cyfieithydd. Yn ystod y cyfnod Abbasid (califfiaeth Abbasid, 750–1258oc), bu Cyfnod Aur o gyfieithu ac ysgrifennu, a hynny o weithiau meddygol, gwyddonol a llenyddol ar y cyd â gweithiau crefyddol. Un o'r cyfieithwyr enwocaf a mwyaf cynhyrchiol yn y cyfnod hwn oedd Hunayn Ibn-Ishaq (809oc–873oc). Cyfieithodd Hunayn Ibn-Ishaq gannoedd o lawysgrifau, gan gynnwys gweithiau Plato ac Aristotle, i Arabeg a Syrieg ei gyfnod, ac arweiniodd ar waith cyfieithu gwyddonol a meddygol o Roeg. Fel yn y byd gorllewinol, mae'n ymddangos bod dau ddull o gyfieithu i'w gweld ar waith, gyda'r dull cyntaf yn cael ei raddol ddisodli gan yr ail wedi i ddealltwriaeth y darllenydd gael mwy o sylw.[14] Y dull cyntaf oedd cyfieithu air am air gan ddisodli un gair ag un arall, neu o leiaf ddilyn strwythur a chystrawen y gwreiddiol yn agos iawn. Lle nad oedd gair Arabeg yn bodoli eisoes, byddai gair Groeg yn cael ei fenthyg. Byddai'r ail ddull yn llawer mwy rhydd, ac yn canolbwyntio, fel yn Ewrop, ar sicrhau bod y testun yn ddealladwy ar ei delerau ei hun. Hunayn Ibn-ishaq i raddau helaeth a ddadleuai dros strategaethau cyfieithu o'r fath, ac mae'n ddiddorol bod cyfieithydd mawr arall wedi dod i'r casgliad nad iawn cyfieithu air am air, a hynny yn hollol annibynnol ar ei gydgyfieithwyr mewn rhannau eraill o'r byd. Codai'r un trafodaethau a'r un dadleuon yn Tseina. Yn ddiddorol ddigon, bu trwch gwaith cyfieithwyr cynnar yn Tseina yn dod o du'r llywodraeth ac anghenion masnachol; fel y mae Eva Hung a David Pollard yn nodi yn eu hysgrif ar y traddodiad cyfieithu Tsieniaidd ar gyfer y gyfrol arloesol, *The Encyclopedia of Translation Studies*, roedd y gair Tsienïeg cynnar am gyfieithydd yn golygu 'cyfieithydd llywodraethol swyddogol' (*yishi* neu *yiguan*), ac roeddent yn weision sifil uchel eu parch.[15] Mae'r disgwrs Tsieineaidd cynnar ynghylch cyfieithu, serch hynny, yn seiliedig ar gyfieithu crefyddol. Unwaith eto, roedd y ddeuoliaeth rhwng cyfieithu llythrennol gair am air a chyfieithu rhydd, deuoliaeth oedd yn destun dadleuon mawr ledled y byd ysgolheigaidd Arabaidd ac Ewropeaidd, i'w gweld ym mynachlogydd Bhwdaidd Tseina hefyd i raddau. Er y dylid cofio bod cysyniadau fel yr 'iaith ffynhonnell' a'r 'iaith darged' yn gysyniadau gorllewinol i raddau, mae'r ffaith bod termau fel *yìyì* a *zhìyì* yn bodoli yn y disgwrs Tsieniaidd am gyfieithu, sy'n cyfateb yn fras i gyfieithu mwy llythrennol a chyfieithu cymharol rydd, yn dangos bod cyfieithwyr cynnar yn y rhan hon o'r byd hefyd yn hen gyfarwydd â'r ddeuoliaeth. Bu cydnabyddiaeth mor gynnar â 46cc felly nad proses seml o roi un gair yn lle un arall yw cyfieithu. Dengys y ffaith i gyfieithwyr ddadlau hyn mor hir yn ôl, ac yn annibynnol ar ei gilydd mewn sawl rhan o'r byd ac mewn traddodiadau a diwylliannau gwahanol iawn i'w gilydd, fod y gred hon mor hen â'r ymgais i greu cyfieithiad call ei hun.

## Y Dadeni a'r Diwygiad Protestannaidd

Gan ddychwelyd i Ewrop a gwibio ymlaen i'r Dadeni a'r Diwygiad Protestannaidd, gwelwn eto drafod mawr ar sut y dylai'r cyfieithydd fynd ati i gyfieithu. Nodwyd uchod fod cyfieithu yn mynd law yn llaw ag amlieithrwydd, ac o ystyried cyfoeth ieithyddol y byd heddiw heb sôn am am ganrifoedd yn ôl, mae'n amlwg y byddai cyfieithiadau o ddogfennau swyddogol, technegol a gwyddonol a.y.y.b yn cael eu llunio. Ond o ran y disgwrs cyhoeddus am gyfieithu, sef y credoau a'r barnau a wyntyllid a'r normau a arddelid mewn perthynas â chyfieithu, yr hyn a oedd yn porthi'r drafodaeth oedd cyfieithu Beiblaidd a chyfieithu llenyddol. Daeth cyfieithu crefyddol yn faes lle'r oedd brwydro mawr am oruchafiaeth; wrth i'r mudiad dyneiddiol, a'r Diwygiad Protestannaidd ar ôl hynny, fynnu bod gwybodaeth grefyddol a'r Beibl ar gael i'w darllen yn yr ieithoedd brodorol, trawai'r Eglwys Gatholig yn ôl trwy ladd neu garcharu cyfieithwyr fel y Sais William Tyndale (1490–1536) a gwahardd eu gwaith. Law yn llaw ag ymgais i gyfieithu'r Beibl a gweithiau crefyddol eraill, rhoddid ail wynt i'r hen gysyniad o greu cyfieithiadau y gallai pobl gyffredin eu deall, cred a âi'n benben ag athroniaeth gul yr Eglwys Gatholig mai maes i ddysgedigion arbennig oedd gwybodaeth ddofn o'r Beibl. Er bod dehongli ystyr yr iaith ffynhonnell a'i mynegi yn yr iaith darged yn hen gysyniad y gellir ei olrhain i feddylwyr clasurol Rhufain yn Ewrop a chyfieithwyr mawr fel Hunayn Ibn-Ishaq yn y byd Arabeg, cyfieithu llythrennol gair am air oedd y nod pan ddeuai i'r Beibl a gweithiau llenyddol o hyd hyd at y cyfnod hwn. Cafodd y syniad hwn ei ddiystyru gan gyfieithwyr y cyfnod modern cynnar; eu nod oedd sicrhau y gall 'y fenyw yn y farchnad' a'r 'gwerinwr wrth ei aradr' ddeall gair Duw. Er mwyn gwneud hynny, rhaid oedd cyfieithu gan ddefnyddio iaith bob dydd y bobl. Cafwyd yr enghraifft enwocaf o'r cysyniad hwn, a'r mynegiad cliriaf ohono, gan yr Almaenwr Martin Luther, wrth iddo ddisgrifio sut yr aeth ati i gyfieithu'r Beibl i'r Almaeneg:

Man muß die Mutter im Hause, die Kinder auf die Gassen, den gemeinen Mann auf dem Markt drum fragen, und denselbigen auf das Maul sehen, wie sie Reden and darnach dolmetschen; da verstehen sie es denn und merken, daß man Deutsch mit ihnen redet.[16]

*Rhaid holi'r fam ar yr aelwyd, y plant yn y strydoedd a'r gwerinwr yn y farchnad, a gwrando arnynt a gwrando ar sut maent yn siarad a chyfieithu yn ôl hynny; wedyn fe fyddant yn ei deall hi ac yn sylwi mai yn Almaeneg yr ydych yn siarad â hwy.*

Roedd yr unfed ganrif ar bymtheg felly yn ganrif fawr y cyfieithwyr Beiblaidd, ac at ei gilydd ceisid efelychu patrymau iaith arferedig y cyfnod yn hytrach na glynu'n amhriodol o agos at y fersiynau Hebraeg a Groeg hynafol. Gwyddai'r cyfieithwyr ar yr adeg hon na fyddai modd lledaenu gair Duw gan ddefnyddio deunydd na all ond rhyw lond llaw o ddynion addysgedig ei ddeall. Er y byddech yn taeru na ddigwyddodd y fath beth o ddarllen y rhan fwyaf o lyfrau am y pwnc hwn ym maes Astudiaethau Cyfieithu,[17] fe goleddid syniadau tebyg yng Nghymru hefyd at ei gilydd ac ym Meibl Cymraeg gorffenedig cyntaf y cyfnod, yr un a gwblhawyd gan William Morgan, cafwyd ymgais amlwg nid yn unig i greu fersiwn dealladwy, ond fersiwn a fyddai'n gymeradwy ledled Cymru hefyd ymysg poblogaeth a siaradai doreth o dafodieithoedd. Roedd gan Gymru hithau felly ei hysgolheigion dyneiddiol a chrefyddol a wyddai lawn cystal am bwysigrwydd cyfieithu clir a choeth er lles y darllenydd, er bod rhywfaint o ymlyniad at gyfieithu agos a chystrawennau Lladinaidd o hyd yn nodwedd ar gyfieithiadau crefyddol ar yr adeg hon.[18]

Etiènne Dolet (1509–1546), y dyneiddiwr o Ffrancwr a ddienyddiwyd am gamgyfieithiad honedig a heresi, oedd un o'r rhai cyntaf yn y cyfnod hwn i roi pen cwilsyn ar bapur a rhoi ei farn bendant a diamwys am yr hyn y dylai'r cyfieithydd ei wneud. Yn ei *La manière de bien traduire d'une langue en aultre* (yn fras, sut i drosi'n dda rhwng y naill iaith a'r llall),[19] rhestra Dolet bum egwyddor cyfieithu cywir:

1.  Rhaid i'r cyfieithydd ddeall yn llwyr synnwyr ac ystyr yr awdur gwreiddiol, er bod rhyddid ganddo i egluro mannau aneglur;
2.  Dylai fod gan y cyfieithydd wybodaeth berffaith o'r iaith ffynhonnell a'r iaith darged;
3.  Dylai'r cyfieithydd osgoi cyfieithiadau gair am air;
4.  Dylai'r cyfieithydd ddefnyddio ffurfiau sydd ar lafar gwlad;
5.  Dylai'r cyfieithydd ddewis a gosod y geiriau yn briodol er mwyn creu'r tôn cywir.

O ran osgoi cyfieithu rhy lythrennol felly a pharchu 'synnwyr am synnwyr', dyma gyngor helaethach a chliriach am y strategaethau cyfieithu y dylai cyfieithwyr eu mabwysiadu ym marn Dolet. Yn wahanol i'r theorïwyr cyn ei amser ef a'r rhai a ddaeth ar ei ôl, cawn yma hefyd sylw am y sgiliau y dylai'r cyfieithydd feddu arnynt. Yn wir, fel y gwelsom yn y bennod ddiwethaf, mae ymchwil wyddonol wedi dangos bod gwybodaeth drylwyr o'r ddwy iaith yn hanfodol. Ond nid Dolet fyddai'r cyfieithydd cyntaf i fod yn hael ei gyngor fel hyn; wrth symud ymlaen nawr i'r ail ganrif ar bymtheg a'r ddeunawfed ganrif, mae gan yr agwedd hon ar theori gyfieithu lawer mwy i'w gynnig eto.

O Loegr y daw'r cyfraniadau nesaf at yr agwedd hon ar theori. Roedd John Dryden (1631–1700) ac Alexander Fraser Tytler (1747–1813) ill dau yn llenorion Saesneg ac yn gyfieithwyr o weithiau clasurol. Yn ôl Dryden, roedd tri math o gyfieithu neu dri dull o fynd ati. Y cyntaf oedd '*metaphrase*', sef cyfieithu air am air, llinell fesul llinell. Yr ail oedd '*paraphrase*', lle byddai syniadau'r awdur gwreiddiol yn cael eu cadw a'u cyfleu, ond gan ddefnyddio dulliau ymadrodd a theithi iaith yr iaith darged. Byddai hyn yn cyfateb fwy neu lai i gyfieithu 'synnwyr am synnwyr'. Yn olaf ym marn Dryden ceid '*imitation*', lle byddai'r awdur yn mynd ati i ddefnyddio'r hyn a fynnai o'r iaith ffynhonnell heb gymryd fawr o ofal dros ba mor agos fyddai'r iaith darged i'r iaith wreiddiol. Yn 1790 cyhoeddodd Alexander Fraser Tytler yr ymdriniaeth gyntaf yn Saesneg â chyfieithu. Yn ei '*Essay on the principle of translation*', aeth Tytler ati i drafod yr hyn a oedd yn ei farn ef yn gyfieithiad da, a'r hyn y dylai cyfieithydd da anelu ato. Gosododd dair rheol i'r cyfieithydd:[20]

1. Dylai'r cyfieithiad roi cofnod [*transcription*] o syniadau'r gwaith gwreiddiol;
2. Dylai arddull a dull yr ysgrifennu fod yr un fath â'r hyn a geir yn y gwreiddiol;
3. Dylai'r cyfieithiad ddarllen yr un mor rhwydd â'r gwreiddiol.

Gwelwn eto felly yr un syniadau'n cael eu hyrwyddo: iaith glir, ddealladwy a chyfieithiad oedd yn cynnwys yr un wybodaeth â'r gwreiddiol. Ni fu fawr o newid yn y disgwrs wedi hynny; er i ysgolheigion o oes Fictoria fel Mathew Arnold, Francis Newman a Friedrich Schleiermacher ddadlau'n ffyrnig am sut y dylai cyfieithiad edrych, dychwelyd i syniadau oesol a wnaent, syniadau a wyntyllid eisoes ganrifoedd cyn eu hamser hwy. Ni chafwyd dim newydd felly yn y blynyddoedd wedi hynny sy'n werth ei drafod mewn canllaw fel hwn, ond terfynwn â dyfyniad gan Thomas Roberts (1765/6–1841) yn ei *Cwyn yn Erbyn Gorthrymder*.[21]

[...] etto fe wŷr pawb ag fydd yn deall Cymraeg a Saesoneg, mai anhawdd iawn ydyw cyfieithu, mal y bo ystyr y geiriau yn cael eu hiawn effaith ar y Rheithwyr yn y naill iaith fel y llall; a hynny o herwydd eu bod yn dilyn y llythyren yn rhy dyn; ac ni fu erioed fawr o lesâd yn dyfod o hynny: ac mae yr iaith yn drom ac yn drwsgl, yr ystyr yn dywyll, a'r cwbl yn dyn ac yn afrywiog. Ac mae hwn yn wirionedd a saif byth; fod yn annalladwy cyfieithu air y'ngair, a gwneuthur iaith rywiog a deallgar. Y peth fydd ber-arogl mewn iaith a ddrewa wrth ei gyfieithu yn ôl y llythyren i iaith arall.

Gwir pob gair hyd heddiw, boed hynny wrth gyfieithu testun neu gyfieithu ar y pryd.

## Dadlafareiddio a Synnwyr

Dan sylw yn yr adran hon y mae gwaith Marianne Lederer (1934–presennol) a'r ddiweddar Danica Saleskovitch (1921–2001). Cyfieithwyr ar y pryd uchel eu bri yr oedd Seleskovitch a Lederer, ac roedd ill dwy hefyd yn dysgu yn *Ecole Supérieure d'Interprètes et de Traducteurs* (ESIT), yn *Université Paris 3 - Sorbonne Nouvelle*. Roedd y cyfuniad hwn o ymarfer a dysgu yn ffrwythlon, gan iddo esgor ar un o'r theorïau cyfieithu mwyaf defnyddiol sydd wedi ei chyhoeddi hyd yma. Roedd y ddwy yn argyhoeddedig nad achos o gyfieithu'r 'geiriau' oedd cyfieithu ar y pryd, a bod cyfieithwyr ar y pryd cymwys yn cymryd ymadrodd llafar, bron â bod yn isymwybodol, wedyn yn dadbacio'r ymadrodd hwnnw a'i ddiberfeddu o'i brif neges, ac wedyn, gan anwybyddu strwythur yr iaith wreiddiol, yn ailgreu'r neges honno yn yr iaith darged. Iddynt hwy felly, proses y cyfieithydd oedd deall [*comprehension*], dadlafareiddio [*deverbalization*] ac ailffurfio [*reformulation*].[22] Sail eu theori oedd sylweddoli, ar sail eu hymarfer eu hunain ac arsylwi ar filoedd o ddarpar gyfieithwyr dan hyfforddiant, fod neges y siaradwr yn cael ei chlywed a'i deall yn gyntaf, a hynny hefyd ar sail gwybodaeth gefndirol y gwrandäwr a chyd-destun cyffredinol y neges, cyn y gwneid dim byd arall. Canlyniad y ddealltwriaeth hon wedyn oedd cyfres o ddelweddau neu syniadau (synnwyr yr hyn a ddywedwyd), *heb* ffurfiau ieithyddol cadarn eto. Yn olaf, byddai'r cyfieithiad, ar sail y delweddau neu'r syniadau hyn, yn cael ei lefaru.

Rhan bwysig o'u dadl yw bod hyn yn wir am y broses o ddeall yr iaith lafar a'r iaith ysgrifenedig mewn cyd-destun uniaith hefyd; nid ydym wrth wrando ar ffrind, er enghraifft, yn cofio air am air bob un frawddeg a ddywedodd cyn inni ymateb i'w neges neu stori. Yn lle cofio'r geiriau, sydd oll yn diflannu o'r cof, yr hyn sydd gennym yw casgliad o ddelweddau neu syniadau am ei brif bwynt neu neges (sef synnwyr yr hyn a ddywedodd), ac ar sail y synnwyr hwnnw yr ydym yn ei ateb. I gadarnhau'r pwynt, ni allwch, fel arfer, ailadrodd beth mae rhywun newydd ei ddweud wrthych mewn cyd-destun cyfathrebu arferol, ond nid yw hyn yn eich atal rhag cynnig ymateb synhwyrol. Aethant ymlaen wedyn i ddadlau fod y theori hon yr un mor berthnasol i gyfieithu testun, ond mireiniasant ychydig ar eu theori i gyd-fynd â chyd-destun gwahanol cyfieithwyr testun a natur fwy hirhoedlog y neges ysgrifenedig. Ychwanegasant gysyniad y cyfatebol [*correspondence*] a chysyniad cyfystyriaeth [*equivalance*]; mae 'cyfatebol' yn golygu cyfieithu gan dalu mwy o sylw i lefel y gair a'r frawddeg yn y bôn, lle mae 'cyfystyriaeth' yn golygu cyfieithu mewn modd sy'n canolbwyntio ar lefel y testun cyfan a'r ystyron y mae'n eu cynnal. Trwy barchu cyfystyriaeth, byddai'r cyfieithydd yn barod i sicrhau llif y testun trwy ychwanegu neu dynnu darnau o wybodaeth pe bai angen, i addasu safle neu gyfluniad brawddegau, i ddefnyddio geirfa fwy priodol pe bai angen yn lle dilyn yr ystyron a restrir yn y geiriadur, gan gydnabod mai'r cyd-destun sy'n pennu ystyr gair. A'i rhoi'n syml felly, y synnwyr neu graidd y neges y mae'r awdur am ei chyfleu sydd bwysicaf ym marn Lederer, ac mae ffurfiau gweledol neu arwynebol yr iaith ffynhonnell yn gwbl amherthnasol i hyn. Mae enghraifft isod o ddau gyfieithiad sydd wedi eu cyhoeddi, i ddangos y gwahaniaeth rhwng cyfieithu ar sail synnwyr a 'cyfystyriaeth', a chyfieithu'n rhy agos a cheisio creu testun 'cyfatebol'. Nid yw hyn yn golygu serch hynny na ddylai'r cyfieithydd chwilio am y 'cyfatebol' o gwbl. Byddai terminoleg, er enghraifft, yn achos amlwg; byddai rhaid defnyddio'r union un term Cymraeg cyfatebol, hyd yn oed os byddai rhaid cynnig esboniad am y gallai fod yn aneglur. Isod, mae'r frawddeg ar y gwaelod [Os daw'r frech ...], y cyfieithiad a gyhoeddwyd, yn dangos 'cyfystyriaeth' Lederer ar waith; mae'r synnwyr neu'r brif neges wedi cael ei gyfleu, ond mewn ffordd sy'n parchu teithi'r iaith darged yn yr un modd ag y mae'r gwreiddiol yn parchu teithi'r iaith Saesneg. Hynny yw, maent yn destunau *cyfwerth*. Yn y brawddegau sydd wedi eu hitaleiddio, gallwch weld canlyniad proses gyfieithu oedd wedi dilyn trefn y Saesneg yn rhy agos ac felly yn enghraifft o gyfieithu 'cyfatebol'. Synnwyr neu brif neges '*reoccurs*' oedd achos o'r frech yn codi eto neu'n 'dod yn ôl', nid 'ailddigwydd', ac nid 'ailddigwydd' fyddai dull y Gymraeg o drafod cyflwr meddygol sy'n dychwelyd ychwaith:

| If the rash reoccurs or continues please consult your Doctor, stop using the splints and notify your Occupational Therapist immediately. | |
| --- | --- |
| Os daw'r frech yn ôl neu os bydd yn parhau, mynnwch air â'ch meddyg, rhowch y gorau i wisgo'r sblintiau a rhowch wybod i'ch Therapydd Galwedigaethol ar unwaith. | |
| If the rash reoccurs or continues | Os bydd y frech yn ailddigwydd neu'n parhau |
| stop using | stopiwch ddefnyddio |
| Notify your Occupational Therapist | hysbyswch eich Therapydd Galwedigaethol |
| Maes: Iechyd | |
| Math o destun: Taflen wybodaeth i glaf | |
| Cynulleidfa: Cleifion yn gyffredinol | |

Isod, y frawddeg Gymraeg sydd heb ei hitaleiddio yw'r cyfieithiad fyddai'n adlewyrchu theori'r 'cyfieithiad cyfystyr' [Gan fod cymaint o ddŵr...]. Mae'r cyfieithiad sydd wedi ei italeidido yn dilyn y Saesneg yn agos iawn a hwn fyddai'r cyfieithiad 'cyfatebol'; mae'r *geiriau* unigol yn *cyfateb* i'r Saesneg ond nid yw synnwyr neu brif syniadau'r brawddegau wedi cael eu cyfleu mewn Cymraeg naturiol. O ddilyn theori Lederer felly am gyfystyriaeth, a chyfleu synnwyr mewn ffurfiau naturiol Gymraeg, gellir cynnig yr isod (y cyfieithiad heb ei italeiddio) yn gyfieithiad cymeradwy posibl. O ran y strategaethau penodol a ddefnyddiwyd i greu'r cyfieithiad hwn, fe fyddwn yn troi at hyn ym Mhennod 5.

| Infrastructure has been badly damaged again as a result of the scale and force of the water levels experienced and the council will be working throughout the weekend in response to the consequences of the substantion rainfall. |
| --- |
| *Mae'r isadeiledd wedi'i ddifrodi'n wael eto o ganlyniad i raddfa a grym y lefelau dŵr a bydd staff y Cyngor yn gweithio trwy gydol y penwythnos yn ymateb i ganlyniadau'r glaw sylweddol.* |
| Gan fod cymaint o ddŵr, a llawer iawn ohono wedi codi i lefelau uchel iawn, mae difrod mawr wedi bod eto i isadeiledd. Bydd staff y Cyngor yn gweithio trwy'r penwythnos i ddelio â chanlyniadau'r glaw mawr. |
| Maes: Llywodraeth Leol |
| Math o destun: Neges fer i'r cyhoedd ar y cyfryngau cymdeithasol |
| Cynulleidfa: Y cyhoedd yn gyffredinol |

Unwaith y bydd y darllenydd wedi deall neges felly, a hynny ar sail ei wybodaeth gefndirol o'r byd a'r sefyllfa gyffredinol, yn gymaint ag ar sail ei ddealltwriaeth o'r arwyddion ieithyddol a ddefnyddiwyd (h.y. y geiriau a ddefnyddir gyda'i gilydd i gyfleu'r neges), bydd y geiriau a ddefnyddir gyda'i gilydd yn diflannu a bydd cyfres o ddelweddau neu syniadau creiddiol ar ôl ym meddwl y gwrandäwr neu'r darllenydd. Dadl Lederer yw mai *ar y pwynt hwn* y dylid dechrau cyfieithu ac nid ynghynt, a thrwy gyfieithu ar ôl y pwynt hwn mae modd sicrhau bod y testun targed yn darllen fel testun naturiol ac yn dilyn normau'r iaith honno.

Mae theori dadlafareiddio Lederer felly yn un oedd cyn ei hamser; roedd Lederer yn dadlau am bwysigrwydd cyd-destun a gwybodaeth gefndirol y siaradwyr a'r darllenwyr cyn i Bragmateg gyrraedd prif ffrwd Ieithyddiaeth, ac roeddent yn dadlau bod darllenwyr yn dod â'u syniadau a'u credoau eu hunain at destunau, sy'n effeithio ar eu dealltwriaeth ohonynt, ymhell cyn i Seicoieithyddiaeth ddechrau ymdrin â phrosesau darllen (am drafodaeth bellach am ddarllen a lle canolog gwybodaeth gefndirol, gweler Pennod 4). Roedd y theori hefyd yn mynegi'n huawdl gri'r Rhufeinwyr gynt mai'r synnwyr neu'r prif negeseuon sydd bwysicaf yn hytrach na'r geiriau unigol sydd yn eu hamgodio. Byddwn yn dychwelyd at elfennau o'r theori hon yn nes ymlaen, yn benodol wrth drafod unedau ystyr ym Mhennod 5, ond trown yn awr at grŵp arall o theorïau pwysig o dan enw Swyddogaetholdeb, a sut y gallant hwythau fod o fudd i'r cyfieithydd.

## Swyddogaetholdeb a Phwysigrwydd y Defnyddiwr

Bu newid mawr yn y 1970au ym maes theori cyfieithu o du'r Almaen, pan gafwyd cyfraniad mawr at y maes gan gyfieithwyr ac academyddion yn y wlad honno a droes y disgwrs yn y byd cyfieithu yn wyneb i waered. Yr hyn oedd yn wahanol hefyd am yr unigolion hyn oedd eu bod yn gyfieithwyr profiadol eu hunain, fel Lederer uchod, ac roedd eu gwaith theoreiddio yn cyd-fynd â'r cyfieithiadau go iawn a gynhyrchent i ddarllenwyr go iawn. Iddynt hwy, swyddogaeth y testun targed oedd y brif ystyriaeth i gyfieithwyr cymwys a rhaid oedd diorseddu testunau ffynhonnell.[23] Nid 'os dyna sydd yn y testun ffynhonnell, dyna fydd yn y testun targed' a ddylai lywio'r gwaith yn ôl pleidwyr y theori, eithr 'mae'r cyd-destun y defnyddir y testun targed ynddo yn mynnu mai fel hyn y dylid mynd ati i gyfieithu'. Aed ymlaen felly o drafod brawddegau, ystyron a synnwyr a rhoddwyd y chwyddwydr yn hytrach ar *nod* neu *swyddogaeth* testun. Yn lle canolbwyntio'n ormodol ar y testun ffynhonnell felly, y ddadl oedd y dylid talu llawer iawn mwy o sylw i'r testun targed fel testun ynddo ef ei hun a ddefnyddir ymysg darllenwyr go iawn mewn cyd-destun sydd o bosibl yn wahanol.

### Katharina Reiß

Daeth y cyfraniad cyntaf yn y traddodiad hwn gan Katharina Reiß (1923–2018) yn y 1970au, ac ar hwnnw yr adeiladodd y swyddogaethwyr a ddaeth ar ei hôl. Yn ôl Reiß, llwyddir i gyfathrebu trwy gyfieithu gan ganolbwyntio ar y testun cyfan, ac nid ar y brawddegau sy'n ei ffurfio. Gan adeiladu ar dair swyddogaeth iaith yn ôl Karl Bühler (1879–1963), cred Reiß oedd y dylid dechrau ar y broses gyfieithu trwy ddadansoddi'r testun yn gyntaf ac ystyried i ba raddau y mae'r testun ffynhonnell yn destun sy'n cynnig gwybodaeth [*informative*], yn destun mynegiannol [*expressive*] neu'n destun gweithredol [*operative*].[24] Yn ôl Reiß, byddai nod y testun targed yn dilyn, o raid, un o'r swyddogaethau hyn. Er enghraifft, wrth gyfieithu testun mynegiannol, dylai'r cyfieithydd geisio parchu'r elfennau aesthetig a chelfyddydol yn hytrach na chanolbwyntio ar yr ystyr. Byddai cerdd neu nofel yn enghraifft o hyn. Wrth gyfieithu testunau gweithredol, sef testunau sy'n ceisio peri i'r darllenydd ymddwyn mewn modd penodol neu wneud rhywbeth penodol (cyfarwyddiadau dodrefn, gwybodaeth i glaf am feddyginiaethau neu hysbyseb greadigol hyd yn oed), byddai angen addasu rhywfaint ar y cynnwys fel y byddai'r testun yn cael ei dderbyn ymysg darllenwyr yr iaith darged. Mae hysbysebion, a marchnata dwyieithog effeithiol, yn enghreifftiau eithaf da o hyn. Nid oedd Reiß, wrth sôn am destunau, yn dadlau yma y dylid anwybyddu ystyr yr iaith ffynhonnell a gyfleir gan unedau ystyr neu frawddegau'r testun ffynhonnell; dadlau yr oedd hi y dylid addasu'r cyfieithiad os oes rhaid fel y gallai'r testun targed gyflawni ei swyddogaeth yn effeithiol. Nid yw'n anodd serch hynny weld un o brif broblemau'r theori hon; oni all un testun gynnwys mwy nag un nod? Er enghraifft, bydd ymgyrch iechyd cyhoeddus fel arfer yn cynnwys gwybodaeth bwysig iawn am beth ddylai pobl ei wneud i ofalu amdanynt eu hunain, ond bydd yn gwneud hynny weithiau gan ddefnyddio technegau o faes marchnata, fel chwarae ar eiriau, defnyddio hiwmor neu ddefnyddio cyflythrennu a.y.y.b.

## Hans J Vermeer, Christine Nord a Skopostheorie

Âi rhai theorïwyr ymhellach na hyn, a dadlau mai *darllenydd terfynol* y cyfieithiad, a'i gyd-destun a'i ddiwylliant, a ddylai lywio gwaith y cyfieithydd. Prif bleidwyr y theori hon oedd Hans J Vermeer (1930–2010), Christiane Nord (1943-) a Katherina Reiß ei hun yn hwyrach ymlaen, ac roedd yn syniad radical ar y pryd am iddo wrthod blaenoriaethu'r testun ffynhonnell. I'r cyfieithwyr hyn, *Skopos* y testun targed oedd craidd y broses gyfieithu (a roes fod i'r enw *Skopostheorie*). Ystyr *Skopos* oedd nod tybiedig y testun targed, o'r gair Groeg am 'nod' neu 'bwriad'. Y cyfan oedd y testun ffynhonnell oedd 'cynnig gwybodaeth' [*informationsangebot*]; yr hyn y mae'r cyfieithydd yn ei dderbyn yw briff, yn nodi yr hyn y disgwylid iddo ei wneud a bwriad y testun targed, a thestun ffynhonnell a fyddai'n *gymorth* yn y broses o greu cyfieithiad yn hytrach na ffon fesur o lwyddiant y testun targed. I Vermeer, câi pob testun ei greu at ddiben penodol, ac fe ddylai'r testun gyflawni'r diben hwnnw. Dyma ddod at graidd y theori hon. Yn gyntaf, gall diben y testun targed fod yn wahanol i ddiben y testun ffynhonnell. Yn ail, dylai cyfieithwyr barchu hyn a chyfieithu mewn modd sy'n parchu'r gwahaniaeth hwn. Dyma enghraifft bosibl o destun o Gymru i egluro ymhellach.[25] Mae gwasanaeth newyddion dyddiol ar lein y BBC yn Gymraeg, BBC Cymru Fyw, yn ysgrifennu erthygl i ddarllenwyr Cymraeg eu hiaith am yr Orsedd. Nod yr erthygl, neu ei *Skopos*, yw addysgu darllenwyr o Gymru am hanes yr Orsedd a'i lle yn yr Eisteddfod heddiw. Mae *Die Welt*, gwasanaeth newyddion Almaeneg ar gyfer yr Almaen, yn gweld yr erthygl ac yn meddwl mai da o beth fyddai cyhoeddi'r erthygl yn yr Almaeneg. O'r herwydd, mae angen ei chyfieithu. Eto, yr un yw bwriad neu *Skopos* yr erthyglau. Serch hynny, mae gwybodaeth y cyhoedd Almaeneg ei iaith yn wahanol iawn i'r hyn y mae siaradwyr Cymraeg yn meddu arni felly byddai angen i'r cyfieithydd ddewis a dethol y cynnwys ac ychwanegu esboniadau. Pe cynigid cyfieithiad llythrennol o'r erthygl, ni fyddai'r cyfieithiad yn cyflawni ei fwriad, gan na fyddai darllenwyr Almaeneg yr erthygl fawr callach beth yw'r Orsedd na'r Eisteddfod o bosibl. Gan ddychwelyd i Gymru, dyma enghraifft eraill. Mae Llywodraeth Cymru am gyhoeddi canllawiau i ymarferwyr iechyd y cyhoedd ynghylch iechyd y geg ymhlith plant. Bwriad y testun Saesneg yw esbonio'r drefn ar gyfer gwirio iechyd y geg ymhlith plant a sut i drafod y pwnc â rhieni mewn modd sensitif. Mae bwriad y fersiwn Cymraeg yn union yr un peth. O'r herwydd, ni fyddai gofyn i'r cyfieithydd addasu dim ar y fersiwn Cymraeg na'i newid mewn unrhyw ffordd sylweddol.[26] Yma, gan mai'r un yw bwriad y ddau destun a chan nad oes fawr o wahaniaeth rhwng ymarferwyr iechyd y cyhoedd Cymraeg eu hiaith a di-Gymraeg sy'n gweithio yng Nghymru, nid oes problem. Yn olaf, cyfarwyddiadau i bobl ifanc am sut i gyrraedd Caerdydd ar gyfer diwrnod agored. Mae dau fwriad i'r testun; marchnata Caerdydd fel dinas a rhoi cyfarwyddiadau am sut i gyrraedd o gyfeiriad y de-ddwyrain a'r Cymoedd *a* Bryste. Er bod gan y testun ffynhonnell a'r testun targed yr un bwriad, ni ddylid trin yr holl wybodaeth yn yr un modd gan y gall parchu bwriad y testun olygu addasu ambell i frawddeg. Er enghraifft, yn y Saesneg mae sôn am statws Caerdydd fel prifddinas a'i bod yn gartref i Senedd Cymru, Llywodraeth Cymru a.y.y.b. Er y dylid cynnwys hyn yn y Saesneg am y byddai siaradwyr Saesneg o Gymru yn defnyddio'r un fersiwn ag y byddai'r rhai o gyfeiriad Bryste yn ei ddefnyddio, tybed a fyddai angen y wybodaeth hon yn y Gymraeg? Gallwn weld felly trwy'r enghreifftiau hyn sut y byddai'r theori hon yn gweithio'n ymarferol; gallai olygu gwneud dim, ond gallai olygu newidiadau mawr hefyd mewn ymgais i barchu'r ffaith y byddai'r testun targed yn cael ei ddefnyddio mewn cyd-destun cymdeithasol gwahanol.

Yn olaf, mae'r enghraifft isod yn gyfieithiad go iawn o fyd iechyd y cyhoedd. Am ei bod yn ymgyrch adnabyddus, mae wedi ei chynnwys am ei bod yn dangos orau sut y mae'r cyfieithwyr wedi mynd ati mewn ffordd a fyddai'n taro tant â phleidwyr y theori hon. Gellir gweld yn yr enghraifft hon felly y theori swyddogaethol ar waith yn glir. Yn yr achos isod, byddai hon yn enghraifft o *orfod* addasu er mwyn cyflawni'r Skopos.

| |
| --- |
| Catch it. Bin It. Kill It.<br><br>Ei Ddal. Ei Daflu. Ei Ddifa. |
| Maes: Iechyd y Cyhoedd |
| Math o destun: Neges fer ar boster |
| Cynulleidfa: Y cyhoedd yn gyffredinol |

Mae sawl sifft neu addasiad wedi bod yma, ac mae pob un yn deg gan fod y cyfieithiad yn hynod o lwyddiannus o ran bwriad y testun targed. Y bwriad hwnnw yw bod yn ddarn byr a chofiadwy o gyngor. Y cyfieithiad llythrennol, cwbl anaddas fyddai 'Ei ddal, Ei finio, Ei ladd'. Yn y Saesneg, mae'r cyflythrennu rhwng y ddau air cyntaf, y geiriau byr ac ailadrodd 'it' i gyd yn cyfrannu at slogan byr, effeithiol sy'n llifo oddi ar y tafod ac sy'n gofiadwy iawn. Mae'n rhaid i'r fersiwn Cymraeg wneud yr un peth ond gan fod y ddwy iaith yn wahanol, bu gofyn i'r cyfieithydd fod yn greadigol. Mae'r cyfieithydd wedi penderfynu cyfleu'r ystyr o gael gwared ar yr hances neu ddarn o bapur tŷ bach trwy ddefnyddio 'taflu' yn lle 'binio', ac mae'r cysyniad o ladd neu gael gwared ar y germau wedi cael ei gyfleu trwy ddefnyddio'r gair 'difa' yn lle 'lladd' neu ryw air arall. Trwy wneud hynny, roedd y cyfieithydd yn gallu sicrhau cyflythrennu a chadw natur chwareus y slogan trwy ddefnyddio patrwm 'dd' > 'd' > 'dd'. Mae newid 'finio' i 'daflu' hefyd yn help yn hynny o beth gan fod sain 'd' (ffrwydrolyn gorfannol) yn debyg i sain 'dd' (ffrithiolyn deintiol dilais).

Yn y bôn felly, dylai'r cyfieithydd, yn ôl y theori hon, ystyried ei ddarllenwyr yn hytrach nag awdur y testun ffynhonnell yn unig. Canlyniad hynny yw testun sy'n ddefnyddiol i'w ddarllenwyr, sy'n gwneud synnwyr, sy'n glir, ac sy'n cynnwys gwybodaeth sy'n berthnasol iddynt. Roedd hwn yn gryn newid bron i hanner canrif yn ôl, pan oedd parch i'r awdur a'r testun ffynhonnell yn cael ei ystyried i fod uwchlaw pob dim arall.

Fodd bynnag, nid yw hyn yn golygu y dylid diystyru yn llwyr yr awdur(on) gwreiddiol a'r testun. Fel y mae Christiane Nord yn ein hatgoffa, mae gan gyfieithwyr ddyletswydd foesol i'r awdur(on) *ac* i ddarllenwyr y cyfieithiad, a dylai'r cyfieithydd bob tro gyfathrebu â'r awdur(on), i'r graddau y gall wneud hynny, os yw am newid y testun mewn modd sylweddol.[27]

O ran cyfieithu i'r Gymraeg a'r theori hon, a'r hyn a drafodwyd ym Mhennod 1 am swyddogaeth gymdeithasol y cyfieithydd yng Nghymru, nid yw'n anodd gweld y cysylltiad rhwng gwaith cyfieithwyr yma a pherthnasedd y theori hon. Dylai cyfieithwyr rhwng y Saesneg a'r Gymraeg, a hwythau'n gyfieithwyr i iaith leiafrifol ac ohoni, fod yn effro iawn i ddadl y Swyddogaethwyr a *Skopos*. Yn gyntaf, mae'r ddolen gyswllt rhwng y cyhoedd Cymraeg ei iaith a chyfieithwyr yn agosach na'r ddolen gyswllt rhwng cyfieithwyr ieithoedd helaethach eu defnydd a siaradwyr yr ieithoedd hynny. Gan fod cyfieithu mor ganolog i wasanaethau Cymraeg a'n cydraddoldeb ieithyddol, ni ddylai cyfieithwyr y Gymraeg anghofio fyth dros bwy y maent yn cyfieithu, a pham. Gall cadw mewn cof fwriad testun a'i ddarllenwyr gwirioneddol fod yn fodd i'r cyfieithydd gofio nid yn unig bwysigrwydd cyfieithu'n glir ac yn gywir, ond hefyd gofio bod ei waith yn cael ei ddefnyddio mewn cyd-destunau a sefyllfaoedd go iawn o ddydd i ddydd. Mae hyn oll yn cyd-fynd â byrdwn y theori hon, sef bod y cyfieithydd yn llunio cyfieithiad am fwriad penodol; mae'n waith proffesiynol ac iddo draweffaith gymdeithasol wirioneddol. Byddwn yn trafod hyn yn helaethach ym Mhennod 6 pan fyddwn yn ystyried sgiliau testunol, creu gwaith sy'n 'llifo' ac ystyried y defnyddiwr terfynol.

Gellid trafod Swyddogaetholdeb yn helaethach na hyn a chynnwys trafodaeth o fathau o destunau a'u *Skopoi* (lluosog *Skopos*), hanes y theori a gwaith ysgolheigion fel Justa Holz-Mänttäri, Hans G Hönig a Paul Kußmaul ymysg eraill, ond gall y theorïau hyn fynd yn hynod o fanwl ac yn esoterig. Mae'r uchod yn cyfleu'n ddigonol yr hyn y dylai'r cyfieithydd proffesiynol ei wybod mewn gwirionedd gan fod llawer o'u dadleuon yn ailadroddus ac yn ddiflas ar brydiau. Awn ymlaen nawr i drafod y set olaf o theorïau y byddwn yn eu trafod yn y llyfr hwn.

## Cyfystyriaeth ac Adlewyrchu'r Ystyr

Mae cyfystyriaeth [*equivalence*] yn un o'r cysyniadau pwysicaf ym maes theori cyfieithu.[28] Mae'n ganolog i ddisgwrs cyfieithu ac yn rhan annatod o'r trafodaethau am beth sy'n gyfieithiad da a beth sy'n gyfieithiad aflwyddiannus neu anffyddlon. Mae hefyd wedi bod yn destun dadlau ffyrnig ac mae o hyd yn gysyniad dadleuol.[29] Fel trafodaethau am synnwyr a chyfieithu 'rhydd', mae cyfystyriaeth ei hun wedi bod yn destun dadlau dros y canrifoedd. Oherwydd hyn, mae gan lawer o bobl lawer iawn i'w ddweud am yr agwedd hon ar theori, ac felly nid yw'n bosibl trafod cyfystyriaeth yn rhy fanwl gan y byddai angen cyfrol gyflawn i wneud hynny. Dan sylw yn y rhan hon bydd y theorïwyr pwysicaf a'r elfennau hynny o'r drafodaeth am theori cyfystyriaeth a fydd o bosibl yn ddefnyddiol i gyfieithwyr proffesiynol newydd a'r rhai dan hyfforddiant. Yn y bôn, yr hyn y mae ysgolheigion cyfieithu yn ei olygu pan fyddant yn defnyddio'r gair 'cyfystyriaeth' yw'r berthynas theoretig rhwng y testun ffynhonnell a'r testun targed, a'r graddau y mae ystyr graidd y brawddegau yn y testun targed hwnnw yn cyfateb i ystyr graidd y rhai yn y testun ffynhonnell.

### Roman Jakobson

Yn hynny o beth, fe ddechreuwn â Roman Jakobson (1886–1982) a'i waith. Roedd Jakobson yn ieithydd talentog o dras Rwsiaidd. Gwnaeth gyfraniad anferthol i fyd Ieithyddiaeth ac mae'n un o sylfaenwyr maes Ffonoleg. Ef oedd un o hoelion wyth mudiad y Strwythurwyr ym maes Ieithyddiaeth, a chafodd ei waith ddylanwad mawr ar yr ieithydd Noam Chomsky hefyd. O ran cyfieithu, roedd tri math yn ôl Jakobson; mewnieithyddol [*intralingual*], rhyngieithyddol [*interlingual*] a rhyngsemiotig [*intersemiotic*].[30] Y math 'rhyngieithyddol' oedd cyfieithu 'traddodiadol' rhwng ieithoedd, y math o gyfieithu y byddai trwch cyfieithwyr y Gymraeg yn ei wneud bob dydd. Byddai trosi mewnieithyddol yn cyfeirio at aralleirio mewn iaith neu newid cywair a byddai trosi rhyngsemiotig yn golygu newid ffurf, e.e. addasu llyfr ar gyfer ffilm. Mae Jakobson hefyd yn mynd ymlaen i drafod cyfieithu yn fanylach a dechreuodd ymddiddori yn y berthynas rhwng ieithoedd ac ystyr, a sut y gellir cymryd un cysyniad yn y naill iaith a'i gynrychioli yn y llall. Wrth wneud hynny, ymchwiliodd i ystyr ieithyddol a natur cyfystyriaeth, a'r graddau y gellir trosi ystyr yn y naill iaith, fel system o gysyniadau annibynnol, yn y llall, sy'n meddu ar ei system ei hun o gysyniadau annibynnol. Yr enghraifft a rydd Jakobson yw'r geiriau Saesneg am '*cottage cheese*', a sut y gellir cynrychioli hwnnw yn y Rwsieg. Sut y gellir cyfieithu geiriau, sy'n cynrychioli syniadau a chysyniadau mewn un diwylliant, i iaith arall sy'n perthyn i ddiwylliant cwbl wahanol ac sydd â'i syniadau a'i gysyniadau ei hun? Gan nad oedd y fath beth â '*cottage chesse*' yn bodoli yn Rwsia (fe honnwyd), a fyddai cyfieithu'r gair yn amhosibl? Wrth ofyn hyn, troes Jakobson at waith yr ieithydd Ferdinand de Saussure (1857–1913), a'i waith ar y *langue* a'r *parole*. I Saussure, roedd gwahaniaeth rhwng yr arwydd (y gair neu *langue*) a'r arwyddedig (y gwrthrych neu'r cysyniad y mae'r gair hwnnw yn cyfeirio ato, *parole*). Nid oes perthynas o reidrwydd rhwng y ddau beth hyn; er enghraifft, nid oedd rheswm mai 'ci' yw'r enw ar yr anifail blewog â phedair coes; y cyfan yw'r gair yw dull o gyfeirio at rywbeth. Ar sail hyn, dadleuai Jakobson nad y geiriau eu hunain oedd yn bwysig, ond y cysyniadau y maent yn eu disgrifio. Golygai hyn y gellid cyfieithu'n llwyddiannus trwy gymryd y cysyniad ei hun a'i ddisgrifio pe bai raid, neu drwy ddefnyddio'r gair oedd yn disgrifio'r cysyniad agosaf yn niwylliant yr iaith darged. Yn yr enghraifft am gaws uchod felly, gellid aralleirio neu ddefnyddio gair oedd yn cyfeirio at rywbeth digon tebyg. Yng ngeiriau Jakobson felly, '*Languages differ essentially in what they must convey and not in what they may convey*'.[31] Hynny yw, o wneud y newidiadau angenrheidiol i sicrhau bod y testun targed yn ddealladwy (ni ellid cyfieithu air am air rhwng ieithoedd hollol wahanol er enghraifft, am resymau amlwg), gellid cyfieithu bron unrhyw gysyniad rhwng dwy iaith naturiol. Roedd cyfraniad Jakobson yn amserol am iddo gyhoeddi ei syniadau ar adeg pan oedd Penderfyniaeth Ieithyddol ar ei hanterth. Craidd y syniad hwn oedd bod ieithoedd a'i strwythurau, a'r cysyniadau y mae siaradwyr iaith yn eu cyfleu trwy eu hiaith, yn ffurfio ac yn mowldio teithi meddwl pobl a sut maent yn cysyniadoli'r byd o'u cwmpas. Hynny yw, byddai siaradwyr Almaeneg yn gweld y byd trwy lygaid gwahanol i'r Cymry am fod y ddwy iaith mor wahanol. Arweiniodd hyn at y gred ei bod yn amhosibl cyfieithu rhai cysyniadau'n ffyddlon ac yn ystyrlon oherwydd bod rhai cysyniadau heb eu cysyniadau cyfatebol mewn ieithoedd eraill. Yr hyn a wnaeth Jakobson, serch hynny, oedd dadlau i'r gwrthwyneb a dangos mor orsyml y gall y fath gred fod mewn perthynas â chyfieithu. Os ystyriwn gyfieithu yn broses o drosglwyddo gwybodaeth a negeseuon rhwng dwy iaith, ac os cofiwn mai ar hanfod negeseuon ac ar destunau, nid brawddegau, y mae cyfieithwyr yn gweithio (fel y cred Jakobson), buan y gwelwn nad yw'r wir sefyllfa mor syml â hynny. Cymerwn y gair 'hiraeth'; mae modd cyfieithu'r gair, ac mae cysyniad cyfatebol mewn ieithoedd eraill. Hyd yn oed pe bai angen cyfieithu'r gair i iaith heb y cysyniad o dristwch yn dilyn gadael cartref neu o golli rhywun agos atoch (sy'n annhebygol), yna byddai modd aralleirio mewn rhyw fodd. Un o brif gyfraniadau Jakobson felly oedd symud y maes yn ei flaen oddi wrth gysyniad anghyfieithedd a'r gred mai ar eiriau unigol y mae cyfieithwyr yn canolbwyntio.

## Eugene Nida

Byddai unrhyw drafodaeth am gyfystyriaeth heb gynnwys gwaith y cyfieithydd Eugene Nida (1914–2011) yn anghyflawn a dweud y lleiaf, er mai ar gyfieithu Beiblaidd y canolbwyntiai ei waith yn bennaf. Americanwr o Oklahoma oedd Nida ac roedd yn Gristion pybyr. Nod Nida oedd cyfieithu'r Beibl (o'r Roeg a'r Hebraeg gwreiddiol) i gynifer o ieithoedd â phosibl er mwyn achub eneidiau ei ddarllenwyr newydd. Mewn byd cynyddol seciwlar lle mae sawl crefydd yn ymgiprys am oruchafiaeth, mae'n drawiadol bod theori ynghylch cyfieithu'r Beibl wedi gadael argraff mor amlwg a hirhoedlog ar faes Astudiaethau Cyfieithu. Mae syniadau Nida am gyfieithu i'w gweld yn *Toward a Science of*

*Translating* (1964) a *The Theory and Practice of Translation* a gyhoeddodd ar y cyd â Charles Taber (1969). Cyn troi at theori Nida, mae angen deall yn gyntaf hanfodion gwaith Noam Chomsky a'i ramadeg gynhyrchiol-drawsffurfiol [*generative-transformational grammar*]. Mae dylanwad cryf Chomsky ar Nida a'i theori cyfieithu yn enghraifft arall o rym maes Ieithyddiaeth ar y pryd a gallu ieithyddion yr ugeinfed ganrif i lywio cyfeiriad gwaith ysgolheigaidd ym maes cyfieithu, hyd yn oed o gymryd gwaith Jakobson uchod i ystyriaeth. Dyna reswm arall pam yr oedd dyfodiad theori Swyddogaetholdeb cyn bwysiced; roedd yn theori gan gyfieithwyr o safbwynt cyfieithu yn ei gyd-destun proffesiynol go iawn. Roedd gan gyfraniad Nida at theori ddwy brif ran; yn gyntaf, sut yr aeth ati i ddadansoddi testunau i ddod o hyd i'r ystyr, ac yn ail sut y ceisiodd weddnewid, hyd yn oed cyn theori Swyddogaethol, safle'r darllenydd a phwysigrwydd yr hyn y galwn erbyn hyn y 'defnyddiwr terfynol'.

Yn ôl Chomsky, mae rheolau ar gyfer strwythur ymadroddion yn rhoi bod i strwythur gwaelodol o'r enw 'strwythur dwfn' [*deep structure*]. Mae hwnnw wedyn yn cael ei 'drawsffurfio' gan reolau trawsffurfio sy'n cysylltu un strwythur gwaelodol ag un arall er mwyn creu strwythur terfynol sy'n ddarostyngedig i reolau ffonolegol a morffolegol. Byddai brawddeg ystyrlon wedyn yn cael ei chynhyrchu. Credai Chomsky fod y system hwn yn un greddfol, ac mai'r system hwn sy'n sail i allu unrhyw un i gynhyrchu brawddegau. Defnyddiodd Nida theori Chomsky i ffurfio dull o gyfieithu, lle byddai strwythur arwynebol yr iaith yn cael ei ddadansoddi i ddod o hyd i'r sylfeini elfennol (sef y '*kernels*') sy'n ffurfio'r 'strwythur dwfn'. Byddai'r rhain wedyn yn cael eu defnyddio i greu strwythur arwynebol yr iaith darged. Mae'r diagram isod ar sail un Nida a Taber (1969) yn dangos hynny:

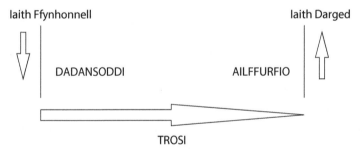

iaith Ffynhonnell        Iaith Darged

DADANSODDI        AILFFURFIO

TROSI

**Ffigur 3 Proses Gyfieithu Nida**

Roedd pedwar prif fath o'r '*kernels*' hyn, hynny yw, pedair neges graidd, sef digwyddiadau, gwrthrychau (enwau fel arfer), haniaethau (ansoddeiriau ac adferfau fel arfer) a geiriau cyswllt (fel cysyllteiriau, arddodiaid a rhagddodiaid). Y negeseuon craidd oedd yr hyn y dylai'r cyfieithydd chwilio amdanynt wrth ddadansoddi'r iaith ffynhonnell, cyn ceisio cyfleu'r negeseuon craidd trwy gyfieithu llythrennol yn gyntaf [*literal transfer*], cyfieithu bron â bod yn llythrennol lle mai cyfleu'r ystyr oedd y nod [*minimal transfer*] cyn cyfieithu mwy rhydd a barchai deithi'r iaith [*literary transfer*], lle byddai cyfieithiad caboledig yn cael ei lunio. Mae'r enghraifft isod o lyfr Nida o 1964, *Toward a Science of Translating*, yn dangos y tri cham hyn o roi cig ar esgyrn y 'negeseuon craidd' yn y broses o lunio cyfieithiad:

| Yr Iaith Ffynhonnell | | | | | | | |
|---|---|---|---|---|---|---|---|
| egento | Anthropos | apestalmenos | para | theou | onoma | auto | Ionnes |

| DADANSODDI (a chyfieithu llythrennol i gychwyn) | | | | | | | |
|---|---|---|---|---|---|---|---|
| Became/happened | man | sent | from | God | name | to him | John |

| TROSI (cyfieithu bron â bod yn llythrennol) | | | | | | | |
|---|---|---|---|---|---|---|---|
| There CAME/WAS | a man | sent | from | God | WHOSE | name was | John |

| AILFFURFIO (cyfieithu a barchai deithi'r iaith) | | | | | | | |
|---|---|---|---|---|---|---|---|
| A man named John was sent by God. | | | | | | | |

**Ffigur 4 Enghraifft o Nida a Taber (1969) o dri cham cyfieithu**

Gall y dull ymddangos braidd yn rhy syml; o gymryd adroddiad ariannol cyngor tref er enghraifft, go brin mai dim ond pedair neges graidd sydd ynddo. Ond rhaid cofio mai cyfieithu'r Beibl oedd gwaith Nida a'i ddilynwyr, a chyfieithu iaith hynafol y byddent wrth wneud hynny. Gallwn gymryd o'i fodel serch hynny sawl gwers ddefnyddiol. Yn gyntaf, mae dadansoddi'r iaith ffynhonnell yn rhan hanfodol ac anhepgor o'r broses gyfieithu. Mae'n rhaid i'r cyfieithydd ddeall ystyr neges brawddeg cyn ceisio ei chyfleu mewn iaith arall yn llwyddiannus (gweler Pennod 4). Ar adeg pan nad oedd hynny'n wybodaeth gyffredin, roedd model Nida yn gyfraniad gwreiddiol. Yn ail, dangosodd ei fodel fod mwy i'r broses na chyfieithu air am air a bod rhaid i'r cyfieithydd weithio ar lefel y frawddeg ac yn uwch (gweler Pennod 6 am drafodaeth ynghylch sgiliau trin testunau). Rhaid wrth gryn fedrusrwydd i lunio cyfieithiad llwyddiannus, ac mae gofyn i'r cyfieithydd droi'r brawddegau mwyaf hyll yn frawddegau cyfatebol hawdd eu darllen o dan amgylchiadau arferol (gweler Pennod 5 am strategaethau safonol ar gyfer gwneud hynny). Eto felly, dyma Nida yn dangos yn y 1960au hwyr fod hyn yn hanfodol i waith y cyfieithydd. Aeth Nida ymlaen hefyd i drafod ystyr yn helaethach ac wrth wneud hynny benthycodd eto o faes Ieithyddiaeth. Dadleuai Nida fod gan eiriau ystyr *swyddogaethol*; hynny yw, mae ystyr gair yn dibynnu ar y cyd-destun y mae'n cael ei ddefnyddio ynddo. Gwrthodai Nida felly y gred orsyml fod gan air ystyr sefydlog, a chredai yn hytrach y gall gair feddu ar sawl ystyr gan ddibynnu ar sut a phryd y câi ei ddefnyddio. Yn hynny o beth, yn ei *Toward a Science of Translating*, honna Nida fod tri math o ystyr.[32] Y gyntaf o'r rhain oedd ystyr ieithyddol gair. Yr ystyr hon oedd yr hyn a ddatgelai'r berthynas rhwng gwahanol strwythurau ieithyddol. Pan fyddai geiriau penodol yn cael eu defnyddio gyda'i gilydd, byddai ystyr y geiriau unigol yn wahanol. Ymhlith yr enghreifftiau a rydd Nida yn ei gyfrol yw'r rhagenw meddiannol 'his'; dadleuai fod '*his journey*' yn cyfateb i 'aeth ar daith' (yn hytrach na bod hyn yn golygu fod 'taith' yn ei feddiant), lle byddai '*his house*' yn cyfateb i 'mae ganddo dŷ'. Yr ail fath o ystyr yw'r ystyr gyfeiriadol, sef yr ystyr a geir yn y geiriadur. Yn olaf, mae'r ystyr gynodiadol. Yr ystyr gynodiadol yw'r hyn a olygir neu a awgrymir pan fydd geiriau yn cael eu defnyddio mewn modd penodol, a'r teimladau neu'r credoau a grëir pan fydd y gair yn cael ei ddefnyddio. Mae'r ystyr hon, felly, yn wahanol i'w ystyr arferol yn y geiriadur. Er enghraifft, yn yr ymadrodd, 'tyrd yma fy ngwas i (neu 'ngwashi')', gall ystyr 'gwas' gyfateb i ddull o fychanu rhywun neu anwylo rhywun; nid yw'r person yn gorchymyn i was gwirioneddol ddod ato yn ei ystyr lythrennol. Aeth Nida ymlaen wedyn i gynnig sawl techneg o ddatgelu'r gwahanol ystyron hyn yng nghyd-destun cyfieithu Beiblaidd. Nid awn ar drywydd y technegau hyn, ond nodwn yn unig fyrdwn ei neges. Y pwynt pwysig i'w gofio yw bod mwy i ystyr geiriau na'r hyn a geir yn y geiriadur (fel y byddwn yn ei drafod yn fanwl ym Mhennod 4), ac mai'r cyd-destun y gwelir y geiriau ynddo sy'n pennu'r ystyr wirioneddol. Eto, gallwn yn hawdd ddweud nad oedd hwn yn rhyw fflach athrylithgar o wreiddioldeb, ond y gwir yw bod y fath syniadau yn wreiddiol iawn yn eu dydd. Mae hefyd yn ein hatgoffa fel cyfieithwyr modern bod angen tyrchu'n ddyfnach weithiau i gyrraedd yr ystyr.

Ni fyddwn yn gadael Nida yma serch hynny gan iddo ddweud llawer mwy am gyfieithu na hyn. Roedd Nida, fel y crybwyllwyd uchod, yn Gristion pybyr a oedd yn cydlynu'r gwaith o gyfieithu'r Beibl i amryfal ieithoedd er mwyn ennill eu siaradwyr i'r ffydd Gristnogol. Nid cyfieithu'r Beibl, neu gydlynu'r gwaith o'i gyfieithu, am y pleser a gâi o wneud hynny oedd yr unig gymhelliad felly; roedd gan ei waith fwriad penodol. Roedd Nida am ledu'r ffydd Gristnogol, ac er mwyn ennill calonnau darllenwyr trwy fersiwn diweddaraf y Beibl yn yr iaith dan sylw, fe fyddai rhaid i'r cyfieithiad fod yn un effeithiol, a'i rhoi'n syml. I'r diben hwnnw, aeth Nida ymhellach na rhoi cyngor am ddadansoddi ystyr a dadleuodd fod dau fath o gyfystyriaeth mewn perthynas â chyfieithu'r Beibl. Y rhain oedd Cyfystyriaeth Ffurfiol [*Formal Equivalence*] a Chyfystyriaeth Ddynamig [*Dynamic Equivalence*]. Wrth anelu am Gyfystyriaeth Ffurfiol, byddai'r cyfieithydd yn canolbwyntio ar y 'neges ei hun', a byddai honno'n cael ei chyfleu mewn modd a fyddai mor debyg â phosibl i'r iaith ffynhonnell.[33] Wrth geisio sicrhau Cyfystyriaeth Ddynamig, ar y llaw arall, fe fyddai'r cyfieithydd yn gofalu ei fod yn cyfleu'r neges mewn ffordd a fyddai'n ddealladwy i'r darllenydd ac yn taro tant ag ef. Wrth ddarllen y cyfieithiad lle ceisiodd y cyfieithydd barchu 'cyfystyriaeth ddynamig', byddai'r 'effaith' ar y darllenydd newydd yr un mor bwerus â'r effaith ar ddarllenydd y fersiwn gwreiddiol. Ymhelaethodd ar hynny a dadleuodd fod pedwar gofyniad y dylai'r cyfieithydd eu dilyn:[34]

- Rhaid i'r cyfieithiad wneud synnwyr;
- Rhaid i'r cyfieithiad gyfleu ysbryd ac anian y gwreiddiol;
- Rhaid i'r cyfieithiad gael ei ysgrifennu mewn iaith naturiol a hawdd ei darllen;
- Rhaid i'r cyfieithiad ennyn yr un ymateb.

Mae'n hawdd gweld yma debygrwydd rhwng gwaith Etiènne Dolet ac Alexander Fraser Tytler; mae'r gofynion wrth gyfieithu fel y gwêl Nida hwy yn debyg iawn i hanfodion cyfieithu dau ŵr o ganrifoedd ynghynt. Gellid dadlau hefyd fod theori Swyddogaetholdeb a'r *Skopos* yn debyg yn ei ffordd ei hun i Gyfystyriaeth Ddynamig, a hynny gan i Nida ddadlau y dylai'r cyfieithiad fod yr un mor effeithiol â'r testun ffynhonnell a chyflawni diben penodol. Byddai gofyn i'r cyfieithydd ddefnyddio sawl techneg i sicrhau Cyfystyriaeth Ddynamig. Gan mai creu testun llwyddiannus *ar ei delerau ei hun* yw'r nod felly, gall fod angen addasu a newid y testun targed ac ailadrodd gwybodaeth, dileu gwybodaeth, esbonio cysyniadau, newid llif y testun, hollti neu gyfuno brawddegau, a defnyddio geirfa gyffredinol sy'n fwy dealladwy yn hytrach na'r eirfa dechnegol yn yr iaith wreiddiol ymhlith llu o strategaethau eraill a drafodwn yn nes ymlaen yn y llyfr ym Mhennod 5. Mae llawer mwy i theori Nida felly na'r effaith ar y darllenydd.

Mae 'effaith gyfatebol' yn elfen gymhleth serch hynny; fel y noda Jenny Williams, mae'n anodd gwybod sut yn union y byddid yn mesur 'effaith';[35] ai gan fesur y nifer o bobl a gafodd droëdigaeth, neu gan gynnydd yn y nifer o bobl sy'n mynd i'r Eglwys? Daeth Nida dan y lach gan yr ysgolhaig Edwin Gentzler hefyd yn ei gyfrol yntau yn trafod theori cyfieithu.[36] Nod gwyddor cyfieithu Nida oedd ennill eneidiau i'r Ffydd yn ôl Gentzler, ni waeth beth y bo diwylliant na chrefydd bresennol gwrthrych ymdrechion y cyfieithwyr Beiblaidd. Rhaid cyfaddef nad yw'r feirniadaeth hon yn annheg; os yw diwylliant wedi byw heb y Beibl ers ei sefydlu, mae'n drahaus ar y naw feddwl bod angen y Beibl arnynt nawr. Fodd bynnag, mewn byd oedd yn mynnu gweld cyfieithu yn broses o ddisodli un gair ag un arall, roedd gwaith Nida yn hynod o wreiddiol ac roedd yn dangos yn glir faint o ddadansoddi ac acrobateg feddyliol ymdrechgar sy'n rhan mor amlwg o'r broses.[37] Byddai modd beirniadu Cyfystyriaeth Ffurfiol hefyd am gefnogi strategaeth gyfieithu y byddai nifer yn ei gwawdio; nid creu copi carbon o'r iaith ffynhonnell yw swydd y cyfieithydd i fod ac ni ddylai'r fath syniadau gael eu gwyntyllu. Dylid cofio serch hynny bod angen cadw at strwythur yr iaith ffynhonnell o bryd i'w gilydd os yw gwneud hynny yn hanfodol i gyfathrebu. Er enghraifft, os yw'r amwysedd a geir yn y testun ffynhonnell yn gwbl fwriadol, i ba raddau y dylai'r cyfieithydd ddileu'r amwysedd hwn ac esbonio ymhellach, neu ei adael yn y testun targed i gyfleu bwriad yr awdur? Gorsyml felly fyddai diystyru Cyfystyriaeth Ffurfiol.

## Peter Newmark

Roedd Peter Newmark (1916–2011) yn ysgolhaig cyfieithu a chyfieithydd a anwyd yng Ngwlad Tsiec. Gweithiodd yn Lloegr am y rhan fwyaf helaeth o'i yrfa, a gwnaeth gyfraniad anferthol i Astudiaethau Cyfieithu yn y wlad honno. Sefydlodd y radd MA gyntaf ym maes cyfieithu arbenigol a thechnegol yno hefyd. Roedd ei waith ym maes theori yn ddylanwadol iawn ond tueddai ar brydiau i fod yn bolemig a deddfol. Er i Newmark godi amheuon am allu'r cyfieithydd i greu 'effaith' gyfatebol ar ei ddarllenwyr, a gwrthod y cysyniad gan ddweud ei fod yn *'inoperant if the text is out of T[arget] L[anguage] space and time'*, mae tebygrwydd serch hynny rhwng ei theori yntau a gwaith Nida.[38] I Newmark, gellid gwahaniaethu rhwng Cyfieithu er Cyfathrebu [*Communicative Translation*] a Chyfieithu Semantaidd [*Semantic Translation*]. Byddai Cyfieithu Semantaidd yn ceisio, i'r graddau y byddai gramadeg yr iaith darged yn caniatáu hynny, ganolbwyntio ar greu testun mor debyg â phosibl i'r iaith ffynhonnell. Yr ystyriaeth bwysicaf oedd yr ystyr, nid darllenadwyedd. Ni fyddai ymdrech i sicrhau bod y testun yn addas i gymuned yr iaith darged, nac ymdrech i newid dim ar gysyniadau diwylliannol ac i esbonio cyfeiriadau dieithr. Y nod yma fyddai aros yn driw i'r awdur. Byddai'r cyfieithiad yn chwithig ac o bosibl yn gofyn am ymdrech i'w ddarllen yn ôl Newmark pe dilynnid y strategaeth hon.[39] Byddai Cyfieithu er Cyfathrebu, ar y llaw arall, yn cadw'r darllenydd mewn cof. Byddai'r newidiadau a'r sifftiau angenrheidiol yn cael eu gwneud i greu testun dealladwy, clir a hawdd ei ddarllen, ac ar wahân i gyfleu ystyr y testun ffynhonnell, gellir ystyried y cyfieithiad yn destun ar ei delerau ei hun. Wrth ystyried theori Newmark o'n safbwynt ni heddiw, gall ymddangos braidd yn ddi-bwynt creu testun a fyddai'n anodd ei ddarllen, ond rhaid cofio i Newmark ddadlau bod gwahanol fathau o destunau yn gofyn am wahanol fathau o strategaethau. Gwelwn eto felly fod y ddeuoliaeth rhwng cyfieithu 'llythrennol' a chyfieithu 'mwy rhydd' wedi parhau i'r Ugeinfed Ganrif.

## Monika Krein-Kühle: Diffiniad Cyfoes o Gyfystyriaeth

Aeth theorïwyr eraill ati ar ôl Nida yn yr Ugeinfed Ganrif i drafod cyfystyriaeth, ond nod y bennod hon yw cynnig cyflwyniad byr i theori all fod yn ddefnyddiol ac fe wnawn lynu at y bwriad hwnnw. Mae cyfraniad diweddar at y maes hwn gan yr ysgolhaig a chyfieithydd o'r Almaen, Monika Krein-Kühle, yn taflu rhagor o oleuni ar y cysyniad hwn er na fyddai Krein-Kühle ei hun, o bosibl, yn ystyried y cyfraniad a drafodir yma yn 'theori' o reidrwydd. Mae gan Krein-Kühle brofiad helaeth ei hun o gyfieithu proffesiynol, a dyma pam mae ei gwaith ym maes cyfieithu cyn bwysiced. Sail ei gwaith yw cyfieithwyr proffesiynol a'u gwaith o ddydd i ddydd, nid llenyddiaeth. Fel hyn y mae Krein-Kühle yn diffinio cyfystyriaeth:

> A qualitative complete-text-in-context-based concept. It refers to the translational relation between a complete ST and a complete TT, both of which are embedded in a specific domain-related context, and implies the preservation of ST sense/intended sense or 'das Gemeinte' [what is meant] (the invariant) ... in the TT using TL linguistic means, *the best possible selection of which must have been achieved* (pwyslais gan awdur y dyfyniad) at the syntactic, lexical-semantic, terminological-phraseological, and textual levels. These levels are hierarchically interrelated and subject to pragmatic aspects...In this way equality or even improvement [...] may be deemed to have been achieved.[40]

Awn ati i dorri'r diffiniad hwn i lawr gan ei fod braidd yn hir (ond cynhwysfawr). Mae'n disgrifio'n fanwl broses hir a chymhleth y cyfieithydd cymwys wrth gyfieithu testun, ac mae'n gyfraniad hynod o bwysig am ei fod yn trafod gwaith y cyfieithydd o safbwynt *testunol* ac am ei fod yn seiliedig ar waith cyfieithwyr proffesiynol. Mae'n cydnabod mai creu testunau y mae cyfieithwyr, ac wrth wneud hynny mae'n esbonio bod angen i'r cyfieithydd dalu sylw hefyd i sut mae testunau yn yr iaith darged yn edrych mewn cyd-destunau a meysydd gwahanol a sut y dylid sicrhau bod y cyfieithydd yn cyfathrebu'n effeithiol â'i gynulleidfa. Byddai cyfieithu meddygol yng Nghymru, er enghraifft, yn gorfod sicrhau bod termau meddygol yn y Saesneg wedi cael eu trin yn briodol; oherwydd cyd-destun sosioieithyddol y Gymraeg, nid yw'r termau Cymraeg cyfatebol yn cael eu defnyddio yr un mor helaeth, a byddai eu cynnwys heb esboniad o bosibl yn peryglu dealltwriaeth y darllenydd o wybodaeth bwysig am ei ofal. Dyna fyddai enghraifft felly o gyfystyriaeth ar sail *'text in context'*. Mae'r tabl isod yn dadansoddi diffiniad Krein-Kühle.

**Tabl 2** Diffiniad Cyfoes Krein-Kühle o Gyfystyriaeth

| Diffiniad Krein-Kühle | Helaethiad |
|---|---|
| 'A qualitative complete-text-in-context-based concept' | Mae ei diffiniad yn cydnabod bod testunau yn cael eu defnyddio mewn cyd-destunau penodol, h.y. bod gwahanol fathau o bobl gyda lefelau gwahanol o wybodaeth pwnc yn defnyddio testunau mewn gwahanol gyd-destunau. |
| 'It refers to the translational relation between a complete ST and a complete TT, both of which are embedded in a specific domain-related context...' | Y berthynas rhwng dau *destun* sydd dan sylw wrth gyfieithu, nid rhwng dau air neu ddwy frawddeg. Nid oes modd gwahanu defnyddwyr testun mewn maes penodol oddi wrth y broses o gyfieithu'r testun hwnnw. |
| '...both of which are embedded in a specific domain-related context' | Mae'r cyfieithydd wedi cymryd i ystyriaeth ddau gyd-destun gwahanol y testunau ac wedi gosod y testun targed yn ei faes priodol gan wneud y newidiadau angenrheidiol (newid iaith orffurfiol yn y testun ffynhonnell i iaith haws ei deall yn y Gymraeg gan ddefnyddio iaith glir er enghraifft, neu ddefnyddio amrywiadau a nodweddion ieithyddol sy'n briodol i'r iaith yn y maes penodol hwnnw (newyddiaduraeth, crefydd e.e.)). |
| '...the preservation of ST sense/intended sense or 'das Gemeinte' [what is meant]...' | Mae'r cyfieithydd wedi mynd ati i gyfleu'r neges waelodol, heb dalu gormod o sylw i strwythur yr iaith ffynhonnell. Nid yw ychwaith wedi hepgor / wedi anghofio cynnwys gwybodaeth o ystyried y defnydd tebygol o'r cyfieithiad. |
| '...using TL linguistic means...' | Mae iaith y cyfieithiad yn parchu teithi'r iaith honno; nid yw'n chwithig ac nid oes ôl ymyrraeth arni o du'r iaith ffynhonnell. Mae'r mynegiant yn llyfn ac yn naturiol. |
| '...at the syntactic (1), lexical-semantic (2), terminological-phraseological (3), and textual levels (4)...' | Mae cyfluniad y testun targed yn dilyn normau cystrawennol yr iaith (1), mae dewis y cyfieithydd o eirfa yn addas ac yn cyfleu'r ystyr wreiddiol yn briodol (2), mae'r defnydd o dermau'n briodol ac mae'n dilyn normau'r cyd-destun (gwyddonol, newyddiadurol a.y.y.b) yn yr iaith darged (3) ac mae cyfluniad a dyluniad y testun hefyd yn dderbyniol yng nghyd-destun yr iaith darged (4). |
| 'In this way equality (1) or even improvement (2) [...] may be deemed to have been achieved' | Trwy wneud hyn oll, gellir ystyried y ddau destun yn gyfwerth a'r cyfieithiad yn un llwydddiannus (1), a gall dilyn yr uchod olygu hefyd bod y cyfieithydd, wrth geisio *cyfathrebu*, yn creu *testun* gwell na'r testun gwreiddiol hyd yn oed (2). |

Tabl 3 Diffiniad Krein-Kühle o Gyfystyriaeth ag Enghreifftiau

| Elfen |
| --- |
| 'It refers to the translational relation between a complete ST and a complete TT, both of which are embedded in a specific domain-related context...'<br>Maes: Newyddiadura<br>Math o Destun: Erthygl newyddion<br>Cynulleidfa: Y cyhoedd yn gyffredinol |
| '...the preservation of ST sense/intended sense or 'das Gemeinte' [what is meant]...'<br>Maes: Llywodraeth leol<br>Math o Destun: Taflen wybodaeth am dreth gyngor<br>Cynulleidfa: Y cyhoedd yn gyffredinol |
| '...using TL linguistic means...'<br>'...at the syntactic, lexical-semantic, terminological-phraseological, and textual levels..'<br>Maes: Adnoddau Dynol<br>Math o Destun: Swydd ddisgrifiad<br>Cynulleidfa: Y cyhoedd yn gyffredinol |
| 'In this way equality (1) or even improvement (2) [...] may be deemed to have been achieved'<br>Maes: Iechyd<br>Math o destun: Taflen wybodaeth i gleifion<br>Cynulleidfa: Cleifion |

Mae'r diffiniad hwn felly yn ddefnyddiol iawn gan ei fod yn ddisgrifiad amlweddog o'r broses o gyflawni cyfystyriaeth, lle mae'r cyfieithydd yn gweithio ar sawl lefel wahanol, o'r gair i'r frawddeg, o'r frawddeg i'r testun cyfan. Mae hefyd yn ddefnyddiol am ei fod yn gosod y cyfieithydd yng nghanol y broses gyfathrebu; wrth gyfieithu, mae'r testun y mae'r cyfieithydd yn ei greu yn gorfod ystyried normau ysgrifennu'r iaith yn y maes dan sylw ar y cyd ag anghenion y gynulleidfa (a all fod yn wahanol i anghenion yr iaith ffynhonnell). Dyma'r cyfieithydd yn *hwyluso* cyfathrebu fel

| Saesneg | Cymraeg |
|---|---|
| Rhodri Morgan dies at the age of 77 | Marw Rhodri Morgan yn 77 oed |
| Mae maes newyddiadura yn y Gymraeg yn tueddu i ddefnyddio 'Marw X yn X oed' yn hytrach na 'X yn marw yn X oed' neu 'X wedi marw yn X oed'. Dyma enghraifft o ddefnydd arbennig o strwythur ieithyddol mewn pau benodol y dylai'r cyfieithydd ei gofio. | |
| Save time...do it online! | Dim oedi...ar lein amdani! |
| Pwrpas y cyfieithiad oedd annog y cyhoedd i sefydlu debyd uniongyrchol, ac i wneud hynny cafodd slogan bachog ei greu. Nid yn unig y gwelwn yma ymgais glir i sicrhau bod y Gymraeg yn cyflawni'r un swyddogaeth trwy fod yn slogan hwyliog ei hun (cf. Swyddogaetholdeb uchod), ond fe welwn hefyd fod y cyfieithydd wedi gorfod cyrraedd cyfystyriaeth trwy ddod at y neges wreiddiol [defnyddio'r we a sefydlu debyd uniongyrchol i arbed amser (ac amddiffyn llif arian y Cyngor)] o safbwynt gwahanol (cf. Technegau Cyfieithu ym Mhennod 5). Ond wrth wneud hynny, fe lwyddodd y cyfieithydd i gadw synnwyr bwriadedig neu ystyr graidd yr iaith ffynhonnell. | |
| Assist in the co-ordination, note-taking and follow up of relevant working groups and the Equality and Welsh Language Committee. | Cynorthwyo'r gwaith o gydlynu grwpiau gweithio perthnasol a'r Fforwm Cydraddoldebau a'r Gymraeg, cymryd nodiadau ynddynt a gwneud y gwaith dilynol ar ôl y cyfarfod. |
| Gallwn weld yma fod y cyfieithydd wedi llunio cyfieithiad sy'n parchu priod gystrawennau'r Gymraeg yn gyntaf oll. Mae'r Gymraeg yn tueddu i ddefnyddio berfenwau yn lle enwau a wnaed o ferfau, ac felly mae'r cyfieithydd wedi defnyddio strwythur llanw (y gwaith o) i'w alluogi i gadw at hyn yn y cyfieithiad (*assist in the co-ordination of* / cynorthwyo'r gwaith o gydlynu). Mae hefyd wedi parchu teithi'r iaith wrth gyfieithu'r ymadrodd annelwig '*follow up*'; mae'r cyfieithydd wedi cymryd ystyr hyn gan ddefnyddio ei wybodaeth gefndirol o waith y sefydliad a'i droi'n 'gwneud y gwaith dilynol', h.y. ar ôl y cyfarfod. Gwelwn yn ogystal fod y cyfieithydd wedi rhoi 'Fforwm' er mai pwyllgor sydd yn y Saesneg. Fforwm a ddefnyddiwyd drwyddi draw yn y testun Saesneg, felly camgymeriad ar ran yr awdur oedd y gair '*committee*' yma. Oherwydd golwg y cyfieithydd ar y testun cyfan (nad yw i'w weld yma), cadwodd at yr hyn a roddwyd yng ngweddill y cyfieithiad. | |
| Fine motor skills significantly influence the quality of the task outcome as well as the speed of task performance | Mae'r sgiliau echddygol manwl hyn yn effeithio'n fawr ar ba mor llwyddiannus rydyn ni wrth geisio gwneud tasg, ac ar ba mor gyflym rydyn ni'n gwneud y dasg honno |
| Mae'r frawddeg isod yn dod o daflen wybodaeth i gleifion. Byddai'r frawddeg yn gweddu'n berffaith i erthygl wyddonol, ond byddai'n anodd ei deall oni bai bod y claf yn gyfarwydd ag ysgrifennu gwyddonol a chlinigol. Mae'r cyfieithydd wedi dadbacio'r ystyr i greu fersiwn llawer mwy dealladwy o'r frawddeg wreiddiol. Cynigiwyd diffiniad yn y testun hefyd o sgiliau echddygol manwl nad yw i'w weld yn y rhan o'r darn a ddangosir yma. | |

gweithiwr iaith proffesiynol. Nid yw cyfystyriaeth yn berthynas syml rhwng geiriau yn y diffiniad hwn; yma, mae'r broses o'i chyrraedd yn gymhleth ac mae'r cyfieithydd yn gwibio yn ôl ac ymlaen rhwng y gwahanol lefelau ieithyddol â'r nod o greu testun i ddefnyddwyr go iawn. Mae ambell i enghraifft isod o wahanol elfennau o'i diffiniad. Mae'r rhain yn gyfieithiadau gwirioneddol sydd wedi eu cyhoeddi. Fe fyddwn yn gweld yr elfennau hyn ar waith ar lefel testunau cyfan yn nes ymlaen yn y llyfr hwn hefyd.

Rydym o bosibl wedi treulio rhagor o amser ar waith Monika Krein-Krühle nag a wnaethom ar gyfraniadau eraill. Er bod llawer mwy na hyn i swydd y cyfieithydd, mae'r diffiniad uchod o'r broses o sicrhau cyfystyriaeth, a thrwy hynny y diffiniad o *gyfieithu*, yn un y dylai unrhyw ddarpar gyfieithydd fod yn gyfarwydd ag ef. Fe fyddwn yn trafod nifer o agweddau ar y broses gyfieithu yn y llyfr hwn, ond fe fyddant fwy neu lai yn ymhelaethu ar y diffiniad hwn a'r strategaethau ar gyfer cyflawni'r gwahanol rannau ohono. Byddwn yn trafod y camau cyn dechrau cyfieithu lle bydd y cyfieithydd yn dod i ddeall testun yn well a'r ystyron sydd ynddo, ar y cyd â strategaethau ar gyfer ffurfio cyfieithiadau da, a hynny ar lefel y frawddeg ac ar lefel y testun. Mae'r diffiniad felly yn un cynhwysfawr, ac yn un y dylid ei ddarllen fwy nag unwaith.

## Crynhoi

Y bwriad yn y bennod hon oedd trafod ychydig ar theori cyfieithu. Y gobaith yw eich bod wedi dysgu digon am y maes i weld bod cyfieithu yn orchwyl y mae pobl wedi bod yn ei drafod ers miloedd o flynyddoedd a'i fod yn waith creadigol sy'n gofyn llawer yn feddyliol. O ddarllen am y gwahanol agweddau ar gyfieithu a barnau ynghylch sut i'w wneud orau, y gobaith yw hefyd eich bod wedi miniogi'r meddwl ac y bydd gennych y gallu i egluro a chyfiawnhau eich dewisiadau. I grynhoi felly, rydym wedi gweld bod deuoliaeth glir wedi bod yn y disgwrs am gyfieithu dros y canrifoedd, rhwng cyfieithu agos a chyfieithu rhydd. Rydym hefyd wedi gweld bod parch at y darllenydd wedi bod yn thema gyffredin, ac mai trwy gyfieithu mewn ffordd sy'n dilyn normau'r iaith darged y mae'r thema honno wedi ei mynegi gan amlaf. Mae mynnu cydnabyddiaeth bod cyfieithwyr yn weithwyr iaith proffesiynol sy'n gweithio ar destunau gwirioneddol i bobl go iawn hefyd yn amlwg yn y theorïau, sy'n cyd-fynd â'r sylwadau yn y bennod gyntaf am draweffaith gymdeithasol y gwaith, yn enwedig mewn cyd-destun ieithoedd lleiafrifol. Rydym wedi gweld hefyd bod *synnwyr* neu *ystyr* yn allweddeiriau, a'u bod wedi eu gosod yn aml yn wrthgyferbyniad i'r *gair* unigol; mae'r gred nad y gair yw'r elfen bwysicaf bob tro wrth chwilio am yr ystyr i'w chyfleu yn un hynafol. Diau bod gwytnwch a hirhoedledd y syniad hwnnw yn brawf o'i ddilysrwydd.

Bydd y gyfrol hon yn troi nawr at yr ymarferol. Fel y dywedwyd, bydd y penodau sy'n dilyn yn ymhelaethu ar ddiffiniad Krein-Kühle i raddau, diffiniad sydd ei hun yn crisialu nifer o syniadau a ddaeth o'i flaen, o ddadleuon cynnar Cicero i waith *Skopostheorie*. Nid yw hyn yn golygu serch hynny na allai'r cyfieithydd ddefnyddio'r syniadau uchod wrth ei waith; trafodwyd yr elfennau hynny o theorïau y barnwyd y byddent yn ddefnyddiol yn ymarferol. Mae cyngor cymeradwy ym mhob un, y byddwn yn ei weld eto yn y penodau ymarferol sy'n dilyn. Gyda'i gilydd maent oll yn ffurfio dull cyffredinol o fynd ati i gyfieithu y byddwn yn ymhelaethu arno trwy gydol y gyfrol: trosi'r ystyr yn ffyddlon (ar ôl penderfynu pa wybodaeth sydd ei hangen mewn rhai cyd-destunau), defnyddio iaith glir a darllenadwy, a chofio'r darllenydd wrth ddewis a dethol eich strategaethau a'ch technegau.

# Nodiadau

1  Peter Newmark, *A Textbook of Translation* (London/New York/Toronto: Prentice-Hall International, 1988), t. 9.

2  Ys dywed Emma Wagner, '*For how can we practising translators expect to be taken seriously, as fully-fledged professionals, or even reach a consensus among ourselves, if we can't provide any sort of systematic theoretical basis for our choices and demands?*' yn Andrew Chesterman ac Emma Wagner, *Can Theory Help Translators? A Dialogue Between the Ivory Tower and the Wordface* (London: Routledge, 2002), t. 7.

3  Dyma'r drafodaeth gyntaf am gyfieithiad enghreifftiol yn y gyfrol hon. Trwy gydol y gyfrol, bydd cyfieithiadau go iawn yn cael eu defnyddio. Bydd y frawddeg o'r iaith ffynhonnell yn dod o brosiect a wnaed yn y byd go iawn a bydd y cyfieithiad yn gyfieithiad go iawn a gynigiwyd. Ni fydd y sefydliad na'r cyfieithydd (os yw'r wybodaeth hon yn hysbys) yn cael eu henwi. Bydd y maes, y math o destun a'r gynulleidfa hefyd yn cael eu nodi bob tro, gan y bydd y rhain hefyd yn pennu'r strategaeth briodol.

4  'Dadansoddi a chyfiawnhau eu strategaethau a'u datrysiadau cyfieithu, gan ddefnyddio meta-iaith briodol a chan ddefnyddio'r dulliau theoretig priodol' o dan 'Cyfieithu'.

5  Chesterman a Wagner, t. 7.

6  Marianne Lederer, 'Can Theory Help Translator and Interpreter Trainers and Trainees?' *The Interpreter and Translator Trainer* 1(1) (2007), 15–36.

7  Susanne Basnett, *Translation Studies*, 4ydd arg. (Abingdon: Routledge, 2014), t. 48.

8  Ond dylid cofio y gallai diffyg gallu yn yr iaith darged fod yn gyfrifol weithiau hefyd, yn enwedig yn achos gweithiau cynnar o destunau Bhwdaidd er enghraifft, fel y mae Eva Hung a David Pollard yn ein hatgoffa yn eu hysgrif ar y traddodiad cyfieithu yn Tseina: 'The Chinese Tradition', yn Mona Baker a Gabriela Saldanha (goln), *The Routledge Encyclopedia of Translation Studies*, 2il arg. (Abingdon/New York: Routledge, 2011), tt. 369–378.

9  Howard Williams, 'Marcus Tullius Cicero: Y Prif Dda a'r Weriniaeth', yn John Daniel a Walford L. Gealy (goln), *Hanes Athroniaeth y Gorllewin* (Caerdydd: Gwasg Prifysgol Cymru, 2009), tt. 91–105.

10  Louis G. Kelly, 'The Latin Tradition', yn Baker a Saldhanha (goln), tt. 477–486.

11  Tore Janson, *Speak: A Short History of Languages* (Oxford: Oxford University Press, 2002), t. 92.

12  Sant Jerom yn Douglas Robinson (gol.), *Western Translation Theory from Herodotus to Nietzsche* (Abingdon/New York: Routledge, 2002), t. 25.

13  Mae dyfyniad gwych yn 'The Arabic Tradition' gan Mona Baker a Sameh Fekry Hanna o *The Routledge Encyclopedia of Translation Studies* (London: Routledge, 2011) a ddaeth yn ei dro o waith Phillip Hitti, *The History of the Arabs* (London: Macmillan Company, 1979). Rhaid oedd ei gynnwys. Dyma ddisgrifiad o drefn ddyddiol y cyfieithydd Hunayn Ibn Ishaq a grybwyllwyd uchod: '*He bathed, relaxed in a lounging robe, enjoyed a light drink and a biscuit, had his siesta, and on waking burned perfume to fumigate his person, went back to sleep, woke up again and drank several rotls of wine to which he added quinces and Syrian apples if he felt the desire for fresh fruits*'. Mae sôn hefyd i'r cyfieithydd hwn gael ei dalu mewn aur pur yn ôl pwysau'r llyfrau a gyfieithai. Ond o ystyried cyfraniad yr ysgolhaig hwn i ddatblygiad yr iaith Arabeg, hwyrach yr haeddai ambell ddiwrnod i'r brenin!

14  Baker a Hanna, t. 333.

15  Hung a Pollard, t. 370.

16  Cyfieithiad yr awdur hwn o'r dyfyniad a geir yn Hans J. Störig, *Das Problem Des Übersetzens* (Darmstadt: Wissenschaftliche Buchgesellschaft, 1963).

17  Er mai yn y DU y mae'r awdur yn gweithio, ni welir dim am Gymru ym mhedwerydd argraffiad *Translation Studies* Susan Basnett wrth drafod cyfieithu Beiblaidd yn y cyfnod hwn.

18  Isaac Thomas, 'Translating the Bible', yn R. Geraint Gruffydd (gol.), *A Guide to Welsh Literature c.1530–1700* (Cardiff: University of Wales Press, 1997), tt. 154–175.

19  'Rwyf yn defnyddio ac yn dibynnu yma ar gyfieithiad Susan Basnett o'r Ffrangeg yn ei *Translation Studies*, 4ydd arg.

20  Cyfieithiad yr awdur hwn o eiriau Alexander Fraser Tytler 1797, o Robinson 1997, t. 209.

21  A ddyfynnwyd yn Gwilym Lloyd Edwards, *Iaith y Nefoedd: Dyfyniadau ynglŷn â'r Iaith Gymraeg* (Llanrwst: Gwasg Carreg Gwalch, 2011), tt. 197–198.

22 Mariane Lederer, *Translation: The Interpretive Model* (Manchester/Nothampton: St. Jerome Publishing, 2003), cyfieithiad o'r Ffrangeg gan Ninon Larche.

23 Y term Saesneg a arferir yw *Functionalism*. Defnyddir Swyddogaetholdeb yma ar ddelw'r gair 'swyddogaeth', h.y. swyddogaeth arfaethedig y testun targed fel y'i pennir gan y cyfieithydd neu'r briff cyfieithu yn ôl y theori hon.

24 Christiane Nord, *Translating as a purposeful activity: Functionalist approaches explained* (Manchester/Northampton: St. Jerome Publising, 1997).

25 Nid yw'r enghreifftiau hyn yn nodi barn yr awdur am sut y dylid cyfieithu ym mhob achos. Enghreifftiau ydynt. Nod y theori hon yw helpu'r cyfieithydd i gyfieithu'n well; y cyfieithydd biau'r dewis bob tro.

26 Fe fyddai newidiadau ar lefel y frawddeg wrth i strategaethau cyfieithu amrywiol gael eu defnyddio i osgoi cyfieithu chwithig. Nid cyfieithu llythrennol yw canlyniad cadw'r un '*Skopos*' a newid dim ar y testun targed am fod y ddau destun yn rhannu'r un bwriad.

27 Nord, tt. 124–125.

28 Dorothy Kenny, 'Equivalence', yn Mona Baker a Gabriela Saldhana (goln), *The Routledge Encyclopedia of Translation Studies*, 2il arg, tt. 96–99.

29 Monika Krein-Kühle, 'Translation and Equivalence', yn Juliane House (gol.), *Translation: A Multidisciplinary Approach* (Basingstoke: Palgrave Macmillan, 2014), tt.15–36.

30 Roman Jakobson (1959/2004), 'On Linguistic Aspects of Translation', yn Lawrence Venuti (gol.) *The Translation Studies Reader* (Abingdon/New York: Routledge, 2004), tt. 138–143.

31 Roman Jakobson, t. 141.

32 Eugene Nida, *Toward a Science of Translating* (Leiden: Brill Archive, 1964).

33 Nida, t. 159. Mor debyg *â phosibl*, nid gair am air o reidrwydd pe bai hyn yn creu testun annealladwy. Gallai'r testun fod yn chwithig oherwydd y fath strategaeth gyffredinol wrth gyfieithu, ond nid gair am air fyddai'r nod.

34 Nida, t. 164.

35 Jenny Williams, *Theories of Translation* (Basingstoke: Palgrave Macmillan, 2013).

36 Edwin Gentzler, *Contemporary Translation Theories*, 2il arg. (Bristol: Multilingual Matters, 2001).

37 Y tueddiad pan gyhoeddwyd gwaith Nida oedd gweld cyfieithu yn broses syml iawn, heb fod yn agos i'r cymhlethdod gwirioneddol sydd ymghlwm wrtho. Roedd hyn i'w weld ar ei fwyaf amlwg yn yr ymdrechion cynnar i greu systemau cyfieithu awtomatig. Byddwn yn trafod hyn yn fanylach ym Mhennod 7.

38 Peter Newmark, *Approaches to Translation* (Oxford: Pergamon Press, 1981).

39 Newmark, tt. 39–69.

40 Krein-Kühle, '*Translation and Equivalence*', t. 27.

# PENNOD 4:
# DARLLEN ER MWYN CYFIEITHU

Yn y bennod hon, byddwn yn troi'n golygon o'r theoretig i'r ymarferol, ac yn dechrau meddwl am yr hyn y mae'r cyfieithydd yn gorfod ei wneud cyn bwrw iddi i gyfieithu: darllen. Mae sgiliau darllen yn hollbwysig i gyfieithydd da, gan fod angen darllen y testun i'w gyfieithu yn gyntaf er mwyn ymgyfarwyddo â'r gwaith, ac yn ail i ganfod yr ystyr i'w mynegi yn yr iaith darged. Fe fyddwn yn ystyried y broses o ddarllen y testun cyfan cyn cyfieithu, neu'r broses o ymgyfarwyddo â'r testun, ynghyd â'r broses o ddarllen yn fwy manwl wrth lunio cyfieithiad. Byddwn hefyd yn ystyried gwahanol fathau o ystyron a'r hyn y dylai'r cyfieithydd trylwyr ochel rhagddo wrth ddarllen. Awn ymlaen yn y bennod nesaf wedyn at dechnegau ar gyfer cyfieithu'r ystyron a ddehonglwyd o'r iaith ffynhonnell i'r iaith darged.

## Deilliannau Dysgu:

Yn y bennod hon byddwch yn dysgu:

1) bod darllen yn rhan hanfodol o'r broses o gyfieithu, a bod darllen yn bwrpasol ac yn drylwyr lawn cyn bwysiced ag ysgrifennu'r iaith darged;
2) bod sawl math o ddarllen pan ddaw i lunio cyfieithiad caboledig, a bod angen meithrin sgiliau gwahanol ar gyfer pob math;
3) bod angen ymgyfarwyddo â'r testun ffynhonnell cyn cyfieithu er mwyn penderfynu ar 'strategaeth gyffredin' cyn bwrw iddi;
4) bod angen darllen yn ofalus cyn cyfieithu gan fod 'ystyr' yn gysyniad cymhleth, am y gall 'ystyr' gael ei mynegi mewn sawl ffordd.

## Darllen a chyfieithu

Cyfathrebu y mae cyfieithwyr, a'u gwaith hwy a ddefnyddir yn aml pan fydd rhywun am arfer ei hawl i ddefnyddio'r Gymraeg ar lein neu ar bapur, wrth ddefnyddio'r cyfrifiadur yn y Gymraeg neu wrth ddefnyddio'r Gymraeg mewn nifer o gyd-destunau eraill fel darllen bwydlen neu amserlen trên. Serch hynny, o ffynhonnell arall y mae *cynnwys* y testun Cymraeg wedi dod. Er mai gwaith y cyfieithydd yw'r eirfa, cyfluniad y testun, yr ieithwedd, y dulliau ymadrodd ac yn y blaen, rhywun arall biau'r negeseuon fel arfer. Afraid dweud felly, rhaid i'r cyfieithydd ddarllen yr hyn sydd i'w gyfieithu er mwyn canfod yr ystyr. Byddai'n gwbl amhosibl fel arall.[1] Mae'r darlun hwn ychydig bach yn fwy cymhleth pan ddaw i ddarllen a defnyddio allbwn technoleg cyfieithu, ond fe fyddwn yn ystyried hyn yn fwy manwl ym Mhennod 7. Ond nid darllen er mwyn canfod ystyr yw unig ddiben darllen mewn cyd-destun cyfieithu; mae cyfieithwyr profiadol hefyd yn darllen er mwyn ymgyfarwyddo â'r testun i'w gyfieithu, ac maent hefyd yn darllen y cyfieithiad terfynol er mwyn ei adolygu. Byddwn yn troi at adolygu cyfieithiadau ym Mhennod 6, ond trown isod at gyfieithu er mwyn ymgyfarwyddo â'r testun i benderfynu ar ddull cyffredinol o fynd ati, ac at ddarllen wrth gyfieithu i ganfod yr ystyr i'w chyfieithu.

## Darllen Cychwynnol: Dadansoddi'r Testun i'w Gyfieithu

Mae'r gair 'dadansoddi' yn gallu dynodi proses hir ac ymdrechgar o graffu ac astudio, proses o ymlafnio a thyrchu dan wyneb testun i ddod o hyd i'w ystyron cynnil a'i fannau cymhleth. Nid dyna'r nod serch hynny wrth ddarllen testun cyn cyfieithu o reidrwydd, er nad yw hyn yn syniad drwg mewn gwirionedd os oes amser. Mae'r gair dadansoddi yma yn cyfeirio at broses o fwrw golwg dros y testun gan ddefnyddio *fframwaith penodol* a ddisgrifir isod, ac yn gwneud penderfyniadau cyffredinol am sut y byddwch chi fel y cyfieithydd yn llunio eich cyfieithiad. Yn hytrach na chwympo'n bendramwnwgl i mewn i'r broses gyfieithu heb yr un syniad am beth mae'r testun a pham mae'r cyfieithiad yn cael ei lunio, y nod yw oedi am ennyd a *meddwl*. Canlyniad y broses honno fe obeithir, gan ddilyn y fframwaith isod, yw cyfieithiad caboledig, priodol sy'n addas at y diben. Gall fod yn anos o lawer sicrhau hynny oni bai bod y cyfieithydd yn gwybod dros bwy y mae'n cyfieithu, beth yw'r pwnc a sut y bydd y cyfieithiad yn cael ei ddefnyddio.

### Pwysigrwydd darllen cychwynnol i gyfieithu cywir

Cyn bwrw ymlaen isod i drafod y fframwaith hwnnw, dylid lleddfu ar unrhyw bryderon rhag blaen bod yr adran hon o'r gyfrol yn disgrifio rhyw fersiwn perffeithiedig o'r broses gyfieithu nad yw'n wreiddiedig mewn ymarfer proffesiynol go iawn ac nad yw'n cyfateb i realiti'r byd cyfieithu, neu yn waeth na hynny, fod yr adran hon yn disgrifio camau sy'n gwbl ddiangen, neu gamau y gellid brysio trwyddynt cyn cyrraedd y gwaith go iawn. Pa gyfieithydd proffesiynol sydd gyda'r amser i aros a bwrw golwg pwrpasol dros y gwaith cyn dechrau arni? Yn gyntaf oll, mae llawer iawn o waith cyfieithwyr proffesiynol da yn mynd yn awtomatig dros amser, ac mae hyn yn wir yn achos unrhyw waith proffesiynol; yn hytrach na bod y cyfieithydd yn gorfod oedi a meddwl, y mae'n gwneud. Mae'r blynyddoedd o brofiad sydd ganddo yn golygu ei fod wedi datblygu sgemata meddyliol yn ei gof tymor hir; mae'n cofio sut mae wedi bwrw ati gannoedd os nad miloedd o weithiau o'r blaen, bron â bod yn isymwybodol.[2] Mae hyn yn wir hefyd am sut mae cyfieithwyr profiadol yn dod o hyd i strategaethau cyfieithu wrth gyfieithu. Bydd y cyfieithydd yn chwilio am y cliwiau sy'n awgrymu pwy yw'r gynulleidfa, beth yw'r pwnc, ym mha gyd-destun y bydd y cyfieithiad yn cael ei ddefnyddio ynddo, ac yn bwrw ymlaen yn unol â hynny. Gwell byth wrth gwrs os yw'r un sydd wedi gofyn am y cyfieithiad wedi rhoi'r wybodaeth hon iddo yn y lle cyntaf. Fel cyfieithwyr dibrofiad, mae'n rhaid i chi ddysgu hynny a magu'r profiad hwnnw. Nod y fframwaith isod yw eich helpu i wneud hynny, trwy roi cyfres o gwestiynau i chi i'w hateb drosoch chi eich hun cyn cyfieithu. Yn ail, gallwn droi at dystiolaeth o ymchwil academaidd ar y broses gyfieithu, sydd wedi defnyddio dulliau ymchwil arbrofol i ganfod sut mae cyfieithwyr dibrofiad a phrofiadol fel ei gilydd yn mynd ati i gyfieithu. Mae'r astudiaethau hyn oll yn gytûn bod tair rhan i'r broses gyfieithu. Y rhannau hyn yw'r cyfnod cychwynnol cyn cyfieithu lle bydd y cyfieithydd yn ymgyfarwyddo â'r gwaith (neu'r frawddeg/paragraff i'w gyfieithu), y rhan ddrafftio (lle bydd y cyfieithiad yn cael ei lunio'n feddyliol a'i ysgrifennu at ei gilydd) a'r rhan adolygu (lle bydd y cyfieithydd yn bwrw golwg dros yr hyn a ysgrifennodd, ac yn gwneud unrhyw newidiadau iddo).[3] Yn drydydd, mae sawl astudiaeth wedi dangos bod prosesau darllen cyfieithwyr yn wahanol i brosesau darllen arferol; mewn arbrofion a gymharodd sut yr aeth cyfieithwyr ati i ddarllen testun â'r bwriad o'i gyfieithu â phrosesau darllen arferol lle darllenodd y cyfranogwyr y testun i ddeall y cynnwys yn unig (heb orfod ei gyfieithu), canfu'r ymchwilwyr fod prosesau darllen y cyfieithwyr yn hwy, fel pe baent yn dadansoddi'r testun i'w gyfieithu yn ddyfnach, ac yn rhyw hanner ffurfio cyfieithiadau i fannau anodd rhag blaen.[4] Dyma ragor o dystiolaeth felly bod y rhan hon o'r broses yn bwysig i ymarfer proffesiynol, a bod angen i ddarpar gyfieithwyr ddysgu sut mae darllen er cyfieithu.

Dylid nodi yma hefyd fod ychydig o orgyffwrdd rhwng y cyfnodau hyn, a rhai gwahaniaethau a thueddiadau personol. Bydd rhai cyfieithwyr yn darllen yr iaith ffynhonnell wrth ysgrifennu weithiau, a bydd cyfieithiadau yn tasgu o isymwybod y cyfieithydd profiadol wrth iddo ddarllen yr iaith ffynhonnell, cyn iddo hyd yn oed ddechrau meddwl am yr iaith darged yn 'ffurfiol'.[5] Yn ogystal, bydd rhai cyfieithwyr yn gwirio eu gwaith yn derfynol wrth fynd, a bydd eraill yn gwirio'n fanylach ar ôl gorffen drafft o'r testun cyfan.[6] Ond at ei gilydd, mae'r broses gychwynnol honno i'w gweld yn gymaint rhan o'r broses gyfieithu fel bod sawl astudiaeth erbyn hyn wedi ei chanfod yn eu hastudiaethau proses. Canfuwyd fod y prosesau hyn ar waith wrth gyfieithu o'r Saesneg i'r Gymraeg hefyd; mewn astudiaeth oedd yn cymharu'r broses o lunio cyfieithiad â chymorth technoleg cyfieithu a hebddi, roedd y cyfnod darllen ac ymgyfarwyddo i'w gweld yn glir yn y data gan y rhai a oedd wedi cyfieithu yn lle defnyddio allbwn technoleg cyfieithu.[7] Nawr ein bod yn gytûn bod y cam hwn yn y broses gyfieithu yn rhan amlwg o ymarfer proffesiynol, oes unrhyw resymau eraill pam y dylech chi oedi ennyd cyn cyfieithu? Yr ateb syml yw bod sawl rheswm dros hyn a thrafodir pob un isod.

Wrth lunio cyfieithiad, gellid adnabod dau grŵp o strategaethau, yn gyntaf strategaethau cyffredinol ac yn ail dechnegau penodol wrth lunio cyfieithiadau. Mae strategaethau cyffredinol yn ymwneud â'r hyn a drafodir yn y fframwaith isod; a ddylwn i fod yn ffurfiol neu'n anffurfiol, a ddylwn i wneud ychydig o ymchwil gefndirol cyn cychwyn arni, a fydd eisiau i fi gynllunio mwy o amser i wneud y gwaith gan fod llawer o'r fformatio'n debygol o fod yn llanast, ac yn y blaen. Mae'r ail grŵp yn ymwneud â sut mae'r cyfieithydd yn ffurfio cyfieithiadau, a byddant yn cyfateb i benderfyniadau'r cyfieithydd ar lefel y frawddeg fel arfer (trafodir y rhain yn fanwl yn y bennod nesaf).

Bydd enghreifftiau lu isod, ond cymerwn yn enghraifft destun am drefniadau dewis aelodau o gabinet cyngor sir. Mae wedi ei lunio gan aelod o staff sydd heb fawr o afael ar feddalwedd prosesu geiriau, mae'n ffurfiol yn Saesneg, mae'n cynnwys llawer o wybodaeth fiwrocrataidd a ffurfiol, bydd yn cael ei ddefnyddio gan gynghorwyr Cymraeg eu hiaith sydd wedi cwyno yn y gorffennol am safon y Gymraeg, mae'n ddogfen hir a bydd yn cael ei defnyddio am flynyddoedd i ddod. Ar sail hyn, rydych chi'n penderfynu ar y canlynol cyn bwrw iddi:

- Mae'r fformatio'n debygol o fod yn heriol, felly rydych chi'n rhybuddio'r un sydd wedi gofyn am y cyfieithiad o hyn ac yn dweud y gall gymryd rhagor o amser na'r arfer i'w baratoi;
- Rydych chi'n darllen dogfen gyffredinol am drefniadau o'r fath a gyhoeddwyd ar gyfer y cyhoedd gan Gymdeithas Llywodraeth Leol Cymru, er mwyn ymgyfarwyddo â'r pwnc;
- Dylai cywair ac ieithwedd y Gymraeg gyfateb i natur swyddogol a ffurfiol y Saesneg, felly rydych chi'n penderfynu defnyddio Cymraeg ffurfiol i sicrhau urddas a natur swyddogol y ddogfen Gymraeg;
- Rydych chi'n gofyn i rywun profiadol fwrw golwg dros y gwaith yn fanwl cyn ei ddychwelyd, i fod yn ofalus, i ochel rhag cwynion gan y defnyddwyr ac er mwyn sicrhau bod y ddogfen yn addas i'w defnyddio am gyfnod hir. Nid oes dim gwaeth na gwallau a wnaed flynyddoedd yn ôl gan na chymerwyd digon o ofal, ac nad oes neb wedi trafferthu eu cywiro ers hynny.

Gall oedi a meddwl felly eich helpu i greu cyfieithiad caboledig sy'n addas at y diben ac sy'n barod i gael ei ddefnyddio. Gall eich helpu hefyd i roi gwell syniad i bobl eraill pa mor hir y bydd yn ei gymryd i wneud y gwaith, a'ch helpu chi i drefnu eich amser yn effeithlon. Gall bwrw golwg dros y gwaith i'w gyfieithu eich helpu hefyd i weld ai chi yw'r person mwyaf addas i wneud y gwaith. Efallai nad ydych chi'n gyfarwydd â'r pwnc, efallai y bydd yn cymryd mwy o amser na'r hyn sydd gennych, neu efallai y byddai'r gwaith yn rhy gymhleth i chi ar hyn o bryd. Ni fyddai gwrthod gwaith, os felly, yn wendid o fath yn y byd. I'r gwrthwyneb, byddai'n dangos eich bod yn unigolyn proffesiynol a dibynadwy, sy'n deall bod gwaith y cyfieithydd yn waith cyfrifol y mae angen profiad priodol i'w wneud. Gyda hyn mewn golwg, awn ymlaen nawr i'r fframwaith y gellid ei ddefnyddio i 'ddadansoddi' testun cyn ei gyfieithu. Fel y nodwyd uchod, byddai'r cyfieithydd yn derbyn briff mewn byd delfrydol a fyddai'n cynnwys gwybodaeth fanwl am y gwaith i'w wneud. Byddai'r 'briff' hwnnw yn cynnwys y rhan fwyaf o'r wybodaeth isod, ac ni fyddai angen i'r cyfieithydd ofyn amdani. Nid ydym yn byw mewn byd delfrydol serch hynny, ac yn aml nid yw'r un sy'n gofyn am y cyfieithiad mewn safle i ateb y cwestiynau ei hun. Gobeithir felly y bydd y fframwaith isod yn helpu darpar gyfieithwyr i wybod pa gwestiynau y dylid eu gofyn, a pha agweddau y dylid cnoi cil drostynt os nad yw'r wybodaeth bwysig hon ar gael.[8] Os ymddengys unrhyw ran o'r isod yn feichus neu'n ormodol i chi, cofiwch mai *oedi i feddwl* yw'r nod yn y dechrau, ac y bydd hyn yn mynd yn ail natur i chi dros amser. Ar ôl trafod y fframwaith isod, byddwn yn tynnu popeth ynghyd ac yn gweithio trwy gyfres o enghreifftiau i ddangos sut y mae pob un yn bwysig a pha fath o benderfyniadau y gallant ofyn amdanynt.

## Y Fframwaith Dadansoddi Cychwynnol

### Pwnc y Testun

Ystyr pwnc yn y fan hon yw'r hyn y mae'r ddogfen yn ei drafod a'r maes y mae'n perthyn iddo. Hynny yw, ystyr arferol 'pwnc' mewn perthynas â thestun a ddilynir yma. Mae ymgyfarwyddo â phwnc testun yn hollbwysig cyn cyfieithu, gan y bydd yn llywio sawl penderfyniad. Gall y pwnc fod y tu hwnt i'r hyn y mae'r cyfieithydd yn gyfarwydd ag ef, ac os felly dylai unrhyw gyfieithydd ystyried a ddylai ymgymryd â'r gwaith o gwbl, a rhan o hynny yw ystyried a yw'r testun yn cynnwys gormod o wybodaeth dechnegol nad yw'n gyfarwydd â hi. Y gair a ddefnyddir yn Saesneg yn aml yw *'dense'*; hynny yw testun cymhleth ac annelwig lle mae'r awdur wedi ei chymryd yn ganiataol bod y darllenydd yn deall digon o'r cefndir i ddeall yr hyn a ddywedir. Darllenwch y frawddeg isod:

> A allele carriers of rs670 ApoA1 polymorphism showed a higher decrease of insulin resistance, LDL cholesterol and adiposity induced by two different hypocaloric diet than non A allele carriers.

Sut y byddech chi'n cyfieithu *'carriers of rs670 ApoA1 polymorphism'*? Beth am *'induced by'*? Mae hyn yn anodd am fod diffyg termau Cymraeg swyddogol am ambell derm Saesneg yma ac yn ail, byddai'n anodd oni bai eich bod yn deall ystyr *'induced by'*. Allech chi fod yn sicr ei fod yn golygu *'caused by'*? Oes diffiniad clinigol penodol o *'induced'* yn y cyd-destun yma? Nid ar chwarae bach felly y dylid cytuno i wneud cyfieithiad mewn maes anghyfarwydd. Oherwydd bod cyfieithu da yn dibynnu gymaint ar ddeall yr ystyr, os na all y cyfieithydd ddarllen rhwng y llinellau a deall y pwnc astrus, efallai y dylai ystyried gwrthod y cais.[9] Os cred y gall gyflawni'r gwaith i'r safon ofynnol, mae'n debyg y bydd angen gwneud sawl peth mewn perthynas â phwnc. Yn gyntaf, dod o hyd i'r ffynonellau priodol o gymorth, sef rhestrau terminoleg, cofion cyfieithu perthnasol (gweler Pennod 7), cyfieithiadau blaenorol a wnaed yn y maes, dogfennau a all gynnwys gwybodaeth berthnasol ac arbenigwyr pwnc a all ei helpu.

### Diben y Testun

Ystyr diben y testun yw pa beth y mae i fod i'w wneud, pam y cafodd ei greu. Beth yw swyddogaeth y testun, sut y bydd yn cael ei ddefnyddio? Geiriau eraill y gellid eu defnyddio i ddisgrifio hyn fyddai 'nod', 'pwrpas', neu 'swyddogaeth'. Wrth drafod hyn, rydym yn dychwelyd at yr hyn a drafodwyd ym Mhennod 3 am theori o'r enw *'Skopostheorie'*. Er enghraifft, diben gwerslyfr yw addysgu disgyblion am ryw bwnc penodol. Diben taflen wybodaeth i gleifion yw eu haddysgu am eu cyflwr, ac weithiau egluro iddynt sut y gallant ei drin. Diben gwefan taliadau treth gyngor yw rhoi gwybodaeth i bobl am dalu'r dreth gyngor, a bod yn ffordd o dalu'r taliadau hyn. Mae'n bwysig nodi yma hefyd y gall diben y testun i'w gyfieithu fod yn wahanol i ddiben y cyfieithiad, a hyd yn oed os yw'r ddau destun yn rhannu'r un diben, gall y diben hwnnw orfodi'r cyfieithydd i addasu'r cyfieithiad i sicrhau ei fod yn gallu cyflawni'r diben hwnnw. Dyna pam y mae ystyried diben testun cyn cyfieithu cyn bwysiced. Os yw gwerslyfr Cemeg er enghraifft yn mynd i fod yn llwyddiannus, bydd angen iddo fod yn gyson o ran terminoleg (felly efallai y bydd angen cadw cofnod manwl o unrhyw dermau a gânt eu bathu i gadw cysondeb), a bydd angen iddo gael ei ysgrifennu mewn arddull glir fel y gall disgyblion ei ddeall ni waeth beth fo eu gallu ieithyddol. Ni fyddai'r rhain o reidrwydd yn ystyriaethau cyn bwysiced wrth greu'r fersiwn Saesneg.

## Fformat a Threfn

Mae fformatio (neu ddiwyg) a threfn dogfennau yn bwysig am nifer o resymau. Yn gyntaf, mae rhai dogfennau yn cael eu dylunio ag anghenion pobl mewn golwg, neu am ryw ddiben penodol. Er enghraifft, mae rhai dogfennau yn defnyddio ffont hawdd ei ddarllen, lliwiau darllenadwy a maint ffont mawr fel y gall yr henoed a'r rhai sydd â nam ar eu golwg ddarllen y testun yn ddidrafferth. Os felly, mae'n hollbwysig bod y cyfieithydd yn sylweddoli hynny ac yn cadw'r fformat. Mae achosion weithiau lle mae maint ffont y testun Cymraeg yn llai gan fod y testun Cymraeg yn hwy. Er y gall hyn fod yn anodd ei osgoi weithiau, dylid ystyried anghenion y darllenwyr bob tro. Yn ail, mae rhai dogfennau yn cael eu dylunio mewn ffordd benodol iawn yn unol ag arferion y maes y mae wedi ei llunio ar ei gyfer. Er enghraifft, bydd cofnodion cyfarfodydd swyddogol sefydliadau yn dilyn fformat a threfn benodol yn unol â'r arfer gorau ym maes llywodraethu corfforaethol. Mae rhai cofnodion er enghraifft yn defnyddio rhifau i ddynodi pob pwynt a godwyd, felly byddai rhaid cymryd gofal. Yn drydydd, mae'n gyffredin erbyn hyn i sefydliadau ddefnyddio meddalwedd arbennig i lunio dogfennau proffesiynol, fel *Adobe InDesign*, *Adobe Photoshop*, *Adobe Spark* neu *Microsoft Publisher*. Gall hyn achosi problemau lu wrth gyfieithu os nad yw'r cyfieithydd yn gyfarwydd â hwy, neu os nad yw awdur y ddogfen yn gyfarwydd â sut y mae cyfieithwyr yn gweithio. Mae'n duedd gyffredin er enghraifft i bobl drosi'r ffeiliau hyn o'r feddalwedd yn ddogfennau PDF cyn eu trosi'n ddogfennau Microsoft Word i'w cyfieithu. Oherwydd nad yn Word y cafodd y ffeil ei chreu, mae hafoc fformatio yn dilyn.[10] Mae'n hanfodol felly fod y cyfieithydd yn ystyried y sefyllfa o ran fformatio cyn cychwyn arni, a'i fod mor rhagweithiol â phosibl pan ddaw i broblemau fformatio ac yn rhoi gwybod i'r cleient. Nid gwaith y cyfieithydd ychwaith yw ymgodymu â ffeiliau anhydrin, anhylaw felly cofiwch egluro'r hyn y gallwch chi ei wneud a'r hyn na allwch chi ei wneud. Y pwynt olaf i'w wneud yma yw bod cyfieithwyr testun yn gweithio gyda dogfennau, felly nid yw'n syniad drwg datblygu sgiliau trin dogfennau datblygedig a mynychu cyrsiau ar *Microsoft Word* a meddalwedd creu dogfennau fel *Adobe InDesign*; bydd cyfieithwyr weithiau yn dod wyneb yn wyneb â chawlach o ddogfen a wnaed gan rywun heb fawr o wybodaeth am Word. Da o beth felly yw gwybodaeth ddofn o'r rhaglen gynhwysfawr hon. Y neges yn y fan hon felly yw oedi a meddwl, a bwrw golwg dros sut mae'r ddogfen yn edrych. A fydd angen gwaith ychwanegol fel bod y fersiwn Cymraeg o'r un diwyg a'r un safon (fel y mae Safonau'r Gymraeg yn sgil Mesur y Gymraeg (Cymru) 2011 yn mynnu fel arfer)? A ellid cyfieithu'r ddogfen mewn meddalwedd cyfieithu yn lle gorfod trosi PDF? Ydy'r ddogfen yn dilyn trefn benodol, ac oes unrhyw beth yn y ddogfen y mae angen ei chadw yn union fel y mae yn yr iaith ffynhonnell? Dyma'r cwestiynau y dylech eu gofyn yn y rhan hon o'r broses.

## Yr Iaith a'r Cywair

Mae ystyriaethau mewn perthynas ag iaith a'r cywair wrth lunio cyfieithiad yn arwyddocaol, gan y bydd gofyn o dan y rhan fwyaf o amgylchiadau i'r cyfieithydd sicrhau bod y ddau destun dan sylw yn cyd-fynd o ran cywair. Os yw'r cyfieithiad yn cynnwys ffurfiau sathredig ac ansafonol er bod y testun ffynhonnell yn cynnwys iaith gywir o natur ffurfiol, bydd y cyfieithiad yn un amhriodol hyd yn oed os yw'r ystyr wedi ei mynegi'n gywir. Yr hyn sydd dan sylw yma felly yw ystyriaethau ieithyddol fel ffurfioldeb a thôn, ac i ba raddau y mae'r testun yn perthyn i faes penodol lle mae angen defnyddio ffurfiau ieithyddol arbennig. Dylid cofio bob tro nad yw iaith nac arddull yn ystyriaethau dibwys sy'n eilbeth i ystyr wrth gyfieithu; gall iaith ac arddull eu hunain fod yn rhan ystyrlon o destun y tu hwnt i'r hyn y mae'r testun hwnnw yn ei drafod (gweler y drafodaeth isod am yr 'Ystyr Ysgogol'). Mae'r pwynt hwnnw yn un gweddol amlwg o ran llenyddiaeth draddodiadal, ond cymerwch lyfr hanes academaidd Saesneg difrifol y bydd eisiau ei gyfieithu i'r Gymraeg yn enghraifft; mae awduron academaidd yn defnyddio arddull bwrpasol ac yn cymryd gofal mawr dros sut maent yn ysgrifennu. Gellid dadlau bod llyfrau o'r fath yn llenyddiaeth hefyd. Pe bai'r iaith mewn cyfieithiad o'r fath yn ymdebygu i gynnwys grŵp Facebook, go brin y byddai'r gyfrol Gymraeg yn llwyddiant. Mae taro'r cywair iawn felly ac adnabod ffurfiau ieithyddol arbennig, ffurfioldeb ac arddull yn hollbwysig i gyfieithu llwyddiannus.

Mae agwedd arall ar iaith a'r cywair mewn perthynas â chyfieithu *i'r* Gymraeg hefyd; yn debyg i'r hyn a ddadleuwyd wrth drafod Diben uchod, gall fod angen ymdrin ag iaith a'r cywair mewn modd gwahanol wrth lunio cyfieithiad. Mae gan y Gymraeg fwy nag un cywair; mae hi'n iaith hynod o gyfoethog yn hynny o beth a gellir mynegi'r un syniad mewn sawl ffordd wahanol yn dibynnu ar y cyfrwng (ysgrifenedig neu ar lafar), oed a chefndir y siaradwyr, a'r cyd-destun (crefyddol, academaidd, teledu a radio a.y.y.b).[11] Gweler Tabl 4 isod. Mae'r gwahaniaeth mewn cywair i'w weld ar sawl lefel; ffurfiau berfol, y defnydd o adferfau gwahanol, cywasgu llafariaid a geirynnau, a chystrawen. Gellid defnyddio'r cyfieithiadau Saesneg mewn unrhyw gywair, gan fod rhychwant cyweiriau'r Saesneg yn llai eang ac mae'r iaith yn tueddu i ddangos gwahaniaethau cywair mewn ffyrdd eraill (trwy eirfa yn un ffordd).

Dylai'r cyfieithydd ystyried i ba raddau felly mae'r Saesneg yn gofyn am gywair sy'n gogwyddo tuag y Ffurfiol/Llenyddol, yn hytrach na defnyddio iaith ffurfiol yn ddiofyn. Mae'r isod [*Some of the work in each of the themes…* a *The project is based at Felin…*] yn enghreifftiau o Gymraeg Ffurfiol a Chymraeg Llenyddol → Hynafol wrth gyfieithu testun at ddefnydd y cyhoedd nad oedd yn destun ffurfiol ei hun.

Tabl 4 Enghreifftiau o Wahanol Gyweiriau'r Gymraeg

| Anffurfiol/Llafar | Niwtral | Ffurfiol | Llenyddol → Hynafol |
|---|---|---|---|
| Es i at y meddyg pnawn ma | Es i at y meddyg y p'nawn yma | Es i at y meddyg y prynhawn yma. | Euthum at y meddyg gyda'r prynhawn. |
| *I went to see the doctor this afternoon* | | | |
| On i di darllen y llyfr hynna yn barod cyn iddo gyrradd | Roeddwn i wedi darllen y llyfr hwnnw yn barod cyn iddo gyrraedd | Roeddwn i wedi darllen y llyfr hwnnw eisoes cyn iddo gyrraedd | Darllenaswn y llyfr hwnnw eisoes cyn ei gyrraedd |

**Tabl 4 Enghreifftiau o Wahanol Gyweiriau'r Gymraeg (*Parhad*)**

| I had read that book before he arrived | | | |
|---|---|---|---|
| Bydd hynna'n cael 'i neud trwy gasgliade wythnosol lle ma' hynna'n bosibl | Bydd hynny'n cael ei wneud trwy gasgliadau wythnosol lle mae hynny'n bosibl | Bydd hynny'n cael ei wneud trwy gasgliadau wythnosol lle y bo hynny'n bosibl | Gwneir hynny trwy gasgliadau wythnosol lle y bo'n bosibl |
| *This will be done through weekly collections where possible* | | | |

---

Some of the work in each of the themes can be seen by looking at our websites. If you would like to know more about our overall programme or any of the projects mentioned, please contact us:

Gallwch chi weld rhywfaint o'r gwaith <u>a wneir</u> ym mhob un o'r themâu hyn drwy ymweld â'n gwefannau. Os hoffech wybod mwy am ein rhaglen gyffredinol neu unrhyw un o'r prosiectau <u>a enwyd</u>, cysylltwch â ni

Maes: Addysg

Math o destun: Gwybodaeth gyffredinol

Cynulleidfa: Y cyhoedd

---

Gan droi at enghraifft arall, mae modd gweld isod (*The project is based at Felin...*) fod cywair y Gymraeg yn uwch nag un y Saesneg.[12] Nid yw'r ddau destun yn cyd-fynd yn arddulliol. O dderbyn bod y defnydd o ffurfiau amhersonol, 'ceir' yn lle 'mae' a'r terfyniad berfol '–asant' oll yn enghreifftiau o Gymraeg ffurfiol, nid o Gymraeg niwtral, mae'n hawdd gweld bod y cyfieithiad yn rhy ffurfiol. Bwriad y testun ffynhonnell yn y ddau achos oedd cyfleu gwybodaeth i'r cyhoedd, a llwyddodd yr awduron Saesneg i wneud hynny mewn ffordd syml a hwyliog. Yn anffodus, mae'r testun Cymraeg yn mynd yn rhy bell ar hyd y continwwm ffurfioldeb a byddai ffurfiau berfol fel 'ceir' a 'penderfynasant', er eu bod yn gywir, yn chwithig i nifer. Nid yw cyfieithu yn gyfle i bobl roi cynnig ar eu Cymraeg Llenyddol gorau i ymarfer ar gyfer y Daniel Owen; cyfathrebu â phobl yw'r nod.

---

The project is based at Felin on the edge of the estate where there's a long history of community working. They decided to trial growing and selling cut flowers and nature inspired crafts.

Mae'r prosiect wedi ei leoli yn Felin ar gyrion yr ystad, <u>lle ceir</u> hanes hir o waith cymunedol. <u>Penderfynasant</u> dreialu tyfu a gwerthu blodau i'w torri a chrefftau wedi eu hysbrydoli gan natur

| Maes: Garddio / Gwaith cymunedol |
| --- |
| Math o destun: Gwybodaeth gyffredinol |
| Cynulleidfa: Y cyhoedd |

Ond rhaid cydnabod yn hynny o beth fod elfen o oddrychedd ynghlwm wrth hyn oll; mae'n anodd gwybod beth fydd y darllenwyr yn ei ddeall a'r hyn na fyddant yn ei ddeall. Ond cofiwch nad deall yw'r unig ystyriaeth yma; sicrhau bod y testun yn rhwydd ei ddarllen yw'r uchelgais hefyd; hyd yn oed os yw rhywun yn deall, troi at y Saesneg a wna yn y dyfodol os oedd yn ymdrech iddo gyrraedd y pwynt lle gall ddweud ei fod yn deall y neges. Dyna'r natur ddynol. Fodd bynnag, mae tystiolaeth bod hyn yn digwydd ar raddfa helaeth yng Nghymru ac nad yw pobl yn troi at y fersiynau Cymraeg am eu bod yn anodd eu darllen. Dim ond 33% o'r siaradwyr Cymraeg rhugl a holwyd mewn ymchwil ddiweddar dan law Comisiynydd y Gymraeg a ddywedodd y byddai'n well ganddynt ddefnyddio'r Gymraeg wrth ddefnyddio gwasanaethau sefydliadau cyhoeddus, ac mae ymchwil ar ddiffyg defnydd yn dangos mai Cymraeg chwithig yw un o'r prif resymau.[13] Fel y dywedodd un cyfranogwr ymchwil yn 2013, 'Oedd, roedd e'n glir, a be dw i'n ei weld, ydi pan maen nhw [y darparwyr gwasanaethau] yn cyfieithu deunydd maen nhw'n gorgymhlethu pethau, yn dewis iaith ffurfiol iawn...'.[14] Agwedd arall ar hynny yw sgiliau darllen Cymraeg. Un rheswm am y gŵyn gyson ynghylch Cymraeg gorffurfiol yw bod gallu pobl i ddarllen Cymraeg wedi bod yn dirywio dros y blynyddoedd. Roedd y nifer o bobl a ddywedodd eu bod yn gallu darllen Cymraeg yn ôl Cyfrifiad 2011 er enghraifft yn llai na'r nifer a ddywedodd eu bod yn gallu ei siarad.[15] Mae llythrennedd yn y Gymraeg felly, a hithau'n iaith leiafrifol, yn gysyniad cymhleth. Bydd rhai siaradwyr Cymraeg addysgedig yn gwbl gyfforddus yn darllen ac yn ysgrifennu Cymraeg, ond ni fydd hyn yn wir yn achos pawb. Gall fod nifer o resymau am hyn; diffyg addysg yn y Gymraeg, diffyg profiad o ddarllen y Gymraeg yn gyffredinol, diffyg cyd-destunau lle mae Cymraeg safonol i'w chlywed (ar ôl gadael ysgol, ac oherwydd dirywiad y capeli o bosibl, prin yw'r cyfleoedd i bobl glywed Cymraeg ffurfiol). Oherwydd bod dealltwriaeth pobl o Gymraeg ffurfiol, ac i ryw raddau 'safonol', yn amrywio felly, dylai'r cyfieithydd fod yn ystyriol o gywair y cyfieithiad a'r hyn y mae'r rhan fwyaf o bobl yn debygol o'i ddeall. Mae gorfod ystyried yr iaith a'r cywair hefyd yn un o'r rhesymau pam y mae cyfieithu i iaith leiafrifol yn dod â'i heriau i hun i waith y cyfieithydd Saesneg i Gymraeg. Mewn cymdeithas ddwyieithog lle mae llythrennedd yn yr iaith leiafrifol (neu'r iaith leiafrifedig) yn amrywio, nid oes gan y cyfieithydd a fyn gynhyrchu gwaith a fydd yn berthnasol i gynifer o bobl â phosibl unrhyw ddewis ond ystyried ei ddarllenwyr a thalu sylw i gywair, a hynny yn amlach ac yn ddwysach na'i gyd-gyfieithwyr sy'n cyfieithu i ieithoedd mwyafrifol. Mae hwn yn bwynt arall a anwybyddir yn y llenyddiaeth gyhoeddedig i ddarpar gyfieithwyr yn y Saesneg. Byddwn yn troi at rwyddineb darllen yn nes ymlaen yn y gyfrol hon wrth drafod adolygu a phrawf ddarllen (Pennod 6), lle byddwn hefyd yn trafod *Cymraeg Clir* Cen Williams, ond y prif bwynt yma yw bod angen cofio bwrw golwg dros y testun i adnabod y cywair, a hynny *ar ôl* ystyried y diben a'r gynulleidfa, a meddwl yn ddwysach am ba 'fath' o Gymraeg sydd ei angen. Nid osgoi Cymraeg ffurfiol yn gyfan gwbl yw'r neges yn y fan yma serch hynny, gan y bydd angen defnyddio Cymraeg ffurfiol mewn nifer o gyd-destunau. Y neges yw defnyddio iaith ffurfiol yn ofalus ac ar ôl ystyried y defnyddwyr tebygol a diben y testun.

## Cyd-destun a diwylliant

Mae cefndir diwylliannol siaradwyr Cymraeg a siaradwyr Saesneg yn rhannu nifer o nodweddion; mae Cymru yn rhannu'r un llywodraeth, yr un hanes, yr un sefydliadau a hefyd yr un normau cymdeithasol â gweddill y byd gorllewinol i raddau helaeth (mewn perthynas â chwrteisi, *etiquette* wrth y bwrdd bwyd, wrth groesawu pobl i'r tŷ, ymddygiad yn y gwaith ac yn y gymdeithas ac yn y blaen). Wrth gyfieithu o'r Almaeneg i'r Gymraeg, neu o'r Siapaneg i'r Gymraeg, byddai'r gagendor ddiwylliannol yn ehangach o lawer nag a fyddai'r gagendor rhwng y Gymraeg a'r Saesneg. At hynny, mae nifer fawr o siaradwyr Cymraeg Cymru yn byw ar aelwyd gymysg lle mae'r Saesneg yn cael ei defnyddio hefyd, ac mae presenoldeb y Saesneg yn amlwg yn y rhan fwyaf o gymunedau yng Nghymru.[16] Wrth gyfieithu testunau mwy ffurfiol neu swyddogol eu naws felly, ni fydd fawr o wahaniaethau diwylliannol i'w hystyried.[17] Cymerwn gontract cyfreithiol yn enghraifft; mae'r gymuned Gymraeg ei hiaith a'r gymuned Saesneg ei hiaith yn ddarostyngedig i'r un gyfraith mewn perthynas â chontractau, felly ni fyddai gofyn am addasiadau nac esboniadau. Fe fyddai gofyn i'r cyfieithydd wneud hynny, fodd bynnag, pe bai'n cyfieithu'r un testun o Ffrangeg Ffrainc i Saesneg y DU, gan fod cyfraith y ddwy wlad yn unigryw. Dyna un o wendidau eraill llyfrau i gyfieithwyr yn Saesneg sydd ar gael i gyfieithwyr y Gymraeg; maent wedi eu hysgrifennu o safbwynt ieithoedd mawr, nid o safbwynt cymdeithasau dwyieithog lle mae dwy iaith swyddogol yn cyd-fyw yn yr un genedl. Serch hynny, fe fydd rhai amgylchiadau lle bydd gwahaniaethau diwylliannol i'w gweld gan fod gan y gymuned Gymraeg ei hanes cymdeithasol ei hun a'i thraddodiadau ei hun (yr Eisteddfod a'r traddodiad llenyddol hynafol yw'r ddau draddodiad sy'n dod i'r meddwl yn syth). Wrth dderbyn rhai mathau o destunau i'w cyfieithu o'r Gymraeg felly, mae'n syniad da ystyried yn gyntaf a yw'n cynnwys enghreifftiau o'r canlynol. Os felly, da o beth fyddai cynllunio ar eu cyfer a meddwl sut y byddwch yn mynd ati i ddelio â hwy.[18]

* Cyfeiriadau diwylliannol 'mewnol' na fyddai darllenwyr y testun o reidrwydd yn eu deall heb esboniadau pellach (elfennau o'r traddodiad Eisteddfoddol a llenyddol er enghraifft, neu gymeriadau o raglenni S4C);
* Geiriau neu ffurfiau tafodieithol, ffurfiau hynafol a ddefnyddir i greu effaith, bratiaith neu ffurfiau sathredig (rhegfeydd Cymraeg doniol, tafodieithoedd lleol);
* Dyfyniadau, neu eiriau, mewn iaith dramor sy'n wahanol i'r iaith y cyfieithir ohoni ac iddi;
* Dyfyniadau o ffilmiau neu weithiau llenyddol.

Un maes, fodd bynnag, lle mae cefndir diwylliannol yr ieithoedd o'r pwys mwyaf yw marchnata a hysbysebu. Byddai sawl un yn dadlau nad gwaith traddodiadol y cyfieithydd yw hyn gan mai enghraifft o 'drawsgreu' ydyw, hynny yw proses hir a dofn o greu ac ailgreu ar sail un syniad canolog. Mae'r berthynas felly rhwng y ffurfiau ieithyddol a ddefnyddir i gyfleu'r neges i'w marchnata yn y naill iaith yn gwbl wahanol fel arfer i'r ffurfiau ieithyddol a ddefnyddir yn y llall. Serch hynny, mae cyfieithwyr yn aml yn rhan o'r gwaith o greu slogan bachog ac hysbyseb ffraeth, ac wrth wneud hynny bydd sloganau sy'n chwarae ar gyfeiriadau diwylliannol yn y Gymraeg yn debygol o fod yn fwy llwyddiannus (hyd yn oed os byddai cyfieithiad llythrennol difflach a diddychymyg yn ddealladwy).

Mae cyd-destun testun, neu'r maes arbennig y mae wedi dod ohono, hefyd yn ystyriaeth bwysig yn hynny o beth. Mae meysydd arbenigol lawn cyn bwysiced â 'diwylliant' traddodiadol. Bydd rhai meysydd, fel y Gyfraith, yn defnyddio terminoleg arbenigol a ffurfiau ieithyddol penodol, a byddai rhaid cadw'r rhain yn gywir ac yn gyson trwy gydol y cyfieithiad. Yr ystyriaethau yma yw:

* A oes terminoleg arbenigol, ac os felly ble fydd y termau Cymraeg cyfatebol?
* A yw'r maes hwn yn ffafrio'i dermau ei hun er gwaethaf bodolaeth termau safonol?
* A yw'r ieithwedd a ddefnyddir yn unigryw i'r maes hwn, ac os felly a oes cyfieithiadau blaenorol neu destunau eraill yn yr iaith darged a all fy nghynorthwyo i ddilyn yr ieithwedd honno yn y cyfieithiad?
* A oes ymadroddion arbennig a ddefnyddir yn yr iaith darged i gyd-fynd ag ymadroddion arbennig a ddefnyddir yn yr iaith ffynhonnell?

Yn y bôn felly, termau, ieithwedd ac ymadroddion. Dros amser, mae meysydd penodol yn datblygu eu ffyrdd eu hunain o drafod ymhlith ei gilydd, ac wrth gyfieithu dylid bod yn ystyriol o hynny o safbwynt y *ddwy* iaith.

## Gair am gynllunio gwaith a rheoli prosiectau

Byddwn yn mynd ar drywydd ychydig yn wahanol yma am ennyd i drafod agwedd arall ar y gwaith cyn cyfieithu, cyn i ni ddychwelyd at enghreifftiau o roi'r uchod ar waith mewn testunau go iawn. Mae'n bosibl y bydd y rhan hon yn fwy perthnasol i gyfieithwyr sydd hefyd yn rheolwyr / uwch-gyfieithwyr, ond mae'n bwysig iawn bod cyfieithwyr sy'n dechrau yn y maes hefyd yn deall agweddau ar gynllunio gwaith a rheoli prosiectau cyn cychwyn yn y swydd fel eu bod yn barod. A bwrw iddi, mae argaeledd gwasanaethau dwyieithog yn prysur fynd yn norm yn y Gymru sydd ohoni ac mae sicrhau bod y wefan, ap, ffurflen neu ddogfen o unrhyw fath ar gael yn y Gymraeg ar yr un pryd yn ofyniad cyfreithiol.[19] Oherwydd hyn, mae sicrhau bod y Gymraeg yn rhan o'r llif gwaith wrth greu gwasanaeth, neu wrth gynnig unrhyw beth i'r cyhoedd o unrhyw fath sy'n cynnwys testun, mewn gwirionedd yn hanfodol. O ochr y gwasanaeth cyfieithu, mae rheoli gwasanaethau cyfieithu yn effeithlon ac effeithiol hefyd yn hanfodol, a rhaid i'r cyfieithydd neu'r tîm cyfieithu ddod o hyd i ffordd o dderbyn gwaith, dosrannu gwaith, gwneud gwaith, gwirio gwaith a dychwelyd gwaith mewn ffordd glir a diffwdan.[20] Mae nifer o gyfieithwyr a thimau cyfieithu yn gwneud hynny trwy gyfrif e-bost canolog, ac mae eraill yn gwneud hynny trwy ddefnyddio meddalwedd neu systemau rheoli cynnwys, lle gall cleientiaid uwchlwytho gwaith i'r system, gwirio cynnydd ac wedyn lawrlwytho'r gwaith pan fydd yn barod. Gall y systemau hyn ryngweithio wedyn â systemau cof cyfieithu, a gall y cyfieithydd weithio ar y cyfieithiad a anfonwyd ato heb orfod agor, ateb nac anfon e-byst ar gyfer pob darn unigol o waith. Mae nifer o systemau rheoli prosiectau ar gael hefyd fel *Trello* neu *Microsoft Teams*, lle gall cyfieithwyr gydweithio'n rhithwir a threfnu pwy sy'n gwneud beth a gweld pwy sydd wedi gwneud beth a pha waith sydd i'w wneud. Bydd addasrwydd y gwahanol opsiynau'n dibynnu ar faint y tîm a maint y sefydliad a'r baich gwaith. Y prif bwynt yma yw nad achos syml o dderbyn e-byst yw cynnal gwasanaeth cyfieithu; rhaid meddwl am y ffordd orau o gofnodi ceisiadau am gyfieithiadau, trefnu gwaith a dychwelyd gwaith, ac mae nifer o sefydliadau wedi sefydlu eu prosesau busnes eu hunain. Byddwch yn barod os byddwch chi'n dechrau gweithio i sefydliad mawr am system o'r fath.

Tabl 5 Egwyddorion Rheoli Prosiect i Gyfieithwyr

| Egwyddor | Diffiniad | Enghreifftiau o ba fath o bethau o ran cyfieithu a rheoli prosiectau |
|---|---|---|
| **Sgôp** (*Scope*) | Beth mae'n rhaid ei gyflawni? | Beth yn union yw natur y gwaith? |
| **Rhanddeiliaid** (*Stakeholders*) | Pwy yw'r bobl bwysicaf? | Pwy yw'r bobl bwysicaf? Dros bwy ydych chi'n cyfieithu a phwy fydd yn derbyn y gwaith? Pa bobl mae'n rhaid i chi eu diweddaru am gynnydd? Ydy rhai pobl yn bwysicach nag eraill yn hynny o beth? |
| **Tasgau i'w Cyflawni a Thargedau** (*Deliverables and Targets*) | Pa dasgau y bydd angen eu cyflawni, ac erbyn pryd. | • Trefnu cyfarfodydd cychwynnol<br>• Trefnu pwy sy'n gwneud beth<br>• Gwneud yr ymchwil angenrheidiol<br>• Drafftio'r cyfieithiad(au)<br>• Gwirio'r gwaith<br>• Trefnu cyfnod gwerthuso'r gwaith gyda'r cyhoedd/treialu'r fersiwn Cymraeg<br>• Gwneud unrhyw newidiadau<br>• Cyhoeddi/lansio |
| **Rhyng-ddibyniaethau** (*Interdependencies*) | Oes rhai tasgau y mae angen eu cwblhau cyn y bydd modd bwrw ymlaen ag eraill? | Gorffen gwirio drafftiau cyn y gellir cael adborth ar y fersiwn beta<br>Cael rhestr o ddiffiniadau o dermau yn ôl cyn dechrau cyfieithu<br>Penderfynu ar bwy fydd yn gwneud beth cyn dechrau<br>Aros i'r fersiwn yn yr iaith ffynhonnell gael ei ddiwygio cyn gwneud unrhyw newidiadau i'r cyfieithiad |
| **Gwerthuso ac Adolygu** (*Evaluate and Review*) | Beth sydd wedi ei wneud, ac ydy beth sydd wedi ei wneud yn foddhaol? | Mewn timau mwy, pa gynnydd maent wedi ei wneud? Oes angen cynnal cyfarfodydd rheolaidd i drafod hyn? Oes angen newid y cynllun gwreiddiol oherwydd sefyllfaoedd na chawsant eu rhagweld (salwch, mwy o waith na'r disgwyl a.y.y.b) |

Yr ail wedd bwysig ar reoli'r llif gwaith a gwaith cyfieithu yw rheoli prosiectau. Fel arfer, bydd y gwaith cyfieithu yn rhan o brosiect mwy a bydd gan y cyfieithydd ddyddiad dychwelyd penodol. Yn gyffredinol, mae bob tro yn syniad da cwrdd ag unigolion a thrafod gwaith os yw'r darn o waith yn mynd i fod yn fawr, yn ddelfrydol ar ôl cael cipolwg ar y gwaith neu ar ôl cael gwybod beth fydd natur y gwaith, i drafod pethau fel dyddiad dychwelyd, unrhyw ofynion penodol, cael gwybod ystyron rhai termau neu frawddegau os oes angen ymlaen llaw a.y.y.b. Un o'r problemau y mae diffyg ymwybyddiaeth o waith cyfieithwyr yn ei chreu yw pellter rhwng anfonwr y gwaith a'r cyfieithydd; rhyw berthynas o bell heb fod gan yr anfonwr fawr o ddiddordeb yn y gwaith nac yn y cyfieithydd. Mae'r gwaith yn cael ei anfon, heb fawr o wybodaeth, a'r disgwyl yw y bydd y gwaith yn cael ei ddychwelyd wedyn pryd bynnag y bydd wedi ei orffen. Ar y gwaethaf mewn rhai achosion, mae ymholiadau am hyn a'r llall yn cael eu hanwybyddu hefyd, ac nid yw anfonwr y gwaith yn deall y cymhlethdodau a all godi. Gellir gwneud cyfraniad at hybu dealltwriaeth o waith y cyfieithydd felly, a gwneud pethau'n haws i chi hefyd wrth wneud y gwaith, trwy fod yn fwy pendant yn lle derbyn gwaith yn oddefol. Os bydd darn o waith yn fawr iawn neu'n brosiect hirdymor i'r tîm, gall yr egwyddorion uchod o faes Rheoli Prosiectau eich helpu i aros ar y trywydd iawn a bod yn drefnus hefyd. Meddyliwch am y tabl isod fel cyfres o gwestiynau y dylech chi eu gofyn i chi eich hun wrth gynllunio gwaith cyfieithu mawr. Gellid eu defnyddio hefyd i greu cynllun mwy ffurfiol.

Yn y bôn felly, mae llawer mwy i waith cyfieithu na 'derbyn' gwaith; gall gymryd cryn dipyn o sgiliau rheolaeth hefyd. Awn ymlaen yn awr i drafod enghreifftiau o'r fframwaith uchod ar gyfer dadansoddi testunau cyn eu cyfieithu.

## Darllen Cychwynnol: Rhoi'r Fframwaith Dadansoddi Testunau ar Waith

A ninnau wedi trafod yn fwy manwl wahanol ystyron yr hyn sy'n sail i'r Fframwaith, gallwn ei ddefnyddio nawr ar destunau neu ar rannau o destunau go iawn i roi enghreifftiau i chi. I'ch atgoffa, y Fframwaith yw **Pwnc**, **Diben**, **Fformat a Threfn**, **Iaith a Chywair** a **Cyd-destun a Diwylliant**. Byddwn yn defnyddio'r fframwaith trwy ofyn pymtheg o gwestiynau ar sail yr ystyriaethau gwahanol hyn.

### Testun 1: Post Facebook

A new Community Support Hub is available on our website, signposting to various sources of support available within our local communities, as well to national schemes, helplines and online resources. Click here for details.

Tabl 6 Dadansoddiad Cychwynnol cyn Cyfieithu: Post Facebook

| Elfen | Cwestiynau | Penderfyniadau Posibl |
|---|---|---|
| Pwnc | • Am beth mae'r testun ac o ba faes mae'n dod?<br>• A fydd rhaid i fi wneud ymchwil ymlaen llaw?<br>• Ydw i'n addas i wneud y gwaith? | Pwnc y post yw rhoi gwybod i bobl am ffynhonnell o gymorth sydd ar gael. Nid yw'n gymhleth ac ni ddylai fod yn rhy anodd ei wneud o fewn pum munud. Ni fydd gofyn gwneud rhyw lawer heblaw am gyfieithu gan nad oes unrhyw wybodaeth gymhleth. |

**Tabl 6 Dadansoddiad Cychwynnol cyn Cyfieithu: Post Facebook (*Parhad*)**

| | | |
|---|---|---|
| Diben | • I bwy mae'r gwaith?<br>• Beth yw nod y testun? | Bydd y post yn cael ei gyhoeddi ar Facebook ar gyfer y cyhoedd. Ei nod yw rhoi gwybodaeth i bobl. Oherwydd hyn rydych chi'n penderfynu defnyddio iaith niwtral nad yw'n cynnwys ieithwedd ffurfiol. |
| Fformat a Threfn | • Ydy'r testun wedi cael ei ddylunio mewn ffordd benodol?<br>• Ydy strwythur y ddogfen yn cyflawni diben penodol?<br>• Ydy fformat y ddogfen yn llanast?<br>• Ydy meddalwedd dylunio dogfennau wedi cael ei defnyddio? | Paragraff byr i'w bostio ar Facebook. |
| Iaith a Chywair | • Pa mor ffurfiol neu anffurfiol yw'r iaith?<br>• Beth yw'r arddull gyffredinol? E.e. llenyddol ei naws, swyddogol ei naws, cyfreithiol ei naws?<br>• Oes termau arbenigol yn y darn? | Mae'r iaith yn ymddangos yn niwtral yn Saesneg; nid yw'r eirfa yn orgymhleth ac mae'r arddull yn weddol syml. Mae'r ymadrodd '*signposting*' wedi ei ddefnyddio, sy'n awgrymu hefyd nad yw'r testun i fod yn swyddogol ei naws. Oherwydd hyn, rydych chi'n penderfynu defnyddio Cymraeg syml a chlir. |
| Cyd-destun a Diwylliant | • Ydy'r ieithwedd yn arbennig i'r maes dan sylw?<br>• Oes cyfeiriadau diwylliannol yn y testun fel y soniwyd amdanynt uchod?<br>• A gafodd y testun ei lunio ar gyfer maes, cymuned neu grŵp penodol yng nghyd-destun yr iaith ffynhonnell? | Mae'r post yn cyfeirio at wasanaeth sydd ar gael i siaradwyr Cymraeg a Saesneg fel ei gilydd, felly nid oes unrhyw wahaniaethau o ran diwylliant/ cyd-destun. |

## Testun 2: Cofnodion Cyfarfod[21]

HB/20/039 **AGENDA ITEM 2.3 CHAIR'S REPORT AND AFFIXING OF THE COMMON SEAL**

M Longleat advised that one comment had been received from an Independent Member in relation to the Appointment of the Director of Planning. The comment stated that whilst the Chair's report stated that the approval for the appointment was required via the Remuneration & Terms of Services Committee, the Chief Executive's report stated that the appointment had been made.

Members **NOTED** the response provided which advised that the appointment required ratification in order for it to commence on 1 April 2020 and that this was due for consideration by the Remuneration & Terms of Services Committee which was due to meet later today.

S Webster reminded Members that a previous commitment had been given to take Chairs action on the approval of the Helipad at Prince

Unconfirmed minutes of
Meeting held on 26 March 2020

Page 2 of 4

Meeting
28 May 2020

Tabl 7 Dadansoddiad Cychwynnol cyn Cyfieithu: Cofnodion Cyfarfod

| Elfen | Cwestiynau | Penderfyniadau Posibl |
|---|---|---|
| Pwnc | • Am beth mae'r testun ac o ba faes mae'n dod?<br>• A fydd rhaid i fi wneud ymchwil ymlaen llaw?<br>• Ydw i'n addas i wneud y gwaith? | Cofnodion cyhoeddus o gyfarfod ffurfiol yw'r testun, yn sgil cyfarfod y bu diddordeb mawr ynddo o du'r cyhoedd oherwydd penderfyniad dadleuol a wnaed mewn perthynas ag ysbyty. Rydych chi'n penderfynu bwrw golwg dros gofnodion Cymraeg eraill i ymgyfarwyddo â dull y sefydliad o lunio cofnodion dwyieithog, ac yn penderfynu darllen y newyddion am y penderfyniad a sbardunodd y cyfarfod at ddibenion gwybodaeth gefndirol. |
| Diben | • I bwy mae'r gwaith?<br>• Beth yw nod y testun? | Nod y testun yw cofnodi'r hyn a ddywedwyd ac a ddatganwyd mewn cyfarfod, a chofnodi unrhyw benderfyniadau ffurfiol a wnaed. Mae'r cofnodion yn cael eu llunio er tryloywder, ac maent ar gyfer y cyhoedd yn gyffredinol a staff mewn sefydliadau eraill. Oherwydd hyn mae cywirdeb ffeithiol o'r pwys mwyaf. |
| Fformat a Threfn | • Ydy'r testun wedi cael ei ddylunio mewn ffordd benodol?<br>• Ydy strwythur y ddogfen yn cyflawni diben penodol?<br>• Ydy fformat y ddogfen yn llanast?<br>• Ydy meddalwedd dylunio dogfennau wedi cael ei defnyddio? | Mae fformat a threfn yn bwysig iawn yn y math hwn o destun. Mae defnydd pwrpasol o ffont bold, ac o rifau i ddynodi pwyntiau penodol. Mae trefn y cofnodion hefyd yn bwysig gan eu bod yn gofnod cronolegol o bob peth a gododd yn y drafodaeth. Wrth gyfieithu, mae'n rhaid cymryd gofal mawr o hyn. Cyn dychwelyd y gwaith, rydych chi'n penderfynu gwirio pob un. |
| Iaith a Chywair | • Pa mor ffurfiol neu anffurfiol yw'r iaith?<br>• Beth yw'r arddull gyffredinol? E.e. llenyddol ei naws, swyddogol ei naws, cyfreithiol ei naws?<br>• Oes termau arbenigol yn y darn? | Mae'r testun yn un ffurfiol iawn er mwyn cyfateb i natur ffurfiol y maes; hynny yw, mae'n gofnod o weithgarwch sefydliad a'r penderfyniadau y mae wedi eu gwneud. Mae'r cywair yn ffurfiol iawn hefyd, fel y byddid yn disgwyl. Gallwch chi weld hyn o ymadroddion fel '*affixing the common seal*', y defnydd o'r goddefol sy'n nodwedd ar Saesneg ffurfiol a thechnegol (*M Longleat advised that one comment had been received from an Independent Member*), yr eirfa a ddefnyddir 'required *ratification*', 'the report *stated*', 'one comment had been received [...] *in relation to* the *Appointment of*...', 'in order for it to *commence*...' mewn perthynas â swydd. Oherwydd hyn mae'n glir bod angen defnyddio Cymraeg ffurfiol iawn a ffurfiau berfol a chystrawennau uchel eu cywair. |

**Tabl 7 Dadansoddiad Cychwynnol cyn Cyfieithu: Cofnodion Cyfarfod (*Parhad*)**

| Cyd-destun a Diwylliant | • Ydy'r ieithwedd yn arbennig i'r maes dan sylw?<br>• Oes cyfeiriadau diwylliannol yn y testun fel y soniwyd amdanynt uchod?<br>• A gafodd y testun ei lunio ar gyfer maes, cymuned neu grŵp penodol yng nghyd-destun yr iaith ffynhonnell? | Mae'r testun ei hun yn perthyn i faes Llywodraethu Corfforaethol a Gweinyddiaeth Gyhoeddus, ac mae ambell ymadrodd a therm a ddefnyddir yn aml yn y maes hwn, e.e. '*affixig the common seal*', a defnyddio priflythrennau i nodi'r prif bwyntiau a phenderfyniadau a wnaed. Mae'r ieithwedd yn osgoi ffurfiau gweithredol ac uniongyrchol (ffurfiau goddefol sy'n osgoi enwi'r gweithredydd), ac er mai dim ond pwt o'r testun sydd uchod, mae'r testun yn (fwriadol o) amwys ac aneglur mewn mannau, ac yn (anfwriadol o) anghyraeddadwy mewn mannau eraill. Mae hyn yn nodweddiadol o'r cyd-destun y crëwyd y testun ynddo. Lle mae'r testun yn amwys, mae'n well peidio ag ychwanegu esboniadau at y testun neu gynnig ychydig bach mwy o wybodaeth i hybu dealltwriaeth y darllenydd, fel y byddid yn ei wneud mewn rhai testunau, gan y gall yr amwysedd hwnnw fod yn gwbl fwriadol. Gan mai cofnod swyddogol, lled-gyfreithiol yw hwn hefyd, rhaid gochel rhag dweud gormod. |

---

### Testun 3: Gwybodaeth am wasanaeth meddygol (gweler y dadansoddiad yn Nhabl 8)

This service is available for a diverse range of people including those with malignant and non malignant haematological conditions. This includes monitoring warfarin therapy, administering support therapies such as blood transfusion, intravenous iron/ immunoglobulins and also intravenous, sub-cutaneous and oral chemotherapy.

### Testun 4: Llawlyfr i blant a phobl ifanc (gweler y dadansoddiad yn Nhabl 9)

In the evenings and on the weekends, there will be a number of activities to promote relaxation and fun! This may include time off the unit with staff, day trips at weekends (depending on your Ward Management plan) or leave with your family and carers. Also, we know food is important, and we provide a full and fun nutritious menu that has been developed with the tastes of young people in mind. The menu consists of a wide range of hot and cold meals plus a variety of snacks and drinks. Please see overleaf for further information about our menu.

### Testun 5: Taflen i ddarpar fyfyrwyr am sut i gyrraedd un o brifysgolion ardal Caerdydd (gweler y dadansoddiad yn Nhabl 10)

Cardiff, the capital city of the principality of Wales, is home to the Welsh Parliament, the Principallity Stadium, the Cardiff Blues and some beautiful parks, as well as too many bars to count. If you're heading in from Bristol, you'll be here in around an hour. Why not take the train and leave the car at home? You'll arrive right in the middle of the city and won't need to worry about parking. Cardiff also has some great venues for shopping and eating out, so why not come and see what we have to offer and spend the day here afterwards? We look forward to seeing you!

Tabl 8 Dadansoddiad Cychwynnol cyn Cyfieithu: Gwybodaeth Feddygol

| Elfen | Cwestiynau | Penderfyniadau Posibl |
|---|---|---|
| Pwnc | • Am beth mae'r testun ac o ba faes mae'n dod?<br>• A fydd rhaid i fi wneud ymchwil ymlaen llaw?<br>• Ydw i'n addas i wneud y gwaith? | Mae'r testun yn dod o'r maes meddygol ac mae'n disgrifio'r gwasanaethau sydd ar gael i gleifion sydd ag anhwylderau gwaed. Mae sawl term anghyfarwydd yma, felly rydych chi'n ymchwilio i'r rhain cyn dechrau ac yn gwneud nodiadau. Yn anffodus, bydd angen deall beth maent yn ei olygu, yn hytrach na dod o hyd i'r term Cymraeg cyfatebol, achos bydd angen cynnwys esboniad mewn cromfachau i sicrhau bod y darllennydd yn eu deall. |
| Diben | • I bwy mae'r gwaith?<br>• Beth yw nod y testun? | Er gwaethaf natur glinigol yr ieithwedd, cafodd y testun hwn ei lunio ar gyfer y cyhoedd. Ei nod yw rhoi gwybodaeth i bobl berthnasol am y gwasanaethau sydd ar gael iddynt yn eu hardal. |
| Fformat a Threfn | • Ydy'r testun wedi cael ei ddylunio mewn ffordd benodol?<br>• Ydy strwythur y ddogfen yn cyflawni diben penodol?<br>• Ydy fformat y ddogfen yn llanast?<br>• Ydy meddalwedd dylunio dogfennau wedi cael ei defnyddio? | Nid oes dim yn y testun y mae angen meddwl amdano'n ddwys o ran fformat a threfn. Bydd y testun yn cael ei ddarllen ar y we, ond nid yw hyn ynddo ef ei hun yn berthnasol i'r broses gyfieithu yn yr achos hwn. |
| Iaith a Chywair | • Pa mor ffurfiol neu anffurfiol yw'r iaith? | Mae'r iaith o bosibl mewn cywair niwtral; hynny yw, nid oes dim ynddo sy'n dangos mai testun ffurfiol neu anffurfiol ydyw. |
| | • Beth yw'r arddull gyffredinol? E.e. llenyddol ei naws, swyddogol ei naws, cyfreithiol ei naws?<br>• Oes termau arbenigol yn y darn? | Serch hynny, mae'r ieithwedd yn glinigol iawn; mae dull yr awdur o gyfleu cysyniadau ('*administering support therapies*', '*those with malignant and non malignant haematological conditions*'), a'i ddefnydd o dermau clinigol niferus, yn golygu y byddai rhywun yn llawn ddisgwyl gweld y testun hwn ym mharagraff agoriadol erthygl y *British Medical Journal*. Rydych chi'n penderfynu y bydd angen cynnig esboniadau yn y Gymraeg ar gyfer y termau hyn, ac y bydd angen cysylltu â'r awdur i holi am ystyr '*administering therapy*' (oni fyddai cynnig therapi yn well o bosibl? Mae 'rhoi therapi' yn od yn y Gymraeg). Rydych chi hefyd yn gweld bod hon yn enghraifft o addasu cywair yn y cyfieithiad fel y gall y testun Cymraeg gyflawni ei ddiben yn effeithiol. Gellid dadlau bod y testun yn orgymhleth ar gyfer siaradwyr Saesneg hefyd os nad ydynt yn gyfarwydd ag ysgrifennu clinigol, ond byddai creu copi carbon o hyn yn y Gymraeg yn benderfyniad annoeth. |

Tabl 8 Dadansoddiad Cychwynnol cyn Cyfieithu: Gwybodaeth Feddygol (*Parhad*)

| Cyd-destun a Diwylliant | • Ydy'r ieithwedd yn arbennig i'r maes dan sylw?<br>• Oes cyfeiriadau diwylliannol yn y testun fel y soniwyd amdanynt uchod?<br>• A gafodd y testun ei lunio ar gyfer maes, cymuned neu grŵp penodol yng nghyd-destun yr iaith ffynhonnell? | Mae'r ieithwedd yn perthyn i'r maes clinigol. Pe bai'r testun yn cael ei lunio ar gyfer clinigwyr, ni fyddai'r penderfyniadau a wnaed uchod yn anghenrheidiol o bosibl. Serch hynny, rydych chi'n gweld bod ieithwedd a thermau clinigol ac yn penderfynu defnyddio strategaethau i sicrhau dealltwriaeth. |

Tabl 9 Dadansoddiad Cychwynnol cyn Cyfieithu: Llawlyfr i Blant a Phobl Ifanc

| Elfen | Cwestiynau | Penderfyniadau Posibl |
|---|---|---|
| Pwnc | • Am beth mae'r testun ac o ba faes mae'n dod?<br>• A fydd rhaid i fi wneud ymchwil ymlaen llaw?<br>• Ydw i'n addas i wneud y gwaith? | Mae'r testun hwn yn dod o faes Iechyd Meddwl ac mae i blant a phobl ifanc mewn uned gofal. Mae'r testun ei hun yn ddigon syml, er y bydd rhaid canfod a oes term arferedig eisoes ar gyfer 'Ward Management Plan'. |
| Diben | • I bwy mae'r gwaith?<br>• Beth yw nod y testun? | Mae'r testun ar gyfer plant a phobl ifanc, nid oedolion. Oherwydd natur y gwaith, mae'n bwysig hefyd fod y darllenwyr yn teimlo'n gyfforddus yn ei ddarllen ac nad yw'r testun yn teimlo'n 'bell' oddi wrthynt oherwydd iaith orffurfiol. |
| Fformat a Threfn | • Ydy'r testun wedi cael ei ddylunio mewn ffordd benodol?<br>• Ydy strwythur y ddogfen yn cyflawni diben penodol?<br>• Ydy fformat y ddogfen yn llanast?<br>• Ydy meddalwedd dylunio dogfennau wedi cael ei defnyddio? | Mae tudalen gynnwys i'w gweld nad yw'n un awtomatig a grëwyd gan Word. Oherwydd hyn bydd gofyn i chi greu un awtomatig i sicrhau bod y dudalen gynnwys yn cyd-fynd â'r rhifau tudalennau yn y Gymraeg. Mae llun hefyd ag ysgrifen Saesneg arno; bydd angen i chi gysylltu i holi am hyn ac mae'n bosibl y bydd angen creu llun Cymraeg cyfatebol os yw'r ddogfen i gydymffurfio â Safonau'r Gymraeg o dan y Mesur. |

**Tabl 9 Dadansoddiad Cychwynnol cyn Cyfieithu: Llawlyfr i Blant a Phobl Ifanc (*Parhad*)**

| Iaith a Chywair | • Pa mor ffurfiol neu anffurfiol yw'r iaith?<br>• Beth yw'r arddull gyffredinol? E.e. llenyddol ei naws, swyddogol ei naws, cyfreithiol ei naws?<br>• Oes termau arbenigol yn y darn? | Nid yw'r iaith yn cynnwys arwyddion o gywair ffurfiol fel geirfa dechnegol, y defnydd o'r goddefol, cystrawennau amlgymalog neu gymhleth na thôn fwy amhersonol. I'r gwrthwyneb, mae'n cynnwys enghreifftiau o iaith weddol anffurfiol a 'chyfeillgar' (*'full and fun'*, *'number of activities to promote relaxation and fun!*, a'r defnydd o'r ebychnod). Mae'n amlwg felly fod yr awdur wedi gwneud ymdrech i greu testun sy'n bell o fod yn 'sych'. Rydych chi'n penderfynu defnyddio'r ffurf U2 unigol anffurfiol ar y rhagenwau (dy, ti).[22] Rydych chi hefyd yn penderfynu bod angen sicrhau bod y strategaethau cyfieithu'n fwy rhydd i osgoi brawddegau lletchwith ac anghymraeg eu naws (e.e. 'Yn y nosweithiau ac ar y penwythnosau, bydd nifer o weithgareddau *i dy helpu i ymlacio a chael hwyl!*' ar gyfer *'In the evenings and on the weekends, there will be a number of activities to promote relaxation and fun!'*). |
|---|---|---|
| Cyd-destun a Diwylliant | • Ydy'r ieithwedd yn arbennig i'r maes dan sylw?<br>• Oes cyfeiriadau diwylliannol yn y testun fel y soniwyd amdanynt uchod?<br>• A gafodd y testun ei lunio ar gyfer maes, cymuned neu grŵp penodol yng nghyd-destun yr iaith ffynhonnell? | Mae'r cyd-destun yn un lle mae iechyd meddwl yn cael ei hybu a'i ddiogelu, ac mae awdur y ddogfen wedi ymdrechu i sicrhau nad yw'r testun yn sych ac yn ddiflas. Mae rhyw deimlad o hapusrwydd a phositifrwydd drwyddi draw yn y llawlyfr, fel y gwelir yn y llun o enfys a negeseuon i godi calon (nad ydynt i'w gweld yn y darn uchod). Oherwydd hyn mae angen sicrhau bod y testun Cymraeg yn ailgreu'r un arddull. Mae gwefannau a ffynonnellau o gymorth (gan gynnwys llyfrau) wedi eu rhestru hefyd; rydych chi'n cysylltu ag awdur y testun ac yn awgrymu y gallai'r llawlyfr Cymraeg gynnwys gwefan Meddwl.org a llyfrau hunangymorth Cymraeg sydd ar gael fel bod y testun yn berthnasol i'r gynulleidfa Gymraeg. |

**Tabl 10 Dadansoddiad Cychwynnol cyn Cyfieithu: Taflen i Ddarpar Fyfyrwyr**

| Elfen | Cwestiynau | Penderfyniadau Posibl |
|---|---|---|
| Pwnc | • Am beth mae'r testun ac o ba faes mae'n dod?<br>• A fydd rhaid i fi wneud ymchwil ymlaen llaw?<br>• Ydw i'n addas i wneud y gwaith? | Mae'r testun wedi ei wneud gan adran farchnata mewn prifysgol. Mae'n disgrifio Caerdydd ac mae'n hysbyseb mewn gwirionedd â'r nod o ddenu darpar fyfyrwyr. |

**Tabl 10 Dadansoddiad Cychwynnol cyn Cyfieithu: Taflen i Ddarpar Fyfyrwyr** (*Parhad*)

| Diben | • I bwy mae'r gwaith?<br>• Beth yw nod y testun? | Nod y daflen hon yw annog pobl i ddod i ddiwrnod agored. Mae'n gwneud hynny trwy geisio disgrifio Caerdydd ei hun fel lle deniadol a diddorol i fod. A hithau'n hysbyseb, mae dau ddiben yma. Y cyntaf yw hysbysebu'r diwrnod agored a'r ail yw gwerthu Caerdydd i ddarpar fyfyrwyr. Mae Caerdydd yn cael ei defnyddio'n abwyd felly i ddenu ymwelwyr i'r brifysgol. O ystyried hynny, i ba raddau y byddai cyfieithiad llythrennol o'r testun hwn yn llwyddo i wneud hynny yng nghyd-destun y Gymraeg:<br>• Mae'n anwybyddu pawb sy'n teithio o gyfeiriad y Cymoedd, y de-orllewin a'r gogledd;<br>• Gellir ystyried y cynnwys yn nawddoglyd o feddwl bod pobl yng Nghymru yn gwybod lle mae'r Senedd a'r Stadiwm;<br>• Mae'n cyfeirio at Gymru fel tywysogaeth, term sarhaus i lawer (yn fwy felly i siaradwyr y Gymraeg o bosibl) ac yn derm sy'n dechnegol anghywir.<br><br>Dylai'r testun hwn gael ei addasu'n helaeth cyn ei fod yn barod i gael ei ddefnyddio yn y Gymraeg. Rydych chi'n awgrymu bod angen newid y cyfeiriad at Fryste i'r Cymoedd ac o bosibl y de-orllewin a'r gogledd, bod y gair tywysogaeth yn cael ei ddileu a bod y cyfeiriadau at y Senedd a'r Stadiwm yn cael eu newid. Dyma gyfieithu at ddiben, cyfieithu pwrpasol. Byddai rhai'n dadlau nad oes gan y cyfieithydd hawl i wneud hynny, ond o ystyried diben y testun Cymraeg, go brin y byddai modd gwireddu'r diben hwnnw trwy gyfieithu hwn yn llythrennol heb addasu dim arno. |
| Fformat a Threfn | • Ydy'r testun wedi cael ei ddylunio mewn ffordd benodol?<br>• Ydy strwythur y ddogfen yn cyflawni diben penodol?<br>• Ydy fformat y ddogfen yn llanast?<br>• Ydy meddalwedd dylunio dogfennau wedi cael ei defnyddio? | Nid oes dim yn y testun y mae angen meddwl amdano'n rhy ofalus o ran fformat a threfn gan mai dogfen Word a dderbyniwyd oedd yn cynnwys paragraff syml. |
| Iaith a'r Cywair | • Pa mor ffurfiol neu anffurfiol yw'r iaith?<br>• Beth yw'r arddull gyffredinol? E.e. llenyddol ei naws, swyddogol ei naws, cyfreithiol ei naws? | Mae'r iaith ei hun yn niwtral o ran iaith a chywair yn y Saesneg, felly bydd angen sicrhau bod yr un peth yn wir am y cynnwys Cymraeg. Mae'n defnyddio ieithwedd ddisgrifiadol ('*beautiful parks*', '*arrive right in the middle*', '*too many bars to count*'. Ni fyddai 'cyrraedd yng nghanol' neu 'nifer fawr o fariau' yn iawn yma, byddai angen rhywbeth mwy creadigol. |

**Tabl 10** Dadansoddiad Cychwynnol cyn Cyfieithu: Taflen i Ddarpar Fyfyrwyr (*Parhad*)

| | | |
|---|---|---|
| | • Oes termau arbenigol yn y darn? | Mae angen cofio mai'r ieithwedd ddisgrifiadol hon yw'r brif dechneg sydd wedi ei defnyddio i berswadio pobl i ddod i Gaerdydd ac felly i'r diwrnod agored. Rydych chi'n penderfynu sicrhau bod y cyfieithiad ei hun yn osgoi cyfieithu llythrennol ac yn defnyddio strategaethau a ffurfiau mwy 'blodeuog'. |
| Cyd-destun a Diwylliant | • Ydy'r ieithwedd yn arbennig i'r maes dan sylw?<br>• Oes cyfeiriadau diwylliannol yn y testun fel y soniwyd amdanynt uchod?<br>• A gafodd y testun ei lunio ar gyfer maes, cymuned neu grŵp penodol yng nghyd-destun yr iaith ffynhonnell? | Mewn gwirionedd, ymddengys fod y testun wedi cael ei ysgrifennu gyda Saeson a myfyrwyr o'r tu allan i Gymru mewn golwg, a dylai'r cyfieithydd grybwyll mai addasiad sydd ei angen yma, nid cyfieithiad llythrennol o'r hyn sydd ar bapur, os yw'r testun Cymraeg i fod yn llwyddiannus. |

Dyma bum enghraifft felly o sut y gellir defnyddio'r fframwaith hwn i fwrw golwg dros destun cyn dechrau cyfieithu, â'r nod o *gynllunio* neu *ystyried* ymlaen llaw sut y bydd y broses gyfieithu'n mynd rhagddi. Fel y nodwyd eisoes, nid oes rhaid i'r broses hon fod yn ddadansoddiad manwl o'r dasg yn ei chyfanrwydd; y nod serch hynny yw oedi a meddwl, a thrin y broses gyfieithu'n broses feddylgar lle mae sawl penderfyniad yn cael ei wneud. O ofyn y cwestiynau hyn i chi eich hun cyn dechrau, bydd fframwaith meddyliol cyffredinol gyda chi a fydd yn eich helpu i ddewis pa ddechnegau i'w defnyddio wrth i chi fwrw iddi i gyfieithu'r testun o ddifrif (technegau y byddwn yn eu trafod yn y bennod nesaf). Mae'n ddigon posibl hefyd y bydd yr unigolyn sydd wedi gofyn am y cyfieithiad yn ateb rhai o'r cwestiynau hyn ei hun pan fydd yn rhoi'r gwaith i chi. Fodd bynnag, ni fydd hyn yn digwydd bob tro, felly mae'n hollbwysig bod cyfieithwyr sy'n newydd i'r maes yn datblygu dull mwy strwythuredig, a fydd yn mynd yn isymwybodol dros amser, o fwrw golwg dros destunau mewn modd pwrpasol cyn dechrau arni. Mae'n hanfodol hefyd fod cyfieithwyr newydd yn deall bod mwy nag un math o destun, bod y testunau hyn yn gallu cyflawni dibenion gwahanol, a bod yr iaith a'r cywair yn amrywio rhwng gwahanol fathau o destunau. Yn bwysicach fyth, mae'n bwysig eich bod yn dysgu bod angen strategaethau gwahanol ar gyfer gwahanol fathau o destunau. Y neges yn y bôn felly yw **nad oes un dull cyffredinol o gyfieithu**; mae sawl un, gan ddibynnu ar y cyd-destun. A ninnau wedi trafod y camau cyn cyfieithu o ran darllen, gallwn fynd ymlaen nawr a thrafod darllen yn gyffredinol, cyn trafod ystyr.

## Darllen am Ystyr wrth Gyfieithu

Mae darllen yn broses amlweddog a chymhleth hyd yn oed mewn cyd-destun unieithog. Ond wrth gyfieithu, mae'r broses honno'n mynd yn fwy cymhleth byth, ac fel y nodwyd uchod, mae ymchwil wyddonol wedi dangos bod darllen er cyfieithu yn dasg hwy a mwy ymdrechgar fel arfer. Y rheswm mwyaf tebygol dros hynny yw bod y cyfieithydd yn dadansoddi'r testun ffynhonnell yn llawer mwy manwl nag y byddai'n gwneud pe bai'n darllen yr un testun at ddiben gwahanol, ac mae'n chwilio am yr ystyron y mae'r testun yn eu mynegi. Mae'r ystyron hyn i'w cael ar sawl lefel ac mae sawl dull hefyd o fynegi ystyr. Diben y rhan hon yw trafod y lefelau a'r dulliau hyn, fel eich bod yn ymwybodol ohonynt. Trwy ddod i ddeall hyn, y gobaith yw y byddwch chi'n gallu mynd ati'n fwy strategol wrth ddarllen a dadansoddi'r testun. Ond yn y bôn, heb ymwybyddiaeth o *sut* mae pobl yn defnyddio iaith i gyfleu eu syniadau a'u meddyliau, go brin y bydd modd deall y syniadau a'r meddyliau hyn yn ddigonol er mwyn eu mynegi'n gywir mewn iaith arall. Ond cyn troi at hyn, mae trafodaeth fer isod am ddarllen yn gyffredinol.

### Deall darllen

Onid yw pawb yn gwybod beth yw darllen? Gellid disgwyl i berson proffesiynol â gradd mewn iaith wybod sut i ddarllen, 'does bosibl? Mewn gwirionedd, mae darllen yn rhan anferthol bwysig o'r broses gyfieithu, ac mae angen i gyfieithwyr fod yn ymwybodol o ddwy agwedd ar ddarllen pan ddaw i gyfieithu cyn i ni fynd ymlaen, sef:

- Sut mae pobl yn dod i ddeall testunau trwy ddarllen (sy'n berthnasol i ddeall y testun ffynhonnell a hefyd y tebygolrwydd y bydd pobl yn deall y testun targed);
- Pwysigrwydd gwybodaeth gefndirol ac arbenigedd pwnc i'r cyfieithydd.

Hoeliwn ein sylw am ennyd ar ddarllen yn gyffredinol cyn trafod sut mae hyn yn berthnasol i ni gyfieithwyr. Yn gyntaf oll felly, sut mae pobl yn darllen? Y gred ers talwm oedd bod y broses ddarllen yn un oedd yn mynd o'r gwaelod i'r brig, lle byddai'r darllenydd yn symud o'r llythrennau i'r geiriau ac i'r frawddeg. Byddai'n sylwi yn gyntaf ar y llythrennau, ac yn raddol gyrraedd y pwynt lle gall ddarllen y frawddeg a'i deall (mewn milieiliadau wrth reswm). Yr allwedd i ddealltwriaeth dda o'r testun felly oedd darllen y brawddegau, a byddai pawb, o'i ddarllen, yn cyrraedd yr un dehongliad. Fodd bynnag, mae ymchwil wedi dangos erbyn hyn nad yw hyn yn gywir, a bod y broses ddarllen *hefyd* yn dibynnu ar wybodaeth gefndirol a gwybodaeth gyd-destunol. Gall y wybodaeth honno fod yn wybodaeth gyffredinol sydd gennym fel unigolion, gwybodaeth ddiwyllianol, neu wybodaeth arbenigol o'n pwnc. Mae darllen felly yn gymysgedd o'r ddwy broses hyn a bydd gorddibyniaeth ar y naill neu'r llall yn effeithio'n andwyol ar ddealltwriaeth y darllenydd o'r testun. Yn y bôn, trwy ddefnyddio'r wybodaeth gefndirol hon, gall y darllenydd greu ei gynrychioliad meddyliol ef ei hun o'r hyn sydd yn y testun. Gellid meddwl am y broses ddarllen felly fel un o *greu* neu o *adeiladu* ystyr, neu o *dadogi ystyr i destunau* ar sail ein gwybodaeth unigol bersonol. Oherwydd bod y broses o ddeall testun yn dibynnu ar wybodaeth gefndirol bersonol yr unigolyn, mewn ymgais i greu ei ystyr ei hun ar sail testun, gall cynrychioliadau meddyliol a lefelau dealltwriaeth pobl amrywio'n fawr hefyd. Cymerwch y paragraff isod yn enghraifft:

### Progress in defining the inflammatory cascade.

Helicobacter pylori infection is characterized by an inflammatory response in the gastric epithelium, the intensity of which appears to be type-strain specific. Infections caused by Type 1 H. pylori organisms, i.e., those expressing VacA (the cytotoxin) and CagA (the cytotoxin-associated protein), are associated with a strong polymorph mucosal infiltration in vivo, and with increased secretion of interleukin-8 by epithelial cells. The inflammatory potential of Type II strains (non-cytotoxic, VacA- and CagA-negative) is probably less pronounced. The small urease subunit, porins, and other substances produced by H. pylori show neutrophil chemotactic activities in vitro.

Ydych chi'n deall y paragraff hwn? Testun gwyddonol yw hwn i glinigwyr. I bobl o'r tu allan i'r grŵp hwn, mae'n bosibl na fydd y wybodaeth gefndirol angenrheidiol ganddynt i allu ei ddeall. Cysyniad cysylltiedig yn hynny o beth yw sgemata, sef rhwydwaith o 'fframiau meddyliol' neu o strwythurau gwybyddol sydd wedi datblygu dros amser wrth i ni fagu profiad o'r byd a'i bethau. Neu, mewn geiriau eraill, sut mae'r ymennydd wedi prosesu, trefnu a storio gwybodaeth a phrofiadau yn ein cof tymor hir.[23] Mae hyn felly yn mynd ychydig ymhellach na gwybodaeth gefndirol ffeithiol yn unig ac mae'n cynnwys gwybodaeth ymarferol yn sgil profiad o wahanol sefyllfaoedd hefyd. Wrth ddarllen, gallwn ddefnyddio'r fframiau hyn i gyd-destunoli'r negeseuon a chreu ein hystyron posibl ein hunain ar sail y brawddegau yn y testun. Mae'r wybodaeth a'r fframiau meddyliol hyn yn gwbl hanfodol, ac ni all y broses o ddeall fynd rhagddi hebddynt. Cymerwch yr ail enghraifft isod:[24]

The sequence is quite simple. First you arrange things into different groups. Of course, one pile may be sufficient depending on how much there is to do. If you have to go somewhere else due to lack of facilities, that is the next step, otherwise you are pretty well set. It is important not to overdo things. That is, it is better to do too few things at once than too many. In the short run this may not seem important but complications can easily arise. A mistake can be expensive as well. At first the whole procedure will seem complicated. Soon, however, it will become just another facet of life. It is difficult to foresee any end to the necessity for this task in the immediate future, but then one never can tell. After the procedure is completed one arranges the materials into different groups again. Then they can be put into their appropriate places. Eventually they will be used once more and the whole cycle will then have to be repeated. However, that is part of life.

Beth am y testun hwn? Mentraf ddweud na chawsoch chi fawr o drafferth yn deall o ran iaith; ond am beth mae'r testun yn sôn? Beth yw'r pwnc? Fyddech chi'n gallu dweud wrth rywun arall yn hyderus beth sy'n digwydd? Mae'r testun hwn yn dod o arbrawf a wnaed yn y seithdegau gan John Bransford a Marcia Johnson i archwilio effaith gwybodaeth gefndirol a sgemata ar ddealltwriaeth pobl o destunau, a drafodwyd mewn papur o faes Gwybyddiaeth yn 2010.[25] Pe bawn wedi rhoi teitl i'r paragraff hwn, 'Golchi Dillad', mae'n bur debyg y byddech chi wedi gallu dilyn y paragraff a dilyn y gorchmynion. O'r ddwy enghraifft felly, gallwn weld fod yr hyn rydym yn ei wybod eisoes, a'r profiadau sydd gennym o'r byd sydd wedi ymgaregu'n fframiau gwybyddol, yn llywio (ac o bosibl yn llurgunio hefyd) ein dealltwriaeth o destun. Yn wir, mae rhai gwyddonwyr yn dadlau nad oes gan unrhyw destun ystyr gynhenid, ddiamod, ac yn credu bod y darllenydd yn dod â'i wybodaeth a'i ddealltwriaeth ei hun ato ac yn defnyddio'r rheini i ddeall, yn gymaint ag y bydd yn dibynnu ar y geiriau eu hunain.[26] Beth yw perthnasedd hyn i gyfieithu?

Mae'r cysyniad hwn, bod gwybodaeth gefndirol a chyd-destun yn hanfodol i ddeall, yn ganolog i gyfieithu hyd yn oed os nad yw'n cael digon o sylw. Yn gyntaf, gwybodaeth pwnc. Enwau eraill a arddelir yn hynny o beth yw maes arbenigol y cyfieithydd neu arbenigedd pwnc. Gwyddys fod angen i'r cyfieithydd ddeall yr hyn mae'n ei gyfieithu er mwyn cynnig cyfieithiad cywir o ran ystyr, ac mae'r rhan fwyaf o gyfieithwyr yn deall hefyd fod deall yr ystyr yn ein caniatáu i gynnig cyfieithiad llai llythrennol a slafaidd o bryd i'w gilydd. Ond yn fwy na hynny, gall gweithio yn yr un maes neu feysydd am gyfnod hir, neu hyd yn oed ddod o faes arall i faes cyfieithu, helpu'r cyfieithydd i ddatblygu gwybodaeth gefndirol ddefnyddiol a chyfieithu'n gywir yn gyson (ac yn fwy effeithiol o ystyried na fyddai rhaid gwneud cymaint o waith ymchwilio).[27] Mae hyn yn wir ar lefel lai, fel yn yr enghraifft isod [*Such assays…*], neu ar lefel fwy. Ar lefel fwy, byddai hyn yn cynnwys cyfieithwyr sefydliadau addysg, cyfieithwyr llywodraeth leol, cyfieithwyr y Gwasanaethau Llysoedd a Thribiwnlysoedd er enghraifft, neu unrhyw gyfieithwyr sy'n tueddu i wneud gwaith yn yr un meysydd neu i'r un sefydliad, gan eu bod wedi meithrin gwybodaeth benodol am eu meysydd dros gyfnod o amser. Nid yw hyn yn golygu, wrth reswm, na ellir defnyddio ffynonellau o wybodaeth fel y rhyngrwyd a dogfennau i lenwi bylchau gwybodaeth y cyfieithydd (fel y gwna pob un ohonom), ond mae'n ffaith ddiymwad serch hynny fod arbenigo yn nodwedd ar y diwydiant cyfieithu rhyngwladol, a da o beth fyddai gweld rhagor o hynny yng Nghymru er lles ansawdd y testun.

---

Such assays exploit antibody–antigen recognition in order to determine whether the host has been exposed to the virus.

Mae'r profion hyn yn manteisio ar y dechneg o ddefnyddio gwrthgyrff i ganfod antigenau, er mwyn penderfynu a yw'r unigolyn wedi dod i gysylltiad â'r feirws.

---

Maes: Feiroleg

---

Math o destun: Cynghorion meddygol

---

Cynulleidfa: Y cyhoedd

---

Nodiadau: Er mai ar lefel fach iawn y mae mantais gwybodaeth gefndirol i'n gallu i ddeall (ac wedyn cyfieithu'n gywir) sydd i'w gweld yma, mae hon yn enghraifft dda. Byddai 'manteisio ar gydnabyddiaeth gwrthgyrff-antigen' yn ddi-ystyr i gynulleidfa gyffredinol, felly mae'r cyfieithydd wedi defnyddio'r wybodaeth oedd ganddo am y dechneg i gynnig cyfieithiad oedd yn egluro'n well beth oedd y dechneg, sef defnyddio gwrthgyrff i ganfod (sef ystyr 'recognition' yn y cyd-destun) antigenau.

Yn ail, mae gwybodaeth gefndirol yn bwysicach fyth ym maes cyfieithu, gan ein bod yn delio â dwy gynulleidfa ac o bosibl ddau ddiwylliant, lle gall dealltwriaeth a gwybodaeth pobl amrywio'n fawr. Oherwydd yr amrywiaeth hwn, mae bron yn anochel y bydd achosion o gamddeall oni bai bod ymdrech o du'r cyfieithydd i lenwi'r bylchau a chynorthwyo'r darllenydd. Os cymerwn eto yr enghraifft o Bennod 3 am gyfieithu darn am yr Eisteddfod i'r Almaeneg, oni bai bod ychydig o addasu'n digwydd, a fyddai gan drwch y darllenwyr Almaeneg y wybodaeth gefndirol am ddiwylliant Cymru a'r sgemata meddyliol i allu dod i ddealltwriaeth lawn o'r testun? Gellid gofyn yr un cwestiwn am bob math o destunau, hyd yn oed y tu allan i achosion o gyfathrebu rhyng-ddiwylliannol. Dychwelwn at yr enghraifft uchod am wasanaeth clinigol. Roedd yr awdur wedi ei chymryd yn ganiataol y byddai gan ei ddarllenwyr yr un lefel o wybodaeth ag ef, a hefyd yr un oed darllen. Camgymeriad oedd hwn, ac o'r herwydd mae'n rhaid bod y testun hwn wedi peri llawer o grafu pen.

Dyna bwysigrwydd gwybodaeth gefndirol felly. Nodwyd uchod mai *cyfuniad* o wybodaeth gefndirol a darllen y geiriau unigol sy'n sail i ddarllen llwyddiannus. Mae hyn yn swnio'n amlwg, ond mae angen tynnu sylw at hyn mewn llyfr fel hwn i gyfieithwyr gan y gall y broses o'r 'gwaelod i'r brig', neu ganolbwyntio ar y geiriau arwynebol yn unig heb ddealltwriaeth o'r pwnc, achosi cyfieithu llythrennol a chyfieithu anghywir hefyd. Gall canolbwyntio felly ar arwyneb testun, neu ar y geiriau yn unig heb dalu fawr o sylw i'r cyd-destun a gwybodaeth gefndirol, beri i'r cyfieithydd lunio cyfieithiad sy'n 'gopi carbon' bron o'r iaith wreiddiol, a fydd yn swnio'n lletchwith iawn i'r darllenydd. Nid hwn yw'r unig beth all achosi cyfieithu slafaidd wrth gwrs; mae diffyg dealltwriaeth o theori cyfieithu a hawl cyfieithwyr i dorri eu cwys gystrawennol eu hunain, diffyg dealltwriaeth o'r technegau cyfieithu sydd ar gael, diffyg dealltwriaeth o bwysigrwydd arddull glir ac o bosibl ddiffyg gallu ieithyddol cyffredinol oll yn debygol o ryngweithio â'i gilydd i greu testun gwael. Ond mae'n debygol bod dilyn yn oragos yr hyn sydd ar y sgrin neu ar y papur hefyd yn rheswm.

Mae mwy i ddarllen wrth gyfieithu felly nag a dybir yn aml; mae gwybodaeth gefndirol yn chwarae rôl fawr yn y gwaith o ddeall testun, i'r fath raddau fel bod cyfathrebu yn gallu bod yn amhosibl os yw gwybodaeth yr awdur a gwybodaeth y darllenydd yn bell iawn oddi wrth ei gilydd. O ystyried y gall cyfieithu gymhlethu hynny oherwydd gwahaniaethau diwylliannol ac ieithyddol, mae gan y cyfieithydd yn rhinwedd ei rôl fel cyfathrebwr proffesiynol gyfrifoldeb i bontio'r bwlch hwnnw trwy ddefnyddio technegau fel egluro pwyntiau neu ymhelaethu ar y wybodaeth (technegau y byddwn yn eu trafod yn fanylach yn y bennod nesaf). Cyn mynd ymlaen i drafod ystyr a chyfieithu, cofiwch felly mai achos o *greu* cynrychioliad meddyliol unigol o gysyniadau neu negeseuon testun yw darllen, ac nad yw ystyr mewn testun yn rhywbeth syml sy'n bodoli'n ddiamod, yn aros i gael ei ddehongli'n gywir ac yn ddi-duedd yn yr un ffordd gan bawb.

## Mynegi Ystyr mewn Iaith

I droi yn awr felly at fynegi ystyr, mae'n bryd talu sylw i'r gwahanol ffyrdd y mae ieithoedd yn gwneud hynny. Mae'n bwysig nodi yma na fydd yr adran hon yn ymdriniaeth gynhwysfawr o Semanteg a'r Ieithyddiaeth mewn perthynas ag ystyr mewn iaith, er y byddaf yn tynnu ar ymchwil yn y maes hwn i egluro rhai cysyniadau. Cynhwyswyd yma rai o'r prif gysyniadau y dylai *cyfieithwyr* eu deall. Wedi dweud hynny, mae'r rhan hon dan ddylanwad amlwg yr ieithydd Alan Cruse a'i waith yn y maes hwn. Gan fwrw ymlaen felly, mae trafodaeth o 'ystyr' a sut y mynegir ystyr yn bwysig am dri rheswm. Yn gyntaf, mae'n rhaid deall y gwahanol lefelau y mynegir ystyr arnynt er mwyn gallu eu hadnabod wrth gyfieithu; er enghraifft, rhaid deall y gwahaniaeth rhwng ystyr lythrennol ac ystyr drosiadol.[28] Yn ail, mae'n rhaid deall y gwahanol lefelau hyn am fod y technegau cyfieithu a ddefnyddir yn wahanol hefyd; mae'n debygol y byddai rhaid cyfieithu trosiad mewn ffordd wahanol i ddihareb er enghraifft. Yn drydydd, mae'r ffyrdd mae'r ieithoedd yn cyfleu syniadau yn amrywio, felly rhaid bod yn effro i'r gwahanol ffyrdd o fynegi ystyr fel bod y cyfieithiad yn destun naturiol ynddo ef hun. Mae gan y Gymraeg gyfoeth o briod-ddulliau a throsiadau er enghraifft sydd wedi datblygu'n gwbl annibynnol ar y Saesneg, heb sôn am gymhlethdod cystrawennol unigryw. Bydd yr adran hon yn dechrau yn y gwaelod fel petai ar lefel y gair, ac yn symud yn uwch yn raddol i drafod unedau mwy.

## Y gair ac ystyr ramadegol

I beth mae eisiau trafod cysyniad mor syml? Onid yw'n amlwg beth yw 'gair'? Mae cyfieithwyr hefyd yn gweithio gyda thestunau a'r brawddegau sy'n eu ffurfio, felly onid yw trafod y gair yn gorsymleiddio'r gwaith? Mewn gwirionedd, mae'r cysyniad hwn yn fwy cymhleth nag a dybir, ac er bod cyfieithwyr yn gweithio gyda *chysyniadau* a fynegir trwy gystrawennau a chyfuniadau o eiriau yn ddigon aml, mae'n rhaid cydnabod bod gan y gair yntau ei le haeddiannol mewn cyfrol fel hon. Ond beth yw gair? Gan ddilyn Geiriadur Prifysgol Cymru, dyma yw ystyr gair yn y Gymraeg:

> Sain neu gyfuniad o seiniau llafar mewn iaith sy'n cyfleu ystyr, sef rhoddi enw i wrthrych neu ddynodi ansawdd, syniad, meddwl, gweithred, &c., gorchymyn; parabl, ymadrodd; cyfarchiad, annerch; anerchiad byr difyfyr, anogaeth; dywediad, dihareb.

Sain felly sy'n cyfleu ystyr o ryw fath. Digon teg, a digon cysáct. Ond yng nghyd-destun cyfieithu, mae mwy iddo na hynny. Cymerwn y ferf 'credasom'. Yr ystyr yma yw bod dau berson neu grŵp o bobl (1) yn arfer (2) credu rhywbeth (3) yn y gorffennol pell (4). Gall un gair felly gyfleu mwy nag un 'ystyr', neu mewn geiriau eraill mae diffinio gair fel uned ystyr unigol braidd yn orsyml. Gall un gair gyfleu sawl peth. Ffordd arall o feddwl am hyn, a'r ffordd fwyaf perthnasol i ni gyfieithwyr o bosibl, yw meddwl am air fel *cyfuniad o unedau ystyr* yn hytrach na chyfuniad o seiniau llafar. O wneud hynny, down yn nes at ddiffiniad mwy defnyddiol yng nghyd-destun cyfieithu. Gallwn fenthyg cysyniad o Ieithyddiaeth yma, sef y forffem. Ystyr morffem yw'r uned leiaf mewn iaith â'i hystyr ei hun. Cymerwn felly eiriau fel 'siaradais', 'stwrllyd' a 'darllenadwy', sy'n cynnwys dwy forffem yr un. Gallwn ddadansoddi'r geiriau hyn fel a ganlyn:

**Siarad** [y weithred o fynegi syniadau trwy ddefnyddio geiriau llafar] + **ais** [person cyntaf yn amser gorffennol y ferf yn y modd mynegol].

**Stŵr** [cyfres o seiniau neu sain barhaus] + **llyd** [terfyniad sy'n dynodi agwedd negyddol y defnyddiwr tuag at yr hyn a gyfleir gan yr enw neu'r ansoddair].

**Darllen** [y weithred o amgyffred ystyr symbolau ysgrifenedig neu brintiedig â'r llygaid] + **adwy** [terfyniad sy'n dynodi ei bod yn bosibl ym marn y defnyddiwr gyflawni'r ferf].

Pan ddaw felly i'r lefel leiaf posibl wrth gyfieithu, sef y gair, mae'n ddefnyddiol cofio y gall y gair hwnnw gyfleu sawl cysyniad gwahanol. Mae'r term 'morffem' yn ddefnyddiol yn hynny o beth, sef yr uned ieithyddol ystyrlon leiaf posibl. Gallwn alw'r agwedd hon ar ystyr mewn iaith yn 'ystyr ramadegol'; hynny yw, yr ystyr weddol uniongyrchol a fynegir trwy strwythurau gramadegol, yn eu plith fforffemau a chystrawen. O ran cystrawen, mae modd i ystyr gael ei mynegi trwy strwythurau brawddegol hwy hefyd. Er enghraifft, yn:

Roedd wedi mynd i'r siop i brynu ei bapur

fe welwn sawl uned ystyr, rhai trwy eiriau unigol (mynd, prynu, ei, papur a.y.y.b) ond hefyd trwy gystrawen a'r cyfuniad o eiriau 'roedd+wedi+berfenw' i gyfleu '*he had*'. I'r rhai sydd â'u bryd ar gyfieithu, diau y bydd hyn yn weddol amlwg, ond dyma nodi yma sut y mynegir ystyr trwy eiriau, morffemau unigol mewn geiriau a chystrawen. Galwn hyn yn 'ystyr ramadegol' er hwylustod. Mae mwy i ystyr na hyn, fodd bynnag, fel y trafodwn isod.

## Y gair a'i wahanol arlliwiau

Nid yn unig y gallant gynnwys sawl morffem, ac felly gyfleu sawl peth, mae geiriau hefyd yn gallu cyfleu mwy nag un cysyniad ni waeth faint o forffemau maent yn eu cynnwys. Cymerer y gair '*eviscerate*' yn y frawddeg '*he eviscerated them*' a 'sglaffio' yn y frawddeg 'sglaffiodd ei fwyd'. Yn y frawddeg gyntaf, mae'r ystyr yn fwy na 'roedd wedi rhoi pryd o dafod iddyn nhw/eu cywiro/eu rhoi yn eu lle'. Mae'r gair hefyd yn dynodi bod hyn wedi ei wneud mewn ffordd giaidd neu hynod o ymosodol. Yn yr ail, roedd y person nid yn unig wedi bwyta ei fwyd, ond roedd wedi gwneud hynny'n gyflym ac o bosibl mewn ffordd fochynnaidd. Mae hyn yn ein harwain at agwedd arall mewn perthynas ag ystyr ar lefel y gair, sef y gall 'ystyr' gwmpasu teimlad, dull, agwedd a barn hefyd. Yn hynny o beth, mae'n ddefnyddiol mewn perthynas â chyfieithu i ni gategoreiddio ystyr fel a ganlyn: Ystyr Ramadegol (a drafodwyd uchod) [*Grammatical Meaning*], Ystyr Osodiadol [*Propositional Meaning*], Ystyr Fynegiannol [*Expressive Meaning*], Ystyr Ragfynegedig [*Presupposed Meaning*] ac Ystyr Ysgogol [*Evoked Meaning*]. Trwy wneud hyn, fe welwn unwaith eto fod y cysyniad o'r gair fel un uned ystyr yn orsyml.

I ddechrau yn gyntaf oll ag Ystyr Osodiadol. Yn y bôn, Ystyr Osodiadol yw'r ystyr arferol a dadogir ar wrthrychau neu weithredoedd heb unrhyw arlliwiau arbennig. Yn fwy technegol, mae Ystyr Osodiadol yn priodoli rhyw briodwedd neu ffaith i rywbeth neu rywun. Eu prif nodwedd yw bod modd dweud bod yr hyn a ddywedwyd neu a ysgrifennwyd yn wir ai peidio.[29] Ystyr Osodiadol y gair llyfr, a dilyn Geiriadur Prifysgol Cymru, yw 'Casgliad o ddalennau (papur, memrwn, &c.) wedi eu cydrwymo o fewn cloriau neu gaeadau'. Nid oes dim mwy i'r ystyr honno ac wrth ddefnyddio'r gair yn y frawddeg 'Dyma dy lyfr', mae'r siaradwr yn dynodi bod y gwrthrych yn perthyn i'r unigolyn arall yn y sgwrs. Cymerer y frawddeg isod:

The **book** was **note**d by the Committee.

Y gosodiad yma yw bod y pwyllgor wedi nodi rhyw lyfr. Gwyddom beth sydd wedi digwydd, gwyddom pryd hefyd trwy Ystyr Ramadegol a'r terfyniad berfol '–ed', nid oedd yr ysgrifennwr wedi nodi ei deimladau neu'i farnau personol am y weithred ac mae'n cofnodi heb unrhyw arlliwiau penodol yr hyn a wnaed.[30] Gweddol syml felly a byddai unrhyw gyfieithydd yn llunio cyfieithiad ar gyfer y frawddeg hon mewn dim o dro ar ôl darllen yn ofalus i ddeall yr ystyr yn iawn. Dyma'r math o ystyr sydd hawsaf ei drin wrth gyfieithu fel arfer, am nad oes dim trosiadol, cymhleth yn ei gylch.

Er mor braf yw symlrwydd, rhaid gochel fodd bynnag rhag dwy agwedd ar yr Ystyr Osodiadol, sef cyfatebiaethau ffug rhwng Ystyron Gosodiadol yn gyntaf a gwahaniaethau o ran amlder defnydd geiriau ymddangosiadol syml yn ail.

Yn gyntaf felly, dylid gochel rhag defnyddio'r geiriau anghywir wrth gyfieithu Ystyron Gosodiadol yn yr iaith ffynhonnell ar sail cyfatebiaeth ffug. Gweler y frawddeg isod a gyhoeddwyd mewn erthygl newyddion:

Ar hyn o bryd, gall pobl o ddwy aelwyd gwrdd yn yr awyr agored, heb deithio mwy na phum milltir, a chan **arsylwi ar** ymbellhau cymdeithasol.

Diau mai cyfieithiad anfedrus yw hwn o '*observe social distancing*'. Yn y Saesneg, mae gan y gair '*to observe*' sawl ystyr. Un ohonynt yw dilyn rheolau neu ganllawiau. Yn y Gymraeg, serch hynny, nid oes gan y gair 'arsylwi' y fath ystyr. Yn ôl Geiriadur Prifysgol Cymru, cawn y diffiniad hwn:

Sylwi (ar) neu wylio'n ofalus (yn enw. er mwyn casglu data gwyddonol, &c.), gwneud arsylwadau (gwyddonol, &c.); gwylio (gwers, &c.) fel arsylwr; gwneud sylw (am).

Nid oes dim yma sy'n cyfleu ystyr (ososiadol) y gair Saesneg '*to observe*', **fel y'i defnyddiwyd ef yn ei gyd-destun**. A dyna wraidd y pwynt hwn: mae ystyron geiriau yn cael eu gwireddu gan eu cyd-destun, nid gan y gair cyntaf a welir mewn geiriadur. Gallwn alw'r camddefnydd o 'arsylwi' ar gyfer '*to observe*' yn 'gyfatebiaeth ffug'; rhaid sicrhau bod y gair neu'r geiriau a ddefnyddir yn yr iaith darged yn cyfateb o ran ystyr i'r gair neu'r geiriau a ddefnyddir yn yr iaith ffynhonnell yn ôl y cyd-destun.

Yr ail agwedd ar yr Ystyr Osodiadol y dylid ei chadw mewn cof yw pa mor gyffredin yw'r gair yn y naill iaith o'i gymharu â'r llall. Hyd yn oed os oes gan y gair Saesneg Ystyr Osodiadol glir ynghyd â gair Cymraeg cyfatebol, weithiau gall gwahaniaethau fod yn y ddwy gymuned iaith mewn perthynas ag amlder defnyddio'r geiriau. Haws egluro hyn trwy enghraifft. Darllenwch y frawddeg isod:

*Her compatibility with the team is a problem.*

Dim problem yma; nid yw '*compatibility*' yn air anghyffredin yn y Saesneg ac rydym yn deall yr ystyr. Darllenwch y frawddeg Gymraeg isod:

Mae ei chydnawsedd â'r tîm yn broblem.

Mae'r gair 'cydnawsedd' yn llai cyffredin yn y Gymraeg mewn cyd-destunau annhechnegol nag yw '*compatibility*' yn y Saesneg. Oherwydd hyn, byddai rhaid aralleirio i ffurfio cyfieithiad fel arfer, a chynnig rhywbeth yn debyg i (gan ddibynnu ar y ffurfioldeb angenrheidiol) 'dydy hi ddim yn addas i'r tîm', 'dydy hi ddim yn dod ymlaen yn dda gyda gweddill y tîm'. Mae hon yn broblem y mae cyfieithwyr proffesiynol y Gymraeg yn ei hwynebu yn rheolaidd. Wrth gyfieithu geiriau ymddangosiadol syml felly, rhaid ystyried pa mor addas yw cyfieithiadau llythrennol a chofio am amlder defnydd gwahanol eiriau. Nid yw bodolaeth gair yn y Gymraeg yn gyfiawnhad digonol dros ei ddefnyddio. Os nad ydych chi'n siŵr, bydd darllen yn helaeth ac yn aml yn y Gymraeg yn eich helpu i feithrin ymdeimlad o'r geiriau y mae pobl yn debygol o'u deall a pha mor aml y maent ar dafodleferydd pobl. Techneg arall yw defnyddio corpora electronig. Gallwch chi chwilio am y gair dan sylw ynddynt a gweld faint o enghreifftiau sydd o'i ddefnyddio os oes amheuon gennych. Bydd geiriau sy'n ymddangos yn anaml yn y corpws yn awgrymu mai gair anghyffredin ydyw. Bydd y *Corpws Cenedlaethol Cymraeg Cyfoes* (CorCenCC) yn hynod o ddefnyddiol yn hynny o beth, ac mae gwybodaeth ar ei wefan am sut i chwilio am eiriau a dehongli'r canlyniadau.[31] O ran delio â'r broblem hon, mae dwy dechneg. Y gyntaf yw defnyddio gair arall sy'n gyffredin; gall hwn fod yn air llai manwl na'r un yn yr iaith ffynhonnell neu air â'r un ystyr ond sy'n fwy cyffredin. Bydd yr enghraifft hon yn dangos y dechneg hon ar waith:

...to avoid a *dermal reaction*...
...er mwyn osgoi *effaith ar y croen*...

Yn yr enghraifft uchod, mae 'adwaith croenol' wedi ei ddiystyru fel opsiwn mewn testun ar gyfer y cyhoedd, am ei fod yn rhy dechnegol. Gellid dadlau bod 'adwaith' a 'croenol' ill dau yn dermau anghyfarwydd. I sicrhau y bydd cynifer yn deall â phosibl, mae gair llai manwl (sef effaith) wedi ei ddefnyddio i ddynodi 'adwaith'; gellid dadlau bod 'adwaith' yn fath arbennig o effaith, sy'n digwydd ar ôl rhyw ysgogiad i rywbeth (sef yr elfen 'ad' yn y gair). Mae 'ar y croen' wedi ei ddefnyddio yn lle 'croenol' am yr un rheswm. Yn yr achos hwn, nid yw'r term yn llai manwl, y cyfan sydd wedi ei newid yw natur dechnegol y cyfieithiad.[32] Opsiwn arall yw aralleirio'n llwyr a defnyddio ymadrodd, sef yr ail dechneg. Yr ail dechneg felly yw gwneud beth a wnaed uchod ac aralleirio'r ystyr a defnyddio ymadrodd cyfan (*Her compatability*... = dydy hi ddim yn dod ymlaen....). Byddwn yn troi at hynny eto yn fras ym Mhennod 5 hefyd, wrth drafod yr Uned Leiaf i'w Chyfieithu, ond digon yw dweud am nawr nad oes rhaid dilyn patrwm yr iaith ffynhonnell ac mae modd i ymadrodd cyfan gyfleu un neu ddau air yn yr iaith darged.

Trown nesaf at yr Ystyr Fynegiannol. Yn wahanol i Ystyr Osodiadol gair, nid yw geiriau ag Ystyr Fynegiannol yn wir neu'n anwir, ac nid ydynt yn cyfleu ffeithiau nac yn tueddu i gyfleu gwybodaeth wrthrychol bob tro. Mae'r math hwn o eiriau yn cyfleu teimladau neu farnau personol y siaradwyr neu'r awduron, ac maent yn rhoi arlliw penodol ar yr hyn a ddywedir neu a ysgrifennir. Cymerwn y gair 'mwydro' yn y frawddeg 'roedd yn mwydro am safon y wefan newyddion 'na':

> Roedd yn [**mwydro**] am safon y wefan newyddion 'na.
> Roedd yn [**siarad yn ddibaid**] (1) am safon y wefan newyddion 'na [**a finnau wedi cael hen ddigon o glywed yr un peth drosodd a thro**] (2).

Gallwn weld yma felly fod dwy neges yn y bôn yr oedd y siaradwr am eu cyfleu. Roedd am gyfleu nid yn unig bod y person dan sylw yn siarad unwaith eto am yr un pwnc (1), ond hefyd fod yr un a oedd yn gwrando arno wedi cael llond bol o glywed yr un peth (2). Oherwydd hyn, ni fyddai '*he was talking about the standard of that news website*' yn tycio fel cyfieithiad; rhaid fyddai defnyddio rhywbeth fel '*he was whinging/going on about*' er mwyn cyfleu'r Ystyr Fynegiannol. Gweler enghraifft arall isod o gyd-destun mwy ffurfiol:

> Mr X felt that his privacy was [**invaded**]
> Mr X felt that his privacy [**was egregiously disrespected**] (1) [**without his express permission**] (2).
> (*Teimlodd Mr X i'r sefydliad sathru ar ei hawl i breifatrwydd*)

Yn yr enghraifft hon, mae elfen ynddi sy'n cyfleu gwybodaeth, sef bod rhyw sefydliad neu unigolyn wedi gwneud rhywbeth nad oedd yn parchu hawl Mr X i breifatrwydd (1). Fodd bynnag, mae'r rhan fynegiannol i'w gweld yn glir yn y defnydd o '*to invade*'. Ni fyddai 'Roedd Mr X yn teimlo bod y sefydliad wedi torri ei hawl i breifatrwydd' yn tycio gan nad yw 'torri'r hawl' yn cyfleu cred Mr X bod rhywun wedi sathru ar ei hawl i breifatrwydd mewn modd a oedd bron â bod yn dresmasol (2).

Gan fod geiriau mynegiannol yn cyfleu teimladau a barnau, gallant amrywio yn eu cryfder yn union fel y gall teimladau a barnau amrywio yn eu cryfder. Rhaid bod yn ofalus wrth gyfieithu felly na ddefnyddir gair mynegiannol cryfach neu wannach i gyfleu'r Ystyr Fynegiannol yn yr iaith ffynhonnell. Yn yr enghraifft isod, nid oedd y cyfieithiad o '*abysmal*', yn cyfleu'n ddigon cryf gyflwr ofnadwy y cofnodion:

> The department was [**slammed**] by the auditor last year for the [**abysmal**] state of its financial records
> Cafodd yr adran ei [**beirniadu'n hallt**] gan yr archwilydd y llynedd am safon [***wael***] ei chofnodion ariannol.
> (*Cafodd yr adran ei beirniadu'n hallt gan yr archwilydd y llynedd am safon affwysol ei chofnodion ariannol.*)

Y trydydd math yw'r Ystyr Ragfynegedig; mae ystyr gair yma yn cael ei 'rhagfynegi' drosto gan y geiriau a ddefnyddir o'i gwmpas neu gydag ef. Mae ystyr rhai geiriau yn newid os cânt eu defnyddio yn yr un cyfuniad arferedig o eiriau, ac mae rhai ystyron yn tueddu i gael eu mynegi gan ddefnyddio'r un cyfuniad o eiriau.[33] Yn y bôn felly mae dwy elfen i Ystyr Ragfynegedig, sef Detholiadau Ffafredig *[Selectional Preferences]* a Chydleoliadau [*Collocations*] a byddwn yn trafod y ddwy isod.[34] Mae'r cysyniad hwn yn bwysig gan fod naturioldeb cyfieithiadau yn dibynnu ar ymdriniaeth gywir o'r rhain. I droi yn gyntaf at Ddetholiadau Ffafredig. Mae ystyr gair yn golygu bod yr ystod o eiriau eraill y gellir ei defnyddio gydag ef yn naturiol gyfyngedig; ar ôl y gair 'yfed', disgwylir hylif yn wrthrych, neu cyn y gair 'blasus' mae disgwyl rhywbeth y gellir ei fwyta neu ei yfed. Mae adnabod y Detholiadau Ffafredig hyn yn bwysig gan y bydd defnyddio'r cyfuniad amhriodol yn y cyfieithiad yn amharu'n fawr ar ei naturioldeb a'i gywirdeb. Cymerer yr enghraifft isod:

The [**artist**] [**recorded**] the song last night.

Roedd yr [**artist**] wedi [**cofnodi'r**] gân neithiwr. *(Roedd y cerddor wedi recordio'r gân neithiwr)*

Mae'r frawddeg Gymraeg yn gyfieithiad aflwyddiannus am fod y Gymraeg yn disgwyl y defnydd o 'perfformiwr' neu 'canwr/cantores' yng nghyd-destun cerddoriaeth, a 'recordio' yng nghyd-destun gwneud cofnod electronig o sain. Ystyr y gair *'artist'* yma yw cerddor, ac ystyr y gair *'to record'* yw gwneud cofnod ar ffeil sain o gân. Mae'r ystyr hon i'w gweld nid cymaint yn y geiriau eu hunain, ond sut maent wedi eu *defnyddio gyda'i gilydd*. Fel y nodwyd eisoes, mae adnabod y cyfuniadau hyn yn yr iaith ffynhonnell yn bwysig er mwyn gallu eu hatgynhyrchu'n gywir yn yr iaith darged.

Yn yr enghraifft isod a gyhoeddwyd, fe welwn enghraifft arall o hyn ond enghraifft sydd ychydig yn llai du a gwyn o bosibl am fod y Saesneg ychydig yn chwithig hefyd.

| |
|---|
| A general anaesthetic is combination of drugs that produce a deep sleep. |
| Mae anaesthetig cyffredinol yn gyfuniad o gyffuriau yn creu cwsg dwfn. |
| Maes: Iechyd |
| Math o destun: Taflen wybodaeth ar gyfer cydsyniad i driniaeth |
| Cynulleidfa: Y cyhoedd yn gyffredinol |

Yr ymadrodd cyffredin yn y Saesneg yw *'to induce sleep'* neu *'to cause sleep'* fel arfer nid *'produce'*. Mae'r Gymraeg yr un mor annaturiol am fod y cyfieithydd wedi defnyddio 'creu cwsg'. Nid yw 'cwsg' yn rhywbeth y mae modd ei 'greu', gan fod 'creu' yn cyfleu mynd ati i wneud rhywbeth trwy broses greadigol, bwrpasol er mwyn cynhyrchu neu lunio rhyw wrthrych fel darn o waith neu gelf neu ddarn o lenyddiaeth. Byddai 'achosi cwsg dwfn' wedi swnio'n llawer mwy naturiol yma. Hyn, yn y bôn, yw Detholiadau Ffafredig felly; cyfuniad arferedig a naturiol geiriau i gyfleu cysyniad, a gall cam-drin y cyfuniadau hyn olygu bod y cyfieithiad yn lletchwith neu hyd yn oed yn anghywir o ran ystyr hefyd. Darllen yn helaeth yn y ddwy iaith ydy'r unig ffordd o ddysgu sut mae trin y rhain wrth gyfieithu; rhaid gwybod sut mae ieithoedd yn tueddu i gyfuno geiriau wrth gyfleu cysyniadau. Mae diffyg ymwybyddiaeth o hyn, a chynhyrchu cyfuniadau rhyfedd fel 'cwrdd ag anghenion' yn lle 'diwallu anghenion' ar gyfer *meet the needs*, neu 'datblygu agenda'r cyfarfod' yn lle 'llunio/ysgrifennu'r agenda' ar gyfer *develop the meeting's agenda* yn rhy gyffredin o lawer.

Trown isod at gysyniad cysylltiedig, sef Cydleoliadau.[35]

This is going to be [**a tall order**]

Mae hyn yn mynd i fod [**yn archeb hir**] *(Mae hyn yn mynd i fod yn gryn her)*

Mae'r cyfieithiad yn amlwg yn fethiant. Byddai unrhyw siaradwr Cymraeg yn dweud hynny wrthych chi. Ond pam mae'n fethiant? Y rheswm am hynny yw bod y cyfieithydd wedi deall ystyr lythrennol *'tall order'* yn hytrach na'r ystyr gydleoliadol, neu'r ystyr wahanol sydd gan y ddau air pan gânt eu defnyddio gyda'i gilydd. Enghraifft arall o hyn fyddai *'hard bargain'*; mae ystyr *'hard'* yn wahanol pan gaiff ei ddefnyddio gyda'r gair *'bargain'*, sef bargen a fyddai o bosibl yn anfanteisiol neu'n anffafriol i'r person arall. Nid yw'r fargen yn 'anodd ei thorri' nac yn 'gymhleth'. Yn y bôn felly, y diffiniad o gydleoliad yw cyfuniad o eiriau a ddefnyddir gyda'i gilydd, lle nad oes gan y geiriau eu hystyron diofyn o'u cyfuno. Mae'r rhain yn amrywio'n fawr rhwng ieithoedd a rhaid eto fod â dealltwriaeth ddofn o'r ddwy iaith fel y gellir eu cyfieithu'n fedrus. Nid 'roedd yn rhedeg ar gyflymder uchel' yn Gymraeg felly ar gyfer *'he was running at high speed'*, eithr 'roedd yn mynd nerth ei draed'; nid 'cau bargen' ar gyfer *'close a deal'* ond 'taro bargen'.

Y math olaf yw'r Ystyr Ysgogol.[36] Mae geiriau yn magu ystyr yma trwy amrywiadau tafodieithol ac amrywiadau mewn cywair ac fe allant ysgogi rhyw ymateb, teimlad neu emosiwn fel arfer hefyd. Cyn trafod hyn, tâl i ni ddiffinio amrywiadau tafodieithol a'r cywair. Amrywiadau tafodieithol (a'i rhoi'n syml) yw newidiadau yn seiniau, geirfa ac (mewn rhai achosion) strwythurau cystrawennol siaradwyr yn ôl ardal, neu nodweddion o'r fath a ddefnyddir yn gyffredin rhwng pobl o ardal benodol. Amrywiadau cywair ar y llaw arall yw'r amrywiadau ieithyddol hynny sy'n newid gan ddibynnu ar y sefyllfa. Fel arfer, mae'r nodweddion ieithyddol hyn yn amrywio yn ôl maes neu bwnc, y cyfrwng neu'r arddull. Byddai newidiadau yn ôl maes yn cynnwys newidiadau geirfaol (defnyddio termau mwy technegol fel *'Translation Memory'* ymysg cyfieithwyr ond defnyddio 'y feddalwedd' gyda phobl eraill er enghraifft (gweler Pennod 7)). Hefyd, fel y gwelwyd uchod yn y paragraff technegol iawn o faes Meddygaeth, mae meysydd arbenigol yn datblygu eu ffyrdd eu hunain o gyfleu eu syniadau, nid yn unig trwy eirfa ond trwy gystrawen hefyd. O ran cyfrwng, mae 'cyfrwng' yn golygu'r sianel gyfathrebu a ddefnyddir, fel llythyr, e-bost neu neges destun. Mae gan bob dull cyfathrebu ei nodweddion ieithyddol ei hun. Er enghraifft, mae'r iaith mewn llythyr fel arfer yn cynnwys geirfa benodol ('annwyl', 'parthed', yr eiddoch yn gywir'), ac mae'n annhebygol y byddai rhywun yn dweud 'diolch am eich neges dyddiedig...) ar y ffôn. Arddull yw'r set olaf o amrywiadau posibl ac fel arfer mae hyn yn ymwneud â ffurfioldeb. Byddai *'the deceased requested that, in the event of his death, he would bequeth his book collection to you'* yn ffurfiol iawn. Byddai *'the dead guy said you could have his books when he popped his clogs'* yn golygu yn union yr un peth, ond mae'r amrywiadau anffurfiol ar lefel y gair a'r gystrawen, a'r defnydd o iaith idiomatig, yn cyfleu arlliw hollol wahanol. A hyn, yn y bôn, yw'r hyn sydd dan sylw yma. Gall y ffordd y mae cysyniadau'n cael eu cyfleu, ar ffurf tafodiaith neu amrywiadau ieithyddol yn ôl maes, cyfrwng neu arddull, oll ychwanegu eu harlliw eu hunain at yr ystyr y bydd rhaid i'r cyfieithydd geisio'i ailgreu yn yr iaith darged. Mae rhagor o enghreifftiau isod. Cymerwn y frawddeg hon:

> The poet in residence will be in attendance from 6pm onwards for those who wish to have a signed copy of his debut collection of poetry.
> *(Bydd y bardd preswyl yn bresennol o 6yh ymlaen i'r rhai sy'n dymuno derbyn copi llofnodedig o'i gasgliad cyntaf erioed o gerddi.)*

Nid bardd arferol mohono; eithr bardd *'in residence'*. Nid yno yn unig y bydd y bardd, ond bydd *'in attendance'*. Nid *'if you would like a signed copy'*, ond *'for those who wish to have'*. Nid *'first'* ond *'debut'*. Trwy gystrawen a geirfa felly, mae'r awdur wedi creu awyrgylch o odidowgrwydd ac aruchedd ac yn wir ffurfioldeb o amgylch y digwyddiad. Mae'r geiriau felly, o'u cyfuno, yn creu rhyw 'arlliw'; hon yw'r Ystyr Ysgogol, yr arlliw hwnnw a grëir sy'n mynd y tu hwnt i'r ystyron 'gosodiadol' arferol yn unig ac sy'n dweud 'mae hwn yn ddigwyddiad arbennig gyda bardd talentog iawn'. Dyna pam y byddai'r isod yn gyfieithiad aflwyddiannus:

> Bydd y bardd preswyl yma o 6pm os ydych chi am gael copi llofnodedig o'i gasgliad cyntaf o gerddi.

O ran yr Ystyr Osodiadol, neu wybodaeth, mae popeth yno. Rydym yn gwybod beth sy'n digwydd a phwy fydd yno. Ond o ran yr Ystyr Ysgogol, mae'n annigonol. Edrychwn ar enghraifft arall. Gweler y frawddeg isod:

> She has a name for her thorough knowledge and impeccable attention to detail, and her tome on urban planning will be published next year.

A fyddai 'cyfrol' yn unig yn gwneud y tro yma ar gyfer *'tome'*? O ddarllen gweddill y frawddeg, gellid dadlau bod gan *'tome'* Ystyr Ysgogol ar y cyd ag Ystyr Osodiadol yma. Gallai'r awdur fod wedi defnyddio *'book'*, *'volume'*, *'work'* neu *'publication'*, ond yn hytrach na hynny dewisodd ddefnyddio'r gair *'tome'* ar ôl sôn am wybodaeth drylwyr yr awdur a'i sylw i fanylder sydd heb ei debyg. Tybed a fyddai 'cyfrol swmpus' yn well, neu 'campwaith'? Mae hyn oll yn dibynnu ar y cyd-destun, ond y neges yma yw y gall geiriau gyfleu arlliw ychwanegol hefyd ar wahân i'r Ystyron Gosodiadol. Yn olaf, enghraifft o dafodiaith:

> Iesgob annw'l, be sy'n bod arnach chdi!

Byddai'r darllenydd ar y llawr mewn pwl afreolus o chwerthin pe bai'n darllen *'dear bishop, what's wrong with you'*. Byddai rhaid defnyddio'r ebychiad Saesneg cyfatebol gan nad oes Ystyr Osodiadol i 'esgob annwyl' yma; mae'r ystyr yn un 'ysgogol'. Byddai *'dear God'*, *'for Christ's sake'* neu *'for goodness' sake'* oll yn gwneud y tro. Ac fel y gall yr Ystyr Fynegiannol amrywio o ran cryfder, mae'n bwysig sylweddoli hefyd y gall yr Ystyr Ysgogol amrywio yn ei chryfder hefyd. Byddai '*for Fuck's sake, what's wrong with you*' yr un mor annerbyniol gan nad oedd yr ebychiad Cymraeg mor ddifrifol.

Gall y gair gynnwys sawl 'uned ystyr' felly, ac rydym hefyd wedi gweld ffordd hwylus o gategoreiddio 'mathau' o ystyr, er ei symled, i hwyluso'r dasg o gyfieithu. Gall yr ystyr fod yn glir fel yn y frawddeg '*This is the way*', neu gall yr ystyr fod yn syml ar un wedd o ran *pa* wybodaeth a gyfleir ond yn gynnil o ran *sut* y'i cyfleir, e.e. '*the poet will be in attendance*' a welwyd uchod. Y categorïau oedd yr Ystyr Ramadegol, yr Ystyr Osodiadol, yr Ystyr Fynegiannol, yr Ystyr Ragfynegedig a'r Ystyr Ysgogol. Dyna'r lefel leiaf felly, a dylai fod modd gweld y gall yr ystyron hyn gael eu mynegi trwy ferf, enw, ansoddair neu adferf er enghraifft. Mae'n bryd bwrw ymlaen nawr a mynd ychydig yn uwch. Ond cyn gwneud hynny, gair am eich gallu i *adnabod* y gwahanol fathau o ystyr. Mae'n gwbl hanfodol bod gan y cyfieithydd feistrolaeth lwyr dros yr iaith y mae'n cyfieithu ohoni. Heb hynny, mae'n bosibl y bydd yn colli neu'n camddeall yr arlliwiau hyn wrth ddarllen. Bydd darllen yn helaeth yn yr iaith yn cynorthwyo cyfieithwyr i feithrin y gallu hwn i ymdeimlo ag arlliw geiriau a thyfu eu geirfa. Fodd bynnag, os nad ydych yn gwbl sicr am ystyr gair, yna bydd geiriadur da o gymorth mawr gan y bydd yn cynnig gair Saesneg neu Gymraeg cyfatebol addas ac, yn achos geiriaduron Cymraeg da (Geiriadur yr Academi, Geiriadur Prifysgol Cymru a Geiriadur Cymraeg Gomer), bydd hefyd yn egluro ystyr y gair Cymraeg yn llawn fel y rhai Saesneg. Techneg ddefnyddiol arall, os teimlwch nad yw gair yn taro tant, yw defnyddio thesawrws i geisio canfod geiriau eraill, tebyg eu hystyr ond gwahanol eu harlliw.

## Unedau ystyr mwy

Rydym wedi gweld felly y cyfraniad mawr y gall y *gair* ei wneud i ystyr. Mae'n bryd troi'n awr at unedau mwy: priod-ddulliau, trosiadau, cyffelybiaethau a diarhebion.

### *Priod-ddulliau*

Ystyriwn yn gyntaf briod-ddulliau. Yn fras, gall ymadroddion mewn iaith fod yn rhai cyfansoddiadol, lle mae modd dehongli eu hystyr ar sail y geiriau sy'n eu cyfansoddi, neu gallant fod yn anghyfansoddiadol, lle nad oes modd rhagweld yr ystyr ar sail y geiriau sy'n eu cyfansoddi.[37] Yn hynny o beth, dywedir bod ystyron cyfansoddiadol ac ystyron anghyfansoddiadol. Mae enghraifft o ymadrodd cyfansoddiadol isod:

Dywedodd yr athro mai fy mrawd a enillodd y wobr, ond fe wn yn wahanol erbyn hyn.

Mae'r ystyron yn yr ymadrodd hwn yn ddigon clir ac mae modd deall neges yr awdur. Fodd bynnag, mae rhai mathau o ymadroddion sydd fel petaent yn cuddio eu gwir ystyr trwy ddefnyddio geiriau nad ydynt yn paru â'r ystyr a fwriedir. Gwelir isod enghraifft o ymadrodd anghyfansoddiadol:

Yfodd saith peint ar ei dalcen.

Mae'n gorfforol amhosibl yfed o wydryn o unrhyw faint tra bo'ch talcen yn sownd wrth y llawr, a byddai '*he drank seven pints on his forehead*' yn taro nifer o bobl yn gyfieithiad rhyfedd. Ond nid dyna'r ystyr yma; yr ystyr yw bod rhywun wedi yfed saith peint o'r bron gan lowcio pob un heb stopio a hynny mewn un llwnc bron. Y term arall a ddefnyddir ar gyfer ymadroddion anghyfansoddiadol fel hyn yw priod-ddulliau, neu idiomau, ac felly o'i rhoi'n syml, ystyr priod-ddull yw casgliad o eiriau a ddefnyddir yn fynych gyda'i gilydd sydd ag ystyr wahanol i'r un y byddai ystyr *arferol* y geiriau unigol yn ei dynodi. Mae gan briod-ddulliau nifer o nodweddion, a gall gwybod y nodweddion hyn fod o fudd:

- Ar gyfer adnabod priod-ddull;
- Ar gyfer adnabod brawddeg sy'n ymddangos i fod yn debyg i briod-ddull, ond sydd mewn gwirionedd yn ymadrodd cyfansoddiadol;
- Ar gyfer trin priod-ddulliau'n gywir yn y cyfieithiad.

Mae adnabod priod-ddull hefyd yn hanfodol er mwyn cyfleu'r ystyr yn gywir gan nad yr ystyr lythrennol o gyfuno'r geiriau a gyfathrebir fel arfer. Y nodweddion yw:[38]

1. Nid oes modd addasu'r geiriau sy'n cyfansoddi'r priod-ddull:

    *Doedd dim Cymraeg da rhyngddynt (doedd dim Cymraeg rhyngddynt)

2. Nid oes modd defnyddio'r geiriau sy'n cyfansoddi'r priod-ddull gyda geiriau eraill:

    *Roedd chwilen fawr yn ei phen (*roedd chwilen yn ei phen*)

3. Ni all y priod-ddulliau hyn fod yn destun pwyslais na blaenu elfennau

    *Hen wragedd a ffyn yr oedd yn bwrw (*roedd yn bwrw hen wragedd a ffyn*)

4. Ni ellir cyfeirio'n ôl at elfennau yn y priod-ddulliau, a elwir hefyd yn anaffora

    Tynnodd nyth cacwn am ei phen; *roedd yntau wedi tynnu un hefyd

5. Nid oes modd defnyddio cyfystyron yn lle un o eiriau arferedig y priod-ddull:

    *Bydd yn dalcen gwydn (bydd yn dalcen caled)

6. Gall elfennau gramadegol fod yn rhannau cynhenid o'r priod-ddull:

    Mae chwilen yn ei phen / Roedd chwilen yn ei phen (nid yw amser y ferf yn rhan felly o'r priod-ddull)

    Mae ganddo asgwrn i'w grafu / *Mae ganddo esgyrn i'w crafu (y defnydd o'r enw unigol yn rhan felly o'r priod-ddull)

O ran eu defnydd, mae priod-ddulliau'n hynod o gyffredin ar lafar ac yn gymaint rhan o ysgrifennu creadigol a llenyddol fel y byddai'n chwithig darllen barddoniaeth a rhyddiaith hebddynt. Yn ôl y diweddar ysgolhaig Thomas Parry mewn rhagair i gyfrol am idiomau,

'Y dull mwyaf cyffredin o gam-drin cystrawennau yw trosi priod-ddulliau'r iaith Saesneg air am air i'r Gymraeg'.[39] I rai felly, mae priod-ddulliau'n rhan annatod nid yn unig o iaith naturiol ond o iaith o safon uchel hefyd, a rhaid eu trin yn gyfewin er lles urddas y gwaith. Trown bellach at drosiadau, sy'n debyg i briod-ddulliau o ran bod ganddynt ystyr wahanol i'r un llythrennol ac felly hefyd yn gallu bod yn ymadroddion anghyfansoddiadol.

## Iaith Drosiadol

Mae iaith drosiadol yn rhan anferthol o iaith bob dydd unrhyw siaradwr naturiol ac o destunau o sawl math ac mewn sawl cywair, ac felly mae'n hollbwysig bod cyfieithwyr yn gyfarwydd â throsiadau yn eu hiaith ffynhonnell a'u hiaith darged er mwyn nid yn unig allu deall yr iaith y maent yn cyfieithu ohoni, ond hefyd er mwyn gallu llunio testunau targed naturiol. Ymddengys nad oes fawr o gytuno yng nghylchoedd academaidd ynghylch beth yw trosiad, fodd bynnag, gan fod sawl term a sawl diffiniad o'r gwahanol elfennau sy'n ffurfio trosiad. Trafodwn isod dri diffiniad gwahanol gan ysgolheigion adnabyddus yn y maes hwn a cheisiwn weld beth sy'n gyffredin iddynt.

Yn ôl Goatly:

Metaphor occurs when a unit of discourse is used to refer unconventially to an object, process or concept, or colligates in an unconventional way. And when this unconventional act of reference or colligation is understood on the basis of similarity, matching or analogy involving the conventional referent or colliagates of the unit and the actual unconventional referent or colliagates.[40]

Yn ôl Deignan:

A metaphor is a word or expression that is used to talk about an entity or quality other than that referred to by its core, or most basic meaning. This non-core use expresses a perceived relationship with the core meaning of the word, and in many cases between two semantic fields.[41]

Ac yn ôl Dickins:

A figure of speech in which a word or phrase is used in a non-basic sense, this non-basic sense suggesting a likeness or analogy [...] with another more basic sense of the same word or phrase.[42]

O ddarllen y tri diffiniad hyn, gallwn weld bod rhai nodweddion sydd i'w cael ym mhob un, er y gwahaniaethau a'r pwyslais gwahanol ar rai elfennau. Defnyddir uned ddisgwrs (gair neu ymadrodd) mewn modd anarferol i gyfleu cysyniad nad yw, neu nad oedd, fel arfer yn ei gyfleu (1), i ddynodi tebygrwydd *neu* i gyfleu rhyw gysyniad (2), a hynny oherwydd perthynas honedig rhwng ystyr arferol (bresennol neu flaenorol) yr uned ddisgwrs a'r hyn y ceisir ei gyfleu (3). Gweler yr enghreifftiau isod.

Safodd Pedr *wrth droed* y mynydd

Nid oes traed gan fynyddoedd. Defnyddir 'troed' yma i gyfleu gwaelod mynydd (cf. *'This non-core use expresses a perceived relationship with the core meaning of the word, and in many cases between two semantic fields'*).

They've had to *turn their hand to* new roles

Wrth wneud gwaith gwahanol gellid dychmygu rhywun yn troi ei law yn llythrennol at rywbeth arall, pan oedd gwaith ers talwm yn tueddu i fod yn waith caled a wneid â llaw (cf. *This non-core use expresses a perceived relationship with the core meaning of the word* [...]).

I told you he's a *love rat*.

Oherwydd cysylltiad yn y meddwl dynol rhwng llygod mawr a budreddi o bob math, datblygodd '*rat*' yn Saesneg ystyr wahanol dros y canrifoedd sef rhywun na ellid ymddiried ynddo. (cf. *Metaphor occurs when a unit of discourse is used to refer unconventially to an object, process or concept, or colligates in an unconventional way. And when this unconventional act of reference or colligation is understood on the basis of similarity, matching or analogy involving the conventional referent...*).

Ystyr trosiad felly yw gair neu ymadrodd a ddefnyddir i gyfeirio at rywbeth neu rywun, neu i'w ddisgrifio mewn rhyw fodd, lle nad yw'r ystyron *llythrennol* neu *arferol* bob tro yn berthnasol. O dderbyn y diffiniad hwn, nid yw'n naid bell i sylweddoli bod iaith drosiadol yn hydreiddio trwy destunau o bob math a bod meddwl am iaith drosiadol fel techneg greadigol i greu rhyddiaith flodeuog yn unig yn gyfeiliornus. Mae'n nodwedd gyffredin iawn yn y Saesneg a'r Gymraeg ill dwy mewn nifer o gyweiriau, fel y gwelwn isod pan fyddwn yn dadansoddi testunau enghreifftiol. Fel y pwysleisiwyd eisoes, rhaid deall beth yw iaith drosiadol, a rhaid deall hefyd sut i drin iaith drosiadol wrth lunio cyfieithiad (trown at hyn yn y bennod nesaf).

## Cyffelybiaethau

Mae cyffelybiaethau yn llai cyffredin mewn testunau swyddogol, ond eto yn eithaf cyffredin mewn testunau newyddiadurol ac yn gyffredin iawn mewn rhyddiaith greadigol. Mae cyffelybiaethau yn gosod dau beth ynghyd er mwyn eu cymharu, lle defnyddir un ymadrodd i ddisgrifio un arall gan ddefnyddio fel arfer y cysyllteiriau '*like*' neu '*as...as*' yn y Saesneg a 'fel' neu 'megis' yn y Gymraeg. Gall y cyffelybiaethau hyn fod yn ymadroddion sydd wedi ymgaregu, neu'n ymadroddion llenyddol neu greadigol y mae'r awdur wedi eu bathu. Gweler yr enghreifftiau isod:

Enghreifftiau o gyffelybiaethau sydd wedi ymgaregu:

He's *as blind as a bat*
Mae hwnnw *mor gyfrwys â llwynog*

Enghreifftiau o gyffelybiaethau sydd heb ymgaregu ac a grëwyd gan awdur unigol:

Roedd y menyn *yn galed fel carreg*
The review was as about *as clear as dish water*

Mae'n bwysig gwybod y gwahaniaeth rhwng cyffelybiaethau 'safonol' sydd wedi ymgaregu a rhai sydd wedi eu bathu o'r newydd gan y bydd hyn yn llywio'r strategaeth gyfieithu fwyaf priodol. Cymerer yn enghraifft y gyffelybiaeth isod:

She's *as hard as nails*

Nid yw 'mae mor galed â hoelion' yn ymadrodd Cymraeg cyffredin. Y cyfieithiad mwyaf priodol o bosibl fyddai 'mae mor galed â haearn Sbaen', gan mai'r gyffelybiaeth hon a ddefnyddir amlaf yn draddodiadol yn y Gymraeg.[43] Yn achos cyffelybiaethau 'newydd', dylai fod yn bosibl cynnig cyfieithiad mwy llythrennol, ond eto y cyd-destun fydd yn llywio hyn.[44]

## Diarhebion

Er trylwyredd, mae trafodaeth fer am ddiarhebion wedi ei chynnwys ond mewn gwirionedd nid ydynt yn gyffredin iawn yn y math o destunau y byddai cyfieithwyr proffesiynol yn eu cyfieithu o wythnos i wythnos. Dilynwn yma ddiffiniad cryno Geiriadur Prifysgol Cymru, sef 'Ymadrodd neu ddywediad (cynefin ar lafar gwlad, &c.) yn datgan doethineb mewn dull cwta a chofiadwy, doethair byr a byw, gwireb gyforiog o synnwyr [...] dameg, cyffelybiaeth gymwys'. Cynnig cyngor, cyfleu rhybudd neu waharddiad, neu fynegi rhyw wirionedd y mae diarhebion, ac mae'r 'doethineb' hwn yn frodorol i'r gymuned iaith sy'n eu defnyddio.[45] Maent yn brawf o'r doethineb a'r wybodaeth sydd wedi ymgasglu dros y canrifoedd mewn cymuned iaith a thueddant i gael eu trosglwyddo o'r naill genhedlaeth i'r llall. O ran eu ffurf, gallant fod yn weddol lythrennol eu hystyr (e.e. cas barn heb ddangosau [heb dystiolaeth mae barn yn ddiffygiol]), neu'n drosiadol (e.e. cythraul yn gweld bai ar bechod [a ddywedir am ragrithiwr sy'n dannod i eraill rywbeth a wna ei hun]). Yn hynny o beth felly gallai'r ffin rhwng dihareb a throsiad fod yn denau. Gellid dadlau bod diarhebion heb ystyr fwy llythrennol yn enghreifftiau o ystyron anghyfansoddiadol fel y trafodwyd uchod, ac felly yn fath o drosiad. Fodd bynnag, rhaid cofio'r nod cyfathrebiadol; defnyddir iaith drosiadol i gyfleu unrhyw gysyniad yn y bôn mewn nifer o gyweiriau gwahanol, ond tueddir i ddefnyddio diarhebion i gynnig cyngor, rhybudd neu ryw orchymyn yn unig, a hynny fel arfer gan ddefnyddio odl neu dechnegau cynganeddol fel eu bod yn gofiadwy. Byddwn yn troi at strategaethau posibl i gyfieithu diarhebion yn y bennod nesaf.

Y bwriad yn y rhan hon o'r bennod oedd trafod ychydig ar yr amryfal ffyrdd y gall 'ystyr' ei mynegi ei hun mewn iaith, fel eich bod fel darpar gyfieithwyr yn gyfarwydd â'r gwahanol ddulliau a ddefnyddir i gyfleu ystyron mewn testunau. Fel yr ydym wedi gweld, yn aml iawn mae awduron yn defnyddio technegau ieithyddol sydd, yn baradocsaidd bron, yn anwybyddu ystyron llythrennol y geiriau unigol. Bwriad y rhan nesaf yw tynnu hyn oll ynghyd a bwrw golwg dros bedwar testun gwahanol a gyhoeddwyd er mwyn gweld sut mae'r awduron wedi cyfleu eu meddyliau a'u barnau. Y gobaith wrth wneud hynny yw y bydd modd i ddarllenwyr weld perthnasedd y cysyniadau a grybwyllwyd uchod a'u defnyddio i ddadansoddi testunau'n fanylach eu hunain wrth gyfieithu.

## Tynnu popeth ynghyd: Dadansoddi ystyr mewn testunau

Mae pob un o'r testunau isod, neu bigion mwy o destunau, wedi eu cyhoeddi. Nid ydynt wedi eu haddasu mewn unrhyw ffordd, fel y gall y darllenydd weld perthnasedd yr uchod mewn testunau go iawn. Ni fydd pob testun yn cynnwys pob un o'r dulliau uchod o gyfleu ystyr, ond ceisiwyd isod gynnwys digon fel bod modd gweld pob un ar waith, a hynny yn y ddwy iaith. Mae enghreifftiau o ystyron nad ydynt yn llythrennol, sef ystyron anghyfansoddiadol, wedi eu hitaleiddio a'u rhifo.

### Testun 1: Darn o erthygl gan Marc Edwards, '*BBC Wales yn gwneud cam â'r Cymry*', Cylchgrawn Barn [Rhif 688 Mai 2020]

Mae perygl difrifol i ddyfodol ariannol darlledu Cymraeg a Chymreig yn sgil bygythion rhai yn Llywodraeth San Steffan a'r Blaid Geidwadol seneddol. *Ar y gorwel*[1] mae *dwy garreg filltir*[2] bwysig – 2022 pan adolygir lefel ffi drwydded y BBC, a 2027 pan ddaw Siarter Brenhinol y Gorfforaeth i ben. Ond mae yna aflwydd arall sy'n digwydd *o dan ein trwynau*[3] – bai cyffredin sy'n tanseilio Cymreictod y BBC a sawl sefydliad arall yng Nghymru gwaetha'r modd. Ro'n i ar y staff am rai blynyddoedd, felly mae gen i syniad *go lew*[4] sut mae'r BBC yn gweithio. Mae'n drawiadol pa mor glaear, onid difater, yw rhai o swyddogion y Gorfforaeth yng Nghaerdydd ynghylch dilyn unrhyw weledigaeth neu genhadaeth Gymreig. '*Wrth eu ffrwythau yr adnabyddwch hwynt*'[5] – felly ystyriwch rai cyfresi diweddar. Young, Welsh and Pretty Minted (Cyfres 2) – cawsom eisoes sawl rhifyn o Young, Welsh and Pretty Skint. Iawn, mae diwylliant materol pobl amrywiol, ddiddorol a mentrus dan 30 oed yn bwnc gwerth chweil, ac o ran crefft mae'r rhaglenni yn gweithio fel adloniant ffeithiol poblogaidd. Ond ydyn nhw'n dweud unrhyw beth deallus a threiddgar am fywydau'r bobl yma? A dyma'r pwynt pwysig: beth sy'n gysefin Gymreig am y straeon sy'n cael eu hadrodd? Saff, fformwläig ac ailadroddus yw'r rhaglenni sy'n cael eu comisiynu at ei gilydd. Mae'r dyn tywydd Derek Brockway rŵan ar Gyfres 13 o Weatherman Walking. Tri ar ddeg. Un deg tri. Dwsin ac un. *Wir Dduw*[6]. Dathlwn dirlun Cymru a'i phobl *ar bob cyfrif*[7]. Ond 13 o gyfresi – rhyw 70 o raglenni? Edrychwch arni fel hyn: sut mae 13 cyfres o Weatherman Walking yn diwallu'r pwrpasau cyhoeddus yr ydys yn eu brolio mor daer, onid hunangyfiawn, yn adroddiad blynyddol y Gorfforaeth, ac sydd mor greiddiol i Siarter Brenhinol y BBC? *Ara' deg mae dal iâr*[8]. O ran y Gymraeg, mae ambell gyfarchiad *yn yr heniaith*[9] gan gyflwynydd Wales Today i'w croesawu. Ac mae'n *hen bryd*[9] clywed deialog Gymraeg efo is-deitlau Saesneg mewn dramâu teledu. Ond dilyn y ffasiwn wnaeth BBC Cymru Wales, nid rhoi arweiniad. Pan ddaeth Scandi-Noir yn trendi, daeth Gwalia-Noir yn ei sgil. Lle *mae'r drwg yn y caws?*[10] Pwy sy'n penderfynu pa fath o gynnwys a gwasanaethau y mae BBC Cymru Wales yn eu cynnig?

Mae sawl enghraifft o iaith drosiadol wedi'u nodi uchod (rhif 1, 2, 3 a 10) ynghyd â dwy enghraifft o Ystyr Ysgogol (rhif 4 a 6), un enghraifft o Ystyr Fynegiannol (rhif 9) a dwy enghraifft o ddywediad neu ddihareb (rhif 5 ac 8). Mae'r enghreifftiau o iaith drosiadol mewn un darn yn niferus, ac mae hyn yn tystio i sut mae'n tueddu i fod yn hollbresennol, yn enwedig mewn darnau barn a thestunau newyddiadurol. Mae'r enghreifftiau sydd yma hefyd yn ddefnyddiol at ein diben ni gan fod cymysgedd o drosiadau sydd hefyd yn bodoli yn y Saesneg, a rhai sy'n gynhenid Gymraeg. Gellid cynnig cyfieithiad gweddol lythrennol o 'o dan ein trwynau' gan fod *'under our noses'* yn drosiad derbyniol yn y Saesneg hefyd. O ran 'drwg yn y caws', byddai rhaid defnyddio strategaeth gyfieithu ychydig yn wahanol (i'w thrafod yn y bennod nesaf, ond yn fras defnyddio trosiad Saesneg cwbl wahanol ond cyfatebol ['*who's the fly in the ointment'*, *'who are the villains of the piece'*]. Mae 'yn yr heniaith' yn enghraifft dda o ddefnyddio iaith i fynegi teimladau cryfion ac o ddefnyddio iaith ag arlliw emosiynol. Yn achos 'Wir Dduw', byddai rhaid meddwl am ebychiad cyfatebol yn y Saesneg. Mae 'yn yr heniaith' yn enghraifft bron â bod yn glasurol o Ystyr Ysgogol (gyda thinc o Ystyr Osodiadol). Mae'r awdur yn cyfeirio at rywbeth sy'n bodoli (cyfarchiad yn y Gymraeg) ond mae hefyd yn defnyddio dull emosiynol iawn o gyfeirio ati sef yr 'hen' iaith. O wybod yn iawn felly nad yw'r awdur yn wir yn meddwl mai dim ond 'hen' ydy'r iaith, gallwn feddwl am gyfieithiad mwy addas yn y Saesneg, proses y byddwn yn ei thrafod yn y bennod nesaf.

**Testun 2: Taflen wybodaeth gan Lywodraeth Cymru am glefyd coed ynn, *'Chalara dieback of ash (Hymenoscyphus fraxineus) in Wales'***

Ash dieback is caused by a fungus called Hymenoscyphus fraxineus. The fungus was previously called Chalara fraxinea, and the disease is therefore still often referred to as Chalara dieback of ash. Chalara dieback of ash was first detected in the UK in 2012. UK national plant health legislation prohibits all imports and internal movement of ash seeds, plants and trees. However, because the disease is only spread by spores released from fruiting bodies on ash leaves, there are currently no restrictions on the movements of felled ash timber. Chalara dieback of ash causes leaf loss, crown dieback and bark lesions in affected trees. However, shoot death and dieback in ash trees can have a number of causes, and there can also be considerable variation in the time when ash trees *come into leaf*. So, if an ash tree does not have any leaves on it in April and May, it does not necessarily mean that it is diseased or dying, but by mid-June all healthy ash should be *in full leaf*.

Dim ond dwy enghraifft sydd yma o ystyr nad yw'n gwbl lythrennol, sef *'come into leaf'* a bod yn *'full leaf'*. Mae'r ystyron eraill a fynegir yn enghreifftiau o Ystyr Osodiadol, lle byddai gofyn i'r cyfieithydd gynnig cyfieithiad ffeithiol oedd yn dilyn y Saesneg gwreiddiol. Nid oes bron dim yn y darn nad yw'n cyfleu ei ystyr lythrennol.

**Testun 3: Darn o Gorpws Cofnodion y Cynulliad**

If parents believe that their children need help because of any special needs, or whatever you want to call it, *for goodness sake*[1], Minister, let us work together to ensure that *we get over this immense problem*[2] of local authorities and schools being reluctant to *face up to*[3] problems.

Yn y darn yma gallwn weld un enghraifft (rhif 1) o Ystyr Fynegiannol a dwy o iaith drosiadol (rhif 2 a 3). Hyd yn oed mewn cyd-destun swyddogol sef senedd gwlad, mae'n anodd tu hwnt i bobl osgoi iaith liwgar a throsiadau.

**Testun 4: Adroddiad Blynyddol Cyfarwyddwr Gwasanaethau Cymdeithasol Cyngor Sir Ddinbych 2018–2019**

Denbighshire County Council's Director of Social Services Annual Report demonstrates how we have promoted well-being and accounted for the delivery of well-being standards under the requirements of the Social Services and Well-being Act 2014 and Regulation and Inspection of Social Care (Wales) Act 2016. Within the report we will clearly *lay out* the *improvement journey* we have taken in providing services to those citizens who have accessed information, advice and assistance and those individuals and carers who receive care and support across Denbighshire. Within the report which we will provide an evaluation of Denbighshire County Council's performance in delivering social services functions over the last year. In producing this report we have engaged with a range of *key* stakeholders including citizens who have shared their experiences of receiving care and support from our Social Services and partners who have helped us *deliver* that support.

Mae'r darn hwn o adroddiad blynyddol yn enghraifft dda o'r hyn y mae cyfieithwyr mewn nifer o sectorau yn eu hwynebu yn aml. Gallwn weld fod y rhan fwyaf o'r ystyron a fynegir yn rhai 'llythrennol' lle nad yw iaith drosiadol wedi ei defnyddio a lle mae'r ystyron wedi cadw'r Ystyr Osodiadol. Ond hyd yn oed yma, gwelwn bedair enghraifft o iaith drosiadol. Aeth y cyngor 'ar daith' wrth wella yn lle dilyn proses, mae pwysigrwydd rhanddeiliaid wedi eu mynegi gan ddefnyddio'r gair '*key*', a '*deliver*' sydd wedi ei ddefnyddio mewn perthynas â darparu gwasanaethau i gyfleu'n gryfach o bosibl y cysyniad o 'wasanaeth' yn cael ei roi i bobl mewn ffordd hwylus iddynt. Defnyddiwyd '*lay out*' hefyd; nid oes dim yn cael ei osod o flaen neb felly trosiad yw hwn hefyd y byddai rhaid ei drin yn ofalus. Nid yw cyfleu ystyr mewn modd creadigol a heb ddefnyddio ystyr lythrennol geiriau ac ymadroddion yn ddieithr mewn cyd-destunau fel hwn ychwaith.

**Testun 5: Darn o 'Yn y Gwaed' gan Geraint V. Jones, argraffiad newydd 2015 (Gwasg Gomer, 1990)**

Anwybyddu'r sylw a wnaeth ei fab, fodd bynnag, a chamu allan i'r gwynt deifiol oedd ag ias eira'r Grawcallt a'r dwyrain arno. Gwynt traed y meirw, meddai wrtho'i hun gan fotymu'i siaced yn chwithig ag un llaw a dal y gwn efo'r llall. Buan y daeth ar drywydd y llwynog, ei lwybr yn glir yn yr eira ar Gae Llechwedd, yn arwain i fyny oddi wrth y sgubor sinc. Ar yr olwg gyntaf roedd yn anelu am Gae Top a'r borfa mynydd ond yna, fel pe bai wedi ailfeddwl yn sydyn, roedd yr ysbeiliwr coch wedi troi a dilyn y llechwedd y tu uchaf i'r beudy a'r llofft stabal i gyfeiriad Ceunant Bach Nant Goediog.

Tabl 11 Mathau o Ystyr ar Lefel y Gair

| Ar lefel y gair | | | |
|---|---|---|---|
| | **Ystyr Ramadegol** | **Ystyr Osodiadol** | **Ystyr Ragfynegedig** |
| | *Terfyniadau ac Amser y Ferf, ynghyd â chystrawen* | *Ystyr arferol 'eiriadurol' ond a bennir gan y cyd-destun* | *Ystyr gair sy'n cael ei 'rhagfynegi' drosto gan y geiriau a ddefnyddir o'i gwmpas neu gydag ef.* |
| *Esboniadau* | Siaradais i, aethant, cafodd, gwrandawai, roedd wedi dweud, bydd wedi cael | Ystyr lythrennol 'car', 'llyfr', 'cyflog', 'gweiddi', 'cymorth' | Ystyr *'high speed'* sef yn gyflym iawn, nid bod y cyflymder yn uchel; ystyr *'hard bargain'* sef ei bod yn anodd taro bargen sydd o fantais i'r ddau barti, nid bod y fargen yn 'galed' |

Tabl 12 Mathau o Ystyr ar Lefel y Frawddeg

| Yn uwch na lefel y gair | |
|---|---|
| | **Iaith Drosiadol** |
| | *Trosiadau Traddodiadol* |
| *Esboniadau* | Yn wahanol i Ystyron Rhagfynegedig a all gynnwys elfen o iaith drosiadol er bod y gweddill wedi cadw ei ystyr lythrennol (e.g. 'high "speed"', lle mae 'speed' yn llythrennol gan fod cyflymder dan sylw), mae trosiadau traddodiadol yn ymadroddion ag ystyr anghyfansoddiadol yn unig. Byddai *'It's a piece of cake'*, *'Kill two birds with one stone'*, 'Teg edrych tuag adre' a 'canmol i'r cymylau' oll yn enghreifftiau da o drosiadau llawn. Gall ieithoedd feddu ar yr un trosiadau ond gallant ddefnyddio rhai gwahanol ar gyfer yr un cysyniad hefyd. Y prif wahaniaeth rhwng trosiadau a phriod-ddulliau yw bod priod-ddulliau yn tueddu i gael eu defnyddio'n benodol mewn cyd-destunau anffurfiol a sgyrsiol yn unig, ond gall iaith drosiadol godi ym mhob cyd-destun. Er enghraifft, ni fyddech yn disgwyl gweld 'tipyn o dderyn' mewn adroddiad swyddogol, ond fe fyddech yn gweld 'a new era has dawned', er enghraifft. |

Yn olaf, mae enghraifft o fyd llenyddiaeth a chlasur Geraint V. Jones. Mae 'gwynt traed y meirw' yn cyfeirio at wynt o'r dwyrain yn sgil y traddodiad i gladdu pobl â'u traed yn wynebu'r dwyrain. Mae 'ysbeiliwr coch' yn enghraifft o drosiad ac o iaith fynegiannol mewn un; mae'r gair ysbeiliwr wedi ei ddefnyddio'n anllythrennol i olygu bod y llwynog yn dwyn oddi ar y dyn yn y nofel mewn modd cyfrwys, er nad yw'r llwynog ond yn gwneud yr hyn sy'n reddfol iddo, ac mae'r defnydd o'r gair hefyd yn cyfleu atgasedd y dyn at yr anifail ar yr un pryd. Gallwn weld felly sut mae modd i ystyron anllythrennol gyfrannu'n hael at sut mae teimladau, meddyliau a syniadau awduron yn cael eu mynegi.

Rydym wedi gweld enghreifftiau felly o'r byd llenyddol, newyddiaduraeth, iaith swyddogol y sector cyhoeddus ar ffurf adroddiad a chofnodion, a thaflen wybodaeth i'r cyhoedd. Roedd y defnydd o iaith drosiadol, technegau mynegi ystyr anllythrennol a'r defnydd o iaith ddisgrifiadol a mynegiannol yn amrywio'n fawr rhwng y testunau, er bod enghreifftiau i'w gweld ym mhob math o destun. Mae hyn yn amlygu pwynt pwysig iawn pan ddaw i sut mae awduron yn eu mynegi eu hunain yn ysgrifenedig, sef bod dwyster iaith drosiadol ac ieithwedd ddisgrifiadol a mynegiannol yn amrywio yn dibynnu ar y

| Ystyr Fynegiannol | Ystyr Ysgogol |
|---|---|
| *Geiriau sy'n cyfleu teimladau neu farnau personol y siaradwyr neu'r awduron, ac maent yn rhoi arlliw penodol ar yr hyn a ddywedir neu a ysgrifennir* | *Geiriau sy'n magu ystyr trwy amrywiadau tafodieithol ac amrywiadau mewn cywair ac maent yn ysgogi rhyw ymateb, teimlad neu emosiwn* |
| Geiriau megis rhegfeydd, neu eiriau lliwgar sy'n cyfleu barnau neu deimladau fel 'casáu' | Y gwahaniaeth rhwng *'the deceased requested that, in the event of his death, he would bequeath his book collection to you'* a *'the dead guy said you could have his books when he popped his clogs'*. Rhaid cyfleu'n driw yr ystyr ysgogol wrth gyfieithu i osgoi cyfieithu amhriodol |

| Priod-ddulliau | Cyffelybiaethau | Diarhebion |
|---|---|---|
| Ystyr priod-ddull yw casgliad o eiriau a ddefnyddir yn fynych gyda'i gilydd sydd ag ystyr wahanol i'r un y byddai ystyr arferol y geiriau unigol yn ei dynodi, e.e. mae chwilen yn ei phen. | Ymadroddion a ddefnyddir i gymharu pethau er mwyn eu disgrifio, 'mae'n wyn fel y galchen', *'he's as dull as a post'*. Gall ieithoedd rannu cyffelybiaethau ond gallant ddefnyddio rhai gwahanol ar gyfer yr un cysyniad hefyd. | Ymadroddion byr a chofiadwy i gyfleu rhybudd neu gyngor. Maent yn annhebygol o fod yr un peth rhwng ieithoedd gan eu bod yn deillio o ddiwylliant a seici cynhenid y gymuned iaith sy'n eu defnyddio ar sail ei phrofiadau hi a sut y gwêl y byd. |

cywair ac ar y maes. Gellid meddwl am hyn fel sbectrwm o 'iaith greadigol, ddisgrifiadol lle mae defnydd helaeth o iaith drosiadol' i 'iaith sy'n tueddu i gadw ei hystyron llythrennol ac adrodd ffeithiau'. Ar y sbectrwm hwn, byddai llenyddiaeth ar y naill ben a thestunau swyddogol nad ydynt ond yn cyfleu gwybodaeth ar y pen arall. Fe fyddwch fel cyfieithydd yn cyfieithu amrywiaeth o destunau yn eich gyrfa, a chan ddibynnu ar ddiben y testun, gall un testun gynnwys cymysgedd o'r sbectrwm hwn. Mae'n bwysig felly eich bod yn gyfarwydd â'r gwahanol ddulliau o fynegi ystyr. I hwyluso hynny ymhellach, mae crynodeb uchod o'r gwahanol ddulliau hyn.

## Crynhoi

Dadleuwyd yn ail bennod y gyfrol hon fod mwy i gyfieithu na'r gallu i siarad dwy iaith. Crybwyllwyd hefyd yr angen am sgiliau cyfieithu penodol, ac yn eu plith, y gallu i lunio cyfieithiadau gan ddefnyddio strategaethau a thechnegau cyfieithu priodol. Fodd bynnag, cyn cyrraedd y pwynt hwnnw, rhaid i gyfieithwyr allu dod i ddealltwriaeth gyflawn o ystyr yr ymadrodd neu'r frawddeg y mae gofyn iddynt ei chyfieithu, a hynny wrth gwrs gan barchu'r testun cyfan y mae'r frawddeg honno wedi ei phlethu i mewn iddo. Gall yr ystyr hon fod wedi ei mynegi mewn sawl ffordd, a dyna pam mae'n hanfodol darllen yn ofalus. Mae hyn hyd yn oed yn bwysicach heddiw yn oes cyfieithu peirianyddol; nid yw'r peiriannau hyn wedi dysgu sut i ddelio ag iaith anghyfansoddiadol yn dda iawn eto; o'r herwydd, mae gofyn i gyfieithwyr fod yn effro i ystyr mewn iaith a deall y bydd rhaid ymyrryd yn ddwysach yn allbwn y system pan ddaw i arlliw geiriau ac iaith anllythrennol. O ran sgiliau darllen datblygedig felly, maent yn gwbl anhepgor. Yn y bôn, heb y gallu i adnabod y technegau a'r amryfal ddulliau y mae awduron yn eu defnyddio i'w mynegi eu hunain, byddai'n heriol a dweud y lleiaf i'r cyfieithydd gynnig cyfieithiad nad yw'n ddim byd mwy na chasgliad digyswllt o frawddegau a fyddai'n llurgunio, neu'n wir yn celu, y wir ystyr yr oedd yr awdur gwreiddiol am ei chyfleu, a byddai'n anodd iawn i'r cyfieithydd osgoi cyfieithiadau gorlythrennol hefyd wrth ddefnyddio technoleg cyfieithu. Mae iaith yn ffenomen gymhleth, ac nid ar chwarae bach y mae cynnig fframwaith, er ei symled, i hwyluso'r dasg o ganfod ystyr mewn testunau ac o ddarllen yn bwrpasol. Ond er gwaethaf y cymhlethdod, dyma ymgais i gynnig fframwaith i gyfieithwyr dibrofiad a fydd, fe obeithir, yn taflu ychydig o oleuni o leiaf ar ystyr mewn iaith.

Yn ogystal ag ystyr a'i dehongli'n gywir ac yn briodol, roedd nod arall yma hefyd. Bu trafodaeth yn adrannau cyntaf y bennod hon am ddadansoddi testunau a gofyn cwestiynau i chi eich hun ymlaen llaw ynghylch Pwnc, Diben, Fformat a Threfn, yr Iaith a'r Cywair, a Chyd-destun a Diwylliant mewn perthynas â'r testun ffynhonnell. Y nod wrth wneud hynny yw penderfynu ymlaen llaw ar rai strategaethau cyffredinol cyn bwrw iddi a fyddai'n effeithio ar y testun cyfan; a fyddai angen defnyddio iaith ffurfiol, oes angen imi gymryd gofal penodol o'r fformatio, ydy hyn yn mynd i gymryd mwy o amser na'r amser sydd wedi ei neilltuo'n barod ac yn y blaen. Hyd yn oed cyn dechrau darllen am ystyr felly, ac o dderbyn cymhlethdod hwn a rôl gwybodaeth gefndirol a phersonol y darllenydd, mae angen cymryd golwg fwy strategol dros y gwaith a phwyllo, er mwyn sicrhau bod eich dull cyffredinol o gyfieithu ac o gyflawni'r prosiect yn addas at y diben. Dyma un rhan o'r broses gyfieithu gyffredinol felly, sef paratoi am y dasg ymlaen llaw a darllen er mwyn canfod yr ystyr. Ail ran y broses gyffredinol yw llunio'r cyfieithiad ei hun yn y testun targed. At y broses honno y byddwn yn troi yn y bennod nesaf.

## Nodiadau

1   Byddai dulliau eraill yn bosibl, fel defnyddio technoleg testun-i-lais. At ei gilydd, darllen y mae cyfieithwyr y Gymraeg o hyd, a hyd yn oed ymysg cyfieithwyr ieithoedd eraill, nid oes tystiolaeth bod defnyddio testun-i-lais wedi disodli'r cam darllen.

2   Birgitta Englund-Dimitrova, *Expertise and Explicitation in the Translation Process* (Amsterdam/Philadelphia: John Benjamins Publishing, 2005).

3   Michael Carl et al., 'Long Distance Revisions in Draffting and Post-editing', yn Alexander Gelbukh (gol.), *Proceedings of the 11th International Conference on Computational Linguistics and Intelligent Text Processing*. Iasi, Romania, Mawrth 21–27 (Tokyo, 2010); Arnt L. Jakobsen, 'Translation Drafting by Professional Translators and by Translation Students' yn Gyde Hansen (gol.), *Empirical Translation Studies* (Copenhagen: Samfundslitteratur Press, 2002), tt. 191–204; Arnt Jakobsen, 'Investigating expert

translators' processing knowledge', yn Helle V. Dam, Jan Engberg a Heidrun Gerzymisch-Arbogast (goln), *Knowledge Systems and Translation* (Berlin/New York: De Gruyter, 2005), tt. 173–193; Phillip Koehn, 'A process study of computer-aided translation', *Machine Translation* 23(4) (2009), 241–263; Sonia Vandepitte, Robert J. Hartsuiker ac Eca Van Assche, 'Process and Text Studies of a Translation Problem' yn Aline Ferreira a John Schwieter (goln), *Psycholinguistic and Cognitive Inquiries into Translation and Interpreting* (Amsterdam/Philadelphia: John Benjamins Publishing Company, 2015), tt. 127–145.

4    Pedro Macizo a Maria T. Bajo, 'When Translation Makes the Difference: Sentence Processing in Reading and Translation', *Psicológica* 25 (2004), 181–205; Natalia Paredes, Pedro Macizo a Maria T. Bajo, 'Activation of lexical and syntactic target language properties in translation', *Acta Psychologica* 128(4) (2007), 490–500; Gregory M. Shreve, Christina Schäffner, Joseph H. Danks a Jennifer Griffin, 'Is there a special kind of reading for translation? An empirical investigation of reading in the translation process', *Target* 5 (1993), 21–41.

5    Barbara Dragsted, 'Co-ordination of Reading and Writing Processes in Translation: An Eye on Unchartered Territory', yn Gregory M. Shreve ac Erik Angelone (goln), *Translation and Cognition* (Amsterdam/Philadelphia: John Benjamins Publishing Company, 2010), tt. 41–63; Arnt L. Jakobsen a Kristian Jensen, 'Eye movement behaviour across four different types of reading task' yn Susanne Göpferich, Arnt L. Jakobsen, Inger M. Mees (goln), *Looking at Eyes: Eye Tracking Studies of Reading and Translation Processing* (Copenhagen: Samfundslitteratur Press, 2008), tt. 103–124.

6    Barbara Dragsted a Michael Carl, 'Towards a Classification of Translation Styles based on Eye Tracking and Key-logging Data', *Journal of Writing Research* 5(1) (2013), 133–158.

7    Ben Screen, 'What does Translation Memory do to translation? The effect of Translation Memory output on specific aspects of the translation process', *Translation and Interpreting* 8(1), 1-18; Ben Screen, 'Effaith defnyddio cofion cyfieithu ar y broses gyfieithu: Ymdrech a chynhyrchedd wrth gyfieithu i'r Gymraeg', *Gwerddon* 23 (2017), 10–38.

8    Mae'r syniadau isod yn seiliedig ar brofiad yr awdur, ond rhaid cydnabod hefyd serch hynny ei fod yn ddyledus am ei ffurf i fframwaith tebyg Stella Cragie ac Ann Pattison yn eu cyfrol i gyfieithwyr o Saesneg, *Thinking English Translation: Analysing and Translating English Source Texts* (Abingdon/New York: Routledge, 2018).

9    Go brin y gall cyfieithydd a gyflogir gan sefydliad wneud hynny, ond nid oes dim yn ei atal rhag gofyn am gymorth gan gyfieithydd sydd â phrofiad o weithio yn y maes dan sylw ac arbenigwyr pwnc.

10   Mae nifer o systemau cof cyfieithu yn gallu derbyn y ffeiliau hyn yn eu ffurf gysefin yn syth o'r feddalwedd dylunio dogfennau, felly cofiwch wirio a oes modd gwneud hynny cyn dechrau brwydro â dogfen anodd ei thrin mewn Microsoft Word. Un peth y dylid gochel rhagddo weithiau wrth wneud hynny yw tagiau fformatio niferus yn y system, ond nid yw'n ormod o broblem fel arfer.

11   Kevin J. Rottet a Steve Morris, *Comparative Stylistics of Welsh and English* (Cardiff: University of Wales Press, 2018), tt. 8–11.

12   Eto, mae'r ddau gyfieithiad hyn yn gyfieithiadau a gyhoeddwyd. Mae ambell beth wedi ei newid i gadw cyfrinachedd y sefydliadau ac osgoi adnabod unigolion.

13   Cyngor ar Bopeth, *Hefyd ar gael yn Gymraeg: Deall y defnydd a'r diffyg defnydd o wasanaethau Cymraeg* (Caerdydd: Y Cyngor ar Bopeth, 2015); Comisiynydd y Gymraeg, *Hawlio Cyfleoedd: Adroddiad Sicrwydd Comisiynydd y Gymraeg 2018–19* (Caerdydd: Comisiynydd y Gymraeg, 2019). Braf gweld yn yr adroddiad hwn gan y Comisiynydd ddwy enghraifft o ymgynghori â'r cyhoedd ynghylch Cymraeg dealladwy, a bod yr adborth hwnnw wedi peri newid yn y fersiynau terfynol a gyhoeddwyd.

14   Cyngor ar Bopeth, t. 53.

15   Ystadegau Cymru, *Cyfrifiad 2011: Canlyniadau cyntaf ar yr iaith Gymraeg* (Caerdydd: Llywodraeth Cymru, 2012), ar lein: *https://llyw.cymru/sites/default/files/statistics-and-research/2019-03/121211sb1182012cy.pdf* [Cyrchwyd: 1/02/2021].

16   Llywodraeth Cymru, *Y Defnydd o'r Gymraeg yng Nghymru, 2013–15* (Caerdydd: Llywodraeth Cymru, 2015), t. 67.

17   Oni bai bod y cyfieithydd yn gweithio o Saesneg gwlad arall o bosibl, e.e. o Saesneg UDA neu Saesneg Seland Newydd. Fodd bynnag, oherwydd natur y maes cyfieithu yng Nghymru, mae'n annhebyg y bydd trwch cyfieithwyr Cymru yn gweithio o'r mathau hyn o Saesneg yn aml iawn. Yn ogystal, mae'n debyg y

byddai cyfieithwyr llenyddol yn anghytuno â'r pwynt uchod ynghylch ystyriaethau diwylliannol, ond ar gyfieithu proffesiynol y mae'r gyfrol hon yn canolbwyntio, a'r maes fel y mae ar hyn o bryd sy'n pennu ei blaenoriaethau.

18 Wedi ei addasu o Cragie a Pattison.

19 Comisiynydd y Gymraeg, *Hawlio Cyfleoedd: Adroddiad Sicrwydd Comisiynydd y Gymraeg 2018–19*, t. 100.

20 Rhaid cofio bod hon yn 'broses busnes' yn nhermau rheoli; peidiwch felly â diystyru'r angen i greu system addas o dderbyn a dychwelyd gwaith gan fod effeithiolrwydd y system hwnnw yn angenrheidiol i wasanaethau dwyieithog da.

21 Noder i enwau yn y darn hwn gael eu newid i barchu cyfrinachedd, er mai testun go iawn ydyw ym mhob ffordd arall.

22 Gweler t. 35 *Gramadeg y Gymraeg* Peter Wynn Thomas (Caerdydd: Gwasg Prifysgol Cymru, 1996) am drafodaeth bellach ar berson a rhif mewn perthynas â rhagenwau. U2 yw'r term technegol am 'dy, ti'.

23 Ahmad Al-Issa, 'Schema Theory And L2 Reading Comprehension: Implications For Teaching', *Journal of College Teaching & Learning* 3(7) (2006), 41–48.

24 Paul Van der Broek a Christine Espin, 'Improvinng Reading Comprehension: Connecting Cognitive Science and Education', *Cognitive Critique* 5(2) (2010), 1–26.

25 Paul Van der Broek a Christine Espin.

26 H. Douglas Brown, *Teaching by Principles: An Interactive Approach to Language Pedagogy* (Michigan: Longman, 2001).

27 Ni all gwybodaeth gefndirol ddisodli sgiliau cyfieithu penodol; fel y dadleuwyd eisoes, mae sgiliau cyfieithu yn bwysig tu hwnt. Y ddadl yma yw bod gwybodaeth gefndirol yn ddefnyddiol iawn, iawn i ymarfer proffesiynol o ran cywirdeb ac effeithlonrwydd, ac i agweddau eraill ar y swydd.

28 Ystyron 'cyfansoddiadol' ac 'anghyfansoddiadol' yw'r termau ieithyddol technegol am ystyr lythrennol ac ystyr drosiadol.

29 Alan Cruse, *Meaning in Language: An Introduction to Semantics and Pragmatics,* 3ydd arg. (Oxford: Oxford University Press, 2011), t. 23.

30 'to note' fyddai'r Ystyr Osodiadol yma, a byddai'r –ed a ddefnyddir i ddangos amser y ferf yn Ystyr Ramadegol. Byddwch chi'n gweld bod modd i wahanol arlliwiau ystyr orgyffwrdd o bryd i'w gilydd.

31 *http://www.corcencc.cymru/* [Cyrchwyd: 1/01/2021].

32 Fe ddylech chi allu gweld yma hefyd fod y dechneg hon yn ddefnyddiol os oes bwlch geirfaol; os nad yw gair yn bodoli, gellid defnyddio un arall mwy, neu lai, fanwl. Bydd trafodaeth bellach am hyn wrth drafod technegau cyfieithu eraill ym Mhennod 5, yn benodol Benthyg a Dynwared.

33 Cruse, tt. 82–82.

34 Dilynir Cruse yma, a chynigir y term Cymraeg 'Detholiadau Ffafredig' am '*Selectional Preferences*'. Mae'r gair 'Cydleoliad' am '*Collocation*' yn bodoli eisoes yn ôl Geiriadur yr Academi.

35 Mae'n bwysig gwahaniaethu yma rhwng ystyr arferol 'cydleoliad' a'r ystyr yma o faes Semanteg. Yn ôl Cruse, '*A certain degree of phrasal unity may be claimed for cases where one (or more) words select non-default senses of their partners*'. Hynny yw, pan ddefnyddir rhai geiriau gyda'i gilydd, neu wrth eu 'cydleoli', mae ystyr newydd yn cael ei chreu ac mae'r geiriau yn colli eu hystyron arferol. Yr enghraifft a ddefnyddir gan Cruse yw '*high speed*'; yr ystyr gydleoliadol yw 'cyflym iawn', ac felly mae ystyr 'uchel' yn newid pan gaiff ei ddefnyddio gyda '*speed*'. Ystyr arferol 'cydleoliad' serch hynny y tu hwnt i fyd Ieithyddiaeth ac mewn cyd-destun annhechnegol yw cyfuniad o eiriau y *tueddir* i'w defnyddio gyda'i gilydd, er nad yw'r naill air o reidrwydd yn newid ystyr y llall. Byddai 'cyfansoddi cân' yn fwy derbyniol i siaradwyr Cymraeg yn sgil cyson ddefnydd dros y blynyddoedd er enghraifft, er y byddai 'creu/ysgrifennu cân' yn gywir. Yr enw a ddefnyddir gan Cruse am hyn yw '*cliché*' ieithyddol. Dilynir yma felly y termau priodol o faes Semanteg a gwahaniaethir yma rhwng 'cydleoliad' a 'cliché'. Mae adnabod y ddau yn hanfodol i gyfieithu da, fodd bynnag.

36 Defnyddir y term Cymraeg 'Ystyr Ysgogol' yma ar sail diffiniad Cruse o '*Evoked Meaning*', gan fod yr ystyr hon yn gysylltiedig â'r teimladau a'r emosiynau a ysgogir pan ddefnyddir rhai geiriau neu gyfuniad o eiriau mewn rhai sefyllfaoedd a chyd-destunau.

37 Cruse, t. 86.

38 Cruse, t. 86.

39  Cyflwyniad Thomas Parry i *Llyfr o Idiomau Cymraeg* gan R. E Jones, 3ydd arg. (Abertawe: Gwasg John Penry, 1979), dim rhifau tudalennau.

40  Andrew Goatly, *The Language of Metaphors* (Abingdon/New York: Routledge, 1997), t. 8.

41  Alice Deignan, *Metaphor and Corpus Linguistics* (Amsterdam/Philadelphia: John Benjamins Publishing, 2005), t. 34.

42  James Dickins, 'Two models of metaphor translation', *Target* 17(2) (2005), t. 228.

43  Mae *Ar flaen fy nhafod* gan D. Geraint Lewis (Llandysul: Gwasg Gomer, 2012) yn gyfrol ragorol am restr o gyffelybiaethau a throsiadau Cymraeg, fel y mae *Llyfr o Idiomau Cymraeg* gan R. E Jones (Abertawe, 1976) a grybwyllwyd uchod. Mae *A Dictionary of Welsh and English Idiomatic Phrases* gan Alun Rhys Cownie (Cardiff: University of Wales Press, 2001) hefyd yn gasgliad cynhwysfawr. Rhaid serch hynny i'r cyfieithydd ddarllen yn helaeth yn y ddwy iaith a magu clust am dafod-leferydd pobl er mwyn hogi ei allu i drin a thrafod ymadroddion yn fedrus a defnyddio iaith naturiol yn y cyfieithiad.

44  Er nad yw'r gyfrol hon yn trafod cyfieithu llenyddol, byddai'r cyfieithydd llenyddol gyda mwy o 'hawl' i gynnig cyffelybiaeth wahanol pe bai am wneud hynny, ond yn achos testunau eraill a chyfieithu proffesiynol, mae'n amheus a fyddai angen gwneud hynny os bydd y darllenydd yn deall y naill ffordd neu'r llall.

45  J. J. Evans, *Diarhebion Cymraeg – Welsh Proverbs*, 6ed arg. (Llandysul: Gwasg Gomer, 1992), t. 6.

# PENNOD 5: TECHNEGAU WRTH LUNIO CYFIEITHIADAU

Ar ddechrau gyrfa cyfieithydd, mae cael trafferth wrth lunio cyfieithiad, hyd yn oed o ddeall y frawddeg neu ymadrodd, yn broblem y bydd yn ei hwynebu'n ddyddiol. Ar y naill law, mae'n anodd deall; gall cyfieithwyr dibrofiad ddarllen Saesneg yn hawdd, a gallant ysgrifennu Cymraeg. Ar y llaw arall, mae pontio'r gagendor rhwng y ddwy iaith, a throsi'r ystyr fwriadedig o'r naill iaith i'r llall, yn gallu bod yn orchwyl anodd rhywsut, yn enwedig yn y dechrau. Byddwn yn mynd i'r afael â'r sefyllfa hon yn y bennod hon. Y rheswm y gall fod yn anodd i gyfieithwyr lunio cyfieithiad cywir weithiau, a hynny yn gyflym ac yn rhwydd, yw oherwydd nad ydynt eto wedi datblygu'r technegau cyfieithu safonol sy'n hwyluso hynny. Bydd yn cymryd blynyddoedd cyn y bydd modd i'r cyfieithydd ddefnyddio'r technegau hyn yn gywir ac yn gyflym ym mhob cyd-destun ac ar gyfer amrywiaeth o destunau, ond y nod yn y bennod hon yw cyflwyno'r technegau hyn i ddarpar gyfieithwyr mewn ymgais i'w helpu i ymgyfarwyddo â nhw ac, o bosibl, gyflymu eu datblygiad proffesiynol.

## Deilliannau Dysgu:

Yn y bennod hon byddwch yn dysgu:
1) bod technegau cyfieithu penodol a safonol i'w cael i hwyluso'r dasg o *lunio* cyfieithiad wedi i chi ganfod yr ystyr fwriadedig;
2) bod technegau cyfieithu penodol a safonol i'w cael i ddelio ag iaith drosiadol a mathau eraill o ymadroddion anghyfansoddiadol;
3) bod cyfieithu rhwng ieithoedd yn gorfodi'r cyfieithydd i ddefnyddio'r technegau hyn, a bod y gwahaniaethau mewn cystrawen a pherspectif yn dderbyniol;
4) bod defnyddio'r technegau hyn yn fodd o osgoi cyfieithiadau rhy lythrennol.

## Diffinio Techneg

Mae technegau cyfieithu safonol i'w cael i hwyluso'r gwaith o lunio cyfieithiad yn y testun targed. Ond cyn bwrw iddi, tâl inni ddiffinio 'techneg'. Rhydd Geiriadur Prifysgol Cymru: 'Dull o berfformio neu weithredu, medrusrwydd neu allu mewn maes penodol, dull medrus neu effeithiol o wneud rhywbeth'. Ffordd ddefnyddiol o synied am dechneg felly yw dull o weithredu'n effeithiol er mwyn cyflawni rhywbeth. At ein dibenion ni, ystyr techneg yw'r hyn a ddefnyddia cyfieithydd wrth drosi uned ystyr o'r naill iaith i'r llall, er mwyn sicrhau bod yr ystyr wedi ei chyfleu'n gywir a bod yr iaith darged yn ramadegol gywir ac yn dilyn normau cystrawennol yr iaith. Mae'n cyfeirio at y dyfeisiau ar lefel y gair a chystrawen a ddefnyddir gan gyfieithydd i gyfleu ystyr y gwreiddiol yn effeithiol ac yn fedrus felly. Mae'r technegau hyn yn gyffredin iawn yn llenyddiaeth gyhoeddedig Astudiaethau Cyfieithu, yn enwedig y llyfrau hynny ynghylch methodoleg cyfieithu i ddarpar gyfieithwyr.[1] Mae'r technegau cyfieithu hyn wedi cael ychydig o sylw mewn cyhoeddiadau yn y Gymraeg, sef llyfr *Dechrau Cyfieithu, Llyfr Ymarferion i Rai Sy'n Dechrau Ymddiddori Mewn Cyfieithu* gan Heini Gruffudd (2005, Y Ganolfan Astudiaethau Addysg), ac erthygl Sylvia Prys Jones, '*Theori ac ymarfer cyfieithu yng Nghymru heddiw*' a gyhoeddwyd yn e-lyfr *Ysgrifau a Chanllawiau Cyfieithu* gan y Coleg Cymraeg Cenedlaethol yn 2016, ond nid ydynt wedi eu hegluro'n fanwl hyd yma mewn cyhoeddiad Cymraeg. Mae'r derminoleg a ddefnyddir yn y maes, fodd bynnag, yn tueddu i fod yn anghyson, a gall ymddangos yn aneglur weithiau hefyd. Ar wahân i hynny, bydd rhai yn galw'r technegau yn ddulliau [*methods*] ac eraill yn eu galw'n strategaethau [*strategies*].[2] Cyhoeddwyd erthygl Anthony Pym yn cynnig diffiniadau a thermau newydd ar gyfer y technegau hyn mor ddiweddar â 2018 hyd yn oed hefyd.[3] Mae'r termau ar gyfer y categorïau isod yn wahanol eto ond y bwriad oedd defnyddio termau a fyddai'n gwneud synnwyr i gyfieithwyr newydd; ar gyfer '*transposition*' er enghraifft (sef defnyddio rhan ymadrodd neu gystrawen wahanol i'r iaith ffynhonnell [fel defnyddio berfenw yn lle enw]), mae 'Ailgategoreiddio' wedi ei ddefnyddio yn lle 'Trawsosod'. Y gobaith yw y bydd yr enwau a ddefnyddiwyd ar y technegau yma yn llawer mwy cofiadwy gan eu bod yn disgrifio'n well beth mae'r dechneg yn gofyn amdano yn ymarferol. Fodd bynnag, i gynorthwyo darllenwyr i ddod o hyd i ragor o wybodaeth am y technegau hyn, er gwaethaf eu henwau cymhleth, mae'r termau Saesneg mwyaf cyffredin wedi eu darparu mewn cromfachau isod hefyd.

## Yr Uned Leiaf i'w Chyfieithu

Ond cyn troi at drafodaeth am sut y gallwn lunio cyfieithiad a goresgyn y problemau sydd ynghlwm wrth wneud hynny, mae angen gofyn ymhle y mae angen i ni ddechrau, neu mewn geiriau eraill, beth yw'r uned leiaf y mae gofyn ei chyfieithu? Ystyr 'yr uned leiaf i'w chyfieithu' at ein dibenion ni yw'r rhannau lleiaf o destun y gellir chwilio am gyfieithiad priodol ar ei chyfer, lle mae'r rhan leiaf honno fel arfer yn cyfateb i un syniad annibynnol.[4] Gall yr uned leiaf i'w chyfieithu felly fod mor fach â morffem mewn geiriau sydd wedi'u ffurfdroi, neu gall gynnwys casgliad o eiriau mewn cydleoliad (e.e. '*hard bargain*', '*high speed*'). Gall yr uned fod mor hir hefyd â brawddeg gyfan, fel yn achos iaith fformiwläig a throsiadau. Mae dwy frawddeg wedi eu dadansoddi isod i ddangos lle mae'r unedau i'w cyfieithu yn gorwedd ynddynt. Gweler yr un gyntaf isod.

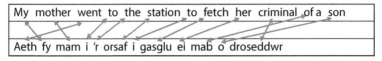

Ffigur 5 Cyfatebiaeth rhwng Unedau Ystyr mewn Dwy Iaith

O'r frawddeg seml hon, gallwn weld sut mae'r geiriau yn cyfateb i'w gilydd. Yn gyntaf, gallwn weld, yn yr achos hwn, fod gan bob gair bron air cyfatebol yn y Saesneg. Y rheswm am hyn yw bod bron pob gair yn mynegi rhyw *syniad annibynnol*. O'r herwydd, roedd rhaid cyfieithu pob un. Un ffordd o feddwl felly am yr uned leiaf i'w chyfieithu yw meddwl am y syniadau annibynnol hyn sy'n cael eu mynegi. Mae hyn yn mynd â ni yn ôl yn hynny o beth at Bennod 2 lle trafodwyd theori; roedd bron pob un yn sôn am synnwyr, neu'r syniad canolog mae'r awdur am ei gyfleu. Mae'r frawddeg isod yn cynnwys saith syniad annibynnol, neu saith uned i'w cyfieithu:

| Once | (you have) | rebooted | the | computer, | press F2. |
|---|---|---|---|---|---|
| Unwaith | (eich bod wedi) | ailddechrau | y | cyfrifiadur, | gwasgwch F2. |

Ffigur 6 Enghraifft arall o Gyfatebiaeth Unedau Ystyr rhwng Dwy Iaith

Mae i ddefnyddio'r cysyniad hwn o 'un syniad annibynnol' i ddiffinio'r uned leiaf i'w chyfieithu bedwar goblygiad. Yn gyntaf, gwahaniaethau gramadegol. Mae'r ffyrdd mae ieithoedd yn cyfleu syniadau yn amrywio, ac mae amrywiaeth gramadegol ieithoedd y byd yn rhyfeddol. Dylai fod gan unrhyw un sydd â'i fryd ar yrfa ym maes cyfieithu afael gadarn ar ramadeg y·ddwy iaith cyn cychwyn, felly ni fyddwn yn trafod gramadeg yn fanwl. Serch hynny, digon yw dweud bod y Gymraeg a'r Saesneg yn ieithoedd gwahanol iawn. Mae'r Gymraeg yn iaith Geltaidd sy'n tueddu i ddilyn patrwm 'Berf–Goddrych–Gwrthrych', lle mae'r Saesneg yn tueddu i ddefnyddio patrymau gwahanol (mwy am hyn isod). Oherwydd hyn, ni fydd modd sicrhau cyfatebiaeth gystrawennol lawn rhwng y ddwy iaith a bydd addasiadau oherwydd gramadeg yn orfodol. Ar y lefel leiaf posibl, cymerer *'you have'* uchod yn *'once you have'*. O ddefnyddio ein henghraifft ni, mae tri gair yn y Gymraeg, ond dau yn y Saesneg (*you have*, eich bod wedi). Ond yn ddyfnach na hyn, mae'r Gymraeg yn defnyddio arddodiad 'wedi', 'ar ôl i chi' (*after*) neu 'i' i gyfleu gweithred a wnaed yn y gorffennol agos, lle mae'r Saesneg yn defnyddio berf gynorthwyol sef *'have'* a ddefnyddir i ddangos meddiant hefyd. Cymerwch enghraifft arall. Yn y frawddeg gyntaf am y fam yn casglu ei mab, hepgorwyd y fannod amhenodol Saesneg *'a'* yn *'of a son'*. Nid oes gan y Gymraeg fannod amhenodol felly bu rhaid ei hepgor. Oherwydd y gwahaniaethau sylfaenol hyn, mae cyfieithu air am air yn amhosibl (fel y sylwodd Cicero gynt fwy na 2,000 o flynyddoedd yn ôl!).

Mae agwedd arall ar gyfieithu air am air hefyd y tu hwnt i ramadeg, a dyma'r ail oblygiad i'r diffiniad. Mae cred isymwybodol weithiau fod cyfleu'r syniadau annibynnol hynny sydd wedi eu mynegi mewn un gair yn yr iaith ffynhonnell â mwy nag un gair yn yr iaith darged yn annerbyniol (neu'n anffyddlon i'r gwreiddiol). Mewn geiriau eraill, rhaid i'r nifer o eiriau a ddefnyddir i fynegi rhywbeth fod yr un peth neu'n debyg yn yr iaith darged. Bydd yn amlwg i lawer nad yw hyn yn wir, ond dyma ei drafod yma rhag ofn, i atgyfnerthu'r pwynt. Wrth gyfieithu, bydd cyfieithwyr proffesiynol weithiau yn defnyddio mwy nag un gair yn yr iaith darged i gyfleu'r syniad a geir yn yr iaith ffynhonnell. Gweler yr enghraifft isod.

*Alfie's progressive, <u>ultimately</u> fatal neurodegenerative disease meant that his brain was <u>entirely</u> beyond recovery.*

Oherwydd afiechyd niwroddirywiol cynyddol Alfie a fyddai <u>yn y pendraw</u> yn farwol, roedd ei ymennydd y tu hwnt i wella <u>yn gyfan gwbl.</u>

Mae sawl newid cystrawennol wedi bod ac mae sawl techneg cyfieithu wedi ei defnyddio yn y cyfieithiad uchod (i'w trafod isod), ond hoeliwn sylw ar yr ymdriniaeth yn y cyfieithiad o '*ultimately*' ac '*entirely*'. Cyflewyd '*ultimately*' gan ddefnyddio '*yn y pendraw*' ac '*entirely*' gan ddefnyddio 'yn gyfan gwbl'. Ni saif felly fod rhaid i'r cyfieithiad o syniad annibynnol neu o uned ystyr annibynnol a fynegir ag un gair yn y Saesneg gael ei fynegi ag un gair yn yr iaith darged hefyd. Ym Mhennod 4, fe welsom yr un peth wrth gyfieithu '*slammed*'; cyflewyd '*slammed*' gan ddefnyddio dau air i sicrhau bod yr Ystyr Fynegiannol wedi ei chyfleu, sef 'beirniadu'n hallt'. I geisio cyfleu'r pwynt yn fwy huawdl, mae modd cyfieithu'r syniad annibynnol trwy ddefnyddio ymadrodd cyfan os bydd angen, ni waeth sut y'i cyflewyd yn yr iaith ffynhonnell (a'r ffordd arall hefyd). Peidiwch â theimlo felly eich bod yn camgyfieithu trwy ddefnyddio ymadrodd cyfan i gyfieithu syniad y gwnaeth yr awdur ei gyfleu ag un gair neu ddau yn yr iaith ffynhonnell; mynegi'r ystyr yn gywir sy'n cyfrif.

Y trydydd goblygiad i'r diffiniad a ddewiswyd yw'r ymdriniaeth â chydleoliadau, iaith fformiwläig ac ymadroddion trosiadol. Trown yn gyntaf at ymadroddion ag ystyron cydleoliadol. Bu trafodaeth am gydleoliadau ym Mhennod 4 pan oedd yr Ystyr Ragfynegedig dan sylw. Ond yn y bôn, maent fel arfer yn cynnwys dau air lle dewisir un o'r geiriau yn rhydd gan y siaradwr ar sail yr hyn y mae am ei ddweud a'i drafod, ond mae defnydd o'r ail air yn bron â bod yn orfodol.[5] Er enghraifft, mae rhywun yn '*fast asleep*' yn Saesneg ond yn Gymraeg dywedir bod rhywun yn 'cysgu'n sownd', yn 'cysgu'n braf', neu'n 'chwyrnu cysgu'. Nid oes dewis yn hynny o beth; nid yw rhywun yn 'cysgu'n gyflym' yn y Gymraeg. O'r herwydd, rhaid trin y cyfuniadau hyn yn un uned o safbwynt cyfieithu yn hytrach na'u trin yn ddau air ar wahân. Wrth gyfieithu, rhaid trin y rhain gyda'i gilydd gan fod amrywiaeth mawr rhwng ieithoedd gwahanol yn y ffordd y maent yn trin cydleoliadau. Hynny yw, a dod yn ôl at y syniad annibynnol a'r uned leiaf i'w chyfieithu, y cydleoliad hwn fyddai'r uned leiaf honno y byddai rhaid i'r cyfieithydd weithio arni, nid y ddau air ar wahân. Yr ail fath yw iaith fformiwläig. Ystyr iaith fformiwläig yn y cyswllt hwn yw ymadroddion sydd wedi ymgaregu nad yw eu ffurf bron byth yn newid, ac sy'n tueddu i olygu neu i gyfleu un syniad annibynnol canolog.[6] Yn eu plith y byddai ymadroddion fel 'a fyddwch chi cystal â' neu '*excuse me*', ond hefyd ymadroddion ag ystyron anghyfansoddiadol (a drafodwyd uchod ym Mhennod 4) fel trosiadau a phriod-ddulliau. Wrth gyfieithu, rhaid trin y rhain yn un uned ac anwybyddu bron y geiriau unigol sy'n eu ffurfio gan nad ystyr y geiriau unigol sy'n pennu ystyr derfynol yr ymadrodd.

Yn bedwerydd, goreiriogrwydd. Gall awduron gyfleu un syniad weithiau mewn gormod o eiriau. Mae goreiriogrwydd yn arfer ysgrifennu gwael, a chan mai cyfathrebu y mae cyfieithwyr, dylid osgoi hyn. Gweler yr enghreifftiau isod:

**Tabl 13 Enghreifftiau o Oreiriogrwydd**

| | |
|---|---|
| [In my opinion, I believe] that he's likely to have taken the car. | [Rydw i'n credu] ei bod yn debygol iddo gymryd y car. |
| [In spite of the fact that] she explained this on [more than several occasions], you didn't listen. | [Er] iddi egluro hyn [sawl gwaith], doeddech chi ddim yn gwrando. |
| Their [past history] shows [quite clearly] they're [more than capable] of this. | Mae eu [hanes] yn dangos [yn glir] nad yw hyn [y tu hwnt] iddyn nhw. |
| What an [unexpected surprise]! | Am [syrpreis]! |

Mae'r pedair enghraifft uchod yn enghreifftiau clasurol o ailadrodd diangen, lle mae un syniad annibynnol wedi ei fynegi gan ddefnyddio chwe gair mewn un achos. Fodd bynnag, nid yw ailadrodd bob tro yn ddiangen. Rhaid cofio y gall ailadrodd geiriau ac ymadroddion fod yn ddull defnyddiol o bwysleisio gwybodaeth, er mwyn sicrhau er enghraifft ei bod yn llai tebygol y bydd y darllenydd yn camddeall y neges. Wrth gyfieithu, dylid ceisio efelychu dymuniad yr awdur gwreiddiol i bwysleisio os cred fod angen. Yr egwyddor yn hynny o beth yw bod rhaid i air ennill ei le. Y gamp yw gwahaniaethu rhwng yr adegau hynny lle mae'r awdur wedi ei ailadrodd ei hun heb reswm, a lle mae wedi gwneud hynny er mwyn pwysleisio. Chi biau'r dewis ar sail y cyd-destun.

I grynhoi, gweler y tabl isod lle mae nifer o enghreifftiau o'r unedau i'w cyfieithu. Mae chwech i'w gweld isod, ynghyd â'u cyfieithiadau, er mwyn sicrhau bod y syniad mor glir â phosibl. Sylwer hefyd sut mae unedau cyfieithu wedi eu cyfuno yn y cyfieithiad, a sut mae cystrawen y ddwy iaith wedi gorfodi'r cyfieithydd i symud elfennau i safleoedd eraill. Ond cyn bwrw ymlaen a thrafod y technegau ar gyfer llunio cyfieithiadau, cofiwch y byddwch chi'n datblygu'r gallu i adnabod yr unedau hyn bron â bod yn isymwybodol wrth i chi fagu profiad. Fe fyddwch chi'n cyrraedd y pwynt felly pan fydd y rhan hon o'r broses gyfieithu yn mynd rhagddi'n gyflym ac yn ddidrafferth.

**Tabl 14 Cymhariaeth o Unedau Ystyr wrth Gyfieithu**

| Enghreifftiau o'r Uned Leiaf i'w Chyfieithu | Cyfieithiadau Posibl |
|---|---|
| [Make sure] (1) [you] (2) [wake up] (3) [on time] (4) | [Gwnewch yn siŵr] (1) [eich bod yn] (2) [deffro] (3) [mewn pryd] (4) |
| [The] (1) [authority] (2) [has] (3) [requested] (4) [this] (5) [be noted down] (6) [to] (7) [ensure] (8) [transparency] (9) | [Mae (3) ['r] (1) [awdurdod] (2) wedi] (3) [gofyn am] (4) [i hyn] (5) [gael ei nodi] (6) [er tryloywder] (7, 8, 9). |
| [We] (1) [will] (2) [look] (3) [at] (4) [this] (5) [next] (6) [week] (7) | [Byddwn] (1, 2) [yn edrych] (3) [ar] (4) [hyn] (5) [yr wythnos] (7) [nesaf] (6). |
| [I beg your pardon] (1), [please could you] (2) [move] (3) [this] (4) [box] (5) | [Esgusodwch fi] (1), [allech chi] (2) [symud] (3) [y] (4) [bocs] (5) [hwn] (4)? |
| [There's more than one way to skin a cat] (1); [put your mind to it] (2) [and] (3) [try to] (4) [find a way] (5). | [Mae mwy nag un ffordd o gael Wil i'w wely] (1); [rho dy fryd arno] (2) [a] (3) [cheisia] (4) [ddod o hyd i ffordd] (5). |
| [Dywedodd] (1) [e] (2) [na] (3) [fyddai] (4) [modd iddo] (5) [fynd] (6). | [He] (2) [said] (1) [he wouldn't] (3, 4) [be able to] (5) [go] (6). |

Yn y bôn felly, un syniad annibynnol fesul uned i'w chyfieithu. Gall yr uned honno gynnwys sawl gair, neu gall gynnwys un gair. Gall un gair gynnwys dwy uned i'w chyfieithu, neu gall gynnwys un. Y peth pwysicaf yw adnabod lle y dylech chi ddechrau a gorffen y broses gyfieithu. Dylid cofio hefyd, wrth gwrs, ran bwysig y frawddeg gyfan yn hynny o beth, a chyfraniad brawddegau eraill o gwmpas yr uned i'w chyfieithu; o ystyried paragraffau a thestunau cyfan, gall elfennau eraill o'r testun eich gorfodi i ddehongli'r unedau i'w cyfieithu mewn modd penodol. Ond at ei gilydd, i gyfieithwyr dibrofiad, bydd cadw'r uchod mewn cof yn helpu i atal cyfieithu gorlythrennol.

A ninnau wedi trafod hyn, gallwn fwrw ymlaen a throi'n sylw at y technegau safonol i lunio cyfieithiad. I'ch atgoffa, ystyr techneg yw'r hyn a ddefnyddia cyfieithydd wrth drosi uned ystyr o'r naill iaith i'r llall, er mwyn sicrhau bod yr ystyr wedi ei chyfleu'n gywir a bod yr iaith darged yn ramadegol gywir ac yn dilyn normau cystrawennol yr iaith. Mae'n cyfeirio at y dyfeisiau ar lefel y gair a chystrawen a ddefnyddir gan gyfieithydd i gyfleu ystyr y gwreiddiol yn effeithiol ac yn fedrus.

## Y Broses Gyfieithu Ddiofyn: Cyfieithu Llythrennol

Y broses ddiofyn wrth gyfieithu yw cyfieithu'n weddol agos ati yn achos y rhan fwyaf o destunau (lle byddai cyfieithu llenyddol ac ar gyfer hysbysebu a marchnata yn eithriadau amlwg), a hynny ar sail yr unedau lleiaf i'w cyfieithu fel y trafodwyd uchod. Cymerwch y paragraff isod a'r cyfieithiad.

| The Independent Remuneration Board has today (Thursday 4 June 2020) published its Determination which sets out the pay and allowances available to Members of the Senedd following the next Senedd election in May 2021. Some of the changes included in this Determination are aimed at ensuring that the support and remuneration offered to Members do not deter people from standing for election to the Senedd. |
| --- |
| Heddiw (dydd Iau 4 Mehefin 2020) mae'r Bwrdd Taliadau Annibynnol wedi cyhoeddi ei Benderfyniad sy'n nodi'r tâl a'r lwfansau sydd ar gael i Aelodau o'r Senedd yn dilyn etholiad nesaf y Senedd ym mis Mai 2021. Nod rhai o'r newidiadau a gynhwysir yn y Penderfyniad hwn yw sicrhau nad yw'r cymorth a'r tâl a gynigir i'r Aelodau yn atal pobl rhag sefyll etholiad i'r Senedd. |
| Maes: Gwleidyddiaeth |
| Math o destun: Hysbysiad cyhoeddus |
| Cynulleidfa: Y cyhoedd |

Mae addasu diddewis oherwydd cystrawen wahanol y ddwy iaith, ac ambell newid (nod rhai / *are aimed at*, lle defnyddiwyd enw a chystrawen enidol yn y Gymraeg yn lle cystrawen oddefol gyda berf yn y Saesneg), ond at ei gilydd mae'r cyfieithydd wedi llunio cyfieithiad agos iawn. Ac mae'n gyfieithiad cywir ac addas ei arddull a'i ffurfioldeb o ystyried y maes a'r pwnc. Dengys y cyfieithiad hwn inni nad yw cyfieithu 'llythrennol' yn beth anghyffredin nac yn beth gwrthun. Dengys hefyd fod camddealltwriaeth pellach ynghylch ystyr y gair 'llythrennol'. Nid 'gair am air' yw ystyr llythrennol yma. Wrth ddefnyddio techneg cyfieithu llythrennol, bydd y cyfieithydd yn cyfieithu'n weddol agos yn gystrawennol ac o ran sut mae'r syniadau annibynnol wedi cael eu mynegi, *heblaw am yr achosion hynny lle nad oes modd gwneud hynny oherwydd y byddai'r iaith darged yn chwithig neu'n gwbl anghywir.* Mae 'cyfieithu llythrennol' felly yn dechneg briodol ynddi hi ei hun, ac yn un sydd mewn gwirionedd yn eithaf cyffredin. Mae'n derm technegol yma hefyd, ag ystyr benodol. Nid yw, ac i bwysleisio, yn golygu cyfieithu'n slafaidd ac yn oragos o dan unrhyw amgylchiadau. Cyfieithu llythrennol felly yw'r dechneg gyfieithu ddiofyn lle nad yw'r cyfieithydd ond yn gwneud y newidiadau angenrheidiol oherwydd gramadeg a chystrawen, a lle mae'r cyfieithydd wedi mynegi'r syniadau o'r un safbwynt a chan ddefnyddio'r un dulliau ieithyddol ag a ddefnyddiwyd yn yr iaith ffynhonnell (heb newid berf i enw, heb droi brawddeg gadarnhaol yn un negyddol, heb ychwanegu na thynnu dim a.y.y.b). Mae'r technegau hyn yn cael eu defnyddio ar lefel yr ymadrodd, felly gellir defnyddio sawl techneg yn yr un paragraff.[7] Hon, fodd bynnag, yw'r broses gyfieithu ddiofyn, y broses y mae unrhyw gyfieithydd cymwys yn ei dilyn i sicrhau ei fod yn cyfleu ystyr y gwreiddiol yn ffyddlon (ond nid hon yw'r unig un o bell ffordd, fel y gwelwn isod). Cymerwch yr enghreifftiau isod:

Ffigur 7 Cyfieithu Llythrennol Addas

| | |
|---|---|
| The Board agreed to wait, but noted it could wait no longer than four months by which time a decision was needed. | Cytunodd y Bwrdd i aros, ond nododd na allai aros yn hwy na phedwar mis ac erbyn hynny byddai angen penderfyniad. |
| When moving cattle, farmers must adhere to the following regulations. | Wrth symud gwartheg, rhaid i ffermwyr ddilyn y rheoliadau canlynol. |

Unwaith eto fe welwn gyfieithiadau agos, ond cywir ac addas. Bwriwn olwg fanylach ar y frawddeg gyntaf.

Ffigur 8 Dadansoddiad Manylach o'r Unedau Cyfieithu wrth Gyfieithu'n Llythrennol

| The Board (1) Agreed (2) | Cytunodd (2) y Bwrdd (1) |
|---|---|
| to | i |
| wait | aros |
| but | ond |
| noted | nododd |
| it could not | na allai |
| wait | aros |

Ffigur 8 Dadansoddiad Manylach o'r Unedau Cyfieithu wrth Gyfieithu'n Llythrennol (*Parhad*)

| longer | yn hwy |
|---|---|
| than | na |
| four | phedwar |
| months | mis |
| x | ac |
| by which time | erbyn hynny |
| a decision (1) would be (2) needed (3) | byddai (2) |
| | angen (3) |
| | penderfyniad (1) |

Gallwn weld yma fod yr unedau lleiaf i'w cyfieithu oll yn cyfateb o ran yr Ystyr Osodiadol (gweler Pennod 4) ac o ran cystrawen hefyd heblaw am y rhan gyntaf a'r cymal olaf. Bu rhaid i'r cyfieithydd newid trefn y geiriau yn rhan gyntaf y frawddeg ac yn y cymal olaf oherwydd cystrawen ddibwyslais, naturiol y Gymraeg lle mae'r ferf yn dod gyntaf. Nid dangos bod y cyfieithydd fel arfer yn ceisio dilyn cystrawen yr iaith ffynhonnell yw'r nod yma, eithr dangos bod y broses gyfieithu ddiofyn yn mynd rhagddi mewn modd nad yw'n gwneud gormod o newidiadau oni bai bod rhaid. O ystyried pa mor syml y mae hyn yn ymddangos, pam felly mae cyfieithu mor anodd, yn enwedig i gyfieithwyr dibrofiad? Mewn byd delfrydol, bydd cyfieithu'n mynd rhagddo'n gwbl ddidrafferth heb orfod goresgyn unrhyw heriau ieithyddol. Ond, fel y gwyddom, nid ydym yn byw mewn byd o'r fath ac mae'r broses gyfieithu yn gymhleth am fod y ffyrdd y mae ieithoedd yn cyfleu syniadau ac yn eu mynegi eu hun, yr eirfa sydd ganddynt a'u gramadeg waelodol, oll yn amrywio i wahanol raddau. Er mai cyfieithu 'llythrennol' fel yr uchod yw'r broses ddiofyn felly, nid yw'n bosibl yn aml iawn. Cymerwch y frawddeg isod eto, ac yn benodol y rhan sydd wedi ei thanlinellu:

> Some of the changes included in this Determination <u>are aimed at</u> ensuring that the support and remuneration offered to Members do not deter people from standing for election to the Senedd.

> <u>Nod</u> rhai o'r newidiadau a gynhwysir yn y Penderfyniad hwn <u>yw</u> sicrhau nad yw'r cymorth a'r tâl a gynigir i'r Aelodau yn atal pobl rhag sefyll etholiad i'r Senedd

Sut y gellid mynd ati i gynnig cyfieithiad cywir o 'aimed at'? Beth am y rhain:

| Some of the changes | Mae rhai o'r newidiadau | are aimed at | wedi eu hamcanu tuag at sicrhau |
|---|---|---|---|
| Some of the changes | Mae rhai o'r newidiadau | are aimed at | gyda'r nod o sicrhau |

Nid yw'r rhain cystal â'r cyfieithiad go iawn a gyhoeddwyd. Y rheswm syml am hyn yw mai strwythur 'Nod X yw Y' i gyfieithu *'The x is aimed at Y'/The aim of X is Y'* sy'n fwy cyffredin yn y Gymraeg ac felly yn fwy naturiol. Dewisodd y cyfieithydd newid y gystrawen a defnyddio dull ieithyddol gwahanol i gyfleu'r syniad annibynnol er mwyn cadw natur idiomatig y testun Cymraeg. Yn aml iawn felly, er bod cyfieithu llythrennol yn bosibl yn theoretig, nid yw bob tro yn ddewis call gan y bydd y cyfieithiad yn swnio'n rhyfedd. Fodd bynnag, nid Cymraeg chwithig yw'r unig reswm dros wrthod cyfieithu'n llythrennol. Weithiau, nid oes gan y cyfieithydd fawr o ddewis oherwydd bod gramadeg yr iaith darged yn gorfodi hyn arno. Cymerwch y frawddeg Saesneg isod a'r cyfieithiadau enghreifftiol ohoni ar y dde. Darllener y Gymraeg yn gyntaf cyn darllen y Saesneg.

**Tabl 15 Canlyniad Cyfieithu Llythrennol pan na fo Hynny'n Addas**

| Saesneg | Cymraeg |
| --- | --- |
| Alcohol, drug and addiction advice | Cyngor am alcohol, cyffuriau a chaethiwed |
| Your drinking, drug use or addiction may have contributed to your attending the Emergency Department today | Mae'n bosibl bod eich yfed, defnydd o gyffuriau neu'ch caethiwed wedi cyfrannu at eich mynychiad yn yr Adran Damweiniau ac Achosion Brys heddiw |

Nid oes angen bod yn arbenigwr ar y Gymraeg i weld bod y brawddegau hyn yn chwithig a bod y wir ystyr wedi ei chelu. Pe ceisid cyfieithu'r brawddegau Saesneg hyn gan ddefnyddio'r dechneg cyfieithu llythrennol, y canlyniad fyddai'r brawddegau disynnwyr uchod. Sut felly y mae cyfieithwyr yn goresgyn y broblem hon? Edrychwch isod ar y cyfieithiad go iawn a gyhoeddwyd.

| |
| --- |
| Alcohol, drug and addiction advice<br>Your drinking, drug use or addiction may have contributed to your attending the Emergency Department today<br><br>Cyngor am alcohol, cyffuriau a bod yn gaeth iddynt<br>Mae'n bosibl bod eich defnydd o alcohol neu gyffuriau, neu eich caethiwed iddynt, yn rhan o'r rheswm pam rydych chi wedi dod i'r Adran Damweiniau ac Achosion Brys heddiw. |
| **Maes**: Gwasanaethau Cymdeithasol |
| **Math o destun**: Gwybodaeth i'r cyhoedd |
| **Cynulleidfa**: Y cyhoedd |

Gellir gweld yn glir yma fod sawl newid wedi bod. Yn fras, dyma rai o'r prif newidiadau sydd i'w gweld:

| addiction | yn gaeth iddynt | Newid enw i ansoddair, ac ychwanegu 'iddynt' fel bod y cysylltiad â chaethiwed i alcohol a chyffuriau yn glir, gan y gall 'bod yn gaeth' olygu sawl peth gwahanol yn y Gymraeg. Neu, o'i rhoi'n syml, nid oes gan y Gymraeg un gair penodol ar gyfer y cysyniad o 'addiction'. |
|---|---|---|
| may | mae'n bosibl | Newid berf foddol i strwythur 'mae' gydag ansoddair |
| contributed to | yn rhan o | Newid berf i enw ac arddodiad |
| your attending | rheswm pam rydych chi wedi dod | Troi berf yn gymal llawn |
| | dod | Newid yn y ferf ('dod' yn lle 'mynychu') |

Ond mae sawl newid wedi bod o ran *safbwynt* hefyd; trwy gyfrwng rhai o'r newidiadau ieithyddol hyn felly fe welwn newid yn y modd y mae'r cyfieithydd yn cyfleu'r wybodaeth. Er enghraifft, lle mae'r awdur Saesneg wedi defnyddio '*contributed to your attending*', mae'r cyfieithydd wedi defnyddio strwythur sy'n cyfleu'r un wybodaeth ond o safbwynt gwahanol, sef (o'i ôl-gyfieithu) '*part of the reason why you've come*'. Mae'r newidiadau hyn o ran cystrawen, gramadeg a safbwynt yn gyffredin iawn ym maes cyfieithu ac fel y nodwyd, weithiau maent yn gwbl angenrheidiol nid yn unig o ran naturioldeb testunau ond hefyd o ran eu cywirdeb yn gyffredinol. Yn wir, maent mor gyffredin, ac yn cael eu hystyried mor bwysig, nes bod un o'r sefydliadau proffesiynol mwyaf i gyfieithwyr yn y DU ar gyfer ieithoedd ar wahân i'r Gymraeg yn nodi'n glir fod dealltwriaeth o'r technegau hyn yn angenrheidiol er mwyn llunio cyfieithiad addas, ac y dylai cyfieithwyr fod yn ymwybodol ohonynt.[8] Un pwynt a wneir yn gyson yn y gyfrol hon yw bod cyfieithwyr yn *cyfathrebu*. Dylid cofio bob tro felly fod y newidiadau hyn yn hollbwysig er lles defnyddioldeb y testun, neu'r rhwyddineb a gaiff rhywun i'w ddefnyddio. Oni cheisia'r cyfieithydd sicrhau'r naturioldeb hwn trwy wneud y newidiadau hyn, bydd y gwaith yn dioddef. Ac fel y gwyddom, mae'r canfyddiad bod dogfennau cyhoeddus (y mae llawer iawn ohonynt os nad pob un hefyd yn gyfieithiadau) yn anodd eu darllen yn un cyffredin yng Nghymru yn anffodus.

Dim ond un dechneg ymhlith sawl felly yw cyfieithu llythrennol, ac fel rydym wedi gweld, ni ellir ei defnyddio bob tro. Awn ymlaen isod i drafod y gweddill.

## Y Technegau Cyfieithu Eraill: Sicrhau Cywirdeb a Naturioldeb y Testun

Yn yr adran hon byddwn yn trafod y technegau cyfieithu eraill sydd ar gael i'r cyfieithydd (yn y tabl isod). Y bwriad yw eu diffinio, cyn trafod pob un yn fanylach ynghyd ag enghreifftiau go iawn. Wedi hynny, byddwn yn dadansoddi cyfieithiadau unigol i weld sut mae gwahanol gyfieithwyr proffesiynol wedi rhoi'r technegau hyn ar waith. Gall y ffin rhwng rhai ohonynt fod yn aneglur o bosibl, ond gobeithir y bydd y defnydd o enghreifftiau yn helpu yn hynny o beth. Byddwn yn dechrau gyda 'Benthyg' gan fod 'Cyfieithu Llythrennol', fel y dull diofyn, wedi cael sylw uchod.

Tabl 16 Y Technegau Cyfieithu Safonol

| Techneg | Esboniad |
|---|---|
| Cyfieithu Llythrennol | Cyfieithu'r neges gan wneud y nifer lleiaf o newidiadau posibl er lles gramadeg yr iaith darged a naturioldeb. Nid yw'n golygu cyfieithu air am air ond bydd y cyfieithiad yn eithaf agos. Dyna'r broses ddiofyn wrth gyfieithu. |
| Benthyg | Mae'r dechneg hon yn cael ei defnyddio ar lefel y gair fel arfer, ond yn y bôn mae'n golygu cymryd gair o'r iaith ffynhonnell heb newid dim arno, neu gan wneud nifer bach iawn o newidiadau iddo. Mae'n digwydd yn aml gydag enwau ar sefydliadau Lloegr neu mewn gwledydd eraill nad ydynt yn arddel enw Cymraeg. |
| Dynwared | Mae'r dechneg hon hefyd yn cael ei defnyddio ar lefel y gair fel arfer, ond y tro hwn mae'n golygu cymryd gair o'r iaith ffynhonnell a llunio gair cyfatebol ar sail cyfieithu elfennau'r gair yn llythrennol. Byddai 'mewngofnodi' ar gyfer 'log in', a 'mewnwythiennol' ar gyfer 'intravenous' ill dwy yn enghreifftiau. |
| Cyfieithu Cyfatebol | Defnyddir y dechneg hon mewn tair sefyllfa: yn gyntaf, pan fyddai cyfieithu llythrennol yn creu ymadrodd yn y testun targed a fyddai'n chwithig, yn annaturiol neu'n ramadegol anghywir. Yn ail, wrth gyfieithu iaith drosiadol, priod-ddulliau, a diarhebion. Yn drydydd, wrth ymdrin ag arlliw geiriau er mwyn sicrhau bod yr arlliw hwnnw yn cael ei gyfleu'n briodol (Rhagfynegedig, Ysgogol neu Fynegiannol [gweler Pennod 4]). |
| Ailgategoreiddio | Mae'r dechneg hon yn weddol syml, gan ei bod yn ymwneud â newid categori gair neu addasu ychydig ar y gystrawen. Yn y bôn, ailgategoreiddio yw'r broses o newid categori ieithyddol gair ac ymadrodd neu'r gystrawen. Gall hyn gynnwys newid enw i ferf, enw i ansoddair, newid brawddeg oddefol i un weithredol neu droi datganiad yn gwestiwn. Er enghraifft, defnyddio 'mae agor canolfan les yn rhan o'r cynllun hefyd' i gyfieithu 'the opening of a well-being centre is also planned'. |
| Cyfieithu o safbwynt gwahanol | Wrth ddefnyddio'r dechneg hon bydd y cyfieithydd yn cyfleu'r un wybodaeth ond o safbwynt cwbl wahanol. Byddai defnyddio 'peidiwch byth â diffodd y peiriant' yn gyfieithiad o 'leave the machine on at all times' yn enghraifft o hyn, gan y byddai 'gadewch y peiriant ymlaen ar bob adeg' braidd yn annaturiol yn y Gymraeg. |
| Addasu | Ni ddylid defnyddio'r dechneg hon yn aml iawn gan ei bod yn newid y wybodaeth a gynigir i ddarllenydd yr iaith darged mewn modd arwyddocaol. Serch hynny, wrth gyfieithu gall fod yn amhosibl pontio dau gyd-destun weithiau, boed y cyd-destun hwnnw yn un diwylliannol ai peidio. Yn y bôn, ystyr addasu yw cynnig cyfieithiad gwahanol iawn sydd hefyd mewn gwirionedd yn cyfleu cysyniad gwahanol hefyd. Yn anaml iawn y defnyddir y dechneg hon ond gall fod angen weithiau os bydd y cyfieithydd yn gweithio gyda thestunau o ddau ddiwylliant gwahanol. Gan fod y Gymraeg a'r Saesneg yng Nghymru ill dwy yn perthyn i'r un politi, mae'r gwahaniaethau hyn yn anghyffredin serch hynny. Mae enghraifft dda o addasu yng nghyd-destun y Gymraeg i'w weld isod. |

**Tabl 16 Y Technegau Cyfieithu Safonol (*Parhad*)**

| | |
|---|---|
| Ymhelaethu a Dileu | Mae'r technegau hyn yn cael eu defnyddio er mwyn sicrhau bod y testun yn glir yn fwy na dim byd arall. Fe ychwanegir gwybodaeth mewn ymgais i bontio'r gagendor rhwng y ddwy iaith neu'r ddau ddiwylliant (ychwanegu gwybodaeth neu egluro pwyntiau i gleifion er enghraifft mewn taflen a ysgrifennwyd, fe ymddengys, i feddygon eraill o ystyried ei chymhlethdod), ac fe dynnir gwybodaeth os yw'r wybodaeth honno wedi ei hailadrodd neu os yw'n ddiangen am ryw reswm (er enghraifft, tynnu '*a huge youth festival*' wrth gyfieithu, '*the Urdd, a huge youth festival, is inviting schools...*'). |
| Digolledu | Weithiau bydd yn amhosibl cyfleu rhywbeth yn yr un ffordd. Nod 'digolledu' felly yw gwneud iawn am y golled hon trwy gyflwyno rhyw elfen arall i'r testun (jôc, moesair, chwarae ar eiriau a.y.y.b) mewn man arall yn y testun. Y rhesymeg sy'n sail i hyn yw bod mwy i'r jôc, y moesair, neu'r chwarae ar eiriau a.y.y.b ei hun na'i bodolaeth; y ffaith ei bod yno yw'r peth pwysicaf ni waeth beth bo'i ffurf, gan ei bod yn cyfrannu'n fawr at yr arddull gyffredinol. Yn anaml iawn y defnyddir y dechneg hon wrth gyfieithu y tu hwnt i'r byd llenyddol. |

## Benthyg

A chyfyngu ein trafodaeth i'r iaith ysgrifenedig, nid yw Benthyg *[Borrowing]* o'r Saesneg i'r Gymraeg yn gyffredin iawn. Y duedd yn y Gymraeg yw bathu ei geiriau a'i thermau cynhenid ei hun.[9] Wrth fenthyg, bydd gair (neu derm) o'r iaith ffynhonnell yn cael ei dderbyn i'r iaith darged ac ni fydd yn cael ei newid mewn ffordd sylweddol, os o gwbl. Os caiff y gair neu'r term a fenthyciwyd ei addasu wrth ei dderbyn neu ei ddefnyddio yn yr iaith darged, mae'n bosibl mai newidiadau bach i gyfateb i ffonoleg a morffoleg yr iaith y bydd y fath newidiadau (er enghraifft, blogio o '*to blog*', neu symffoni ar gyfer '*symphony*').[10] Cymharwch hyn ag un o ieithoedd mwyaf Ewrop er enghraifft, sef Almaeneg. Er gwaethaf cyfoeth geirfaol diarhebol yr iaith a'i gallu cynhenid i ffurfio geiriau mewn sawl ffordd, mae geiriau fel '*das Computer*', '*das Meeting*' a '*das Training*' yn lle '*der Rechner*', '*die Sitzung*' a '*die Ausbildung*' oll yn gyffredin iawn a hynny mewn nifer o gyweiriau a meysydd.[11] Mae'r dechneg hon felly yn un nad yw'n cael ei defnyddio'n aml yn y Gymraeg mewn cyd-destun cyfieithu proffesiynol. Gall fod yn ddefnyddiol fodd bynnag wrth gyfieithu enwau sefydliadau sydd heb enw Cymraeg, ac wrth drin talfyriadau.

| |
|---|
| FDS Consultants provide a similar service to a number of trusts in NHS England.<br><br>Mae FDS Consultants yn darparu gwasanaeth tebyg i nifer o ymddiriedolaethau yn NHS England. |
| **Maes**: Iechyd |
| **Math o destun**: Gwybodaeth gyffredinol |
| **Cynulleidfa**: Y Cyhoedd |

Er gwaethaf bodolaeth termau safonol, bydd rhai cyfieithwyr serch hynny yn benthyg termau Saesneg er eglurder. Mae hyn yn digwydd yn aml gyda thalfyriadau.

| |
|---|
| GDPR and Legal Professional Privilege |
| GDPR a Braint Broffesiynol Gyfreithiol |
| **Maes**: Y Gyfraith |
| **Math o destun**: Gwybodaeth gyfreithiol |
| **Cynulleidfa**: Gweithwyr cyfreithiol proffesiynol |

Mae'r dechneg hon felly yn weddol anghyffredin yn y Gymraeg ond yn fwy cyffredin mewn ieithoedd eraill. Byddai rhai'n dweud bod hyn yn eironig o ystyried pa mor agos y mae Cymru i Loegr ond y gwir yw ei bod yn debygol mai dyna pam y mae benthyg yn gymharol anghyffredin: efallai fod awydd i gadw'r iaith yn wahanol neu'n bur ac i wrthsefyll dylanwad dirywiol yr iaith fwyafrifol. Beth bynnag fo'r rheswm, gall fod yn ddefnyddiol o dan rai amgylchiadau ond ni ddylid defnyddio gormod arno oherwydd mai defnyddio enwau brodorol yw'r norm y mae darllenwyr y Gymraeg yn disgwyl ei weld.

## Dynwared

Defnyddir Dynwared *[Calqueing]* ar lefel y gair neu'r term fel arfer, ac yn y bôn mae'n golygu llunio gair cyfatebol ar sail *cyfieithu* elfennau'r gair yn weddol lythrennol, yn ôl teithi'r iaith darged o ran morffoleg a ffonoleg. Mae'n wahanol i Fenthyg uchod oherwydd bod llawer mwy o addasu'n digwydd, er bod y gair neu'r term targed yn eithaf agos at y gair neu'r term gwreiddiol o hyd. Mae'n dechneg ddefnyddiol os bydd bwlch geirfaol yn yr iaith darged. Mae'r gair 'adlif asid' isod yn enghraifft dda o hyn yn ei chyd-destun; mae 'adlif' yn dilyn 're+flux', gyda threiglad ar 'llif' fel sy'n ofynnol yn y Gymraeg yn ôl ei theithi ieithyddol hithau:

| |
|---|
| **Acid Reflux** is the term given to the leaking of stomach contents along the foodpipe (oesophagus) |
| **Adlif asid** yw'r term sy'n cael ei ddefnyddio pan fydd cynnwys o'r stumog yn llifo allan o'r stumog i fyny'r bibell fwyd (sef yr oesoffagws) |
| **Maes**: Iechyd |
| **Math o destun**: Gwybodaeth gyffredinol |
| **Cynulleidfa**: Y cyhoedd |

Nodwyd uchod fod y dechneg hon yn cael ei defnyddio fel arfer ar lefel y gair a'r term. Mae hwn yn bwynt pwysig gan ei bod yn anochel y byddwch rywdro yn eich gyrfa yn dod wyneb yn wyneb â therm heb ei fathu yn y Gymraeg. Fel arfer, mae'r gwaith o fathu a safoni terminoleg yn waith arbenigol a wneir gan derminolegwyr proffesiynol. Wrth i swmp y gwaith a gyfieithir yng Nghymru dyfu, cyflwynir y Gymraeg i beuoedd newydd trwy gyfrwng cyfieithu (hynny yw, yn sgil cyswllt cymdeithasol rhwng y ddwy iaith *trwy gyfrwng cyfieithu*) ac oherwydd hynny nid oes gan y peuoedd hyn eu geirfa gynhenid Gymraeg mewn llawer o achosion. Nid yw hyn yn anwybyddu gallu peuoedd i ddefnyddio'r Gymraeg a chreu eu termau eu hun; mae'r Gymraeg wedi profi y gall wneud hynny trwy gyfrwng ei chyfraith gynhenid er enghraifft. Y realiti yw serch hynny bod y defnydd cynyddol o'r Saesneg yng Nghymru a'r diarddel a fu ar y Gymraeg mewn peuoedd swyddogol ers oes y Tuduriaid (a chyn hynny o bosibl) yn golygu bod bylchau terminolegol ym meysydd fel Peirianneg, Meddygaeth a'r Gwyddorau er enghraifft. Canlyniad hyn, a phrif waith terminolegwyr yma yng Nghymru o'r herwydd, yw gorfod bathu geiriau o'r newydd i lenwi'r bylchau, ynghyd â safoni a chofnodi termau. Er gwaethaf yr ymdrechion arwrol sydd wedi eu gwneud hyd yma felly ym maes termau, teg yw dweud nad yw terminolegwyr wedi gallu llunio'r termau hyn cyn gynted ag y mae'r angen amdanynt yn tyfu. Os byddwch yn y sefyllfa hon felly, cofiwch nad yw benthyg heb gyfieithu bob tro yn briodol. Wrth gyfieithu term o'r newydd gan ddefnyddio'r dechneg hon, gall fod yn syniad da egluro'r term hefyd weithiau fel ei fod yn gliriach i'r darllenydd.[12]

## Cyfieithu Cyfatebol

Defnyddir techneg Cyfieithu Cyfatebol *[Equivalence]* ar lefel yr ymadrodd a'r frawddeg, ac mae'n dechneg ychydig yn fwy arwyddocaol ei heffaith na'r ddwy gyntaf gan ei bod yn aralleirio'r ymadrodd yn llwyr ond gan gyfleu'r un ystyr waelodol. Mae hefyd yn weddol gyffredin wrth gyfieithu i'r Gymraeg gan fod y ddwy iaith yn wahanol iawn. Nodwyd uchod hefyd yn y tabl fod tair sefyllfa y defnyddir cyfieithu cyfatebol ynddi, sef pan fyddai cyfieithu llythrennol yn creu ymadrodd yn y testun targed a fyddai'n chwithig, annaturiol neu'n ramadegol anghywir, wrth gyfieithu iaith drosiadol, priod-ddulliau, cyffelybiaethau a diarhebion yn ail ac wrth gyfleu arlliw gwahanol geiriau unigol sydd heb Ystyr Osodiadol (gweler Pennod 4) yn drydydd. Gweler yr enghraifft isod o gyfieithu cyfatebol gan ddefnyddio priod-ddull cyfatebol.

---

Remember, PRACTICE MAKES PERFECT & your programme will need to be progressed as you improve to get the greatest gains.

Cofiwch, GWELL NAG ATHRO YW ARFER, a bydd angen i chi addasu eich rhaglen wrth fynd ymlaen er mwyn gwneud y cynnydd gorau.

**Maes**: Iechyd

---

| Math o destun: Taflen wybodaeth |
|---|
| Cynulleidfa: Y cyhoedd |

Mae mwy nag un newid wedi bod yma wrth gyfieithu ond hoeliwn ein sylw ar un, sef *'Practice Makes Perfect'*. Unwaith eto, defnyddiwn gyfieithiadau llythrennol enghreifftiol i ddangos pam na fyddai'r dechneg lythrennol yn briodol, a pham yr oedd gofyn defnyddio techneg arall. Mae'n annhebyg iawn wrth gwrs y byddai unrhyw siaradwr naturiol yn cynhyrchu'r brawddegau enghreifftiol isod ond nid yw hynny'n newid y ffaith y byddai angen dod o hyd i ddull o gyfleu'r neges mewn Cymraeg naturiol.

| Practice Makes Perfect | Mae ymarfer yn gwneud perffeithrwydd |
|---|---|
| Practice Makes Perfect | Mae ymarfer yn eich gwneud yn berffaith |
| Practice Makes Perfect | Ymarfer sy'n perffeithio |

Gallwn weld felly y byddai angen defnyddio techneg arall. Er bod y drydedd un o bosibl yn nes ati o ran ystyr, y dechneg y mae cyfieithwyr yn tueddu i'w defnyddio yn yr achosion hyn yw Cyfieithu Cyfatebol lle mae priod-ddull neu drosiad cyfatebol yn cael ei ddefnyddio. Dyna a wnaed yn yr achos hwn, a defnyddiwyd 'gwell nag athro yw arfer' yn llwyddiannus. Mae enghraifft arall isod gydag iaith drosiadol yn y Gymraeg, 'traed moch':

| Cawsom y traed moch ym mis Mai a Mehefin, sydd wedi arwain at y traed moch ym mis Medi a Hydref. |
|---|
| We had the shambles of May and June, which has given way to the shambles of September and October. |
| Maes: Gwleidyddiaeth |
| Math o destun: Cofnodion |
| Cynulleidfa: Y cyhoedd |

Go brin y byddai *'after the pig's feet of May and June'* yn gyfieithiad derbyniol, gan na fyddai hynny'n cyfleu'r ystyr fwriadedig. Mae'r cyfieithydd felly wedi defnyddio techneg 'Cyfieithu Cyfatebol' yn llwyddiannus yma i gyfleu'r cysyniad o lanast mewn modd naturiol ac idiomatig yn y Saesneg.[13]

Gwelwn isod fod y cyfieithydd wedi cyfleu '*showdown*' gan ddefnyddio trosiad arall, sef gwrthdaro 'benben'. Mae hon yn enghraifft dda o'r dechneg hon am fod y cyfieithydd wedi cyfieithu un trosiad gan ddefnyddio trosiad cyfatebol yn yr iaith darged.

| It leaves you with no option other than to have a showdown. |
| --- |
| Nid oes gennych ddewis ond gwrthdaro benben. |
| Maes: Gwleidyddiaeth |
| Math o destun: Cofnodion |
| Cynulleidfa: Y cyhoedd |

Mae un enghraifft arall isod, y tro hwn gyda brawddeg sy'n drwm ei hiaith drosiadol. Mae dau drosiad yma, lle byddai cyfieithu llythrennol yn amhosibl.

| This Leg Club goes above and beyond – it draws at the heartstrings. |
| --- |
| Mae'r Clwb Coesau hwn yn mynd y tu hwnt i'r disgwyl – mae'n ysbrydoliaeth. |
| Maes: Gwleidyddiaeth |
| Math o destun: Cofnodion |
| Cynulleidfa: Y cyhoedd |

Mae'r cyfieithydd wedi defnyddio ymadrodd yn y Gymraeg sy'n cyfleu ystyr '*above and beyond*' er nad yw 'y tu hwnt i'r disgwyl' yn drosiad safonol ynddo ef ei hun. Mae wedi gwneud yr un peth yn achos '*draws on the heartstrings*'. Mae'r enghraifft yma hefyd yn dangos pwysigrwydd *cyd-destun*; yn ôl cynnwys gweddill yr erthygl, penderfynodd y cyfieithydd mai 'ysbrydoli' oedd ystyr fwriadedig yr awdur, ac felly dyna a geir yn y cyfieithiad (nid 'mae'n tynnu ar linynnau'r galon'!).

Ar wahân i fod yn dechneg ar gyfer delio ag iaith drosiadol a sicrhau bod y frawddeg yn y testun targed yn dilyn teithi'r iaith honno, mae hefyd yn bwysig ei defnyddio ar lefel y gair pan ddaw i gyfleu arlliw gwahanol geiriau. Ym Mhennod 4, dadansoddwyd ystyr ar lefel y gair a dywedwyd bod pum math: yr Ystyr Ramadegol, yr Ystyr Osodiadol, yr Ystyr Ragfynegedig, yr Ystyr Fynegiannol a'r Ystyr Ysgogol. Y prif bwynt oedd bod geiriau unigol yn gallu amgodio teimladau neu gredoau'r siaradwr neu'r awdur (yr Ystyr Fynegiannol), fel '*wallop*' yn lle '*hit*', neu ffactorau cymdeithasol a diwylliannol fel tafodiaith, ffurfioldeb, dosbarth neu faes (yr Ystyr Ysgogol), fel 'sgwrsio' yn lle 'siarad'. Yn achos yr Ystyr Ragfynegedig hefyd, gall cyfuniad o eiriau olygu rhywbeth hollol wahanol i'w hystyr pan gânt eu defnyddio yn unigol, fel '*hard*' a '*bargain*', ond '*hard bargain*'. Rhaid i'r cyfieithydd gyfleu'r arlliwiau cynnil hyn wrth gyfieithu. Y nod felly yw sicrhau bod y cyfieithiad a'r iaith ffynhonnell yn *cyfateb* o ran arlliw'r geiriau. Go brin y byddai '*they were discussing the contract*' yn cyfateb er enghraifft i 'o'n nhw'n parablu 'mlaen am y contract 'na' er enghraifft; ni fyddai natur niwtral y Saesneg yn cyfateb i natur dafodieithol a llai ffurfiol o lawer y Gymraeg. Yn yr enghreifftiau isod, mae modd gweld y dechneg Cyfieithu Cyfatebol ar waith i gyfleu arlliw geiriau.

| |
|---|
| A distraught mother came to me because not only had she had to go to Liverpool, but there was a possibility that she would have to go further afield to Leeds or Manchester . <br><br> Daeth mam ataf wedi torri ei chalon am ei bod nid yn unig wedi gorfod mynd i Lerpwl, ond yr oedd yn bosibl y byddai'n rhaid iddi deithio ymhellach, i Leeds neu i Fanceinion. |
| Maes: Gwleidyddiaeth |
| Math o destun: Cofnodion |
| Cynulleidfa: Y cyhoedd |

Yn yr enghraifft uchod, mae modd gweld sut mae'r cyfieithydd wedi ymdrin â'r gair '*distraught*'; mae'r gair yn un emosiynol iawn sy'n cyfleu cryn drallod. O'r herwydd, mae'r cyfieithydd wedi defnyddio gair cyfatebol sy'n cyfleu'r un arlliw. Ni fyddai 'trist', er enghraifft, wedi tycio am nad yw crydfer '*distraught*' a 'trist' yn cyfateb.

| |
|---|
| Well...I just thought...maybe...it was something to do with... you know... *her lot*. <br><br> Wel...rhyw feddwl wnes i...ella...fod ganddo rywbeth i'w wneud efo...wyddost ti...*ei chriw hi*. |
| Maes: Llenyddiaeth Plant |
| Math o destun: Llyfr |
| Cynulleidfa: Plant |

Yn yr enghraifft uchod, mae cyfieithydd *Harry Potter and the Philosophers Stone* gan J.K Rowling, Emily Huws, wedi cyfleu dialog Aunt Petunia gan ddefnyddio'r ffurfiau llafar Cymraeg priodol. O ran cyfieithu cyfatebol, ni fyddai 'meddyliaswn ei bod yn bosibl, fe wyddoch...y mae a wnelo hyn â...fe wyddoch...ei math hi'. Y rheswm pam na fyddai'n briodol yw na ddefnyddiodd y cymeriad yna y math yna o iaith ei hun ac felly ni fyddai Ystyr Ysgogol trwy dafodiaith y cymeriad yn y Saesneg wedi cyfateb i Ystyr Ysgogol y cymeriad yn y Gymraeg. Sylwch hefyd ar yr ymdriniaeth â '*her sort*' sydd mewn ffont italig yn y gwaith gwreiddiol; poeri'r gair bron y mae'r cymeriad ac mae ei hatgasedd yn amlwg. I gyfleu hyn, mae'r cyfieithydd Emily Huws wedi defnyddio 'criw', gair a all gyfleu rhyw '*mob*' neu '*gang*' hefyd yn ôl Geiriadur Prifysgol Cymru. Dyma ddefnyddio gair felly sy'n cyfleu'r arlliw yn briodol. Ni fyddai 'ei math hi', o bosibl, yn cyfleu'r atgasedd amlwg.

## Ailgategoreiddio

Mae Ailgategoreiddio *[Transposition]* yn cael ei ddefnyddio'n eithaf cyffredin wrth gyfieithu i'r Gymraeg a dau o'r rhesymau pennaf am hynny yw ffafriaeth y Gymraeg o ferfenwau dros enwau a'i ffafriaeth gynhenid am frawddegau gweithredol dros frawddegau goddefol. Bydd yr enghreifftiau isod yn dangos hyn ar waith. Yn y bôn, bydd y cyfieithydd wrth ddefnyddio'r dechneg hon yn newid categori ieithyddol y *dull ieithyddol* a ddefnyddiwyd yn yr iaith ffynhonnell i gyfleu'r ystyr. Mae hyn yn ymddangos yn fwy cymhleth nag ydyw mewn gwirionedd. Gweler yr enghraifft isod. Mae'r cyfieithydd wedi troi'r enwau '*examination*' a '*submission*' yn ferfenwau yn y Gymraeg. Fel y nodwyd, mae hyn yn gyffredin iawn yn y Gymraeg, a'r dull a ddefnyddir i droi enwau yn ferfenwau yn aml yw 'y broses o/y gwaith o X' (e.e. lead and support *the delivery of* priorties > arwain a chynorthwyo'r *gwaith o gyflawni* blaenoriaethau).

| |
|---|
| There are 2 guides to help those involved in the examination and submission of LDPs. |
| Mae 2 ganllaw ar gael i helpu'r rhai sy'n ymwneud ag archwilio a chyflwyno CDLlau |
| Maes: Llywodraeth Leol |
| Math o destun: Cyngor technegol |
| Cynulleidfa: Staff adrannau tai |

Y dull arall a oedd ar gael i'r cyfieithydd yn theoretig oedd '..sy'n ymwneud ag archwiliad a chyflwyniad CDLlau'. Byddai hyn serch hynny wedi llurgunio ychydig ar yr ystyr ac ni fyddai'n Gymraeg naturiol ychwaith oherwydd bod berfenwau yn lle enwau (neu, a bod yn fwy manwl yma, enwau sy'n deillio o ferfau) yn fwy cyffredin yn yr iaith.[14] Yn yr enghraifft isod, mae'r cyfieithydd wedi troi '*work/life*', sef ansoddeiriau sy'n goleddfu '*balance*', yn ymadrodd lle mae bywyd a gwaith yn cael eu trin fel enwau. Mae'r arddodiad 'rhwng' wedi cael ei ddefnyddio hefyd i gyfleu'r berthynas 'rhwng' bywyd a gwaith, rhywbeth sydd ar goll yn y Saesneg ond mae wedi ei gynnwys yn y Gymraeg er eglurder. Er y byddai cyfieithiad llythrennol, megis 'y cydbwysedd bywyd/gwaith' yn iawn, nid yw'n ymadrodd mor naturiol.

| |
|---|
| Discuss work/life balance<br><br>Trafod y cydbwysedd rhwng bywyd a gwaith |
| Maes: Iechyd Meddwl |
| Math o destun: Cyngor |
| Cynulleidfa: Y cyhoedd |

Yn yr enghraifft isod (*If any problems are...*), mae cystrawen oddefol yn cael ei throi'n un weithredol. Yn hanner cyntaf y frawddeg, byddai cyfieithiad llythrennol yn bosibl (Os canfyddir unrhyw broblemau). Serch hynny, ni fyddai hyn mor naturiol gan fod cystrawennau goddefol yn llai cyffredin yn y Gymraeg nag ydynt yn y Saesneg, ac yn bwysicach byddai defnyddio berf oddefol amhersonol â'r terfyniad '-ir' yn codi'r cywair yn uwch nag y dylai fod yn ôl y cyd-destun a diben y testun. Yn ail hanner y frawddeg, nid oedd dewis ond 'ailgategoreiddio' a throi'r gystrawen oddefol yn un weithredol. Nid oes ffordd o gyfleu 'cysylltu' mewn cystrawen oddefol yn y Gymraeg. Byddai 'cysylltir â chi' yn dechnegol bosibl, ond byddai 'byddwch yn derbyn cysylltiad' yn anghywir 'a byddwch yn derbyn cyswllt' yn gwbl amhriodol. Roedd yn anodd meddwl ar gyfer yr enghraifft hon sut y gellid cynnig rhyw lun ar gyfieithiad heb ddefnyddio techneg cyfieithu nad oedd yn llythrennol. Fel y mae'r enghreifftiau'n dangos felly, weithiau nid oes dewis ond newid categori ieithyddol neu gystrawen ieithyddol y cyfieithiad.

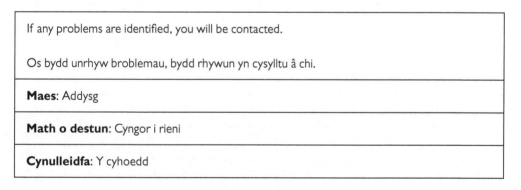

| |
|---|
| If any problems are identified, you will be contacted.<br><br>Os bydd unrhyw broblemau, bydd rhywun yn cysylltu â chi. |
| **Maes**: Addysg |
| **Math o destun**: Cyngor i rieni |
| **Cynulleidfa**: Y cyhoedd |

Gallwch weld hefyd fod y cyfieithydd, wrth droi'r gystrawen yn un weithredol, wedi gorfod ychwanegu goddrych, sef 'rhywun' yn yr achos hwn. Y broblem weithiau gyda'r dechneg hon a throi brawddegau goddefol yn rhai gweithredol yw bod angen yn aml ychwanegu goddrych. Y cyngor yw felly os nad yw'n glir pwy sy'n gwneud beth, dylid defnyddio techneg arall. Mae enghraifft arall isod, lle mae'r arddodiad wedi ei newid; 'yn ystod' a ddefnyddiwyd yn y Gymraeg, ond '*through*' a ddefnyddiwyd yn y Saesneg.

| |
|---|
| Our message through this campaign is clear – 'let's all help each other through this health emergency'. |
| Mae ein neges trwy'r ymgyrch yma'n glir – 'gadewch i ni helpu ein gilydd yn ystod yr argyfwng iechyd yma'. |
| **Maes**: Llywodraeth leol |
| **Math o destun**: Cyngor i'r cyhoedd |
| **Cynulleidfa**: Y cyhoedd |

Mae un enghraifft olaf isod. Mae dwy dechneg wedi eu defnyddio yn y frawddeg hon ond fe ganolbwyntiwn ar un yma, sef yr un a ddefnyddiwyd yn achos '*sit up*'. Mae dau bosibiliad yma; byddai 'eisteddwch i fyny' yn gywir ac yn ddigon derbyniol mewn Cymraeg Cyfoes. Mae 'eistedd i fyny' yn cystadlu â chystrawen arall, fwy traddodiadol fodd bynnag sy'n defnyddio rhagenw meddiannol. Mae'r cyfieithydd wedi ffafrio'r gystrawen hon am ei fod yn credu ei bod yn fwy traddodiadol o bosib neu'n well Cymraeg, neu efallai mai'r gystrawen honno a ddaeth i'r meddwl gyntaf. Ni waeth beth fo'r rheswm, mae'n enghraifft dda o ailgategoreiddio lle mae berf ymadroddol '*sit up*' wedi ei throi'n ymadrodd sy'n defnyddio rhagenw meddiannol ac enw (ar eich eistedd).

| |
|---|
| Sit up and remain there for 30 seconds. |
| Codwch ar eich eistedd a pheidiwch â symud am 30 eiliad. |
| Maes: Iechyd |
| Math o destun: Cyngor i gleifion |
| Cynulleidfa: Y cyhoedd |

Nodwyd mai dwy dechneg sydd yn y frawddeg hon. Yr ail dechneg a ddefnyddiwyd oedd cyfieithu o safbwynt gwahanol, lle mae '*remain*' wedi'i droi'n '*don't move*'. Byddwn nawr yn troi at hyn isod.

## Cyfieithu o Safbwynt Gwahanol

Wrth Gyfieithu o Safbwynt Gwahanol [*Modulation*], bydd y cyfieithydd yn cyfleu ystyr yr iaith ffynhonnell ond bydd yn gwneud hynny o safbwynt gwahanol neu mewn ffordd wahanol. Gall y dechneg hon fod yn un o'r rhai mwyaf ymdrechgar gan fod disgwyl i'r cyfieithydd ddod i ddeall yr ystyr a'i chyfieithu wedyn mewn ffordd wahanol iawn i sut mae'r ystyr wedi ei mynegi yn yr iaith ffynhonnell. Mae hefyd yn gyffredin iawn, er hynny, heb o bosibl i ni hyd yn oed sylwi hynny. Cymerwch y gair cyffredin iawn '*to devolve*' yng nghyd-destun gwleidyddiaeth. Y term yn y Gymraeg yw 'datganoli'; dyma gyfleu'r cysyniad yn y Gymraeg felly o safbwynt gwahanol, sef symud grym o'r canol, nid o safbwynt rhoi grym i gorff llai ei statws fel y term Saesneg. Gwelwn hyn hefyd yn yr ymadrodd 'seren y gêm' ar gyfer '*man of the match*' ym myd chwaraeon; nid 'dyn' eithr 'seren'. Fel yn achos nifer o dechnegau cyfieithu, gall fod rhaid i'r cyfieithydd ddefnyddio'r dechneg hon, neu gall fod yn ddewisol er mwyn sicrhau naturioldeb yn hytrach na chywirdeb technegol. Gweler yr enghraifft gyntaf isod. Yn yr enghraifft gyntaf, gwelwn fod yr ystyr yn union yr un peth, ond bod y cyfieithydd wedi cyfleu'r ystyr honno mewn ffordd wahanol iawn i'r Saesneg gan ddefnyddio geiriau cwbl wahanol.

| |
|---|
| And, with the arrival of the pandemic, Sophie's kindness towards colleagues is proving to be a lifeline of another kind after she was nominated as the team's wellbeing co-ordinator.<br><br>Ac yn ystod y pandemig, mae haelioni Sophie i'w chydweithwyr yn fath arall o gymorth ar ôl iddi gael ei henwebu'n gydlynydd lles y tîm. |
| **Maes**: Iechyd |
| **Math o destun**: Erthygl gwefan |
| **Cynulleidfa**: Y cyhoedd a staff y GIG |

Cymerwn olwg fanylach ar sut mae'r cyfieithydd wedi delio â'r ymadrodd '*with the arrival of the pandemic*'. Edrychwch ar y ddau gyfieithiad anghywir isod. Mae'r cyfieithiad cyntaf yn y tabl isod yn ganlyniad i broses gyfieithu lythrennol amhriodol a'r ail yn ganlyniad i broses gyfieithu a drafodwyd uchod o'r enw Ailgategoreiddio oedd hefyd yn amhriodol yn yr achos hwn, am nad 'cyrraedd' yw'r ystyr (eithr bod rhywbeth yn digwydd *oherwydd* bod y pandemig ar droed).

| ...with the arrival of the pandemic... | ...gyda chyrhaeddiad y pandemig... |
|---|---|
| ...with the arrival of the pandemic... | ...a'r pamdemig wedi cyrraedd... |

Mae'r Saesneg yma yn defnyddio'r arddodiad '*with*' gydag enw sy'n deillio o ferf sef '*arrival*' yn ffrâm ar gyfer gweddill y frawddeg. Mae defnyddio '*with*' fel hyn yn gyffredin yn Saesneg, e.e. '*with John gone, what will I do now*', neu '*with all these new clubs, I doubt we'll be able to book the sports hall*'. Byddai defnyddio 'gyda' fel hyn yn annaturiol yn y Gymraeg, felly byddai rhaid dod o hyd i ffordd arall o gyfleu hyn. Mae'r cyfieithydd yn yr achos hwn wedi dewis 'ac yn ystod'. Nid dyma'r unig ffordd bosibl o gyfleu hyn ond mae'n ddull effeithiol yma o gyfleu'r cysyniad bod y goddrych, Sophie, yn gwneud rhywbeth gwahanol oherwydd y pamdemig sydd ar droed *ar hyn o bryd,* nid ei fod newydd gyrraedd. Gall defnyddio'r dechneg briodol felly sicrhau bod yr ystyr yn cael ei chadw hefyd, ynghyd â sicrhau naturioldeb y testun yn ieithyddol.

Yn yr enghraifft isod, gwelwn fod y cysyniad bod ar gymdogion angen y darllenydd wedi ei gyfleu mewn modd ychydig yn wahanol; yn lle cyfleu'r cysyniad o angen o safbwynt y cymdogion, mae'r cyfieithydd wedi cyfleu'r cysyniad o safbwynt y *darllenydd.* Dyma enghraifft dda arall o gyfieithu o safbwynt gwahanol.

| |
|---|
| The Council has re-launched its Your Neighbours Need You campaign to provide advice and encouragement that will help residents look after one another during the Coronavirus health emergency. |
| Mae'r Cyngor wedi ail-lansio ymgyrch Cofiwch eich Cymdogion eto er mwyn cynnig cyngor ac anogaeth fydd yn helpu preswylwyr i edrych ar ôl ei gilydd yn ystod argyfwng iechyd y Coronafirws. |
| Maes: Llywodraeth leol |
| Math o destun: Cyngor i'r cyhoedd |
| Cynulleidfa: Y cyhoedd |

Byddai Cyfieithu Llythrennol a defnyddio '*Mae ar eich cymdogion eich angen chi*' yn bosibl; ond darllenwch y frawddeg hon: '*Mae'r Cyngor wedi ail-lansio ymgyrch "Mae ar Eich Cymdogion Eich Angen Chi" eto er mwyn cynnig cyngor ac anogaeth fydd yn helpu preswylwyr i edrych ar ôl ei gilydd yn ystod argyfwng iechyd y Coronafirws*'. Mae'n dipyn o lond ceg, ac mae'n debyg mai dyma pam y dewisodd y cyfieithydd ddefnyddio 'Cofiwch eich Cymdogion'. Mae'n fyrrach i'r siaradwr neu'r darllenydd, mae'n fyrrach o ran llythrennau ac felly yn haws o ran posteri a.y.y.b ac mae'n fachog oherwydd y cyflythrennu (C/C a Ch/Ch). Gall y dechneg hon felly gael ei defnyddio hyd yn oed pe bai cyfieithiad llythrennol wedi bod yn ramadegol bosibl ac yn dderbyniol o ran cyfleu ystyr; gellir ei defnyddio hefyd felly i sicrhau naturioldeb y testun a hefyd i sicrhau ei fod yn fachog neu'n llifo'n well.

Yn yr enghraifft isod, fe welwn gyfieithu o safbwynt gwahanol i barchu naturioldeb y testun o safbwynt *cliché ieithyddol* (yn yr ystyr ieithyddol yn Cruse, sef geiriau y tueddir i'w gweld gyda'i gilydd, er nad yw'n gyfuniad geiriol gorfodol fel yn achos yr Ystyr Ragfynegedig).[15] Yn y Gymraeg, mae rhywun yn 'gwneud gwelliannau' yn lle 'gweithredu gwelliannau'. Er bod '*implement improvements*' yn ddigon derbyniol a chyffredin yn y Saesneg fel *cliché*, nid yw 'gweithredu gwelliannau' yr un mor naturiol yn y Gymraeg a byddai defnyddio'r geiriau gyda'i gilydd yn creu cyfieithiad annaturiol. O'r herwydd mae newid bach wedi bod ac mae'r cyfieithydd wedi cyfieithu o safbwynt ychydig yn wahanol.

| Ensure published data is analysed at a local level and any potential service improvements are considered and implemented where necessary. |
| :--- |
| Sicrhau bod y data a gyhoeddir yn cael eu dadansoddi'n lleol, a bod unrhyw welliannau posibl i wasanaethau yn cael eu hystyried a'u gwneud lle bo angen. |
| Maes: Adnoddau Dynol |
| Math o destun: Dogfen strategaeth |
| Cynulleidfa: Rheolwyr Adnoddau Dynol a Swyddogion Polisi |

Mae'r dechneg hon hefyd yn cynnwys cyfieithu'n llai manwl hefyd, er na ddylid gwneud hyn oni bai bod dim dewis. Yn bennaf, mae angen gwneud hyn yn gyntaf os bydd defnyddio'r union air neu derm yn y Saesneg yn peri dryswch am ei fod yn rhy dechnegol i'r cywair (cofiwch y gall testunau Saesneg fod yn amhriodol o gymhleth weithiau ar gyfer ei ddarllenwyr; nid yw hyn yn rhoi hawl i chi greu testun yr un mor gymhleth yn y Gymraeg bob tro); yn ail, os bydd defnyddio'r gair neu'r ymadrodd yn chwithig am fod yr iaith darged yn tueddu i ddefnyddio gair neu ymadrodd arall; neu, yn drydydd, os nad oes gan yr iaith darged air neu ymadrodd cyfatebol (bwlch geirfaol). Mae enghreifftiau o hyn isod.

Isod, mae'r cyfieithydd wedi defnyddio term mwy dealladwy ar gyfer '*Visual Display Unit*'; nid yw'n glir pam na ellid defnyddio '*computer screen*' yn y Saesneg ychwaith oherwydd dyna sydd dan sylw yma. Nid achos o fwlch geirfaol yw hwn ond achos o eiriau diangen o amwys.

| Prolonged use of a Visual Display Unit in analysing programme documents, writing reports, training programmes and planning presentations |
| :--- |
| Defnyddio sgrin cyfrifiadur am gyfnodau hir wrth ddadansoddi dogfennau rhaglen, ysgrifennu adroddiadau a rhaglenni hyfforddi a chynllunio cyflwyniadau |
| Maes: Adnoddau Dynol |
| Math o destun: Swydd ddisgrifiad |
| Cynulleidfa: Y cyhoedd |

Mae achosion o ddiffyg geirfa gyfatebol yn debygol o godi yn y meysydd hynny lle nad yw'r Gymraeg yn cael ei defnyddio ryw lawer yn draddodiadol, a lle mae gweithgarwch cyfieithu ynddynt yn gymharol ddiweddar yn sgil deddfwriaeth iaith gadarnach er 2011. Yn yr engrhaifft isod, mae bwlch geirfaol wedi ymddangos sef y term '*bodily integrity*'.

Mae'r cyfieithydd wedi penderfynu cyfieithu'r term hwn o safbwynt gwahanol ar sail ei ystyr, sef *'Bodily integrity is the inviolability of the physical body and emphasizes the importance of personal autonomy, self-ownership, and self-determination of human beings over their own bodies'*.[16] Gellid beirniadu'r cyfieithiad o bosibl, ond mae'n cyfleu'r ystyr ac yn enghraifft dda o ddefnyddio'r dechneg hon pan gwyd achos o fwlch geirfaol.

| |
|---|
| An adult person of sound mind is entitled to decide which, if any, of the available treatments to undergo, and her consent must be obtained before treatment interfering with bodily integrity is undertaken. |
| Egwyddor sylfaenol yr achos pwysig hwn ynghylch cydsyniad yw bod 'gan oedolyn yn ei iawn bwyll yr hawl i ddewis pa un o'r triniaethau i'w derbyn, os o gwbl, a bod rhaid sicrhau ei gydsyniad cyn triniaeth sy'n ymyrryd â'i hawl dros ei gorff ei hun. |
| Maes: Y gyfraith |
| Math o destun: Canllaw cyfreithiol |
| Cynulleidfa: Cyfreithwyr eraill |

Yn yr enghraifft olaf isod, mae'r cyfieithydd wedi cyfleu *'take-up'*, sef penderfynu defnyddio rhyw wasanaeth, trwy ddefnyddio 'manteisio ar'. Dyma gyfleu ystyr greiddiol yr ymadrodd felly, nid o safbwynt cymryd, eithr o safbwynt *manteisio*.

| |
|---|
| Having seen huge take-up of our enhanced digital resources, we're pleased that library users across Wales can once again borrow physical books via Click and Collect. |
| Ar ôl gweld bod llawer yn manteisio ar ein hadnoddau digidol gwell, rydym yn falch bod defnyddwyr llyfrgelloedd ledled Cymru yn gallu benthyg llyfrau unwaith eto drwy glicio a chasglu. |
| Maes: Gwasanaethau llyfrgelloedd |
| Math o destun: Hysbysiad i'r cyhoed |
| Cynulleidfa: Y cyhoedd |

Yn greiddiol i'r dechneg hon y mae'r ffaith bod modd cyfleu un cysyniad mewn sawl ffordd. Mae modd gwneud hynny hyd yn oed o fewn yr un iaith. Er enghraifft, i gyfleu bod rhywun wedi cyrraedd, gallwn ddweud 'mae X wedi cyrraedd', mae X yma', neu 'dyma X'. Ni ddylai fod yn gysyniad radical felly bod modd gwneud hynny *rhwng* ieithoedd. Trown isod at dechneg arall a allai, fodd bynnag, arwain at destun targed gwahanol iawn.

## Addasu

Mae techneg Addasu *[Adaption]* yn wahanol i'r technegau uchod am ei bod yn arwain at destun neu ymadrodd sy'n cyfleu syniadau gwahanol. Lle mae'r technegau uchod yn cyfleu'r un cysyniad ond mewn ffordd wahanol, yn achos addasu mae'r cysyniad ei hun yn wahanol hefyd. Oherwydd hyn, nid yw addasu yn cael ei ddefnyddio'n aml iawn wrth gyfieithu testunau swyddogol neu ffeithiol fel adroddiadau, cofnodion, arwyddion, taflenni a.y.y.b. Mae'n eithaf cyffredin serch hynny ym maes hysbysebu a marchnata ac wrth bontio'r gagendor rhwng diwylliannau gwahanol. Mae'r enghraifft isod yn eithaf nodweddiadol; oherwydd bod y Gymraeg yn fwy perthnasol i bobl o'r DU a'r Wladfa i raddau helaeth yn hytrach na'r trwch o ymwelwyr o wledydd tramor, rhaid oedd addasu fel bod y neges groesawu yn taro tant â siaradwyr Cymraeg sy'n cyrraedd adref. Gan anwybyddu'r gwall treiglo ar 'cymaint', mae'r cyfieithiad yn cyfleu 'adre' yn lle Caerdydd, ac yn defnyddio 'ar garreg eich drws' yn lle crybwyll gweddill y wlad. Mae'r addasiad hwn yn llwyddiannus iawn ac yn enghraifft dda o'r angen i addasu weithiau.

| Welcome to Cardiff! Travel onwards to explore Wales and the UK |
|---|
| Croeso adre! Mae gymaint [sic] i'w ganfod ar garreg eich drws |
| Maes: Teithio |
| Math o destun: Arwydd mewn maes awyr |
| Cynulleidfa: Y cyhoedd |

Mae'r frawddeg Saesneg isod a'r cyfieithiad yn enghraifft arall o addasu ar waith. Mae'r enghraifft hon yn cydnabod bod Ceredigion yn gyrchfan i ymwelwyr ac yn gartref i'w phoblogaeth ei hun, a bod yr arwydd yn siarad â dwy gynulleidfa wahanol. Mae'r amrywio yn y neges felly yn synhwyrol ac yn enghraifft lwyddiannus o addasu'r neges wrth gyfieithu fel bod y neges yn ystyrlon i ddarllenwyr y ddwy iaith.

| Visit Ceredigion. Later. |
|---|
| Peidiwch teithio. Am y tro. |
| Maes: Llywodraeth leol |
| Math o destun: Arwydd |
| Cynulleidfa: Y cyhoedd |

## Ymhelaethu a Dileu

Mae Ymhelaethu [*Addition*] ar y wybodaeth a gyfleir yn y cyfieithiad, neu leihau arni trwy ddileu gwybodaeth [*Contraction*], hefyd yn ddull o 'addasu' mewn ffordd. Yr edefyn aur trwy gydol y gyfrol hon yw bod cyfieithwyr yn cyfathrebu â chynulleidfa trwy eu gwaith. Oherwydd hynny, gall fod gofyn i'r cyfieithydd gynorthwyo'r darllenydd trwy newid y wybodaeth sydd yn y cyfieithiad. Er mai anaml y bydd angen gwneud hynny, ac er y gofal y dylid ei gymryd cyn defnyddio'r dechneg hon i sicrhau cyfieithiad llwyddiannus, mae adegau'n codi o bryd i'w gilydd pan fydd y wybodaeth a gynigir yn yr iaith ffynhonnell naill ai'n rhy amwys, yn annigonol, yn aneglur, yn amherthnasol, yn rhy gymhleth neu'n wybodaeth ddiangen oherwydd ailadrodd. Os felly, dylid ychwanegu neu dynnu ychydig o wybodaeth, sef addasu ar y wybodaeth a gynigir yn yr iaith darged, i sicrhau na fydd y darllenydd yn wynebu anhawster wrth geisio deall y testun. Yn yr enghraifft isod, penderfynodd y cyfieithydd ymhelaethu:

| Blood Transfusion Laboratory Manager UHW |
|---|
| Rheolwr y Labordy Trallwyso Gwaed yn Ysbyty Athrofaol Cymru |
| Maes: Adnoddau Dynol |
| Math o destun: Swydd ddisgrifiad |
| Cynulleidfa: Y cyhoedd |

Yn lle ysgrifennu, 'YAC' neu 'UHW', penderfynodd y cyfieithydd mai gwell fyddai defnyddio'r enw Cymraeg llawn i osgoi dryswch. Yn y cyfieithiad isod mae enghraifft o ychwanegu gwybodaeth fel bod y Gymraeg yn fwy naturiol [anfon ymlaen ar gyfer '*refer to*']. Mae defnyddio'r dechneg hon ac ychwanegu goddrych yn eithaf cyffredin.

| We then provide treatment within a day case setting if appropriate or refer to another speciality. |
|---|
| Yn ogystal, rydyn ni'n rhoi triniaeth mewn un diwrnod os yw hyn yn briodol, neu'n anfon cleifion ymlaen at arbenigedd arall. |
| Maes: Adnoddau Dynol |
| Math o destun: Swydd ddisgrifiad |
| Cynulleidfa: Y cyhoedd |

Yn yr enghraifft isod (*This includes monitoring warfarin therapy...*), mae'r cyfieithydd wedi ychwanegu esboniadau o fath fel bod y geiriau technegol Cymraeg yn fwy dealladwy. Mae'r angen i wneud hyn yn amlygu'r berthynas rym wahanol sydd rhwng y ddwy iaith, a'r defnydd cymharol arnynt mewn peuoedd clinigol a thechnegol eraill. Oherwydd y defnydd mawr ar y Saesneg, ac oherwydd prinder staff meddygol all siarad Cymraeg, byddai cleifion Saesneg a Chymraeg fel ei gilydd o bosibl yn gyfarwydd â thermau fel '*intravenous*' a '*sub-cutaneous*' os ydynt yn derbyn yr un driniaeth yn aml. Fodd bynnag, mae sefyllfa'r Gymraeg a hithau'n iaith leiafrifol (neu leiafrifedig) yn wahanol. Nid yw'r termau technegol mor amlwg ac nid ydynt mor gyffredin eu defnydd. Dyna un rheswm arall pam y mae'n dda gweld cynnydd yn y cyrsiau prifysgol sydd ar gael yn y Gymraeg ac yn y defnydd cyffredinol o'r Gymraeg mewn peuoedd technegol; bydd y termau hyn yn dod yn fwyfwy cyffredin. Ond hyd yn oed o dderbyn hyn, mae'r termau o hyd yn dechnegol iawn ac nid yw cynnwys esboniadau yn benderfyniad radical beth bynnag. I ymhelaethu ar hyn, darllenwch y frawddeg Saesneg isod **heb ddarllen y cyfieithiad Cymraeg isod**:

This includes monitoring warfarin therapy, administering support therapies such as blood transfusion, intravenous iron/ immunoglobulins and also intravenous, sub-cutaneous and oral chemotherapy.

Rhaid derbyn bod y clinig hwn i gleifion sy'n dychwelyd dro ar ôl tro ac felly mae'n bosibl y byddant yn deall, ond a oeddech chi'n deall? Darllenwch y Gymraeg:

Mae hyn yn cynnwys therapi monitro Warfarin, rhoi therapïau cymorth fel trallwysiadau gwaed, rhoi haearn ac imiwnoglobwlin i gleifion trwy wythïen a hefyd cemotherapi mewnwythiennol (trwy wythïen), isgroenol (o dan y croen) a geneuol (trwy'r geg).

Yn y cyfieithiad hwn felly, i'w weld yn y tabl isod hefyd fel bod y wybodaeth gyd-destunol i'w gweld yn ogystal, penderfynodd y cyfieithydd gynorthwyo'r darllenydd trwy droi testun cymhleth yn un symlach:

| |
|---|
| This includes monitoring warfarin therapy, administering support therapies such as blood transfusion, intravenous iron/ immunoglobulins and also intravenous, sub-cutaneous and oral chemotherapy. <br><br> Mae hyn yn cynnwys therapi monitro Warfarin, rhoi therapïau cymorth fel trallwysiadau gwaed, rhoi haearn ac imiwnoglobwlin i gleifion trwy wythïen a hefyd cemotherapi mewnwythiennol (trwy wythïen), isgroenol (o dan y croen) a geneuol (trwy'r geg). |
| Maes: Iechyd |
| Math o destun: Taflen wybodaeth |
| Cynulleidfa: Y cyhoedd |

Gall tynnu gwybodaeth fod yr un mor ddefnyddiol weithiau. Yn yr enghraifft isod, mae'r cyfieithydd wedi dileu un o'r cyfeiriadau at bryder. Er y gall pryder fod yn wahanol i orbryder, lle mae gorbryder yn gyflwr iechyd, nid y defnydd clinigol sydd i'r gair 'gorbryder' yn y frawddeg isod:

| As a Health Board, we know that many people are finding this a very worrying time and feeling scared and anxious.<br><br>Fel Bwrdd Iechyd, rydyn ni'n gwybod bod yr adeg hon yn adeg bryderus i lawer o bobl a bod llawer yn teimlo'n ofnus. |
| --- |
| Maes: Iechyd |
| Math o destun: Newyddlen |
| Cynulleidfa: Y cyhoedd |

Gall meddwl yn feirniadol am yr hyn sydd i'w gynnwys yn y cyfieithiad felly gynorthwyo'r cyfieithydd i greu testun a fydd yn fwy darllenadwy ac a fydd yn llifo'n well, trwy gael gwared ar wybodaeth ddiangen neu ymhelaethu er budd dealltwriaeth y darllenydd. Ond, fel y nodwyd uchod, rhaid ychwanegu neu ddileu mewn modd gofalus, ac nid ar chwarae bach y gwneir hyn.

## Cyfieithu Lletchwith, Cymraeg Swnllyd a Thechnegau Cyfieithu

Pe bai ymchwil drylwyr yn cael ei chynnal yn ymchwilio i farnau pobl am ansawdd y Gymraeg ysgrifenedig a ddaw o sefydliadau, mae'n ddigon posibl mai atebion amrywiol a geid. Diau y byddai rhai yn ddigon bodlon, ond byddai eraill yn barod iawn i leisio eu hanfodlonrwydd. Yn wir, mae ymchwil am y defnydd o wasanaethau Cymraeg yn dangos bod y defnydd ohonynt yn isel o gymharu â'r niferoedd o bobl sy'n siarad Cymraeg bob dydd. Mae'r rhesymau am hyn yn niferus ond mae ansawdd y Gymraeg yn sicr yn cael sylw.[17] Wrth drafod arwyddion gwallus yn y de-ddwyrain mewn darlith yn 1997, a gynhwyswyd yn rhifyn Haf o *Taliesin* yn 1998, yr enw a roddodd yr ysgolhaig Peter Wynn Thomas ar y math o Gymraeg gwallus sydd o'n cwmpas yn aml oedd Cymraeg Swnllyd.[18] Trafododd y broses gyfathrebu, o'r Cyfathrebwr (sydd am i neges gael ei chyfleu), i'r Codiwr (awdur y neges, a'i chyfieithydd), i wneuthurwr yr arwydd a derbynnydd y neges (aelodau o'r cyhoedd). Dadleuodd fod modd i arwyddion gwallus gael eu cynhyrchu yn ystod unrhyw un o'r camau hyn. Gall y cyfieithiad fod yn wallus neu gall y gwneuthurwr wneud cawlach o'r broses argraffu er enghraifft. Pan fydd amharu ar y broses gyfathrebu, y trosiad a ddefnyddir yw 'sŵn'; mae'r sŵn, neu'r amhariad, yn llurgunio'r neges ac yn ei gwneud yn anodd ei deall. Gellid defnyddio dadl Thomas yn achos unrhyw fath o gyfieithu. O dderbyn bod y broses gyfathrebu yn amlweddog ac yn cynnwys sawl cam, gellid achosi 'swn' yn y broses o lunio cyfieithiad o ddogfen, o wefan neu o daflen wybodaeth hefyd. Mae'r camau eraill y tu hwnt i reolaeth y cyfieithydd, ond mae'r broses gyfieithu dan ein gofal ni yn unig fel arfer. Os ydym am gynyddu nifer y bobl sy'n defnyddio'r Gymraeg bob dydd felly, rhaid inni godi safon y cyfieithiadau a gynhyrchir ledled Cymru. Mae gwneud hynny yn dipyn o dasg, ac fel y mae ymchwil yr ysgolhaig Joanna Drugan wedi dangos, mae nifer o ffyrdd o sicrhau ansawdd cyfieithiadau.[19] Fodd bynnag, nid oes rhaid datblygu systemau cymhleth mewn swyddfeydd bob tro; ar wahân i Gymraeg amhriodol o ffurfiol a Chymraeg gramadegol anghywir, yr hyn sy'n achosi Cymraeg Swnllyd yn aml iawn yw cyfieithu llythrennol. Cyfieithiadau, hynny yw, sy'n dilyn patrwm y Saesneg yn rhy agos ac sy'n defnyddio geiriau anaml eu defnydd yn yr iaith lafar fel 'sylweddol', 'galluogi', 'gweithredol', 'gweithredu', 'mewn ymateb i', 'amlinellu', 'cael mynediad', 'allweddol' a 'ffocysu', am eu bod yn cyfateb yn agosach i'r Saesneg (cofier, o Bennod 4, nad yw bodolaeth gair yn gyfiawnhad o reidrwydd dros ei ddefnyddio).[20] Er bod lle i iaith o'r fath yn dibynnu ar y cywair a'r maes, ac er bod ffafriaeth bersonol a goddrychedd bob tro yn sail i deimladau o'r fath pan ddaw i eirfa ac iaith yn gyffredinol, yn aml iawn gall defnyddio'r technegau cyfieithu a ddadansoddwyd uchod sicrhau bod y testun yn fwy naturiol ac yn idiomatig. Yn wir, yn ôl rhai, hon yw un o brif sgiliau'r cyfieithydd, sy'n defnyddio ei gymwyseddau i '*assure control over interference and interlinguistic mechanisms in the processes of reception and production of texts*'.[21] I ddangos pwysigrwydd technegau cyfieithu i osgoi ymyrraeth amhriodol o'r iaith ffynhonnell, byddwn yn bwrw golwg isod dros gyfieithiadau a gyhoeddwyd, ac yn ystyried i ba raddau y gellid gwella arnynt trwy roi'r technegau uchod ar waith, yn y gobaith o lunio Cymraeg llai swnllyd o lawer. Wrth wneud hynny, bydd y cyfieithiad Cymraeg i'w weld yn gyntaf, heb y Saesneg. Mae ambell enw wedi ei newid i amddiffyn cyfrinachedd y sefydliadau dan sylw, ond dim byd arall. Y nod wrth ddangos y cyfieithiad heb yr iaith wreiddiol yn y lle cyntaf yw eich rhoi yn safle'r derbynydd terfynol, yr aelod cyffredin o'r cyhoedd sy'n darllen gwaith cyfieithwyr. Oherwydd hyn, ni fydd y cyfieithiadau a gyhoeddwyd i'w gweld yn y bocsys gyda'r wybodaeth gyd-destunol i'w gweld o danynt. Dylech eich holi eich hun i ba raddau y mae modd i chi ddeall y neges dan sylw, ac i ba raddau y mae'n 'swnio' fel Cymraeg naturiol, ac fel Cymraeg y byddech yn ei defnyddio pe baech yn ysgrifennu mewn cyd-destun uniaith. Gweler yr enghraifft gyntaf isod:

Rydym wedi gwneud apwyntiad ffon [*sic*] i chi gael eich cysylltu gan arbenigedd.

Mae cymaint o swn yma fel ei fod bron yn fyddarol. Mor fyddarol nes bod y neges wreiddiol wedi ei chelu. Heblaw am y camsillafu amlwg ar *ffôn*, mae sawl problem yma. Yn gyntaf oll, ni all pobl fod yn wrthrych i'r ferf 'cysylltu' mewn cystrawen oddefol yng nghyd-destun cyfathrebu; mae 'rydw i wedi ei gysylltu ef' yn gwbl anramadegol oni bai eich bod yn sôn am roi dau beth at ei gilydd, a hyd yn oed wedyn byddid yn disgwyl cael gwybod â pha beth y cysylltwyd ef. O'r herwydd, rhaid defnyddio cystrawen weithredol a chynnwys yr arddodiad 'â'. Yn ail, ni all 'arbenigedd' gysylltu â neb; yr arbenigwr, neu rywun o'r arbenigedd, sy'n gwneud hynny. Dyna reswm arall dros y swn. Mae'r Saesneg gwreiddiol i'w weld isod.

We have made a telephone appointment for you to be contacted by the specialty.

Oherwydd nad oedd y cyfieithydd yn gyfarwydd â'r technegau cyfieithu y gellid eu defnyddio, na'r theori a drafodwyd eisoes sy'n caniatáu amrywio sut mae'r wybodaeth yn y cyfieithiad yn cael ei chyfleu, cawn frawddeg sydd prin yn gyfieithiad ac sy'n gopi gair am air o'r gwreiddiol. Pe bai'r awdur gwreiddiol wedi darllen dros y cyfieithiad eto, neu wedi ei roi i rywun arall i fwrw golwg drosto (fel cyfieithydd er enghraifft), diau y byddai wedi cael gwybod bod y cyfieithiad braidd yn rhyfedd. Cymerwn y cyfieithiad posibl isod:

Rydym wedi gwneud apwyntiad ffôn i chi a bydd arbenigwr yn cysylltu â chi.

Mae'n ddigon posibl y bydd rhai yn beirniadu'r cyfieithiad hwn. Mae bron yn anochel hefyd y bydd rhai darllenwyr yn meddwl am gyfieithiad arall. O ran cyfieithiadau eraill, nid argymell cyfieithiad deddfol oedd y nod ond dangos bod opsiynau eraill. Ond ni waeth beth yw'ch barn, mae'n welliant mawr ar y cynnig gwreiddiol. Pa dechnegau a ddefnyddiwyd felly yn achos y cyfieithiad uchod?

Tabl 17 Osgoi Cymraeg Gwael trwy Ddefnyddio'r Dechneg Gyfieithu Briodol (A)

| Cyfieithiad | Technegau |
| --- | --- |
| Rydym wedi gwneud apwyntiad ffôn i chi a bydd arbenigwr yn cysylltu â chi | **Cyfieithu o Safbwynt Gwahanol, Ailgategoreiddio**<br>Mae brawddeg oddefol wedi ei throi yn un weithredol trwy ychwanegu goddrych (arbenigwr) sef Ailgategoreidido, ac mae arbenigedd wedi troi'n arbenigwr sef Cyfieithu o Safbwynt Gwahanol. |

Parhewn â dwy enghraifft arall o Gymraeg Swnllyd cyn troi'n sylw at destunau a'u dadansoddi o safbwynt egwyddorion cyfieithu *da*.

Bydd Metro Mawr Cymru yn cael ei adeiladu a'i weithredu gan gwmni Teithio Cymru, i gyflawni gwelliannau gwerth miliynau o bunnoedd i'r seilwaith a gwneud teithio'n gyflymach, yn haws ac yn fwy cyfleus. Bydd nifer y gwasanaethau sy'n gweithredu bob awr yn cynyddu - gan gynnwys pedwar gwasanaeth i ben pob llinell, wyth gwasanaeth yn gweithredu i'r de o Aberllan a 12 gwasanaeth yn gweithredu i'r de o Lanaber.

Mae'r paragraff uchod yn gweiddi mai cyfieithiad gwan ydyw. O edrych ar y Saesneg isod, fe welir bod y cyfieithiad a seiliwyd ar y testun yn dilyn y testun hwnnw bron â bod yn air am air.

The Great Welsh Metro will be built and operated by Teithio Cymru, to deliver multi-million pound infrastructure improvements and make travelling quicker, easier and more convenient. The number of services operating each hour will increase – including four trains to the top of each line, eight services operating south of Aberllan and 12 services operating south of Llanaber.

Darllenwch y cyfieithiad arall isod. Allwch chi weld y newidiadau a wnaed? Mae'r tabl isod yn crynhoi'r diwygiadau a wnaed fel bod y cyfieithiad yn 'dawelach' o lawer.

Bydd Metro Mawr Cymru yn cael ei adeiladu a'i redeg gan gwmni Teithio Cymru. Bydd hyn yn arwain at welliannau gwerth miliynau o bunnoedd i'r seilwaith a bydd teithio'n gyflymach, yn haws ac yn fwy cyfleus. Bydd nifer y gwasanaethau bob awr yn cynyddu hefyd - gan gynnwys pedwar gwasanaeth i ben pob llinell, wyth gwasanaeth i'r de o Aberllan a 12 gwasanaeth i'r de o Lanaber.

Tabl 18 Osgoi Cymraeg Gwael trwy Ddefnyddio'r Dechneg Gyfieithu Briodol (B)

| Cyfieithiad | Techneg |
|---|---|
| Bydd Metro Mawr Cymru yn cael ei adeiladu a'i redeg | **Cyfieithu o Safbwynt Gwahanol**<br>Newid 'gweithredu i 'rhedeg' |
| Bydd hyn yn arwain at | **Cyfieithu o Safbwynt Gwahanol**<br>Hollti'r frawddeg a newid 'i gyflawni' i 'bydd hyn yn sicrhau'. Mae'r Saesneg yn ddryslyd; mae 'i gyflawni' yn awgrymu mai gwneud y gwelliannau yw unig nod Teithio Cymru, er mai sgil effaith y newid dwylo fydd y gwelliannau. |
| Bydd nifer y gwasanaethau bob awr yn cynyddu | **Dileu**<br>Dileu'r gair 'gweithredu'. Mae'n air eithaf technegol ac yn gwbl ddiangen yma. |
| wyth gwasanaeth i'r de o Aberllan ... gwasanaeth i'r de o Lanaber | **Dileu**<br>Dileu 'gweithredu' am yr un rheswm ag uchod |
| Bydd nifer y gwasanaethau bob awr yn cynyddu hefyd | **Ychwanegu**<br>Ychwanegu 'hefyd' fel bod y testun yn llifo'n well |

Yn yr enghraifft olaf isod (Mae llawer ohonoch wedi gofyn...), gwelwn mai cyfieithu llythrennol, unwaith eto, yw sail y Gymraeg Swnllyd.

Mae llawer ohonoch wedi gofyn am am [*sic*] y trothwy cynilion. Rydym yn credu ei fod [*sic*] yn deg y dylai'r rheini sydd â lefelau sylweddol o gyfalaf neu gynilion ddefnyddio rhai o'r rhain cyn cael cymorth gan y llywodraeth.

Beth yw 'lefelau sylweddol o gyfalaf' tybed? Callach fyddai cadw 'cyfalaf' am y gall hwnnw gwmpasu mwy nag arian. Fodd bynnag, mae'r cyfieithiad isod yn rhagori o ran naturioldeb:

Mae llawer ohonoch wedi gofyn am y trothwy cynilion. Rydym yn credu ei bod yn deg y dylai'r rheini sydd â llawer iawn o gyfalaf neu gynilion ddefnyddio'r rhain cyn cael cymorth gan y Llywodraeth.

Tabl 19 Osgoi Cymraeg Gwael trwy Ddefnyddio'r Dechneg Gyfieithu Briodol (C)

| Cyfieithiad | Techneg |
| --- | --- |
| Rydym yn credu ei bod yn deg y dylai'r rheini sydd â llawer iawn o gyfalaf neu gynilion ddefnyddio'r rhain cyn cael cymorth gan y Llywodraeth | **Cyfieithu o Safbwynt Gwahanol** <br> Troi 'lefelau uwch' yn 'llawer iawn o' |

Mae gorffurfioldeb a gramadeg simsan hefyd i'w beio am gyfieithu gwael, fel y nodwyd. Mae gorffurfioldeb wedi cael sylw ym Mhennod 4 wrth drafod dadansoddi testunau ac ystyried pa mor ffurfiol y mae angen bod, a byddwn yn troi at ganllawiau Cymraeg Clir yn y bennod nesaf. O ran gramadeg, rhaid mireinio ar eich gwybodaeth o honno cyn troi eich llaw at gyfieithu, ac mae hen ddigon o lyfrau ar gael. Cyfieithu llythrennol, serch hynny, yw'r dihiryn gwaethaf. Trwy ddod at y broses gyfieithu o safbwynt strategol felly, a cheisio meddwl sut orau i lunio cyfieithiad gan ddefnyddio un o'r technegau uchod, gallwn greu testun llawer mwy naturiol. Nid llunio rhyddiaith gain yw'r nod, ond rhaid serch hynny gadw mewn cof y bydd rhywun o gig a gwaed sy'n siarad Cymraeg yn codi eich gwaith ac yn ei ddarllen. Os yw'n swnio'n rhyfedd neu'n annaturiol ac os yw'n wallus, bydd yn ei ddiystyru. Pwy sydd ar ei ennill pan fydd hynny'n digwydd?

## Dulliau o Daclo Brawddegau Anodd

Ond haws dweud na gwneud i gyfieithwyr dibrofiad, hyd yn oed o geisio osgoi cyfieithu gorlythrennol. Os ydych chi'n wynebu brawddeg anodd, ac yn methu'n lân â symud ymlaen, yna mae strategaethau yma a allai eich helpu. Y gyntaf yw cymryd y frawddeg yn ddarnau a'i rhoi yn ôl at ei gilydd. Y nod yma yw eich helpu eich hun i ddeall yr ystyr yn gyntaf oll a meddwl sut y gellir ei dehongli. Mae rhai brawddegau mor amlgymalog, mor 'brysur' neu wedi eu llunio mor wael, fel y gallant ddrysu'r darllenydd a'r cyfieithydd. Cymerwch y frawddeg isod yn enghraifft:

The herds which have never had a case were interspersed with the severe cases, and in badger-sett dense areas and locations of culture-positive found-dead badgers.

Byddai'r frawddeg hon (o destun am filfeddygaeth) yn dychryn unrhyw gyfieithydd dibrofiad i'r byw. Pwyllwch, anadlwch a meddyliwch am frawddegau o'r fath nid fel brawddeg i ddechrau ond fel cyfres o syniadau gwahanol i'w cymryd yn ddarnau:

| The herds | buchesau |
| --- | --- |
| which have never had a case | lle nad oedd achos wedi codi erioed |
| were interspersed with the herd with severe cases | i'w cael ymhlith y buchesau gydag achosion difrifol |

| and in badger-sett dense areas | mewn ardaloedd lle'r oedd llawer iawn o frochfeydd |
|---|---|
| and locations of culture-positive found-dead | ac mewn lleoliadau lle daethpwyd o hyd i foch daear a ganfuwyd yn farw ac oedd wedi eu profi'n bositif am y meithriniad |
| badgers | moch daear |

Meddyliwch am ystyr pob rhan unigol yn hytrach nag ystyr y frawddeg gyfan. Wrth ochr pob rhan, ysgrifennwch yr ystyr yn eich geiriau eich hun (fel uchod ar yr ochr dde yn y tabl). Unwaith i chi wneud hyn, bydd y frawddeg yn ymddangos yn fwy cyfeillgar o lawer a dylech chi allu goresgyn yr her gan ddefnyddio'r nodiadau. Y dasg wedyn felly yw defnyddio'r nodiadau a wnaethoch i roi'r frawddeg yn ôl at ei gilydd. Mae cyfieithiad posibl isod, oedd yn ganlyniad i broses debyg o bwyllo, dadbacio ac ailbacio:

Roedd y buchesau, nad oeddent erioed wedi cael achos o'r blaen, i'w cael ymhlith y buchesau gydag achosion difrifol, a hynny mewn ardaloedd lle'r oedd llawer iawn o frochfeydd a lle daethpwyd o hyd i foch daear marw a oedd wedi profi'n bositif am y meithriniad.

Rhown gynnig unwaith eto ar frawddeg anodd gan ddefnyddio techneg 'dadbacio'. Unwaith eto, brawddeg o destun go iawn oedd hon hefyd.

A Cash Equivalent Transfer Value (CETV) is the actuarially assessed capital value of the pension scheme benefits accrued by a member at a particular point in time.

O dorri'r frawddeg hon i lawr yn unedau mwy hylaw, cawn y canlynol:

| A Cash Equivalent Transfer Value [is] | Y Gwerth Trosglwyddo Sy'n Cyfateb i Arian Parod |
|---|---|
| the actuarially assessed | wedi cael asesiad actiwaraidd, gan asesydd actiwraidd |
| capital value of the pension scheme benefits | gwerth cyfalaf buddion y cynllun pensiwn |
| accrued by a member | sydd wedi eu cronni gan aelod |
| a particular point in time | ar ryw adeg benodol |

Y cyfan sydd ei eisiau nawr yw i chi roi'r canlynol mewn brawddeg ystyrlon. Fel y nodwyd uchod, o geisio gorchfygu brawddeg fel hon fel brawddeg gyfan, byddwch chi'n cael trafferth. O ddelio â'i helfennau anodd un ar y tro, bydd yn haws o lawer yn feddyliol. Y camau a gymerwyd yma oedd ymchwilio fesul un i ystyr *Cash Equivalent Transfer Value,* asesiadau actiwaraidd a gwerth cyfalaf buddion pensiwn. O wneud ymchwil fesul un a gwneud nodiadau, roedd modd adeiladu brawddeg ar sail y wybodaeth a gasglwyd, yn hytrach nag ar ddyfaliadau. Mae cyfieithiad posibl isod.

Y Gwerth Trosglwyddo Sy'n Cyfateb i Arian Parod yw gwerth cyfalaf buddion y cynllun pensiwn yn dilyn asesiad actiwaraidd y mae aelod wedi eu cronni ar adeg benodol.

Efallai na fydd y dechneg hon yn helpu pawb, ond gall fod yn un ddefnyddiol o bryd i'w gilydd. Fodd bynnag, gall brawddeg fod yn symlach o lawer na hon, ond fe all fod yn heriol o ran ffurfio cyfieithiad er gwaethaf hynny. Os felly, ac os nad oedd yr uchod o gymorth, defnyddiwch yr ail dechneg 'feddyliol' isod. Y cam cyntaf yw meddwl am beth y mae gofyn i chi ei fynegi o ran ystyr (fel yn yr enghreifftiau uchod), felly gwnewch yn siŵr eich bod wedi deall. Wedyn, os na allwch feddwl sut i'w mynegi, neu os yw'r cyfieithiad terfynol yn swnio'n rhyfedd, defnyddiwch un o'r technegau cyfieithu eraill a drafodir uchod. Yn y bôn, pwyllwch, meddyliwch, a phenderfynwch yn ddoeth.

**Tabl 20 Techneg ar gyfer Taclo Brawddeg Anodd**

| Dull o ddelio â brawddeg y mae'n anodd ffurfio cyfieithiad ar ei chyfer | |
|---|---|
| *Ydw i'n cael trafferth yn cyfieithu'r ymadrodd hwn er fy mod yn ei ddeall?* | Meddyliwch am sut y byddech chi'n cyfleu yn union yr un cysyniad wrth rywun arall, ond mewn cyd-destun unieithog |
| *Ar ôl llunio cyfieithiad posibl, a yw'n swnio'n rhyfedd yn y Gymraeg?* | WEDYN<br><br>Gwrthodwch gyfieithu llythrennol a rhowch gynnig ar dechneg arall (fel Cyfieithu o Safbwynt Gwahanol, Ailgategoreiddio a.y.y.b) |

Gall meddwl am sut y byddech chi'n cyfleu'r un cysyniad mewn cyd-destun unieithog wneud dau beth. Yn gyntaf, gall glirio'r meddwl gan y byddwch wrth gyfieithu nid yn unig yn meddwl am yr iaith darged ond hefyd am yr iaith ffynhonnell. Gall hyn ei gwneud yn anodd weithiau i bobl ganolbwyntio ar y brif dasg yn y rhan hon o'r broses, sef ffurfio cyfieithiad. Mae faint o sylw y gallwch ei roi i rywbeth yn gyfyngedig, oherwydd na all eich cof tymor byr sy'n gyfrifol am sylw ond canolbwyntio ar nifer gyfyngedig o bethau ar yr un pryd. Gwnewch bethau'n haws felly trwy feddwl am un peth yn lle dau. Yn ail, gall eich helpu i feddwl am ffordd naturiol a Chymraeg o gyfleu'r un syniad heb ymyrraeth o du'r iaith ffynhonnell. Fel y trafodasom yn fyr yn y bennod ddiwethaf, mae ffordd o gyfleu unrhyw syniad mewn unrhyw iaith; y gamp yw gwneud hynny mewn ffordd sy'n naturiol.[22] O ran llunio'r cyfieithiad yn dilyn hyn, bydd ceisio cyfleu ystyr yr iaith ffynhonnell yn yr iaith darged trwy 'siaced gaeth' strwythur yr iaith ffynhonnell yn golygu bod y cyfieithiad yn rhyfedd i siaradwyr rhugl. Bydd y cyfieithiad ryw fodd yn swnio'n estron, neu efallai y byddwch chi'n synhwyro yn isymwybodol eich hun hyd yn oed nad yw rhywbeth yn iawn, ond heb allu gweld sut. Trwy ddefnyddio un o'r technegau uchod a newid ychydig ar y cyfieithiad, dylech allu llunio cyfieithiad sy'n parchu teithi'r Gymraeg, a hynny wrth gyfleu ystyr yr iaith ffynhonnell yn ffyddlon ar yr un pryd.

Trydedd dechneg y gellir rhoi cynnig arni wrth gael trafferth yn meddwl am gyfieithiad yw defnyddio corpora dwyieithog cyfochrog a chwilio am y rhan o'r frawddeg ynddo sy'n peri anhawster, er mwyn gweld sut mae cyfieithwyr eraill wedi ymdopi â'r un broblem. Mae corpora dwyieithog yn gasgliadau electronig, chwiliadwy o gyfieithiadau (fel arfer) rhwng dwy iaith neu ragor, a gellid chwilio am frawddeg neu ran ohoni yn yr iaith ffynhonnell a gweld sut mae wedi ei chyfieithu. Mae Corpws Cyfochrog Cofnod y Cynulliad (a defnyddio hen enw Senedd Cymru) yn enghraifft o hyn ac mae'n ddefnyddiol iawn.[23] Mae'r Corpws hwn, a gyhoeddwyd gan HMSO a Chynulliad Cenedlaethol Cymru â chymorth Prifysgol Bangor, yn cynnwys cannoedd o filoedd o gyfieithiadau o'r Saesneg i'r Gymraeg ac i'r gwrthwyneb o drafodion y Cynulliad (fel ag yr oedd). Oherwydd natur y trafodion, mae'r iaith yn safonol ond yn ffurfiol (fel y byddid yn disgwyl), ond mae'n adnodd gwych i gyfieithwyr dibrofiad. Gwedd arall ar ddefnyddio corpora dwyieithog yw manteisio ar gynnwys cofion cyfieithu (gweler Pennod 7). Mae cofion cyfieithu yn debyg iawn i gorpora dwyieithog am eu bod yn cynnwys cyfieithiadau a wnaed eisoes. O'r herwydd, wrth ddefnyddio systemau cof cyfieithu, eu mantais fawr yw bod modd chwilio am ymadroddion a rhannau o ymadroddion sy'n peri trafferth. Bydd yr union ddull o wneud hynny yn amrywio o system i system.

Yn olaf, manteisio ar eich ieithoedd eraill. Oherwydd natur ganolog cyfieithu i fasnach a gwleidyddiaeth ledled y byd, mae corpora dwyieithog cyfochrog yn bodoli ar gyfer nifer o ieithoedd. Os yw ymadrodd neu frawddeg yn peri trafferth, boed hynny o ran ystyr neu sut i gyfleu'r ystyr honno, gellid chwilio am y frawddeg neu ymadrodd mewn corpws cyfochrog a gweld sut mae cyfieithwyr mewn ieithoedd eraill wedi mynd i'r afael â'r broblem.[24] Er enghraifft, os gallwch ddarllen Sbaeneg neu Almaeneg, gallech chwilio am sut y deliodd cyfieithwyr i'r ieithoedd hynny â'r rhan o'r frawddeg neu'r ymadrodd byrrach sy'n peri anhawster. Gall hyn eich helpu i ddehongli'r ystyr o weld sut mae cyfieithydd arall wedi aralleirio ar sail yr ystyr honno, neu eich ysbrydoli hyd yn oed pan ddaw i lunio eich cyfieithiad eich hun. Ni fydd bob tro yn bosibl, ond mae'n werth rhoi cynnig ar y dechneg hon hefyd.

## Dadansoddi Cyfieithiadau: Egwyddorion Cyfieithu Da

Yn adran olaf y bennod hon, y bwriad yw dadansoddi tri thestun a bwrw golwg dros sut yr aeth y cyfieithydd ati i greu testun Cymraeg llwyddiannus. Bydd y testunau yn dod o dri maes gwahanol a bydd y cywair hefyd yn amrywio. Bydd modd gweld y strategaethau a'r technegau sydd wedi eu trafod hyd yma ar waith. Bydd y rhifau yn y testun yn cyfateb i'r gwahanol dechnegau a ddefnyddiwyd i greu cyfieithiad llwyddiannus.

**Testun 1: Rhagair y Gweinidog i ddogfen 'Datganiad o Gyfranogiad y Cyhoedd ar gyfer Cynllun Morol Cenedlaethol Cymru' gan Lywodraeth Cymru, Medi 2018.**

| Foreword | Rhagair |
|---|---|
| The Marine and Coastal Access Act 2009 introduced a new era (1) in the management (2) of Welsh seas, providing (3) for a much stronger, joined-up and plan-led approach. In the same way sustainable development is at the heart of everything (4) we do in the Welsh Government, sustainable development will be at the heart of our new marine planning system. The Well-Being of Future Generations (Wales) Act 2015 and Environment (Wales) Act 2016 reinforce the principle and importance of involving people in developing and delivering policy. I want (5) our marine planning system to be proactive, inclusive and provide clarity for everyone with an interest in the future of our seas. I want your help in establishing a system to say to the world Wales, through the sustainable use of our seas, has significant potential now and for our future generations. This Statement of Public Participation underlines our commitment to working with you throughout the marine planning process. I encourage you to get involved (6) in developing and implementing (7) our first Welsh National Marine Plan. | Gwawriodd cyfnod newydd (1) ar gyfer rheoli (2) moroedd Cymru pan gyflwynwyd Deddf y Môr a Mynediad i'r Arfordir 2009. Darparodd (3) ar gyfer ffordd o weithredu sy'n gryfach o lawer, yn gydgysylltiedig ac yn seiliedig ar gynllun. Yn yr un modd ag y mae datblygu cynaliadwy wrth wraidd popeth (4) a wnawn yn Llywodraeth Cymru, datblygu cynaliadwy fydd wrth wraidd ein system cynllunio morol newydd hefyd. Mae Deddf Llesiant Cenedlaethau'r Dyfodol (Cymru) 2015 a Deddf yr Amgylchedd (Cymru) 2016 yn atgyfnerthu'r egwyddor o gynnwys pobl wrth ddatblygu a gweithredu polisïau ac maent hefyd yn ategu pwysigrwydd hynny. Rwyf yn awyddus (5) i'n system cynllunio morol fod yn un rhagweithiol a chynhwysol a fydd yn rhoi eglurder i bawb sydd â diddordeb yn nyfodol ein moroedd. Rwyf am gael eich cymorth i sefydlu system sy'n dweud wrth y byd bod gan Gymru gryn botensial ar hyn o bryd ac ar gyfer cenedlaethau'r dyfodol os gwnawn ni ddefnydd cynaliadwy o'n moroedd. Mae'r Datganiad hwn o Gyfranogiad y Cyhoedd yn pwysleisio ein hymrwymiad i weithio gyda chi drwy gydol y broses cynllunio morol. Hoffwn eich annog i gyfrannu at (6) y gwaith o ddatblygu a gweithredu (7) Cynllun Morol Cenedlaethol cyntaf Cymru. |

Maes: Gwleidyddiaeth (Polisi Amgylcheddol)

Math o destun: Dogfen wybodaeth

Cynulleidfa: Cyrff â diddordeb mewn cynllunio morol

## Strategaeth Gyffredinol

Mae'r testun yn un gweddol ffurfiol, yn trafod gweledigaeth Llywodraeth Cymru ar gyfer cynllun morol. Diben y ddogfen yw trafod cyfranogiad y cyhoedd a rhoi gwybod i gyrff perthnasol sut y gallant gymryd rhan yng nghynllunio'r Llywodraeth. Mae'r fformat yn debyg i ddogfennau eraill y Llywodraeth, gyda thudalen gynnwys, Rhagair, Crynodeb a'r gwahanol benodau. Mae'r rhain wedi eu cadw yn y cyfieithiad heb eu newid, fel sy'n briodol. Mae'r iaith yn y ddogfen wreiddiol yn weddol ffurfiol a swyddogol ei naws; mae ymadroddion fel '*in accordance with*', '*provides the statutory basis*' a '*set out our intention*' a.y.y.b, y dyfynnu ar ddeddfau gwlad a'r ffaith bod gan y ddogfen ragair gan weinidog, oll yn dangos mai dogfen swyddogol yw hon. Mae'r naws swyddogol hon i'w gweld yn y cyfieithiad hefyd. Mae ymadroddion a ffurfiau berfol fel 'ffordd o weithredu', 'pan gyflwynwyd', 'maent hefyd' a 'rwyf yn awyddus' oll yn dangos sut mae'r cyfieithydd wedi llwyddo i gyfleu naws swyddogol y Saesneg.

## Technegau

Ar lefel yr ymadrodd, gallwn weld bod y cyfieithydd wedi defnyddio sawl techneg wahanol i gyfleu'r ystyr yn ffyddlon ond mewn modd sy'n cadw naturioldeb ac urddas y Gymraeg.

(1) Defnyddiodd y cyfieithydd 'gwawrio' i gyfleu bod 'oes newydd' wedi dechrau; byddai 'cyflwynodd...oes newydd' yn rhyfedd am nad yw 'oes' yn cael ei chyflwyno, eithr mae'n rhywbeth sy'n 'digwydd' ohoni'i hun'. Yn ogystal, mae 'gwawrio' yn gyffredin yn y Gymraeg. Y dechneg yma yw '**Cyfieithu o Safbwynt Gwahanol**'; cyfleu 'oes newydd' trwy ddefnyddio 'gwawrio' yn lle 'cyflwyno'.

(2) Penderfynodd y cyfieithydd droi'r enw '*management*' yn ferfenw yn y Gymraeg, 'ar gyfer rheoli', a defnyddiodd 'ar gyfer' hefyd yn lle 'yn'. Roedd sawl opsiwn ar gael i'r cyfieithydd yma, ond nid oedd cyfieithu llythrennol yn bosibl gan y byddai 'yn y rheolaeth o' yn anghymreig ac yn llurgunio ar yr ystyr. Y dechneg yma yw **Ailgategoreiddio**; troi enw yn ferfenw a newid yr arddodiad.

(3) Yma, mae'r cyfieithydd wedi hollti'r frawddeg a chreu un newydd. Yn lle defnyddio'r cysylltair 'gan' a chynnig datrysiad mwy neu lai llythrennol ar gyfer '*providing for a much stronger, joined-up and plan-led approach*', mae brawddeg newydd yn dechrau gyda 'Darparodd'. Trwy wneud hynny mae'r testun ei hun yn llifo'n well ac mae'n haws ar gof tymor byr y darllenydd gan fod y frawddeg yn fyrrach. Mae angen hollti brawddegau o bryd i'w gilydd er lles y testun cyfan; byddwn yn trafod hyn yn y bennod nesaf.

(4) Mae '*at the heart of*' yn drosiad cyffredin a welir mewn sawl cywair, o hysbysebu i ddogfennau swyddogol fel hon. Yma, mae'r cyfieithydd wedi cyfieithu'r trosiad gan ddefnyddio un cyfatebol o ran ystyr ond gwahanol o ran safbwynt, sef 'wrth wraidd'. Y trosiad 'wrth wraidd' sy'n gyffredin yn y Gymraeg, a dyna a ddefnyddiwyd yma. Y dechneg yma yw '**Cyfieithu Cyfatebol**'.

(5) Mae '*I want*' yn gyffredin iawn yn Saesneg ni waeth beth fo'r cywair mewn gwirionedd. Yn y Gymraeg, mae sawl ffordd o gyfleu hyn, ond mae cywair yn berthnasol

mewn ffordd nad yw mor berthnasol yn y Saesneg. Er enghraifft, mae 'rydw i eisiau' braidd yn anffurfiol, mae 'dwi ishe/isho' yn dafodieithol ac yn annerbyniol mewn testunau fel hwn, ac 'mae arnaf eisiau' yn ffurfiol, ond hefyd yn gallu cyfleu 'angen' i rai siaradwyr. O'r herwydd, penderfynodd y cyfieithydd ddefnyddio 'rwyf yn awyddus'. Mae 'rwyf' yn gydnaws â natur ffurfiol y Saesneg, ac mae 'awyddus' yn cyfleu'r cysyniad o fod yn frwd dros wneud rhywbeth. Y dechneg yma yw **Ailgategoreiddio**; troi berf (*want*) yn ansoddair (awyddus).

(6) Ymadrodd cyffredin iawn yn y Saesneg yw '*get involved*'. Yr ystyr yn y bôn yw cymryd rhan neu gyfranogi o rywbeth. Dyna a ddefnyddiwyd yma, sef 'cyfrannu at'. Y dechneg yma yw '**Cyfieithu o Safbwynt Gwahanol**'.

(7) Mae enwau sy'n deillio o ferfau (a elwir yn Saesneg yn '*nominalizations*') yn gyffredin yn y Saesneg a gallant fod yn anodd eu cyfieithu i gyfieithwyr dibrofiad. Un dechneg y mae cyfieithwyr profiadol i'r Gymraeg yn ei defnyddio'n aml yw defnyddio 'y gwaith o/y broses o' a throi'r enw yn ferf. Dyna a wnaed yma, gyda '*get involved in developing and implementing*'; y cyfieithiad a gyhoeddwyd oedd 'y gwaith o ddatblygu a gweithredu'. Y dechneg yma yw **Ailgategoreiddio;** troi enw yn ferfenw.

Mae'r cyfieithydd yma felly wedi defnyddio sawl techneg i osgoi cyfieithu lletchwith. Ond ar wahân i hynny, gallwn weld ambell enghraifft bosibl o ddargyfeirio oddi wrth y Saesneg heb fod angen, fel yn achos 'pwysleisio' ar gyfer '*underline*' yn lle 'tanlinellu'. Nid oes dim yn bod ar hyn; mae'r opsiynau sydd ar gael i'r cyfieithydd yn niferus, a dyna pam y bydd deg cyfieithydd yn cynnig deg cyfieithiad gwahanol o'r un testun.

**Testun 2: Ymgyrch gyhoeddus gan gyngor sirol am faw cŵn, 2017**

| | |
|---|---|
| Sort **IT Out!<br>New harder-hitting (1) dog fouling rules have come into force in Rhondda Cynon Taf, in order to tackle the County Borough's irresponsible dog owners.<br>Dog fouling is consistently (2) one of the biggest issues raised to the Council by residents – and a consultation earlier this year saw a unanimous verdict (3) in favour of action. Supported by its Sort **IT Out! campaign, the Council has introduced new dog fouling rules to help keep the County Borough clean. | Ewch â'r C*ch* 'da chi!<br>Mae mesurau baw cŵn llymach (1) wedi dod i rym yn Rhondda Cynon Taf, er mwyn mynd i'r afael â pherchenogion anghyfrifol y Fwrdeistref Sirol.<br>Baw cŵn yw un o'r prif faterion (2) mae trigolion yn sôn amdano i'r Cyngor - ac mewn ymgynghoriad â'r cyhoedd yn gynharach eleni, roedd pawb o blaid (3) gweithredu. Wedi'i gefnogi gan ei ymgyrch Ewch â'r C*ch* 'da chi!, mae'r Cyngor wedi cyflwyno'r mesurau baw cŵn newydd i helpu i gadw'r Fwrdeistref Sirol yn ardal lân. |

| | |
|---|---|
| A new Public Spaces Protection Order came into force from October 1, 2017, and the new rules include that:<br>• Dog owners MUST clean up their dogs' mess immediately and dispose of it properly.<br>• Dog owners MUST carry means to pick up dog mess (i.e. bags) at all times.<br>• Dog owners MUST follow a direction from an authorised officer to put a dog on a lead.<br>• Dogs are BANNED from all schools, children's play areas and marked sports pitches maintained by the Council.<br>• Dogs MUST be kept (4) on a lead at all times in Council maintained cemeteries.<br><br>MORE enforcement officers will be out and about (5) from October 1, and irresponsible dog owners could face an increased fine of £100. | • Daeth Gorchymyn Diogelu Mannau Cyhoeddus i rym o 1 Hydref, 2017, ac mae'r rheolau newydd yn nodi'r canlynol:<br>• RHAID i berchenogion cŵn godi baw cŵn ar unwaith a chael gwared ar y baw mewn modd addas.<br>• RHAID i berchenogion cŵn gario bagiau, neu ryw ddull addas arall, er mwyn cael gwared â'r baw ar bob adeg.<br>• RHAID i berchenogion cŵn ddilyn cyfarwyddyd Swyddog Awdurdodedig i roi ci ar dennyn.<br>• Caiff cŵn eu GWAHARDD o holl ysgolion, mannau chwarae i blant, a chaeau chwaraeon sy wedi'u marcio y mae'r Cyngor yn eu cynnal a'u cadw.<br>• RHAID cadw cŵn (4) ar dennyn ar bob adeg ym mynwentydd y mae'r Cyngor yn eu cynnal a'u cadw. |
| The Council will provide a monthly update on social media about the total number of fines issued. We are unable to provide a more detailed breakdown (6) on social media due to the officer time and resource required to gather this information. | Bydd RHAGOR o swyddogion gorfodi yn crwydro'r strydoedd (5) o 1 Hydref, a bydd perchenogion cŵn anghyfrifol yn wynebu dirwy mwy o £100.<br>Bydd y Cyngor yn defnyddio'r cyfryngau cymdeithasol yn fisol i roi gwybodaeth am faint o ddirwyon sydd wedi'u cyflwyno. Does dim modd inni fod yn fwy manwl (6) ar y cyfryngau cymdeithasol oherwydd amser swyddogion a'r adnoddau sydd eu hangen i gasglu'r fath wybodaeth. |
| Maes: Llywodraeth Leol | |
| Math o destun: Ymgyrch gyhoeddus | |
| Cynulleidfa: Y cyhoedd yn gyffredinol | |

## Strategaeth Gyffredinol

Mae'r cyfieithiad hwn yn un o'r cyfieithiadau gorau y deuthum ar ei draws wrth wneud yr ymchwil ar gyfer y gyfrol hon. Mae'n greadigol, mae'n gryno ac mae'n gwneud ei waith yn wych. O ran fformatio i gychwyn, mae'r cyfieithydd wedi defnyddio prif lythrennau'n briodol er mwyn cyfleu'r synnwyr cryf o orchymyn nad oes modd ei anwybyddu. Mae wedi cadw'r pwyntiau bwled hefyd fel bod y wybodaeth yn glir ac yn hawdd ei darllen. O ran pwnc, mae'n ymgyrch gyhoeddus yn trafod baw cŵn, barnau pobl leol am hyn a beth mae'r Cyngor wedi ei wneud i fynd i'r afael â'r broblem a'u pryderon. O ran diben, mae dau. Y diben cyntaf yw rhoi gwybodaeth i bobl a'r ail yw eu gorchymyn i ddilyn y rheolau newydd. Mae tair prif dechneg wedi eu defnyddio i gyflawni'r ail ddiben: y defnydd o slogan bachog, anodd ei anghofio, y defnydd o brif lythrennau ac yn drydydd y defnydd ar y modd gorchmynnol wrth drafod y rheolau newydd. Roedd rhaid i'r cyfieithiad gyflawni hyn oll hefyd, ac mae'r cyfieithydd wedi llwyddo i wneud hyn. Mae difrifoldeb y sefyllfa a'r ffaith y bydd goblygiadau i beidio ag ufuddhau i'r rheolau wedi eu cyfleu yn llwyddiannus yn y Gymraeg ac mae'r slogan yn wych. Fel y slogan Saesneg yntau, mae'r un Cymraeg yn fachog ac yn gofiadwy. Mae'r defnydd o 'da chi', sy'n cyd-fynd â thafodiaith Gymraeg yr ardal, yn golygu bod y cyfieithydd wedi parchu materion diwylliannol a'r cyd-destun cymdeithasol. Yn ogystal, mae'r odli a'r cyflythrennu yn cyfuno i greu slogan bachog sy'n sicrhau ei fod yn cyflawni ei swyddogaeth yn llwyddiannus. O ran iaith, a hithau'n ymgyrch gyhoeddus, mae'r ieithwedd yn safonol ac yn gywir, ond heb fod yn orffurfiol ychwaith. Gwelwn hyn yn y defnydd o 'caiff cŵn eu gwahardd' yn lle 'gwaherddir cŵn' a 'does dim' yn lle 'nid oes'.

## Technegau

(1) Mae'r cyfieithydd wedi defnyddio 'llymach' ar gyfer '*harder hitting*'; go brin y byddai 'rheolau sy'n taro'n galetach' wedi cyfleu'r ystyr yn iawn. Dyma enghraifft o **Gyfieithu o Safbwynt Gwahanol**; defnyddio 'llym' yn lle taro (lle mae '*harder hitting*' i fod i gyfleu effaith y rheolau ar yr unigolyn pe torrid hwy).

(2) O gofio bod angen i bob gair ennill ei le, hynny yw gwneud rhyw fath o gyfraniad at yr ystyr, mae'r cyfieithydd wedi penderfynu hepgor '*consistently*' yma. Nid yw'n ychwanegu dim; mae '*main issues*' yn cyfleu bod baw cŵn yn bwnc llosg ymysg y boblogaeth yn yr ardal. Dyma enghraifft o'r dechneg **Dileu**.

(3) Mae '*a unanimous verdict*' yn cael ei ddefnyddio yn ei ystyr drosiadol yma, ac mae'n gyffredin yn y Saesneg. Byddai ceisio defnyddio'r trosiad cyfreithiol ei naws hwn yn heriol i'r cyfieithydd; er enghraifft, byddai 'bu euogfarn unfryd o blaid' yn anghywir am na chafwyd neb yn euog, a byddai 'penderfyniad unfryd' yn anghywir am na wnaed penderfyniad gan y cyhoedd, eithr gan y Cyngor ar sail yr ymatebion i'r ymgynghoriad. Hynny yw, nid yw 'euogfarn unfryd' yn cael ei ddefnyddio'n drosiadol yn y Gymraeg fel y mae'r ymadrodd cyfatebol Saesneg. I gyfleu hyn, penderfynodd y cyfieithydd ddefnyddio 'roedd pawb o blaid', a dileu unrhyw gyfeiriad trosiadol at y Gyfraith. Mae'n cyfleu'r ystyr mewn modd mwy llythrennol ond nid oes dim yn bod ar hyn yn yr achos hwn. Dyma enghraifft o **Gyfieithu o Safbwynt Gwahanol**.[25]

(4) Wrth gyfleu '*must*', a ddefnyddir yn aml yn y Saesneg gyda'r ferf gynorthwyol '*be*', mae'r cyfieithydd wedi manteisio ar ramadeg y Gymraeg i gynnig cyfieithiad byrrach a

mwy naturiol; mae *'must be kept'* wedi troi'n 'rhaid cadw'. Dyma enghraifft o **Ailgategoreiddio**; troi cystrawen oddefol yn y Saesneg yn gystrawen symlach yn y Gymraeg gyda 'rhaid' a berfenw.

(5) Mae *'out and about'* wedi ei gyfleu i'r dim gan 'crwydro'. Byddai 'ar grwydr' hefyd yn bosibiliad. Dyma enghraifft o **Ailgategoreiddio**; troi adferf yn ferfenw. Eto, roedd hwn yn newid angenrheidiol am na fyddai 'allan ac o gwmpas' yn Gymraeg naturiol.

(6) Dyma enghraifft o **Gyfieithu o Safbwynt Gwahanol** er mwyn bod yn fwy syml. Ar gyfer *'We are unable to provide a more detailed breakdown'* fe welwn 'ni allwn fod yn fwy manwl', lle mae'r gair 'dadansoddiad' wedi ei hepgor. Opsiwn arall, o gynnwys dadansoddiad, fyddai ' ni allwn ddarparu dadansoddiad mwy manwl'. Er na fyddai dim yn bod ar hyn yn dechnegol, hynny yw o ran cyfleu'r ystyr a chywirdeb gramadegol, mae'r cyfieithiad a gynigiwyd yn fwy naturiol o hepgor 'darparu' a 'dadansoddiad' gan fod 'darparu' a 'dadansoddi' o bosibl yn llai cyffredin yn y Gymraeg mewn cyd-destunau llai technegol (trafodwyd hyn ym Mhennod 4 o ran yr Ystyr Osodiadol ac amlder geiriau).

Testun 3: Taflen wybodaeth i blant gan y NSPCC, 'Tell us what you think', 2018.

| Tell us what you think (1) | Rho dy farn (1) |
|---|---|
| What to do if you have something to say. We promise to do the best we can (2) and always listen to what you have to say. Please get in touch if you'd like to tell us about your experience with the NSPCC. Have an idea? Hearing what you've got to say helps us to improve, so we can offer children and young people the best possible experience with the NSPCC. If you have an idea, including how we could improve our services, don't hold back (3). We'd love to hear it. Something not quite right? We're sorry if there's anything we've done to make you feel upset about the NSPCC. What's important now is getting your complaint heard, so we can put things right. How to make yourself heard (4) Get in touch via the contact details listed on the right. Alternatively, if you have an NSPCC contact, you can speak to them. If you want another person to help make sure you are heard, they can get in touch with us on your behalf. Don't forget (5) to let us know what or who your comment is about (6). And remember to say how you'd like us to get in contact with you. We can email, call, or write – whatever you prefer. | Beth i'w wneud os oes gen ti rywbeth i'w ddweud. Rydyn ni'n addo gwneud ein gorau glas (2) a gwrando ar beth sydd gen ti i'w ddweud. Cysyllta â ni os wyt ti eisiau sôn am dy brofiad gyda'r NSPCC. Oes gen ti syniad? Mae clywed beth sydd gen ti i'w ddweud yn ein helpu ni i wella er mwyn i blant a phobl ifanc gael y profiad gorau posibl gyda'r NSPCC. Os oes gen ti syniad, gan gynnwys dweud sut gallen i wella ein gwasanaethau, cofia ddweud (3). Bydden ni wrth ein bodd yn clywed. Rhywbeth o'i le? Mae'n ddrwg gennym ni os ydyn ni wedi gwneud rhywbeth sy'n gwneud i ti deimlo'n anhapus am yr NSPCC. Yr hyn sy'n bwysig nawr yw gwneud yn siŵr fod dy gŵyn yn cael ei chlywed er mwyn i ni gywiro'r sefyllfa. Sut i ddweud dy ddweud (4) Cysyllta drwy'r manylion cyswllt ar y dde. Neu, os wyt ti'n arfer delio â rhywun penodol yn yr NSPCC, siarada efo nhw. Os wyt ti am gael rywun [sic] i dy helpu i wneud yn siŵr bod dy lais yn cael ei glywed, gall y person hwnnw gysylltu â ni ar dy ran. |

| How long will it take? We will try to sort out your complaint as quickly as we can. Sometimes we can do this straight away by talking it through with you. | Cofia ddweud (5) pwy neu beth sydd dan sylw (6). A chofia ddweud sut wyt ti am i ni gysylltu â ti. Gallwn ni anfon neges e-bost, ffonio neu ysgrifennu atat ti – p'run bynnag sydd orau gen ti. |
|---|---|
| Sometimes we will need to speak to other people to find out what has gone wrong. | Faint o amser fydd hyn yn ei gymryd? Byddwn ni'n ceisio delio â dy gŵyn cyn gynted ag y gallwn ni. Weithiau, rydyn ni'n gallu gwneud hynny'n syth drwy siarad efo ti am y peth. Weithiau, rhaid i ni siarad efo pobl eraill i weld beth sydd wedi mynd o'i le. |
| Maes: Trydydd Sector (Diogelu Plant) | |
| Math o destun: Taflen wybodaeth | |
| Cynulleidfa: Plant | |

## Strategaeth Gyffredinol

Y pwnc dan sylw yma yw gwella gwasanaethau'r NSPCC i blant, ar sail adborth gan y plant eu hunain. Y diben felly yw annog plant i gysylltu a dweud eu dweud, er mwyn gallu gwella gwaith y NSPCC. Er na ellir gweld hynny yn y darn uchod a atgynhyrchwyd yma, mae'r fformat yn hwyliog gyda symbolau a lluniau, mae'r ffont yn llai 'difrifol' ac mae maint y testun yn fwy. Gan mai i blant mae'r daflen, rhaid i'r cyfieithydd ailgreu'r nodweddion fformatio hyn gan eu bod yn fwriadol fel bod y daflen yn ddeniadol i blant. Yr elfen bwysicaf o ran strategaeth gyffredinol y cyfieithydd, fodd bynnag, yw ieithwedd. Mae'r iaith yn syml, mae'r eirfa yn syml ac mae'r brawddegau yn weddol fyr. Yn y Gymraeg, mae'r cyfieithydd wedi defnyddio ffurfiau person cyntaf U2 (ti), ac mae'r iaith yn y cyfieithiad yr un mor agos-atoch (y defnydd o'r rhagenwau atodol a defnyddio 'efo ti' er enghraifft i gyd-fynd ag iaith lafar plant).[26]

## Technegau

(1) Yma, mae'r cyfieithydd wedi defnyddio dull cyffredin yn y Gymraeg o annog rhywun i ddweud ei ddweud, sef 'rho dy farn'. Yr opsiwn arall oedd 'dywed wrthon ni/wrthym ni beth rwyt ti'n feddwl'. Fodd bynnag, mae'r opsiwn hwn yn hir ac mae 'rho dy farn' yn cyfleu'r ystyr yn iawn ac mewn modd llawer mwy cryno. Y dechneg a ddefnyddiwyd yma oedd **Cyfieithu o Safbwynt Gwahanol**; yn lle defnyddio 'dweud' a nodi 'beth sydd ar eich meddwl', fe gyflewyd y cysyniad gan ddefnyddio 'rhoi barn' yn lle.

(2) Dyma enghraifft o ddefnyddio technegau cyfieithu yn lle cyfieithu'n llythrennol er naturioldeb, er y byddai cyfieithiad yn sgil proses fwy llythrennol wedi bod yn dechnegol dderbyniol. Yn lle 'gwneud y gorau y gallwn ni', fe welwn 'gwneud ein gorau glas'. Dyma ddull Cymreigaidd a naturiol o gyfleu'r Saesneg. Y dechneg yma oedd **Cyfieithu o**

**Safbwynt Gwahanol**; cyfieithu'r ystyr lythrennol yn yr iaith ffynhonnell trwy ddefnyddio ymadrodd trosiadol yn yr iaith darged, er mwyn sicrhau bod yr iaith darged yn naturiol. Weithiau, bydd ieithoedd yn cyfleu cysyniad mewn ffordd drosiadol er bod yr iaith ffynhonnell yn cyfleu'r un ystyr mewn ffordd fwy llythrennol. Dyma enghraifft o hyn yma.

(3) Mae '*don't hold back*' yn enghraifft dda o iaith drosiadol. Wrth reswm, nid yw 'paid â chynnal [dim] yn ôl' yn opsiwn, am ei fod yn gwbl anghywir o ran ystyr. Rhaid felly feddwl am yr ystyr yma a chyfieithu ar sail honno. O edrych ar y cyd-destun, penderfynodd y cyfieithydd ddefnyddio 'cofia ddweud'. Mae hyn yn cyfleu'r Ystyr Osodiadol, sef 'paid ag ymatal, dweud beth sydd ar dy feddwl'. Gellid dadlau hefyd fod ychydig o Ystyr Fynegiannol yma hefyd yn y defnydd o '*hold back*'; oes arlliw o 'paid â bod swil' hefyd? Mater o farn yw hynny. Dyma enghraifft o **Gyfieithu o Safbwynt Gwahanol**; defnyddio dull mwy llythrennol o gyfleu'r ystyr heb ddefnyddio iaith drosiadol.

(4) Dyma enghraifft glasurol o **Gyfieithu o Safbwynt Gwahanol** heb unrhyw ddewis arall. Ni fyddai 'gwna dy hun wedi dy glywed' neu 'sicrha y clywir dy lais' yn opsiynau posibl. Yr ymadrodd a ddefnyddiwyd oedd 'dweud dy ddweud', dull naturiol a chywir o gyfleu'r ystyr greiddiol yn y Gymraeg.

(5) a (6) Mae 'Cofia ddweud pwy neu beth sydd dan sylw' ar gyfer '*Don't forget to let us know what or who your comment is about*' yn enghraifft wych o ddefnyddio **Cyfieithu o Safbwynt Gwahanol** i lunio cyfieithiad mwy naturiol (troi '*don't forget*' yn 'cofiwch' am fod 'cofiwch' yn fwy cyffredin na 'paid ag anghofio'), ac i lunio cyfieithiad byrrach (mae '[d]weud pwy neu beth sydd dan sylw' yn well na 'rhoi gwybod i ni am bwy neu beth y mae dy sylw').

## Crynhoi

Y nod yma oedd dangos y strategaethau a'r technegau sydd ar gael i'r cyfieithydd proffesiynol. Eglurwyd yn gyntaf oll mai cyfieithu llythrennol yw'r broses gyfieithu ddiofyn, ond bod gwyro oddi wrth y broses hon yn angenrheidiol yn aml iawn er lles cywirdeb a naturioldeb y testun. Yn hynny o beth, aethom ymlaen wedyn i drafod Cymraeg Swnllyd, a sut y mae nifer o gyfieithiadau gwael yn y tirwedd ieithyddol yng Nghymru ac yn y sector cyhoeddus yn ganlyniad i gyfieithu gorlythrennol yn gymaint ag y maent o ganlyniad i orffurfioldeb a gwallau gramadeg. Nodwyd y gellid gwella ar y sefyllfa trwy ddefnyddio technegau mwy priodol wrth gyfieithu, yn hytrach na glynu'n oragos at y Saesneg. Mae cyfieithu mewn modd sy'n parchu teithi'r iaith darged yr un mor bwysig â chyfleu'r ystyr yn gywir wrth gyfieithu; bydd methiant i wneud y naill neu'r llall yn golygu bod y gwaith yn ddiffygiol. Ac fel y gofynnwyd, pwy sy'n ennill o beidio gwneud hynny? Mewn perthynas â thechnegau eraill i hwyluso gwell cyfieithu, disgrifiwyd y rhain yn fanwl a chafwyd llu o enghreifftiau go iawn i ddangos sut y'u defnyddiwyd yn y byd proffesiynol go iawn. Yn yr adran olaf, gwelsom sut yr oedd cyfieithwyr proffesiynol wedi defnyddio'r technegau hyn ar lefel testunau hwy er mwyn llunio cyfieithiadau llwyddiannus o safon uchel. Wrth wneud hynny, dangoswyd prawf nid yn unig fod y technegau hyn yn bodoli y tu hwnt i'r byd theoretig, hyd yn oed os yw cyfieithwyr yn eu defnyddio yn ddiarwybod iddynt eu hunain, ond dangoswyd hefyd eu bod yn gwbl anhepgor i'r broses gyfieithu. Mae ceisio cyfleu ystyr yr iaith ffynhonnell gan gadw at deithi'r iaith honno wrth lunio'r cyfieithiad fel ceisio morthwylio peg sgwâr i mewn i dwll crwn; mae'n anodd, mae'n ofer ac mae'n amhriodol. Rhaid felly ddefnyddio'r technegau uchod i lunio cyfieithiad derbyniol. Mae'r gallu i ddefnyddio'r technegau hyn yn cyd-fynd â'r sgiliau 'trosglwyddo' y bu sôn amdanynt mewn nifer o gyhoeddiadau academaidd ac mewn nifer o fodelau o gymhwysedd cyfieithu a drafodwyd ym Mhennod 2; y defnydd ymwybodol a bwriadol ohonynt felly yw un o'r pethau sy'n nodweddu cyfieithu proffesiynol, ac un o'r prif wahaniaethau rhwng ymarfer proffesiynol a chyfieithu lleyg. Fel y nodwyd, bydd yn cymryd blynyddoedd o ymarfer cyn y bydd modd i unrhyw gyfieithydd ddefnyddio'r technegau hyn yn gyflym ac yn hyderus, ac erbyn y pwynt hwn mae'n debyg y bydd ei ddefnydd ohonynt yn mynd yn awtomatig ac yn anodd sylwi arnynt. Y gobaith yma, fodd bynnag, yw cyflymu ychydig ar ddatblygiad y cyfieithydd newydd trwy gyflwyno'r technegau hyn ar ddechrau ei yrfa. A chyflymu yw'r gair iawn hefyd; gellid dysgu trwy wneud a dysgu o gamgymeriadau a chywiriadau, a gellid dysgu technegau cyffredin megis defnyddio 'y gwaith o' ar gyfer enwau yn deillio o ferfau, neu ddefnyddio 'sy'n' gyda berfenw i gyfleu'r ansoddair gerwnd mewn ymadroddion fel 'award-winning'. Y broblem gyda hyn i gyd yw y byddai'n cymryd amser hir iawn. Gall defnyddio'r technegau hyn yn gywir ac yn gyson gynorthwyo'r cyfieithydd i ddelio ag *unrhyw* broblemau sy'n deillio o wahaniaethau ieithyddol ac arddulliol, a hynny gan gymryd golwg fwy strategol a phwrpasol dros y gwaith. Cawn fynd ymlaen nawr i drafod agwedd arall ar ymarfer proffesiynol, sef gweithio ar lefel y testun ac ansawdd y cyfanwaith gorffenedig.

## Nodiadau

1    Gweler, er enghraifft, gyfrol Peter Newmark, *Approaches to Translation* (Oxford: Pergamon Press, 1988,), *Thinking German Translation* gan Sándor Hervey, Michael Loughridge ac Ian Higgins (Abingdon/New York: Routledge, 2006), *Thinking Italian Translation* gan Stella Cragie et al. (Abingdon/New York: Routledge, 2015), *Scientific and Technical Translation Explained* gan Jody Byrne (Abingdon/New York: Routledge, 2012), *Thinking English Translation* gan Stella Cragie ac Ann Pattison (Abingdon/New York: Routledge, 2018), i enwi ond ychydig.

2    Anna Gil Bardaji, 'Procedures, techniques, strategies: translation process operators', *Perspectives: Studies in Translatology* 17(3) (2009), 161–173.

3    Anthony Pym, 'A typology of translation solutions', *The Journal of Specialized Translation* 30 (2018), 41–65.

4    Dilynir yn fras Kevin J. Rottet a Steve Morris yma yn eu *Comparative Stylistics of Welsh and English*, tt. 4–8. Gweler hefyd gofnod '*Unit of Translation*' yn y *Dictionary of Translation Studies* gan Mark Shuttleworth a Moira Cowie (Manchester: St. Jerome Press, 1997), tt. 192–193.

5    Rottet a Morris, t. 6.

6    Rottet a Morris, t. 7.

7    Bydd y newidiadau hyn yn eglur yn yr adrannau sy'n dilyn lle byddwn yn trafod y technegau cyfieithu eraill sydd oll yn defnyddio'r dulliau hyn.

8    IoL Educational Trust (rhan o Sefydliad Siartredig yr Ieithyddion), *Diploma in Translation–Handbook for Candidates* (London: The Chartered Institute of Linguistics, 2017) tt. 17–18. Hefyd, er nad oes sôn yn

benodol am y technegau hyn, mae'r canllaw i ymgeiswyr ynghylch aelodaeth gan yr Institute of Translation and Interpreting, *Applicant Handbook – Assessment Guide for Translators*, yn nodi'n glir trwy gydol y ddogfen fod 'aralleirio' mewn modd priodol pan fo angen hefyd yn un o'r meini prawf (Milton Keynes: Institute of Translators and Interpreters, 2017).

9    Delyth Prys a Dewi Bryn Jones, *Canllawiau Safoni Termau Gwasanaeth Cyfieithu Llywodraeth Cynulliad Cymru a Bwrdd yr Iaith Gymraeg / Guidlines for the Standardization of Terminology for the Welsh Assembly Government and the Welsh Language Board* (Bangor: Prifysgol Bangor 2007).

10   Delyth Prys, Tegau Andrews a Gruff Prys, 'Term formation in Welsh: Problems and solutions', yn *Svijet od riječi. Terminološki i leksikografski ogledi* (Zagreb: *Institute of Croatian Language and Linguistics,* 2020), tt. 159–184.

11   Charles V.J Russ, *The German Language Today* (London: Routledge, 1994), tt. 248–260. Er gwaethaf hyn, mae Puryddiaeth Ieithyddol yn y gwledydd Almaeneg eu hiaith yn bell o fod yn duedd ymylol; gweler *The German Speaking World: A Practical Guide to Sociolinguistic Issues,* 2il arg. (Abingdon: Routledge, 2018) gan Patrick Stevenson et al. am drafodaeth bellach am hyn, yn benodol tt. 123–133.

12   Gweler Delyth Prys, Tegau Andrews a Gruff Prys, *'Term formation in Welsh: Problems and solutions'* am drafodaeth gynhwysfawr ynghylch y meini prawf a'r egwyddorion wrth fathu termau, y technegau y gellir eu defnyddio ar wahân i Fenthyg a Dynwared ac am drafodaeth ynghylch y cefndir hanesyddol a chymdeithasol i waith terminolegol yng Nghymru.

13   Pe na bai'r cyfieithydd wedi defnyddio trosiad cyfatebol ac wedi cyfieithu'r ystyr o safbwynt gwahanol gan ddefnyddio iaith nad oedd yn drosiadol (e.e. *the mess, the problems that ensued*), yna enghraifft o Gyfieithu o Safbwynt Gwahanol fyddai hi, nid enghraifft o Gyfieithu Cyfatebol.

14   Enwau sy'n deillio o ferfau yn y Saesneg fyddai '*nominalization*s'.

15   Cruse, t. 89–90.

16   *https://en.wikipedia.org/wiki/Bodily_integrity* [Cyrchwyd: 1/06/2020].

17   Cyngor ar Bopeth, *Hefyd ar gael yn Gymraeg: Deall y defnydd a'r diffyg defnydd o wasanaethau Cymraeg*; Comisiynydd y Gymraeg, *Hawlio Cyfleoedd: Adroddiad Sicrwydd Comisiynydd y Gymraeg 2018–19.*

18   Thomas, tt. 39–65. Hoffwn ddiolch yn ddiffuant i Iestyn Tyne am anfon lluniau o'r ysgrif hon ataf o'i gasgliad, wedi fy ymholiad am sut y gallwn ddod o hyd i gopi.

19   Joanna Drugan, *Quality in Professional Translation* (London/New York: Bloomsbury Academic, 2013).

20   Ni wedir yma fod defnydd ar y fath eiriau yn iaith feunyddiol siaradwyr addysgedig mewn cyd-destunau proffesiynol. Cwestiwn diddorol yn y cyswllt hwn yw i ba raddau y mae'r fath eirfa a chystrawennau wedi dod i'r Gymraeg trwy gyfrwng cyfieithu mynych o'r Saesneg, lle mae cyfieithu yn peri newidiadau trwy greu rhyw 'locws o gyswllt ieithyddol'? Mae un astudiaeth wedi awgrymu y gall cyfieithu fod yn gyfrifol am newidiadau yn yr iaith darged o gyson gyfieithu rhwng yr un pâr o ieithoedd, a hynny ar sawl lefel gan gynnwys y lefel eirfaol a chystrawennol. Yr hyn sy'n hwyluso'r fath newidiadau yw diffyg safoni, ymhlith pethau eraill, yn yr iaith darged. Am drafodaeth bellach, gweler Svenja Kranich, 'Translations as a locus of language contact' yn Juliane House (gol.), *Translation: A Multidisciplinary Approach,* (Basingstoke: Palgrave Macmillan, 2014), tt. 96–116.

21   Marisa Presas, 'Bilingual Competence and Translation Competence' yn Christina Schäffner a Beverly Adab (goln), *Developing Translation Competence* (Amsterdam/Philadelphia: John Benjamins Publishing Company, 2000), t. 29.

22   Er mwyn 'synhwyro' neu weld bod y cyfieithiad yn chwithig, byddai rhaid i'r cyfieithydd fod â gafael gadarn ar y ddwy iaith. Bydd y wybodaeth ramadegol hon yn wybodaeth ramadegol dechnegol, a dealltwriaeth drylwyr o sut mae'r ddwy iaith yn gweithio. Dyna pam y dadleuwyd yn gynnar yn y gyfrol hon fod gwybodaeth drylwyr o ramadeg y ddwy iaith yn gwbl angenrheidiol cyn dechrau hyfforddi'n gyfieithydd. Soniwyd hefyd am *Gramadeg y Gymraeg* Peter Wynn Thomas (Caerdydd: Gwasg Prifysgol Cymru, 1996) a *Gramadeg Cymraeg* David Thorne (Llandysul: Gwasg Gomer, 1996). Dyma'r ymdriniaethau trylwyraf o'r iaith safonol a'r amrywiadau ieithyddol sy'n nodweddu'r Gymraeg yn ysgrifenedig ac ar lafar, a dylid darllen y rhain. Mae *Comparative Stylistics of Welsh and English* gan Kevin J. Rottet a Steve Morris (Cardiff: University of Wales Press, 2018) yn gyfrol ddefnyddiol arall; dyma astudiaeth gynhwysfawr ac arloesol o'r gwahaniaethau ieithyddol ac arddulliol rhwng y Gymraeg a'r Saesneg, felly byddai'n fuddiol tu hwnt i unrhyw gyfieithydd ymgyfarwyddo â'r gwaith hwn hefyd.

23  *http://corpws.cymru/ycofnod/*. Un arall yw *https://mymemory.translated.net/en/English/Welsh/memory*.

24  Rhowch gynnig ar *https://www.linguee.com* er enghraifft [Cyrchwyd: 08/03/2021].

25  Ni all fod yn enghraifft o Gyfieithu Cyfatebol gan na ddefnyddiwyd trosiad cyfatebol. Dyma brawf y gall fod dewis o ran pa dechneg i'w defnyddio. Creadigedd a gwneud penderfyniadau sydd wrth wraidd cyfieithu da bob tro.

26  Cysylltir 'efo' ag iaith y gogledd yn bennaf, ond nid yw'n anghyffredin yn llafar plant ysgolion Cymraeg y De ychwaith.

# PENNOD 6:
# SGILIAU TESTUNOL, ADOLYGU GWAITH AC ANSAWDD TESTUNAU

Byddwn yn gadael geiriau ac ymadroddion nawr ac yn troi'n golygon at destunau cyfan, y cyfanwaith gorffenedig. Camdybiaeth arall ynghylch cyfieithu yw bod cyfieithwyr yn gweithio ar lefel y frawddeg yn unig, a bod ystyriaethau am destunau a dogfennau y tu hwnt i'w swydd ddisgrifiad. Fodd bynnag, un elfen o gyfieithu da yw bod y testun yn yr iaith darged yn llifo'n dda, yn hawdd ei ddarllen ac yn addas i'w gynulleidfa yntau. Nid yw hyn yn digwydd trwy hap a damwain ac mae angen i'r cyfieithydd wneud penderfyniadau penodol i sicrhau bod hyn yn digwydd. Byddwn yn trafod agweddau testunol ar gyfieithu isod. Byddwn hefyd yn ystyried sut orau i wirio testunau cyfan o ran ansawdd, cyn troi at ansawdd mewn perthynas â'r gynulleidfa darged.

### Deilliannau Dysgu:

Yn y bennod hon byddwch yn dysgu:
1) sut mae gwybodaeth yn cael ei strwythuro a'i chyflwyno mewn testunau, a pham mae hyn yn bwysig yng nghyd-destun ansawdd cyfieithiadau;
2) y technegau a ddefnyddir i sicrhau bod testunau'n llifo'n dda ac yn hawdd eu darllen;
3) y strategaethau defnyddiol ar gyfer gwirio gwaith yn effeithiol i sicrhau ansawdd;
4) pam mae'n bwysig ystyried y defnyddiwr terfynol ac agweddau ar wneud hynny.

## Cyflwyniad i Destunoldeb

Mae ysgrifennu'n dda yn sgìl; rhaid dysgu'r hanfodion yn yr ysgol a darllen yn helaeth wedyn er mwyn mireinio ar y sgiliau sylfaenol hyn. Nid oes neb yn cael ei eni nac â'r gallu i ysgrifennu nac â'r gallu i ysgrifennu'n dda. Efallai mai dyna'r rheswm pam y mae cynifer o enghreifftiau, o ddogfennau yswiriant i gontract swydd, o destun gwefan am barcio i ffurflenni treth, o destunau sy'n anodd ofnadwy eu darllen. Mae'r profiad o orfod ailddarllen darn, wrth grafu'r pen mewn dryswch llwyr, oherwydd nad oeddem wedi deall neges y darn er ein bod yn deall y brawddegau *unigol*, yn un eithaf cyffredin. Yn gysylltiedig â hyn y mae testunau prennaidd, sydd rywsut yn gybolfa anghysylltiedig o frawddegau nad ydynt yn ymddangos eu bod yn perthyn i'w gilydd ar y ddalen. Wrth wraidd hyn mae'r ffaith bod mwy i destun na chyfres o frawddegau; rhaid bod cysylltiadau rhwng y gwahanol frawddegau hyn er mwyn ffurfio testun. Ar lafar, yr ymadrodd a ddefnyddir yn gyffredin i ddisgrifio testun sydd wedi ei ysgrifennu'n dda yw testun sy'n *llifo'n dda*. Ar ddechrau'r gyfrol hon wrth ddiffinio cyfieithiad, nodwyd hefyd fod 'testun sy'n llifo'n dda' yn un o hanfodion cyfieithiad. Yn yr adran hon, byddwn yn trafod yr elfennau hyn sy'n creu testun sy'n llifo'n dda (neu elfennau testunoldeb), ac yn defnyddio enghreifftiau i ddangos pam mae dealltwriaeth o'r elfennau hyn yn hanfodol i waith y cyfieithydd. Yn y bôn, y tair elfen hyn yw Hen Wybodaeth a Gwybodaeth Newydd, y Llinyn Pynciol a Chydlynrwydd Testunol.

## Trefn Gwybodaeth Newydd a Hen Wybodaeth

Yr elfen gyntaf y byddwn yn ei thrafod yw Hen Wybodaeth a Gwybodaeth Newydd, ac yn y bôn mae hyn yn ymwneud â sut mae gwybodaeth yn cael ei strwythuro yn y testun i'r darllenwyr. Mae awduron da yn tueddu i strwythuro'r wybodaeth a gyflwynir yn eu testunau mewn modd sy'n ei gwneud yn haws i bobl eu dilyn, sef cyflwyno hen wybodaeth a wyddys eisoes yn gyntaf, cyn cynnig gwybodaeth newydd ar ôl hynny. Yn yr enghraifft isod, gallwn weld sut mae gwybodaeth yn llifo:

> The structure [newydd]
> The structure [hen] of the company [newydd] is straightforward; it [hen] consists of a Chief Executive, and several Board Members [newydd]. These members [hen] are responsible for various departments within the company [hen].

Fel y gellir gweld, mae trefn y wybodaeth yn symud o'r Hen i'r Newydd, ar wahân i'r teitl sy'n gosod y 'ffrâm' neu'r 'pwnc' cyffredinol y mae'r testun i gael ei ddeall ynddo (cofier yr enghraifft am y golchdy – mae gosod y ffrâm yn hollbwysig fel y gall y darllenydd ddehongli'r neges, neu ysgogi'r ystyron priodol yn ei feddwl, yn gywir). Gallwn weld hefyd sut mae rhagenwau, fel '*it*', a '*these*' wedi eu defnyddio i osgoi undonedd; mae'r defnydd o ragenwau yn gwneud cyfraniad mawr at destunoldeb a darllenadwyedd. Bwriwch olwg isod ar yr un frawddeg, ond lle na chymerwyd yr un gofal o ran strwythur y wybodaeth:

> The company [newydd]
> The structure [newydd] is straightforward; it [newydd] consists of a Chief Executive, and Several Board Members [newydd]. They [hen] are responisble for various departments in it [hen].

Mae'n anos darllen y testun, a diau mai 'od' fyddai disgrifiad rhai heb allu egluro pam. Mae'r cysylltiadau rhwng y brawddegau'n wan; er enghraifft, yn '*they are responsibile*', ai'r aelodau unigol neu'r Prif Weithredwr sy'n gyfrifol? Yn '*it consists of*', ai'r strwythur neu'r cwmni sydd dan sylw? O ran gwybodaeth yn y testun a chyfieithu, bu trafodaeth am hyn ym Mhennod 4 hefyd pan ystyriasom bwysigrwyd gwybodaeth gefndirol i nid yn unig ddealltwriaeth y cyfieithydd o'r testun i'w gyfieithu, ond hefyd i'r tebygolrwydd y bydd y darllenydd yn gallu deall y cyfieithiad hefyd. Yma, dyma agwedd arall ar hyn: hyd yn oed os gellir bod yn weddol sicr o'r ystyr wrth gyfieithu, nid yw hyn yn golygu y gellir anghofio am y darllenydd. Rhaid sicrhau o hyd fod y testun yn ddealladwy. Mae dwy elfen i hyn i'r cyfieithydd felly, sef trefn cyflwyno gwybodaeth yn gyntaf ac yn ail ymhelaethu neu egluro gwybodaeth sy'n gyffredin ymhlith darllenwyr yr iaith ffynhonnell ond nid ymhlith darllenwyr yr iaith darged.

Isod mae enghraifft o sut y penderfynodd y cyfieithydd ad-drefnu'r wybodaeth yn y cyfieithiad i sicrhau ei fod yn llifo'n well. Gan gadw at y rheol o gyflwyno hen wybodaeth yn gyntaf, mae wedi newid trefn y wybodaeth i sicrhau ei bod yn llifo'n well. I'r darllenwyr nad ydynt o bosibl yn deall bod system newydd yn y lle cyntaf, mae'r cyfieithydd wedi newid y teitl fel bod hyn yn amlwg. Yn ogystal â'r sgiliau testunol a ddefnyddiwyd, ceisiwch feddwl hefyd pa dechnegau cyfieithu a ddefnyddiwyd wrth lunio cyfieithiad ar lefel yr ymadrodd.

Buying a season ticket [newydd1]
Tickets [newydd]2 can be bought for regular journeys over 12 miles. These [hen] are usually the more expensive journeys, so to take advantage of this, use your card [newydd3] to purchase our season ticket. Available from any station [newydd4].

Prynu tocyn tymor [newydd1]
Mae modd prynu tocynnau tymor [hen] ar gyfer teithiau rheolaidd sydd dros 12 milltir [newydd2]. Mae'r teithiau hyn [hen] fel arfer yn ddrutach, felly i fanteisio ar hyn, defnyddiwch eich cerdyn Saver [hen] i brynu tocyn tymor o unrhyw orsaf [newydd3].

Dyma enghraifft felly o ad-drefnu gwybodaeth at bwrpas. O edrych ar y Saesneg, mae sawl pwynt yn cael ei wneud heb roi gwybodaeth gefndirol, hynny yw mae gwybodaeth newydd yn cael ei chyflwyno heb ei hegluro, neu gan ei chymryd yn ganiataol y bydd gan y darllenydd ddigon o ddealltwriaeth gefndirol i ddeall y cysylltiadau rhyngddynt. Yn *Newydd1* er enghraifft, nid yw '*season*' wedi ei nodi, felly nid ydym yn gwybod pa fath o docyn sydd dan sylw, er mai tocynnau tymor yn unig sydd dan sylw yn hytrach na mathau eraill o docynnau. Yn *Newydd3*, nid yw'n glir am ba gerdyn y mae'r testun yn sôn; ai cerdyn banc, cerdyn arall gan y cwmni? Yn *Newydd4*, nid yw'n glir beth sydd ar gael o bob gorsaf; y cerdyn neu'r tocyn? Fe welir yn y cyfieithiad fod y cyfieithydd wedi gwneud sawl addasiad i barchu llif call o wybodaeth. Mae wedi enwi pa fath o gerdyn (*Saver*), sydd felly'n Hen Wybodaeth gan fod y darllenydd yn gwybod bellach o ddarllen y Gymraeg beth yw'r cerdyn hwn, ac mae wedi newid y frawddeg olaf i nodi mai tocynnau tymor sydd ar gael o bob gorsaf, nid y cerdyn *Saver*. Mae'r wybodaeth yn llifo'n well yn y cyfieithiad am ei bod yn cael ei threfnu a'i chyflwyno'n well.

## Y Llinyn Pynciol

Mae testun yn gyfres o frawddegau sydd oll yn cyfleu neges benodol. O'u cymryd yn gyfanwaith, mae *pwnc* dan sylw yn y testun. Mae awdur da yn sicrhau bod y negeseuon a fynegir oll yn dilyn ei gilydd ac yn cyfateb mewn rhyw fodd; mae'r technegau a ddefnyddir i wneud hynny, i gario'r pwnc trwy'r testun ac i sicrhau ei fod yn glir trwy gydol y gwaith, yn rhan hanfodol ac anhepgor o unrhyw dasg ysgrifennu, ac mae hyn wrth gwrs yn cynnwys cyfieithu hefyd. Gallwn alw'r tueddiad i bwnc lifo trwy destun, wedi'i hwyluso gan nifer o dechnegau i'w trafod isod, yn Llinyn Pynciol. Yn y paragraff isod, mae'r cysyniad hwn i'w weld yn fwy eglur. Y tueddiad yn y Gymraeg ac yn y Saesneg yw i brif syniad y frawddeg gael ei gyflwyno gyntaf, ar ddechrau'r frawddeg neu'n syth ar ôl y brif ferf. Trwy ddodi'r prif syniadau hyn yn gyntaf trwy gydol darn, mae'r awdur yn cadw sylw'r darllenydd ar y pwnc cyffredinol trwy gydol y cyfanwaith. Wedi cyflwyno'r prif syniad hwn, gall ddweud rhywbeth newydd amdano. Yr enwau ar hyn ym maes Ieithyddiaeth Destunol yw'r thema a'r rhema; thema yw'r prif syniad a gyflwynir, a'r rhema yw'r hyn a ddywedir am y thema hon.[1] Dynodir y thema isod â <u>dwy linell.</u>, a'r rhema ag <u>un llinell</u>. Mae'r darn hwn yn dod o wefan twristiaeth yn denu pobl i ardal Merthyr a'r cylch. O'r herwydd, Merthyr a llefydd ym Merthyr sy'n dod yn gyntaf ac yn hoelio'r sylw.

> <u>Merthyr</u> was the <u>focal point of iron production during the Industrial Revolution. It became the most populated town in Wales at the turn of the 19th century, with people drawn from all over the world to work at the ironworks owned by the Guest and Crawshay families.</u> <u>Cyfarthfa Castle</u> was <u>built by William Crawshay II</u> in 1824 and <u>the museum</u> offers a <u>fascinating insight into the colourful history of Merthyr.</u>

Gallwn weld yn y paragraff hwn fod yr awdur wedi gosod ymadroddion yn sôn am leoliad yn gyntaf. Pe bai'r awdur am bwysleisio rhyw elfennau eraill yn hytrach na Merthyr, gallai'r awdur fod wedi dweud fel hyn:

> <u>The focal point of iron production</u> during the Industrial Revolution was Merthyr. <u>It was the most populated town</u> in Wales at the turn of the 19th century, with people drawn from all over the world to work at the ironworks owned by the Guest and Crawshay families. <u>William Crawshay</u> built Cyfarthfa Castle in 1824 and the museum offers a fascinating insight into the colourful history of the town.

O'r ail baragraff uchod, gallwn weld pwysigrwydd thema a rhema ar waith. Roedd y prif syniadau wedi symud, a'r pwyslais yn wahanol. Nid yw Merthyr fel lleoliad mor amlwg, ac mae'r llinyn pynciol wedi newid o Ferthyr fel lleoliad i hanes diwydiannol yr ardal, a hynny trwy flaenu cynhyrchu haearn a pherchennog y gweithiau haearn yn lle hynny. Hefyd, ar ddiwedd yr ail baragraff, nid yw'r enw lle Merthyr wedi ei ailadrodd; 'of the town' a ddefnyddiwyd. Ar wahân i ailadrodd felly, roedd y pwysleisio hwn yn cyfrannu at sicrhau mai'r dref oedd yn dwyn sylw'r darllenydd yn hytrach na'r hyn a ddigwyddai ynddi.

Gall y llinyn pynciol a'r ffyrdd a ddefnyddir i gynnal hwnnw newid yn dibynnu ar y pwnc. Cymerwch y paragraff isod yn enghraifft.

> <u>Michael Long</u> presented his report providing an update on the key areas included in the report. <u>The Chief Executive</u> presented Members with the report and <u>the Board</u> **NOTED** the key areas highlighted within. <u>S Millins</u> informed Members that the Operational Model would redefine the way in which the organisation operated and that population health improvement would underpin this.

Yn y paragraff, sy'n dod o gofnodion cyfarfod, y thema yw pwy sydd wedi dweud beth. O'r herwydd, mae'r siaradwyr yn dod gyntaf bob tro. Pe bai'r awdur neu'r sefydliad am osod yr hyn a ddywedwyd yn brif thema yn hytrach na *phwy* a ddywedodd beth, yna gellid bod wedi ysgrifennu fel hyn:

> The report was presented by Michael Long, providing an update on the key areas included in the report. The report was presented to Members by the Chief Executive and the key areas highlighted within were NOTED by the Board. Members were informed by S Millins that it was the Operational Model that would redefine the way in which the organisation operated, and that population health improvement would underpin this.

Hefyd, yn '*it was the Operational Model that...*', fe welwn ddull arall o flaenu gwybodaeth ar wahân i'w rhoi yn y safle cyntaf, sef defnyddio brawddeg hollt neu '*cleft sentence*'. Brawddegau sy'n dechrau ag 'it' neu air '-wh' yw hon yn Saesneg. Er enghraifft, '*it was John that went; it is Bethany who will teach the module; what I need is a new car; who he is is the new Chancellor so be nice to him*'. Blaenu'r goddrych neu ddefnyddio cystrawen 'mai/taw' yw'r dull mwyaf cyffredin o gadw'r pwyslais yn y Gymraeg (*it was he who complained*, ef a gwynodd; *He noted that it was the Operational Model that would redefine this*, nododd mai'r Model Gweithredu a fyddai'n ailddiffinio hyn').

Mae hyn oll yn bwysig i gyfieithwyr gan y bydd gofyn i'r cyfieithydd gynnal y llinyn pynciol trwy gydol y cyfieithiad hefyd, fel y gall ddwyn yr un effaith ar ddarllenwyr y cyfieithiad ag y bydd y testun ffynhonnell ar ei ddarllenwyr yntau. Trwy enghreifftiau y mae pwysigrwydd hyn i'w weld orau, felly bwriwch olwg dros y darn Saesneg enghreifftiol isod a'r cyfieithiad cwbl anaddas.

> At 9pm, the suspect left the property in Llancadle and went north. Then, at 4am, the suspect is seen in Cardiff by CCTV. The following morning, the suspect was seen by two local women on their way to work. It was these two local women that informed us of his presence in the area. By the evening, we believe the suspect had arrived in Glasgow. It is here that we will now concentrate our search.

> Gadawodd y dyn dan amheuaeth yr eiddo yn Llancatal am 9pm ac aeth tua'r gogledd. Cafodd ei recordio gan TCC yng Nghaerdydd wedyn am 4am. Gwelodd dwy fenyw leol y dyn y bore wedyn ar eu ffordd i'r gwaith. Y ddwy fenyw leol hyn a oedd wedi rhoi gwybod i ni ei fod yn yr ardal. Rydym yn credu i'r dyn dan amheuaeth gyrraedd Glasgow erbyn y nos. Byddwn yn canolbwyntio yma bellach wrth chwilio amdano.

Mae'r ystyr wedi ei chyfleu yn llwyddiannus yn y darn ac mae'r ramadeg yn gywir. Mae'r ieithwedd yn dderbyniol hefyd; mae'n cynnwys elfennau i gyfleu difrifoldeb a ffurfioldeb y darn Saesneg heb fod yn rhy ffurfiol (gadawodd, cafodd ei recordio, rydym yn credu [yn lle 'gwnaeth e adael', 'cas ei recordio', 'dyn ni'n credu' / 'fe'i recordiwyd', 'credwn' a.y.y.b]). Fodd bynnag, mae un elfen ar goll. O ddarllen y Saesneg, mae *amser* yn llinyn pynciol cryf iawn; y thema (a ddynodwyd â dwy linell) yw lle'r oedd y dyn dan amheuaeth a pha bryd yr oedd yno. O newid y 'thema' hon, nid yw mor glir mai adroddiad ydyw gan yr Heddlu rywsut. Mae'n darllen yn lle hynny fel unrhyw adroddiad arall. Yn y Gymraeg, mae modd gweld bod y brif wybodaeth, sef lle'r oedd y dyn dan amheuaeth a phryd, wedi symud i leoliadau eraill yn y frawddeg. Elfen arall a gollwyd oedd y defnydd o'r presennol hanesyddol, sef cyfleu digwyddiadau yn y gorffennol fel pe baent yn digwydd yn y presennol. Mae hon yn elfen gyffredin yn y math hwn o destunau, ond un a gollwyd yn y cyfieithiad uchod. Darllenwch y cyfieithiad Cymraeg addasedig isod. Ydy hi'n haws i chi ddychmygu gweld y paragraff ar dudalen Facebook Heddlu De Cymru neu rywle tebyg?

Am 9pm, gadawodd y dyn dan amheuaeth yr eiddo yn Llancatal. Wedyn, am 4am, mae'r dyn dan amheuaeth yn cael ei weld gan TCC yng Nghaerdydd. Y bore wedyn, cafodd ei weld gan ddwy fenyw leol ar eu ffordd i'r gwaith. Y ddwy fenyw leol hyn a oedd wedi rhoi gwybod i ni ei fod yn yr ardal. Erbyn y nos, rydym yn credu i'r dyn dan amheuaeth gyrraedd Glasgow. Ar Glasgow y byddwn yn canolbwyntio bellach wrth chwilio am y dyn.

I sicrhau bod y thema yn aros ym mlaen meddwl y darllenydd, sef y dyn dan amheuaeth a'i hynt o Lancatal i Glasgow, mae'r cyfieithydd yma wedi defnyddio technegau tebyg iawn i awdur y Saesneg. Mae'r ymadroddion am amser, a'r ymadrodd 'y dyn' neu 'y dyn dan amheuaeth' wedi eu blaenu bob tro yn safle thema, ac mae cystrawen oddefol wedi ei defnyddio lle bu angen i sicrhau hyn.

Mae enghraifft arall isod. Ar wahân i osod y thema gyffredinol, gall fod effaith fwy cynnil hefyd yn sgil sut mae gwybodaeth wedi ei threfnu. Gall blaenu gwybodaeth sicrhau bod sylw'r darllenydd yn cael ei hoelio ar wybodaeth bwysig y dylai ei gwybod ymlaen llaw, fe petai'r darn cyntaf o wybodaeth a roddir yn ffrâm ar gyfer sut y dylid dehongli gweddill y frawddeg. Yn yr enghraifft isod o gyfieithiad clinigol go iawn, roedd angen i 'wrth sythu'r pen-glin' ddod gyntaf, am fod angen gwneud hynny cyn gwneud dim byd arall.

| With the knee straight pull your foot upwards towards your face and hold 30 seconds. Tynnwch eich troed am i fyny tuag at eich wyneb a'i dal yno am 30 eiliad, wrth gadw eich pen-glin yn syth. |
| --- |
| Maes: Iechyd |
| Math o destun: Gwybodaeth glinigol |
| Cynulleidfa: Y Cyhoedd |

Mae'r cyfieithiad uchod felly nid yn unig yn anghywir ond yn anniogel hefyd. Rhaid talu sylw manwl felly i sut mae gwybodaeth wedi ei threfnu yn y fath gyd-destun, am nad yw sut mae gwybodaeth wedi ei threfnu mewn brawddegau a thrwy destunau bob tro yn ddewisol.

Mae gan bob testun da felly 'linyn pynciol'; pwnc cyffredinol y mae pob brawddeg unigol yn cyfrannu ati. Rhaid sicrhau wrth gyfieithu fod y llinyn hwnnw yr un mor gryf yn y cyfieithiad ag ydyw yn y testun gwreiddiol. Y ffordd o wneud hynny yw sicrhau bod y syniadau o osodir yn safle 'thema', sef fel arfer ym mlaen y frawddeg neu'r syniad cyntaf a gyfleir mewn brawddeg, hefyd yn cael eu gosod yn yr un safle yn y cyfieithiad. Gall methiant i wneud hynny greu testun llai effeithiol o ran bwriad; i ddychwelyd at yr enghraifft o faes twristiaeth, effaith blaenu 'Merthyr' yw cadw sylw'r darllenydd ar y dref. Rhaid cofio felly nad yw testunau yn gyfres ddigyswllt o frawddegau; mae trefn y syniadau *rhwng* y brawddegau ac *yn* y brawddegau yn hynod o bwysig.

## Cydlynrwydd Testunol

Ar wahân i drefn gwybodaeth, mae'r *cysylltiadau* rhwng y brawddegau sy'n ffurfio testun yn elfen gwbl anhepgor o ysgrifennu'n dda. Ond rhaid bod yn fanwl yma wrth drafod Cydlynrwydd Testunol gan fod dwy agwedd iddo, sef cydlynrwydd rhwng paragraffau a threfn gwybodaeth ar lefel uwch, a chydlynrwydd rhwng syniadau unigol mewn brawddegau ar lefel lai. Gallwn eu galw yn Gydlynrwydd Testunol Uwch a Chydlynrwydd Testunol Llai. Bydd y gwahaniaeth yn gliriach o weld enghreifftiau.

## Cydlynrwydd Testunol ar Lefel Uwch:

Y brif elfen yma yw bod y testun wedi ei *strwythuro'n dda* ac *mewn trefn resymegol*. Fel arfer, mae testunau da yn cynnwys brawddegau sy'n cyflwyno'r prif syniad yn gyntaf (y thema), cyn ymhelaethu ar hynny (y rhema). Mae'r prif syniadau hyn yn bodoli y tu fewn i fframwaith syniadol priodol uwch hefyd. Yn achos erthygl academaidd er enghraifft, bydd crynodeb, cyflwyniad, adolygiad o'r llenyddiaeth, corff yr erthygl, y canlyniadau, trafodaeth a'r casgliadau. Yn achos erthygl newyddion, bydd pennawd, brawddeg neu baragraff yn crynhoi'r brif neges, ymhelaethiad ar honno, wedyn dyfyniadau fel arfer. Er na fyddai gofyn i gyfieithwyr ymyrryd â hynny o dan amgylchiadau arferol, mae'n bwysig deall nad ar hap y trefnir unrhyw destun, a rhaid i'w wahanol rannau ddilyn ei gilydd mewn trefn naturiol ac ystyrlon. Wrth feddwl yn ôl i Bennod 4 ac ystyried y testun cyfan cyn ei gyfieithu, da o beth wrth gynllunio ymlaen llaw fyddai bwrw golwg dros y gwaith i weld pa drefn a ddefnyddiwyd.

## Cydlynrwydd Testunol ar Lefel Lai:

Dyma'r lefel lle gwelir yr ymyrraeth fwyaf gan gyfieithwyr fel arfer am fod cydlynrwydd o'r math hwn yn gwbl hanfodol i ansawdd testun a'i allu i lifo'n dda wrth ddarllen. Mae'r math hwn o gydlynrwydd yn sicrhau bod gwahanol rannau'r testun wedi eu cysylltu â'i gilydd. Dyna'r hyn sy'n sicrhau bod gan y testun *undod*, mewn gair. Mae dyfeisiau cydlynrwydd yn cael eu defnyddio i greu'r undod hwn, a byddwn yn trafod y rhain isod. Fel y gwnaed uchod, byddwn yn defnyddio enghreifftiau i egluro'r pwyntiau a gyflwynir yma.

Er hwylustod, mae prif ddyfeisiau cydlynrwydd wedi eu crynhoi yn Nhabl 21.[2] Byddwn yn canolbwyntio ar y prif ddyfeisiau a ddefnyddir, sef Blaengyfeirio ac Ôl-gyfeirio, a Chydgysylltu.

## Blaengyfeirio ac Ôl-gyfeirio

Mae blaengyfeirio ac ôl-gyfeirio yn hanfodol i allu'r darllenydd i olrhain pwy yw pwy mewn testun, ac yn hynny o beth mae'r elfen hon o destunoldeb yn berthnasol iawn yn ogystal i'r llinyn pynciol. Mae blaengyfeirio ac ôl-gyfeirio, fel y crybwyllwyd eisoes, hefyd yn hollbwysig o ran arddull; maent yn foddion o sicrhau nad yw'r testun yn ddiflas ac yn rhy brennaidd. Nid oes neb am ddarllen testun sy'n cyfeirio at yr un peth drosodd a thro yn yr un ffordd. Unwaith eto, trwy enghreifftiau y bydd y cysyniad yn cael ei gyflwyno. Cymerwch y paragraff isod.

*He went into the bank and spoke to the cashier. The manager said the bank would be closing in ten minutes, and that John had to hurry. The cashier said it was fine, and that the money would be available soon.*

Pwy aeth i mewn i'r banc? Â phwy y siaradodd y rheolwr? Pwy yw John? Wrth bwy y dywedodd yr ariannwr ei bod yn iawn?

Darllenwch y darn isod:

*John went into the bank and spoke to the cashier. The manager came over and said to the cashier that the bank would be closing in ten minutes, and that John had to hurry. The cashier replied to the manager to say it was fine, and that the money would be available soon.*

Mae'r adran hon yn gliriach am fod y cysylltiadau rhwng y gwahanol ddigwyddiadau a'r unigolion yn gliriach. Cymerwch y paragraff isod hefyd ('pan welais Eirwen...').

Pan welais Eirwen ddoe, doedd ganddi fawr i'w ddweud am y prifathro newydd 'ma. Yn ei hôl hi, mae'r prifathro newydd braidd yn ffroenuchel er iddo gael ei hel o'i ysgol ddiwethaf am daro plentyn â'r fedwen am gamdreiglo. Clywais iddo wrthod mynd yn ei ôl, ond pwy a ŵyr?

Gweddol syml felly, hyd nes i chi gyrraedd y frawddeg olaf. Pwy oedd wedi gwrthod mynd yn ei ôl? Y plentyn neu'r prifathro newydd? Mae'n bwysig gwybod pwy; a gafodd y plentyn ergyd mor dost nes iddo ofni dychwelyd? Wrth gyfieithu, a dyma ddweud eto fod gofyn i gyfieithwyr *gyfathrebu*, byddai rhaid ceisio osgoi'r fath ddryswch yn y cyfieithiad os gellir. Y ffordd o wneud hynny fel arfer yw'r defnydd cywir a synhwyrol o ragenwau personol ac ailadrodd enwau. Byddai ailadrodd 'y prifathro' yn y frawddeg olaf wedi gwneud byd o les i eglurder y frawddeg. Ond ar wahân i eglurder o ran pwy yw pwy a phwy sy'n gwneud neu'n dweud beth, cofiwch hefyd fod defnyddio rhagenwau yn bwysig i sut mae testun yn llifo; mae gorddefnyddio enwau pobl yn lle rhagenwau yn creu testunau prennaidd a diflas iawn.

Agwedd arall ar hyn yw ffocws, hynny yw canolbwynt neu brif oddrych brawddeg neu destun. Yn aml, ac am resymau anodd eu deall, bydd awduron yn defnyddio dau enw gwahanol ar yr un person neu wrthrych. Er enghraifft, *'the Council Leader...the Local Authority Leader', 'all staff...all teachers', 'you need to...patients need to'* yn lle cadw at yr un term. O wneud hynny, mae'n anodd i'r darllenydd ddilyn pwy yw pwy. Mae'r awdur a'r ysgolhaig Steven Pinker, wrth drafod hyn, yn nodi bod tueddiad gwybyddol gennym, neu reddf, i gredu bod yr awdur (neu'r siaradwr) yn sôn am ddau beth gwahanol os bydd dau derm gwahanol yn cael eu defnyddio.[3] O feddwl am y peth, mae'n gwneud synnwyr; pam defnyddio dwy ffordd i gyfeirio at yr un peth os mai un peth sydd dan sylw? Wrth gyfieithu, o gofio eto am y darllenwyr y byddwch yn *cyfathrebu* â hwy, dylid dileu'r anghysondeb hwn a chadw'r ffocws cywir ar y bobl gywir. Peidiwch â drysu eich darllenydd trwy gyfeirio at yr un peth neu'r un person gan ddefnyddio mwy nag un ffordd.

## Diffyg Dilyniant Rhesymegol

O bryd i'w gilydd bydd gofyn i chi geisio cyfieithu brawddegau afresymegol, nad ydynt yn dilyn ei gilydd mewn ffordd gall o gwbl. O gyfosod y ddau ymadrodd neu frawddeg, bydd y naill ran yn gwrthddweud y llall, neu ni fydd y naill ran i'w gweld yn gysylltiedig o ran ystyr neu syniad â'r llall. Cymerwch y ddwy enghraifft isod:

> *The plan will increase the organization's ability to offer reception services in Welsh, but will seek to ensure that the bilingual offer increases across the organization.*

> *Move forearm in a circular motion at the elbow, keeping your arm still.*

Nid yw'r brawddegau hyn yn gwneud fawr o synnwyr am fod yr is-gymal yn gwrthddweud y prif gymal. Yn yr enghraifft cyntaf, mae 'ond' wedi ei ddefnyddio i gyferbynu'r is-gymal â'r hyn a gyfleir yn y prif gymal, er mai 'a' oedd y cysylltair priodol am mai ychwanegu gwybodaeth oedd yr is-gymal. Yn yr ail enghraifft, gwybodaeth goll yw'r broblem. Yr hyn oedd ei angen oedd y gair *'upper'*, hynny ydy *'keep your upper arm still'*. O wynebu brawddegau afresymegol fel hyn sy'n bygwth cydlynrwydd testunol gwael a chyfathrebu methiannus, dylid cynnig cyfieithiad ar sail yr hyn a ddylai fod yn y testun ffynhonnell (os gallwch chi; os na allwch chi, gofynnwch), ond tynnwch sylw'r awdur at y broblem ac egluro beth roddoch chi yn y cyfieithiad hefyd. Un peth na allwch chi byth ei wneud yw atgynhyrchu'r un neges afresymegol yn y cyfieithiad. Byddwch yn barod felly i ymyrryd, a chofiwch egluro.

## Cydgysylltu

Rhwng brawddegau mewn testun, mae unrhyw awdur da (ac felly hefyd unrhyw gyfieithydd da) yn defnyddio geiriau ac ymadroddion i gysylltu brawddegau a syniadau â'i gilydd. Yr enw ar y geiriau a ddefnyddir i wneud hynny yw cysyllteiriau, ond gall ymadroddion wneud yr un gwaith hefyd. Yn y bôn, y cysyllteiriau a'r ymadroddion cysylltiol hyn yw'r sment rhwng y briciau; hebddynt, bydd y wal yn cwympo. Mewn geiriau eraill, mae'n amhosibl hebddynt i destun lifo a bydd y darllenwyr yn ei chael yn anodd dilyn gwybodaeth. Mae'r cysyllteiriau a'r ymadroddion cysylltiol hyn yn dynodi perthnasau cyffredin rhwng syniadau. Maent wedi eu rhestru isod yn Nhabl 22, ynghyd ag enghreifftiau o gysyllteiriau ac ymadroddion cysylltiol cyffredin yn y Saesneg a'r Gymraeg.

Tabl 21 Dyfeisiau Cydlynrwydd Testunol yn dilyn Halliday a Hasan

| Dyfais | Diffiniad |
|---|---|
| Blaengyfeirio ac Ôl-gyfeirio | Yn lle ailadrodd enw rhywun neu rywbeth, gall yr awdur ddefnyddio rhagenwau, y fannod neu ymadroddion penodol i ddynodi'r hyn a ddywedwyd. Nod hyn yw cadw cysylltiadau yn y testun heb orfod ailadrodd yr un peth. |
| Disodli | Defnyddio ymadroddion byrrach neu lai penodol. |
| Hepgor | Ar ôl crybwyll yn llawn, hepgor sôn amdano eto. |
| Cydgysylltu<br>• Ychwanegol<br>• Gwrthwynebol<br>• Achosol<br>• Amseryddol<br>• Estynnol | Geiriau sy'n helpu, neu sy'n gorfodi, y darllenydd i gysylltu'r hyn sydd wedi ei ddweud eisoes â'r hyn a ddywedir nawr. Gweler Tabl 22 am ymhelaethiad. |
| Cydlynrwydd Geiriol<br>• Ailadrodd<br>• Cyfystyriaeth<br>• Cyfosod | Cysylltiad â geiriau a ddefnyddiwyd cynt, cyn y frawddeg dan sylw.<br>Mae Ailadrodd yn hunanesboniadol ac yn cyfeirio at ailadrodd yr un gair yn lle defnyddio rhagenw; er na ddylid gorwneud hynny, gall fod yn dechneg arddulliol ddigon cymeradwy o bryd i'w gilydd. Mae Cyfystyriaeth hefyd yn weddol syml; defnyddio gair tebyg i bwysleisio, ond heb ailadrodd. Mae Cyfosod ychydig yn llai pendant gan fod awduron y model hwn yn cyfaddef y gall enghraifft o Gyfosod godi mewn unrhyw ffordd a bwrw bod y darllenydd yn teimlo bod cysylltiad o ryw fath rhwng y geiriau o'u defnyddio gyda'i gilydd. Gall yr enghreifftiau ar y dde egluro'n well na diffiniad Halliday a Hasan. Y cwestiwn sy'n codi yw i ba raddau y dylai'r cyfieithydd geisio cyfleu'r un cydlynrwydd yn y cyfieithiad o ystyried mai mater o arddull yw Cydlynrwydd Geiriol yn y bôn. Cyd-destun o bosibl fydd yn pennu hyn ond ni ellir gwadu bod Cydlynrwydd Geiriol, er ei natur annelwig, yn cyfrannu at ansawdd y testun. |

Tabl 22 Cysyllteiriau ar gyfer Cydlynrwydd Testunol

| Math | Saesneg | Cymraeg |
|---|---|---|
| Ychwanegol | and, as well as, both, not only...but, in addition | a/ac, ynghyd â, yn ogystal â, nid yn unig...ond..., hefyd, ill dau, yn ychwanegol at |
| Gwrthwynebol | but, however, on the other hand, although, instead | ond, fodd bynnag, eithr, ar y llaw arall, er, yn lle/yn hytrach na |
| Achosol | because, as such, for, for this reason, consequently | oherwydd, oblegid, am y rheswm hwn, o achos |
| Amseryddol | Then, afterwards, after that, following this, finally | Wedyn, wedi hynny, yn y diwedd/o'r diwedd, |
| Estynnol | Now, anyway, of course | Erbyn hyn, nawr/rŵan, wrth gwrs, felly |

| **Enghraifft** |
|---|
| That's him, the *man* I saw<br>*Blaengyfeirio*<br>This is the new manager. *She'll* be meeting with you all individually.<br>*Ôl-gyfeirio*<br>An agreement was made yesterday. *This* will replace the previous contract of 35 hours.<br>*Ôl-gyfeirio* |
| Which book did he buy?<br>He bought the Italian *one*. |
| John read The Times, his wife Ø a travel book.<br>Hepgor 'read'. |
| Es i *ac* aeth John<br>*Ychwanegol*<br>Mae hyn yn amlwg, *ond* mae rhai yn rhy ystyfnig i'w dderbyn<br>*Gwrthwynebol*<br>*Erbyn hyn*, mae wedi ei ddymchwel.<br>*Estynnol* |
| Safodd gerbron y fainc, a *mainc* go gas hefyd; fe'i hanfonasant i Lys y Goron yn y gobaith y câi ei garcharu.<br>*Ailadrodd*<br>Cafodd y gyfrol groeso lugoer. *Llyfr* ydoedd gan awdur pendant ei farn, a barn ddi-dderbyn-wyneb hefyd.<br>*Cyfystyriaeth*<br>Roedd yn *casáu* mêl, ond yn *caru* gwenyn.<br>*Cyfosod*<br>Aros y gwnaeth ef, *ffoi* y gwnaeth hi.<br>*Cyfosod*<br>Ewch chi Ddydd Mawrth, af i *Ddydd Llun*<br>*Cyfosod* |

Mae'r enghraifft isod a gyhoeddwyd (*While an announcement...*) yn dangos yr hyn a all ddigwydd pan anwybyddir, neu pan anghofir, bwysigrwydd cydgysylltu.

> While an announcement was made by the Prime Minster this week to reduce the social distancing rule to 1m in England, the 2m rule still applies here in Wales. Staff and our communities are regularly encouraged to follow the 2m rule. Coronavirus is still very circulating in our communities. Social distancing is vital in helping us to continue to reduce the transmission of the virus.
>
> Er i'r Prif Weinidog Boris Johnson wneud datganiad yr wythnos hon y bydd y rheol i gadw pellter cymdeithasol yn cael ei lleihau i 1 metr, y rheol yng Nghymru o hyd yw bod rhaid cadw 2 fetr i ffwrdd o bobl eraill. Mae staff a chymunedau'n cael eu hannog yn rheolaidd i ddilyn y rheol 2 fetr felly. Mae'r Coronafeirws ar led o hyd yn ein cymunedau, ac mae cadw pellter cymdeithasol yn hollbwysig yn y gwaith o leihau cyfraddau trosglwyddo'r feirws.

| Maes: Iechyd cyhoeddus |
| --- |
| Math o destun: Erthygl newyddion |
| Cynulleidfa: Y cyhoedd |

Mae'n gyffredin mewn sefydliadau mawr i'r un ddogfen gael ei hysgrifennu gan sawl person; naill ai y bydd gwahanol bobl yn gyfrifol am wahanol rannau ohoni, neu mae'r gwaith o wirio'r ddogfen yn cael ei wneud gan rywun arall. O'r herwydd, gall y ddogfen fod yn brin o 'lais' cyffredinol, a gall ymddangos yn gawlach o wahanol bwyntiau a wnaed gan wahanol bobl, heb i neb ddarllen trwy'r ddogfen i sicrhau cydlynrwydd testunol. Mae'n bosibl mai dyma a ddigwyddodd yn y paragraff uchod. Fodd bynnag, oherwydd bod y cyfieithydd yn ymwybodol o gydlynrwydd testunol ac o'i ddyletswydd i *gyfathrebu*, mae wedi hollti brawddeg ac wedi ychwanegu dau gysylltair pwysig, sef un Estynnol (felly), ac un Ychwanegol (ac). Trwy wneud hynny, mae'r berthynas rhwng y brawddegau yn fwy eglur o lawer. Mae hefyd yn darllen yn llai robotaidd ac undonnog. Sylwer, yn ogystal, ar sut yr ymdriniwyd â '*Prime Minister*'; defnyddiwyd 'y Prif Weinidog, Boris Johnson', i osgoi dryswch i'r darllenydd gan ddilyn egwyddor gyfathrebiadol cyfieithu cymwys.

Ar wahân i ddogfennau a gânt eu hysgrifennu gan sawl person, gall y defnydd (neu'r camddefnydd) o systemau cof cyfieithu achosi diffyg cydlynrwydd testunol hefyd. Mae systemau Cof Cyfieithu yn feddalwedd arbenigol y mae cyfieithwyr proffesiynol yn ei ddefnyddio wrth eu gwaith ac mae'n 'cofio' testunau a gyfieithwyd eisoes. Byddwn yn trafod hyn yn fanwl yn y bennod nesaf, ond am nawr digon yw dweud eu bod yn 'segmenteiddio' testunau (gweler Ffigur 12 yn y bennod nesaf). Ystyr hyn yw eu bod yn torri testunau i lawr yn frawddegau neu'n baragraffau byr ar y sgrin i'w cyfieithu. Byddai'r cyfieithydd wedyn yn cyfieithu'r rhain yn olynol. Oherwydd y segmenteiddio hwn, fe allai'r cyfieithydd golli golwg dros y testun cyfan a'r cysylltiadau rhwng y brawddegau. Fodd bynnag, er bod hwn yn bosibilrwydd, nid yw'n broblem fawr. O ddarllen y cyfieithiad fel testun cyflawn (proses y dylid ei dilyn bob tro yn ddiffael), ac o sicrhau bod y testun ffynhonnell llawn i'w weld hefyd (o bosibl ar ail sgrin), bydd y cyfieithydd yn gallu sicrhau cydlynrwydd testunol yn eithaf hawdd.

Cyn mynd ymlaen i ran nesaf y bennod hon, sef ansawdd testunau a golygu, byddwn yn tynnu popeth ynghyd isod trwy ddefnyddio testun enghreifftiol.

## Testunoldeb a Thynnu Popeth Ynghyd:
## O Destun Gwachul i Destun Gwych

O roi cyflwyniad i brif elfennau testunoldeb uchod, y bwriad yma yw defnyddio testun enghreifftiol i dynnu popeth a drafodwyd uchod ynghyd. Bydd yn destun enghreifftiol sy'n torri pob un o'r 'rheolau' uchod a lle mae bron pob un o elfennau cydlynrwydd ac ysgrifennu'n dda ar goll. Wrth wneud hynny, y gobaith yw y bydd y gwahanol elfennau sydd eu hangen yn dod yn amlwg i chi, i'ch helpu i osgoi llunio testunau o'r fath ond hefyd i'ch helpu i ddeall *sut* mae testunau'n llifo'n dda a beth yw'r elfennau sy'n sicrhau hynny. Testunau Saesneg fydd y testunau isod. O'r Saesneg y bydd y rhan fwyaf o waith y cyfieithydd proffesiynol yng Nghymru sy'n cyfieithu rhwng y Saesneg a'r Gymraeg. O'r herwydd, penderfynwyd mai gwell unwaith eto fyddai defnyddio enghraifft yn yr iaith honno. Darllenwch Destun A isod, wedyn Testun B.

| TESTUN A | TESTUN B |
|---|---|
| Good evening. We have decided to focus our efforts near a hamlet in Powys. The man was last seen in Cynghordy. We were informed of this by a local farmer and the owner of a neighbouring property. | Suspect wanted in drug case – Appeal for information. Good evening. At 4pm, the dealer in question was seen outside a shop in Llandeilo. |
| He told us the dealer seemed to be in a rush to leave. Previously he was seen at 4pm, and he was seen outside a shop in Llandeilo. We would like to speak to anyone who was in Rhosmaen Street that day. They could have important information. After arriving at Cynghordy, the person was likely to have made a drop outside a property, but this is not confirmed. The man can be dangerous and he should not be approached. Any information you have can be reported to us. The information line is 01665 3212. Diolch. Thank you. | We would like to speak to anyone who was in Rhosmaen Street that day, as they could have important information. Following this, the suspect travelled to Cynghordy, and this is where he was last seen. As such, we have decided to focus our efforts near this hamlet in Powys. The dealer was likely to have made a drop outside a property, but this is not confirmed. We were informed of this likely drop by a local farmer and the owner of a neighbouring property. The farmer also told us the dealer seemed to be in a rush to leave. The man should not be approached, as he can be dangerous. The information line for any information you may have is 01665 3212. Diolch. Thank you. |

Ffigur 9 Cymharu Dau Destun mewn Perthynas ag Elfennau o Destunoldeb

Wrth ddarllen Testun A, gofynnwch i chi eich hun pa mor hawdd ydyw i chi ddilyn hynt y troseddwr, a pha mor glir yw hi pwy sydd wedi dweud beth wrth yr Heddlu.

Dechreuwn â phwysigrwydd teitl i osod y testun yn ei gyd-destun, ac i sicrhau y bydd y darllenydd yn deall ac yn dehongli'r ystyr fwriadedig yn gywir ac yn ddidrafferth. Nid oes teitl gan Destun A ac felly mae'n anodd ar y dechrau i ddarllenwyr sylweddoli mai cais yw hwn am wybodaeth, hyd nes iddo gyrraedd gwaelod y testun. Mae gosod y ffrâm gan ddefnyddio teitl synhwyrol yn hollbwysig felly, gan fod hyn yn cynorthwyo'r darllenydd i ddeall y testun yn ei gyfanrwydd (meddyliwch yn ôl i'r testun am y golchdy ym Mhennod 4). Yn ail, trefn y negeseuon a gyfleir. Yn Nhestun A, nid yw'r digwyddiadau yn dilyn ei gilydd mewn trefn resymegol. Gan mai testun sy'n cofnodi hynt troseddwr yw hwn, y drefn fwyaf rhesymegol yw trefn amseryddol y digwyddiadau. Yn Nhestun B, mae'r awdur wedi sicrhau trefn resymegol trwy osod y naill ddigwyddiad ar ôl y llall yn y drefn amseryddol gywir. Mae hyn o fudd mawr i'r darllenydd ac yn ei gwneud yn haws o lawer iddo wybod lle'r oedd y troseddwr. Y drydedd elfen bwysig yma yw trefn cyflwyno Hen Wybodaeth a Gwybodaeth Newydd. Yn Nhestun A, mae'r awdur, ar ôl dymuno noswaith dda, yn nodi bod yr Heddlu bellach yn canolbwyntio ar ardal ym Mhowys. Fodd bynnag, nid yw'r darllenydd yn gwybod eto pam mae'r Heddlu wedi gwneud hynny. Dyma enghraifft felly o gyflwyno Gwybodaeth Newydd yn ddieglurhad; byddai'r darllenydd yma yn dechrau trwy grafu'i ben yn ceisio meddwl pam mae'r Heddlu wedi cymryd y fath benderfyniad. Ar y llaw arall, yn Nhestun B, mae'r awdur wedi nodi mai yng Nghynghordy y gwelwyd y dyn dan amheuaeth ddiwethaf, *wedyn* mae'n egluro mai ym Mhowys y bydd gwaith chwilio'r Heddlu yn canolbwyntio. Mae hyn yn llawer mwy rhesymegol ac yn llai dryslyd o lawer. Yn bedwerydd mae thema a rhema. I'ch atgoffa, y thema yw prif syniad y frawddeg, sy'n tueddu i ddod gyntaf, a'r rhema yw'r hyn a nodir am y syniad hwnnw, i helaethu arno, ei egluro neu ei ddisgrifio. Yn Nhestun A, cawn '*The man can be dangerous and he should not be approached*'. Y prif syniad yma, 'does bosibl, yw na ddylai'r cyhoedd fynd yn agos at y dyn hwn. Mae'n bwysig gorchymyn pobl i wneud hynny yng nghyd-destun chwilio am droseddwr, gan y bydd rhai pobl yn teimlo'r temtasiwn i afael yn y person a'i ddal. Ond yn fwy cyffredinol, o weld y person hwn, mae'n bwysig i bawb gadw draw. Yr arfer gorau yma felly yw gosod y prif syniad yn gyntaf, a'r pwyntiau eraill sy'n gysylltiedig â hwnnw ar ei ôl. Hyn a wnaed yn Nhestun B, ac mae'n ddull llawer gwell o gyfleu'r pwynt. Y bumed elfen, a'r un olaf, yw cydlynrwydd testunol trwy gydgysylltu ac ailadrodd. Mae sawl math o gydgysylltu (gweler uchod), ac mae'r technegau hyn er sicrhau bod y testun yn llifo oll i'w gweld yma. O ddarllen Testun A, fodd bynnag, byddai rhywun yn taeru mai robot a'i creodd. Mae'n brennaidd ac mae'n ddiflas. Yn Nhestun B, mae defnyddio geiriau ac ymadroddion fel '*following this*', '*as such*', '*as*' a '*but*', a thrwy ailadrodd elfennau (*The dealer was likely to have made a **drop** outside a property, but this is not confirmed. We were informed of this likely **drop**...*) yn golygu bod Testun B yn ddarn llawer gwell. Mae'n hawdd gweld y cysylltiadau rhwng y digwyddiadau, mae'n llifo'n well ac mae hefyd yn haws ei ddarllen a'i gofio.

Un o elfennau cyfieithu da yw testun sy'n *llifo'n dda*. Cysyniad annelwig yw hwnnw ac felly y gobaith yma oedd eich cyflwyno i'r prif elfennau sy'n sicrhau hynny. Mae sicrhau trefn briodol i'r disgwrs a bod cysylltiadau rhwng y gwahanol syniadau yn y testun yn hanfodol; heb hynny, bydd yn anos i'r darllenydd ddeall a chofio'r wybodaeth. O gofio mai *cyfathrebu â phobl go iawn* y mae cyfieithwyr, mae llunio testunau anodd eu deall yn annerbyniol; rhaid i'ch gwaith fod yn ddarllenadwy ac yn glir. Os yw'r testun ffynhonnell yn wael, ac yn darllen fel pe bai robot wedi ei ysgrifennu, nid yw hynny'n esgusodi cyfieithiad sydd wedi ailgreu'r ffaeleddau hyn i gynulleidfa wahanol o ddarllenwyr. O geisio sicrhau bod eich testun yn un darllenadwy a rhesymegol y gall y darllenydd ddarllen drwyddo'n llyfn ac yn ddidrafferth, cofiwch am yr elfennau sydd dan sylw yn y bennod hon. Awn ymlaen nawr i drafod agwedd arall ar sgiliau testunol a gweithio ar lefel y testun, sef adolygu neu brawf ddarllen eich gwaith. Dyma'r cam lle bydd problemau o ran diffyg cydlynrwydd testunol yn dod i'r amlwg yn aml, felly mae'n bwysig eich bod hefyd yn gyfarwydd â'r technegau priodol ar gyfer gwirio gwaith.

## Golygu, Adolygu, Prawf Ddarllen: Gwirio eich Gwaith fel Cyfanwaith Gorffenedig

Fel yr awgryma'r teitl, mae nag un ffordd o ddisgrifio'r broses ymddangosiadol syml o wirio testun. Y gair y byddwn yn ei ddefnyddio yma yw adolygu. Y diffiniad a gawn yng Ngeiriadur Prifysgol Cymru yw 'Arolygu, bwrw golwg yn ôl ar, ailedrych ar, ailystyried, ailarchwilio, neu ddiwygio (gwaith ysgrifenedig, &c.)'. Y brif elfen felly yw edrych *eto* ar rywbeth, a'r nod yw sicrhau bod y gwaith yn iawn at y diben. Defnyddir 'golygu' a 'phrawf ddarllen' yn yr un modd ar lafar ym maes cyfieithu yng Nghymru, ond mewn gwirionedd gall 'golygu' a 'phrawf ddarllen' ddigwydd mewn cyd-destunau unieithog hefyd; y nod yma yw defnyddio gair arbennig yng nghyd-destun cyfieithu.

Ond ni waeth pa derm a ddefnyddir, mae'r broses yn gwbl, gwbl anhepgor. Mae ysgrifennu yn dasg anodd, ac mae i'r cymhlethdod hwnnw sawl agwedd wahanol. Yn gyntaf, mae gofyn i awdur da gadw sawl peth mewn cof. Rhaid iddo ddilyn rheolau gramadegol yr iaith, rhaid iddo ddefnyddio'r cywair ieithyddol priodol wrth ysgrifennu (ac yn y Gymraeg, iaith gyfoethog ei chyweiriau, nid ar chwarae bach y gwneir hyn) a rhaid iddo hefyd wneud ei orau i ysgrifennu rhyddiaith ddeniadol, neu o leiaf ryddiaith na fydd yn diflasu'r darllenydd. Ar ben hynny, rhaid i'r awdur allu dychmygu'r darllenwyr (gweler isod am hyn wrth drafod 'Darllenadwyedd'). Mae gan bob testun gynulleidfa, a bydd gan bob cynulleidfa ei hanghenion gwahanol. Byddai cyhoeddi rheoliadau fel y'u gwnaed yn y Senedd a disgwyl i'r cyhoedd eu dilyn yn hurt; byddai rhaid cynnig dehongliad ac esboniadau. Byddai'r cyfreithwyr yn eu deall i'r dim ond nid cyfreithwyr yw'r unig gynulleidfa. Gwedd arall ar y cymhlethdod hwn yw nad oes modd i'r gynulleidfa ofyn am eglurhad; os yw neges yn aneglur, aros yn aneglur y bydd hyd nes y daw eglurhad (os daw o gwbl). Ar lafar, gall y gynulleidfa godi llaw a gofyn am gymorth wrth ddehongli'r neges; nid yw hyn yn bosibl yn achos y gair ysgrifenedig. O'r herwydd, rhaid i awduron gymryd gofal wrth ysgrifennu, er mwyn sicrhau bod y gwaith yn dal dŵr a'i fod yn glir ac yn annhebygol o ddrysu pobl. Mae'r cymhlethdod hwn yn mynnu felly ofal mawr gan yr awdur; ni all gymryd ei siawns y bydd y gwaith yn iawn. Bydd dwysedd y gwirio hwn yn amrywio, o fwrw golwg dros y gwaith i broses lafurus o wirio ar sawl lefel, o wirio iaith i wirio bod y ffeithiau oll yn gywir. Ar wahân i'r cymhlethdod cynhenid hwn, mae gan ysgrifennu fel ffenomen ei heriau unigryw ei hun. Mae'n hawdd hepgor geiriau wrth ysgrifennu, mae hefyd yn hawdd colli gwallau am ein bod, yn seicolegol, yn tueddu i weld yr hyn y credwn i ni ei ysgrifennu yn hytrach na'r hyn sydd ar y ddalen neu'r sgrin. Ond a'i rhoi'n syml, mae pawb yn gwneud camgymeriadau; rhaid derbyn eu bod yn digwydd a gweithredu yn unol â hynny trwy wirio'n ofalus.

A dyma ni yn cyrraedd cyfieithu. Mae cyfieithu yn ychwanegu haen arall at y cymhlethdod hwn ac mae'r math o gamgymeriadau a phroblemau y bydd y cyfieithydd yn dod ar eu traws yma yn unigryw o'i gymharu ag ysgrifennu mewn cyd-destun unieithog. Mae'r sgôp i bethau fynd o chwith wrth lunio cyfieithiad yn ehangach o lawer, ac felly mae gwirio yn bwysicach fyth. Fel y gwelwn isod wrth drafod y mathau gwahanol o bethau i chwilio amdanynt, mae'r broses o bontio rhwng dwy iaith fel petai yn gwahodd rhai mathau o wallau sydd ddim yn cael eu gweld mewn cyd-destun unieithog. Un ohonynt yw iaith letchwith, hyd yn oed dan law cyfieithwyr sy'n siarad Cymraeg naturiol ar lafar. Gall y broses gyfieithu ei hun ddrysu prosesau cynhyrchu iaith pobl, a gall fod yn debyg i edrych ar wyneb trwy ffenestr drwchus; mae modd gweld rhywfaint o'r wyneb ond mae'r gwydr yn y canol wedi llurgunio'r ddelwedd. Wrth gyfieithu felly, mae gwirio hyd yn oed yn fwy pwysig, a nod yr adran hon yw trafod y broses adolygu a'r strategaethau ac egwyddorion sy'n sail iddi. Mae'r broses hon hefyd yn angenrheidiol ni waeth beth yw proses bersonol y cyfieithydd o wirio. Mae ymchwil wedi dangos er enghraifft fod prosesau drafftio cyfieithwyr yn amrywio; bydd rhai cyfieithwyr yn cynllunio'n fanwl ymlaen llaw, yn drafftio cyfieithiad ac wedyn yn gwirio'r cyfieithiad ar ei ben ei hun. Bydd eraill yn darllen dros y testun ffynhonnell yn frysiog cyn bwrw iddi, yn drafftio ac yn gwirio'n ofalus wrth fynd, wedyn yn gwirio'r gwaith yn gyflym cyn gorffen. Bydd eraill yn drafftio cyfieithiad ond wedyn yn mynd trwy'r gwaith eto yn ofalus yn gwirio ac yn gwneud y newidiadau angenrheidiol.[4] Ond mae hyn yn gwbl amherthnasol i'r broses adolygu go iawn; rhaid adolygu eich gwaith yn fwriadol ac yn bwrpasol, yn annibynnol ar y broses ddrafftio, cyn ei ddychwelyd.[5] Mae hyn yn anhraethol bwysig yn achos gwaith cyfieithwyr dibrofiad; ni fydd cyfieithwyr newydd wedi datblygu'r sgiliau angenrheidiol eto i lunio cyfieithiadau o safon yn gyson y tro cyntaf wrth ddrafftio, ac felly mae'r tebygolrwydd y bydd eu gwaith yn wallus yn weddol uchel.

## Teipoleg o Wallau: Beth ddylwn i chwilio amdano?

Wrth drafod adolygu gwaith, byddwn yn canolbwyntio ar *beth* i'w adolygu, a *sut* i'w adolygu. Wrth adolygu gwaith, rhaid bod yn fethodolegol ac yn drefnus. Nid proses anhrefnus, fympwyol ydy hi heb fawr o strwythur a heb nod. Rydym yn chwilio am bethau penodol, ac rydym yn chwilio amdanynt mewn modd trefnus a strwythuredig lle mae egwyddorion hefyd yn sail i'r broses. Byddwn yn edrych ar y *beth* isod, cyn troi at y *sut*.

Pa fath o bethau felly all fynd o chwith yn y cyfieithiad? Beth yw'r camgymeriadau y dylem chwilio amdanynt? Gweler y teipoleg isod.[6] Bydd gwahanol rannau'r teipoleg yn cael eu trafod fesul un.

## Math A – Problemau wrth drosi ystyr

* Cywirdeb y neges; ydy'r wybodaeth a geir yn yr iaith ffynhonnell wedi ei throsi'n gywir i'r iaith darged?

## Math B – Problemau o ran cynnwys

* Cywirdeb y wybodaeth; hyd yn oed o drosi'r wybodaeth yn gywir, ydy hi'n gwneud synnwyr ac ydy hi'n ffeithiol gywir?

## Math C – Problemau o ran iaith ac arddull

* Sillafu; sillafiad geiriau, atalnodi a nodau diacritig
* Gramadeg; rheolau gramadegol
* Arddull a'r cywair; testun sydd wedi ei ysgrifennu'n dda ond yn bwysicach, ffurfioldeb priodol
* Naturioldeb yr iaith; ydy'r testun yn idiomatig, neu ydy hi'n lletchwith ac yn Seisnigaidd?
* Cydlynrwydd testunol; ydy'r testun yn llifo, ydy hi'n hawdd dilyn y dadleuon/negeseuon yn y testun?

## Math Ch – Problemau fformatio

* Trefniant y ddogfen; ydy popeth yn y lle iawn?
* Fformatio cyffredinol; tanlinellu, ffont, maint ffont, bold, priflythrennau
* Delweddau a delweddau â thestun ynddynt
* Addasrwydd y ddogfen i bobl â nam ar eu golwg
* Ystyriaethau cyfreithiol; ydy'r Gymraeg wedi ei thrin yn llai ffafriol?

Trafodir y rhain fesul un isod.

## Math A – Problemau wrth drosi ystyr

Cywirdeb y neges; ydy'r wybodaeth a geir yn yr iaith ffynhonnell wedi ei throsi'n gywir i'r iaith darged?

Y disgwyl wrth gyfieithu yw bod y cyfieithydd yn llunio cyfieithiad sy'n cyfleu'r un wybodaeth ond yn yr iaith darged. Fe wyddwn ni fel cyfieithwyr proffesiynol nad yw pethau mor syml â hynny; gall fod angen cynnwys rhagor o wybodaeth fel bod y testun yn gliriach, neu dynnu gwybodaeth sydd wedi ei hailadrodd neu sy'n ddiangen i gynulleidfa'r iaith darged. Yn y bôn, fodd bynnag, bydd angen i'r testun targed gyfleu'r wybodaeth a geir yn y testun ffynhonnell. Wrth wirio felly, bydd angen gwirio nad oes *tangyfieithu*, neu lunio cyfieithiad lle mae gwybodaeth berthnasol ar goll, ac nad oes *gorgyfieithu*, neu lunio cyfieithiad sy'n mynd yn rhy bell ac sy'n cynnwys gwybodaeth ychwanegol heb gyfiawnhad.

## Math B – Problemau o ran cynnwys

Cywirdeb y wybodaeth; hyd yn oed o drosi'r wybodaeth yn gywir, ydy hi'n gwneud synnwyr ac ydy hi'n ffeithiol gywir?

Mae cyfieithwyr proffesiynol yn hen gyfarwydd â thestunau gwallus a thestunau gwael heb fawr o strwythur ac sydd gyda mynegiant gwan. Yn aml hefyd, gall testunau fod yn berffaith iawn yn ieithyddol ond fe allant gynnwys gwallau ffeithiol. Roedd enghraifft o hynny yn Nhabl 3 ym Mhennod 3, lle'r oedd yr awdur wedi defnyddio'r gair *'committee'* yn lle *'forum'*. Gall mathau eraill o wallau gynnwys rhifau ffôn anghywir, dolenni gwe nad ydynt yn gweithio neu gyfeiriadau at sefydliadau gan ddefnyddio'r enw anghywir. Mae'r rhain oll yn enghreifftiau cyffredin. Os yw'r gwall yn gwbl glir, fe ddylai'r cyfieithydd gywiro'r gwall yn y cyfieithiad a hysbysu'r anfonwr neu'r cleient ei fod wedi gwneud hynny. Os nad yw'n siŵr beth yw'r cywiriad er ei fod yn gwbl sicr bod gwall, dylai gysylltu â'r anfonwr neu'r cleient a gofyn am gymorth. Wrth wirio felly, dylid gochel rhag cynnwys gwallau yn y cyfieithiad.

## Math C – Problemau o ran iaith ac arddull

Sillafu; sillafiad geiriau, atalnodi a nodau diacritig

Y dyddiau hyn, mae'n anos camsillafu o ystyried bod modd i feddalwedd prosesu geiriau wirio'r iaith (yn y Saesneg *ac* yn y Gymraeg), a bod modd defnyddio meddalwedd fel Cysill i wirio sillafu a threiglo yn y Gymraeg.[7] Fodd bynnag, nid yw hyn yn esgus dros laesu dwylo; mae gofyn i chi gymryd gofal o hyd. Nid yw Cysill yn gallu gwirio popeth, a bydd rhai geiriau yn mynd heb eu cywiro gan eu bod yn ymddangos i'r feddalwedd yn gywir. Cymerwch yr enghreifftiau isod:

| He's stealing the apples | Mae'n dwn yr afalau |
|---|---|
| He's saying he's going | Mae'n dweud ei bod yn mynd |
| She said that's OK | Dywedo fod hynny'n iawn |

Mae 'dwn' yn air, ac felly ni fyddai'r un gwirydd sillafu yn ei godi. Mae 'bod' yn anghywir ond ni fyddai modd i feddalwedd wybod hynny am na all barsio brawddegau cystal â ni. Mae <dd> ar goll ar ddiwedd 'Dywedo' ond eto ni fyddai'r un gwirydd sillafu yn sylweddoli hynny am fod 'dywedo' yn ffurf ferfol gywir (sef trydydd person unigol y modd dibynnol presennol). Y pwynt yw felly fod rhai mathau o wallau na fydd meddalwedd fel Cysill ac offer prawf ddarllen Microsoft Word yn gallu eu codi. O'r herwydd, mae llygad barcud o hyd yn eisiau i unrhyw ddarpar gyfieithydd. Pwynt pwysig yma hefyd yw nad ydym yn darllen pob llythyren mewn gair o'r llythyren gyntaf hyd at yr un olaf mewn rhes. Cymerwch y paragraff enwog isod:

Aoccdrnig to a rscheearch at Cmabrigde Uinervtisy, it deosn't mttaer in waht oredr the ltteers in a wrod are, the olny iprmoetnt tihng is taht the frist and lsat ltteer be at the rghit pclae. The rset can be a toatl mses and you can sitll raed it wouthit porbelm. Tihs is bcuseae the huamn mnid deos not raed ervey lteter by istlef, but the wrod as a wlohe.

Dengys hyn i ni y gallwn yn hawdd ddarllen gair hyd yn oed o'i gamsillafu. At ein dibenion ni, ystyr hyn yw ei bod yn hawdd iawn i ni golli geiriau sydd wedi eu camsillafu. Byddwch yn ofalus felly: darllenwch bob gair yn ofalus yn lle sgimio'n sydyn, a defnyddiwch offer gwirio sillafu yn briodol.

Cyn mynd ymlaen at ramadeg isod, cofiwch fod modd defnyddio Microsoft Word yn y Gymraeg, a bod modd defnyddio offer prawf ddarllen ynddo i wirio'r Gymraeg hefyd. Mae defnyddio'r pecyn meddalwedd yn y Saesneg gyda'r offer prawf ddarllen wedi'i osod i'r Saesneg yn gyfrifol am lu o wallau ar arwyddion ac mewn testunau. Nid oes dim esgus o gwbl am hyn; mae Microsoft (a nifer o gwmnïau eraill fel Google Docs a LibreOffice) wedi cyfieithu eu meddalwedd i'r Gymraeg. Oherwydd yr awtogywiro, bydd yr arddodiad a'r rhagenw atodol 'i' yn ymddangos fel 'I', bydd llinellau coch hyll o dan y brawddegau i gyd a bydd geiriau syml fel 'yn' yn gallu troi'n 'in'. Defnyddiwch fersiwn Cymraeg eich meddalwedd prosesu geiriau.

Gramadeg; rheolau gramadegol a chywirdeb gramadegol

Mae mwy i wallau gramadegol na 'bydd eisiau hyn, nid hon', neu 'mae angen â, nid gyda'. Gall gwallau gramadegol gyfleu ystyr wahanol yn anfwriadol ('ei chymhwyster' yn lle 'ei gymhwyster' er enghraifft), a gallant fod mor ddifrifol nes eu bod yn amharu'n fawr ar allu'r darllenydd i ddeall. Bydd rhai gwallau hefyd yn codi gwrychyn rhai darllenwyr, a bydd eraill yn fân wallau na fydd rhai pobl yn sylwi arnynt. Rhaid felly sicrhau orau y gallwch fod y gwaith yn gywir a heb wallau sylfaenol. Fodd bynnag, mae'n anochel, ar adegau yn eich gyrfa, pan fyddwch chi'n anfon gwaith yn ôl fydd yn cynnwys gwall. Mae'n digwydd mewn cyd-destun unieithog ac mae'n digwydd wrth gyfieithu. Yr hyn sy'n bwysig, fodd bynnag, yw pa mor ddifrifol yw'r gwall, pa mor aml rydych chi'n gwneud gwallau a beth a wnaethoch chi pan ganfuwyd y gwall (os oedd yn ddigon difrifol, mae pobl broffesiynol yn cydnabod hynny, yn rhoi gwybod i'r bobl berthnasol ac yn cymryd camau i atal hynny rhag digwydd eto).

Agwedd bwysig pan ddaw i gywirdeb gramadegol yng nghyd-destun y Gymraeg yw dealltwriaeth pobl eraill o ramadeg. Nid yw hon yn ystyriaeth mor bwysig yng nghyd-destun ieithoedd mwyafrifol, gan y gall y cyfieithydd ei chymryd bron yn ganiataol y bydd y darllenwyr yn deall yr iaith. Ond yn achos ieithoedd lleiafrifedig a phoblogaethau dwyieithog lle mae un iaith yn tra-arglwyddiaethu, gall fod bwlch rhwng gwybodaeth dechnegol y cyfieithydd o ramadeg yr iaith leiafrifol a gwybodaeth ramadegol darllenwyr y cyfieithiad. Mae hwn yn faes arall lle mae angen ymchwil, ond byddwch yn barod i ateb ymholiadau gan bobl bod y testun yn anghywir er mai hwy sydd â chrap ddiffygiol ar ramadeg sylfaenol y Gymraeg.

Arddull a'r cywair; testun sydd wedi ei ysgrifennu'n dda ond yn bwysicach, ffurfioldeb priodol

Mae'r ystyr wedi ei dehongli a'i chyflwyno'n briodol ac yn gywir ac mae'r ramadeg yn dderbyniol hefyd. Beth arall all fynd o'i le mewn cyfieithiad? Crybwyllwyd ffurfioldeb a'r cywair droeon yn y gyfrol hon, ynghyd â phwysigrwydd cadw mewn cof fod gan y

Gymraeg gyfoeth o gyweiriau. Rhan o waith y cyfieithydd Saesneg i Gymraeg proffesiynol yw ystyried y gynulleidfa a'r arddull a ddefnyddir. Gan feddwl yn ôl i Bennod 4 a'r Fframwaith a gyflwynwyd i'w ddefnyddio cyn bwrw iddi i gyfieithu, dylid ystyried natur y testun ffynhonnell i'w gyfieithu, ac ystyried yn unol â hynny gywair y cyfieithiad. Ond yn ystod y cam hwn, nid oes dim i'w golli o fwrw golwg dros y gwaith eto a'i ddarllen er mwyn sicrhau bod yr agwedd hon ar y gwaith yn taro tant.

Naturioldeb yr iaith; ydy'r testun yn idiomatig, neu ydy hi'n lletchwith ac yn Seisnigaidd?

Gall arddull briodol a naturioldeb y testun ymddangos yn debyg. Fodd bynnag, mae angen eu hystyried ar wahân am fod rhannau gwahanol o'r broses gyfieithu yn gallu achosi'r problemau a welir yn y naill gategori a'r llall. Gall problemau o ran arddull gael eu hachosi gan ddiffyg ystyriaeth o natur y testun ffynhonnell a'r gynulleidfa arfaethedig, ond gall problemau o ran naturioldeb ddeillio o ddiffyg sgiliau wrth drosglwyddo'r neges ac anwybodaeth am y technegau cyfieithu sydd ar gael. I wirio am broblemau sy'n ymwneud â naturioldeb, un dechneg ddefnyddiol ydy gadael y gwaith am gyfnod a dychwelyd ati yn hwyrach. Trwy wneud hynny, bydd y testun yn 'newydd' i chi, a bydd yn haws i chi sylwi ar gyfluniad rhyfedd neu frawddegau sy'n 'swnio' fel cyfieithiad. Byddwn yn trafod hyn isod, ond dyma nodi bod naturioldeb y testun hefyd yn ystyriaeth wrth wirio.

Cydlynrwydd testunol; ydy'r testun yn llifo, ydy hi'n hawdd dilyn y dadleuon/negeseuon yn y testun?

Bydd yn amhosibl i chi wirio hyn hyd nes eich bod yn darllen y cyfieithiad yn ei gyfanrwydd heb y testun ffynhonnell. Fel cyfathrebwr, mae'n hanfodol bod y testun yn ymdebygu i destun annibynnol ac y gellir ei ddefnyddio mewn cyd-destun unieithog heb orfod dibynnu ar y testun ffynhonnell y mae'n seiliedig arno. Byddwn yn trafod y dull o wirio a lle byddai angen gwirio hyn isod, ond cofiwch fod angen darllen y gwaith yn ei gyfanrwydd er mwyn gwirio *testunoldeb* y cyfieithiad.

## Math Ch – Problemau fformatio

Trefniant y ddogfen; ydy popeth yn y lle iawn?

Gall defnyddio rhaglenni fel Microsoft Publisher a meddalwedd dylunio proffesiynol fel *Adobe InDesign* greu problemau i'r cyfieithydd anghyfarwydd. Y cyngor ym Mhennod 4 oedd mai da o beth fyddai hi i unrhyw gyfieithydd proffesiynol feithrin sgiliau datblygedig ar gyfer defnyddio rhaglenni Microsoft Office, a sgiliau sylfaenol o leiaf ar gyfer defnyddio meddalwedd dylunio graffeg a ddefnyddir hefyd i greu dogfennau. Bydd hyn yn helpu'r cyfieithydd pan ddaw i weithio gyda'r dogfennau hyn. Y nod wrth wirio trefniant y ddogfen yw gwirio bod y testun lle mae i fod, gwirio nad oes dim ar goll, gwirio bod y delweddau a'r tablau i gyd yn y lle iawn ac, yn gyffredinol, sicrhau bod y ddwy ddogfen yn ddrych o'i gilydd. O feithrin gwybodaeth drylwyr o feddalwedd fel

Microsoft Word a Publisher er enghraifft, bydd modd deall pam mae tabl yn hedfan i'r entrychion am ryw anhysbys reswm yn Word, pam mae hanner y testun ar goll mewn blwch testun yn Publisher a sut i atal y testun yn Excel rhag ymestyn y tu hwnt i'w gell. Er mwyn gwirio'n effeithiol ar y lefel hon felly, bydd angen i chi wybod sut i ddatrys y broblem hefyd.

Fformatio cyffredinol; tanlinellu, ffont, maint ffont, bold, priflythrennau

Y disgwyl wrth gyfieithu yw bod y ddwy ddogfen yn gopïau o'i gilydd o ran fformatio, a'r agwedd fwyaf amlwg ar fformatio yw sut mae'r testun yn edrych. Wrth reswm, mae'n rhaid i'r cyfieithydd gadw at yr un ffont a maint ffont, a defnyddio bold, priflythrennau a thanlinellu lle mae'r rheiny wedi eu defnyddio yn y testun ffynhonnell. Dylid nodi yma serch hynny bod ychydig o hawl gan y cyfieithydd i newid maint y ffont o fewn rheswm i sicrhau bod y geiriau yn ffitio yn eu lle ar y ddalen neu yn y blwch testun er enghraifft. Gall hyd y frawddeg Gymraeg fod yn hwy weithiau na'r Saesneg, a gall effaith gronnol hynny beri i'r testun cyfan fod yn hwy hefyd. O'r herwydd, gall fod yn anodd ffitio'r holl destun ar y ddalen (yn achos poster A4 er enghraifft, neu deitl ym mlwch y teitl yn Microsoft Powerpoint). Dylid osgoi gwneud hynny oni bai bod gwir angen, ond mae'n amlwg yn well cadw'r holl destun na chuddio ychydig ohono oherwydd maint y ffont. Cadwch mewn cof, fodd bynnag, na ddylai maint y testun fynd yn rhy fach, am y gall hynny ei gwneud yn anodd i bobl ei ddarllen.

Delweddau a delweddau â thestun ynddynt

Mae defnyddio delweddau â thestun ynddynt yn eithaf cyffredin. Rhaid sicrhau bod y testun wedi ei gyfieithu, ac nid yw ei adael yn ddewis. Yn aml, gall y ddelwedd fod wedi ei chreu mewn meddalwedd dylunio dogfennau, ac felly ni all y cyfieithydd newid dim arni (oni bai bod ganddo'r feddalwedd a'r ffeil wreiddiol). Y strategaeth yma yw rhoi gwybod i'r anfonwr bod angen i'r ddelwedd fod yn y Gymraeg hefyd ac anfon y cyfieithiad (ynghyd â'r Saesneg) mewn tabl dwyieithog. Posibiliad arall, os ydych chi'n defnyddio system cof cyfieithu (fel y dylech), yw derbyn y ffeil wreiddiol a'i chyfieithu yn y system, gan y gall nifer o systemau cof cyfieithu ddarllen ffeiliau o feddalwedd dylunio graffeg erbyn hyn. Ond i grynhoi, rhaid cyfieithu popeth gan gynnwys unrhyw destun mewn delweddau a thablau, ac fel arfer bydd gofyn i'r sefydliad cyhoeddus sicrhau hynny hefyd o dan gyfundrefn Safonau'r Gymraeg a'r gofyniad i beidio â thrin y Gymraeg yn llai ffafriol na'r Saesneg.

Addasrwydd y ddogfen i bobl â nam ar eu golwg

Agwedd bwysig arall ar fformatio yw sicrhau bod y ddogfen yn addas i bobl â nam ar eu golwg, a dylai'r sefydliad sicrhau fod ei holl wybodaeth yn hygyrch i bobl â nam ar eu synhwyrau o dan ddeddfwriaeth cydraddoldebau.[8] Yn ôl canllawiau gan Lywodraeth Cymru, dylid gofyn i bobl â nam ar eu synhwyrau ynghylch pa fformat sydd orau ganddynt.[9] Ond o ran cyfieithu, peidiwch â'i gwneud yn anos i bobl trwy ddefnyddio fformat bach iawn a defnyddio lliwiau golau iawn. Os yw'r testun ffynhonnell yn cynnwys y rhain, nid oes dim o'i le ar godi hynny a holi anfonwr y gwaith. Rhaid bod yn ymwybodol felly wrth gyfieithu a gwirio fformatio nad yw hi mor syml ag y gall ymddangos, a bod rhaid cadw mewn cof fod fformatio dogfennau o gryn bwys i nifer fawr o bobl.

Ystyriaethau cyfreithiol; ydy'r Gymraeg wedi ei thrin yn llai ffafriol?

I gloi, ystyriaethau cyfreithiol a sut mae dogfennau cyhoeddus yn trin y Gymraeg. Wrth drafod fformatio a hygyrchedd uchod i bobl â nam ar eu golwg, tynnwyd sylw at y ffaith bod fformatio o gryn bwys. Nid yw hynny am beidio â defnyddio ffont llai ac osgoi Comic Sans a Wingdings yn unig felly. Yn achos ieithoedd mewn cymdeithas ddwyieithog, gall fformat dogfen neu arwydd 'amgodio' hefyd statws iaith a sut mae'r sefydliad neu'r gymdeithas yn gweld y naill iaith *vis-à-vis* y llall. O'r herwydd, mae Safonau'r Gymraeg, o dan Fesur y Gymraeg (2011) (Cymru), yn mynnu na ddylid trin y Gymraeg yn llai ffafriol na'r Saesneg a bod rhaid i'r Gymraeg fod ar y chwith i'r Saesneg neu ar ben y Saesneg, ar arwyddion a hysbysiadau cyhoeddus. Bydd yr union Safonau y mae disgwyl i sefydliad penodol yn y sector cyhoeddus eu dilyn yn dibynnu ar yr Hysbysiad Cydymffurfio a dderbyniodd gan y rheoleiddiwr. Ond yn y bôn, ni ddylai'r ddogfen Gymraeg fod yn wahanol o ran fformatio, a rhaid iddynt fod o'r un safon a'r un dyluniad. Rhaid hefyd ddylunio arwydd neu hysbysiad fel mai'r Gymraeg yw'r iaith sydd fwyaf tebygol o gael ei darllen gyntaf yn aml. Fel cyfieithydd felly, dylid bod yn ymwybodol o ystyriaethau cyfreithiol pan ddaw i ddogfennau cyhoeddus, a chofio wrth wirio nad yw fformatio yn achos syml o wirio'r ffont.

A ninnau wedi trafod yr hyn y dylid chwilio amdano wrth gyfieithu, awn ymlaen isod i drafod sut i wirio.

## Technegau ar gyfer Adolygu Cyfieithiadau

Felly rydych chi'n gyfarwydd erbyn hyn â'r rhychwant o broblemau all godi wrth gyfieithu ac â'r hyn y bydd angen ei wirio cyn i chi allu dychwelyd y gwaith. Y cam nesaf wrth drafod adolygu cyfieithiadau yw'r broses briodol ar gyfer gwneud hynny. Fel popeth arall ym maes cyfieithu proffesiynol, nid yw mor syml ag yr ymddengys; mae technegau penodol i'w defnyddio a dull arbennig o'i wneud. At y rhain y byddwn yn troi yn yr adran hon.

### Dwysedd yr Adolygu

Yr agwedd gyntaf i'w thafod yma yw dwysedd y broses adolygu neu, mewn geiriau eraill, pa mor ofalus y bydd angen i chi fod. Bydd gwahanol destunau mewn gwahanol gyd-destunau ac at wahanol ddibenion yn gofyn am brosesau adolygu gwahanol. Mae'r teipoleg uchod yn fawr felly dan sylw yma y mae defnyddio amser yn effeithlon. Yr hyn sy'n sail i'r penderfyniad ynghylch dwysedd yr adolygu yw *risg* a *defnydd y cyfieithiad*. Y diffiniad a gawn yng Ngeiriadur Prifysgol Cymru o risg yw 'Y posibilrwydd o golled, anffawd, neu niwed, enbydrwydd, perygl, bygythiad; person neu beth o'i ystyried mewn perthynas â'r posibilrwydd o golled, &c. (e.e. i yswiriwr)'. Yn y bôn, o gymryd cam, beth yw'r tebygolrwydd y bydd rhywbeth anffodus yn digwydd? Wrth gyfieithu, bydd y risg yn wahanol yn dibynnu ar ddiben y testun. Yn achos neges ar grŵp Facebook er enghraifft am ba bryd y bydd siop sglodion yn agor, ni fyddai angen argraffu'r darn gyda bwlch mawr rhwng y llinellau ac eistedd yno yn craffu ar bob un frawddeg. Y mae, serch hynny, yn syniad da gwirio bod yr amser yn iawn yn y cyfieithiad. Ar y llaw arall, wrth gyfieithu llythyr i aelod o'r cyhoedd er enghraifft a gwynodd am ansawdd gwasanaeth a dderbyniodd, lle mae enw da'r sefydliad eisoes yn y fantol, rhaid sicrhau bod y neges yn gywir a bod yr iaith yn addas ac yn gywir. Y risg o beidio â gwneud hyn yw colli ffydd y cwsmer ac ennyn beirniadaeth eto ar sail y cyfieithu. Mae amser proffesiynol yn brin, ac wrth i chi fagu profiad ac ennill mwy o gyflog bydd eich amser yn fwy gwerthfawr ac yn ddrutach i'ch cyflogwr. Dylech chi felly flaenoriaethu eich amser, a buddsoddi'r amser priodol yn y broses wirio ar ôl gorffen. Nid yw hwn yn gysyniad dieithr mewn sefydliadau mawr lle mae galw mawr am gyfieithu ond eto adnoddau cyfyngedig, nac yn y byd academaidd. Mae Cyfarwyddiaeth Gyffredinol Ewrop ar gyfer Cyfieithu wedi creu dogfen hir yn egluro'r gwahanol ofynion o ran ansawdd ac adolygu, ac mae dwysedd yr adolygu yn dibynnu ar y testun.[10] Cyhoeddwyd astudiaeth yn 2012 hefyd yn cymharu modelau adolygu cyfieithiadau (neu fodelau ansawdd), oedd wedi awgrymu bod angen bod yn fwy dynamig wrth adolygu ansawdd, i ystyried cyd-destun defnydd y cyfieithiad ond hefyd dechnolegau newydd fel technoleg cyfieithu, y we, y cyfryngau cymdeithasol ac yn y blaen.[11] Yn y ffigur isod, gallwch weld bod y risg yn cynyddu yn dibynnu ar y posibilrwydd o niwed, colled neu anhawster i'r defnyddiwr.

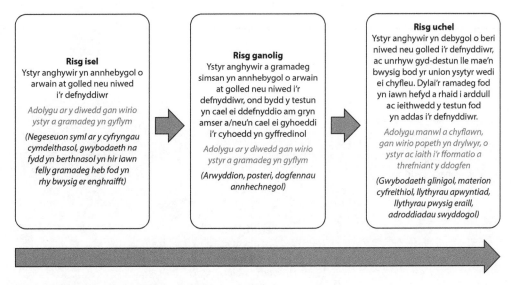

Ffigur 10 Risg a Dwysedd y Broses Adolygu

Ar ôl gorffen eich cyfieithiad felly, meddyliwch am y gynulleidfa a diben y cyfieithiad. Os yw'r cyfieithiad yn mynd at rywun sy'n hoffi cwyno am y Gymraeg, gwiriwch y ramadeg yn ofalus iawn. Os yw'r cyfieithiad yn mynd at glaf yn dweud wrtho am gymryd dos o ryw gyffur hyn a hyn o weithiau'r dydd, gwiriwch sawl gwaith fod y dos yn gywir yn y cyfieithiad. Mae'r hyn y dylid chwilio amdano wrth adolygu yn fawr, ac nid oes gobaith i chi allu gwirio pob un peth bob tro yn achos pob cyfieithiad. Y peth pwysig felly yw bod dwysedd yr adolygu yn dibynnu ar ddwysedd y risg i'r defnyddiwr terfynol. Os ydych chi fel yr ymarferydd proffesiynol wedi penderfynu, ar ôl ystyried y gynulleidfa, y maes, y defnydd arfaethedig a'r math o wybodaeth sydd wedi ei chyfleu, mai testun risg isel ydyw, yna iawn hynny. Wrth adolygu, gwiriwch yr iaith a'r ystyr a symudwch ymlaen. Fodd bynnag, os testun Risg Ganolig neu Risg Uchel sydd dan sylw, yna beth yw'r ffordd orau o adolygu? Trafodwn hyn isod.

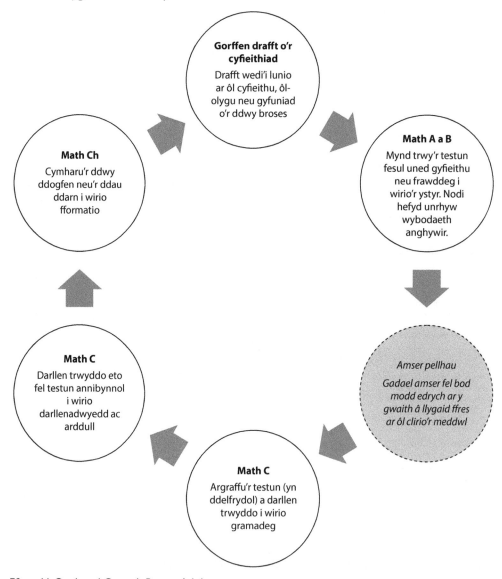

Ffigur 11 Gwahanol Gamau'r Broses Adolygu

## Y Drefn Adolygu

Y peth pwysicaf pan ddaw i'r drefn briodol ar gyfer adolygu yw peidio â gwneud y camgymeriad o feddwl mai un broses ydyw. Mae adolygu llawn ar gyfer testunau Risg Ganolig i Risg Uchel yn cynnwys gwirio nifer fawr o elfennau gwahanol, felly oni bai bod dau ymennydd gyda chi a dau gof tymor byr, bydd yn amhosibl i chi ganolbwyntio ar bopeth ar yr un pryd. Rhaid felly hollti eich proses a gwirio pethau gwahanol. Uchod mae proses adolygu ddelfrydol ar gyfer testunau lle mae cywirdeb yn bwysig iawn. Mae'r elfennau canlynol yn sail iddi:

- Mae capasiti ein cof tymor byr yn gyfyngedig, felly ni allwn ganolbwyntio'n effeithiol ar fwy nag un peth ar yr un pryd;
- Mae gadael amser rhwng y broses gyfieithu a'r broses adolygu yn fuddiol am y byddwch yn gallu dod at y testun â llygaid ffres ac o safbwynt y defnyddiwr terfynol sydd heb y fantais o weld yr iaith ffynhonnell;
- Mae adolygu cyfieithiadau mewn cyd-destun proffesiynol yn gymhleth ac yn amlweddog, ac felly bydd angen amser i'w wneud yn iawn;
- Mae argraffu gwaith a darllen ar bapur wrth adolygu yn well na darllen ar sgrin cyfrifiadur;
- O fagu profiad, bydd y broses uchod o fudd mawr i gyfieithwyr na allant ofyn i rywun arall adolygu'r gwaith drostynt.

Gair cyn mynd ymlaen am yr egwyddorion sy'n sail i'r broses hon. Yn ôl astudiaeth ddiweddar, gall darllen ar bapur, yn enwedig lle mae angen canolbwyntio a chyflawni tasg ar sail y wybodaeth a ddarllennir, fod yn fwy effeithlon na darllen ar sgrin.[12] Gall darllen ar y sgrin fod yn niweidiol i'n golwg hefyd a gwaethygu'r pwysedd mewnllygadol (sef y pwysedd a greïr wrth i'r hylifau yn y llygaid orfod eu hadnewyddu eu hunain). Gall hyn yn ei dro ein rhoi mewn perygl o ddatblygu glawcoma.[13] Ond yn gyffredinol, rydym yn ymwybodol y gall syllu ar y sgrin frifo ein llygaid, a'i bod yn anodd dal gwallau wrth ddarllen ar sgrin lachar. Gwnewch bethau'n haws i chi eich hun felly trwy adolygu dogfennau hir ar bapur. Techneg ddefnyddiol arall os nad yw'n bosibl gwneud hynny yw newid ffont y cyfieithiad wrth wirio; gall hyn olygu bod y testun yn edrych yn wahanol a byddwch yn fwy tebygol o sylwi ar wallau.[14] O ran gadael y testun am gyfnod cyn dychwelyd eto (sef 'amser pellhau' yn y ffigur), gall y dechneg hon fod yn arbennig o ddefnyddiol i bobl sydd heb gydweithiwr cymwys i edrych dros y gwaith. Yn seicolegol, rydym yn tueddu i weld beth y credwn i ni ei ysgrifennu oherwydd tuedd wybyddol. Roeddem wedi *meddwl* am ysgrifennu rhywbeth, felly dylai fod yno. O'r herwydd, gall gadael amser ganiatáu i chi anghofio beth a fwriadasoch chi ei ysgrifennu, a gweld yr hyn sydd yno mewn gwirionedd. Mewn gwasanaethau cyfieithu prysur, gall fod yn gynt gadael i rywun arall adolygu'r gwaith, ond i bobl sydd heb y gallu i wneud hynny ac i gyfieithwyr dibrofiad sy'n dysgu'r grefft, gall y dechneg hon fod yn hynod o bwerus. Os oes modd, mae gadael y gwaith am ddiwrnod (neu ddau) yn ddefnyddiol.

Gobeithir felly fod yr adran hon wedi agor eich llygaid i brosesau adolygu proffesiynol. Mae llawer mwy iddi na gwirio bod yr atalnod llawn yn y lle iawn a bod dim achosion o gamdreiglo. Rydych chi'n chwilio am bethau penodol gan ddefnyddio technegau penodol, a hynny mewn trefn bwrpasol. Ysgrifennwyd yr adran hon (fel gweddill y gyfrol) o safbwynt cyfieithwyr dibrofiad sy'n newydd i'r maes. Mae'r drafodaeth am adolygu felly wedi canolbwyntio ar adolygu eich gwaith eich hun. Fel cyfieithydd dibrofiad, fe ddylai eich gwaith gael ei adolygu gan gyfieithydd cymwys a phrofiadol cyn iddo gael ei ddychwelyd. Fodd bynnag, o ddilyn y camau uchod, dylai hyn eich helpu i lunio gwaith cystal ag y gall fod. Dylai eich helpu hefyd i feithrin arferion a fydd yn eich helpu i lunio gwaith o safon uchel yn annibynnol pan fyddwch chi'n fwy profiadol.

Cyn troi at dechnoleg cyfieithu yn y bennod nesaf, mae trafodaeth isod am ddefnyddioldeb testunau, cywair a Chanllawiau Cymraeg Clir. Dylai ystyriaethau am ddefnyddioldeb fod yng nghefn eich meddwl bob tro wrth adolygu, felly cyn mynd ymlaen dyma gyflwyno'r cysyniad hwn a chyfraniad pwysig at y maes hwn, sef Cymraeg Clir.

## Defnyddioldeb Testunau

Y model mwyaf cyffredin o ran cyfieithu yng Nghymru yw bod testun i'w gyfieithu, bydd yn cael ei gyfieithu, a bydd yn cael ei gyhoeddi. Ai gorgymhlethu'r sefyllfa fyddai beirniadu hyn? Fe wyddom erbyn hyn, am fod sôn am hyn sawl gwaith yn y gyfrol, nad yw'r fersiynau Cymraeg o ddogfennau cyhoeddus bob tro yn cael eu defnyddio i'r graddau y *gallent* gael eu defnyddio. Dyma un o'r rhesymau dros ysgrifennu'r llyfr hwn. Ffordd arall o gyfleu hynny yw bod siaradwyr Cymraeg yn dewis y fersiwn Saesneg. Bydd nifer o bethau yn llywio'r dewis hwnnw, ac un elfen bwysig iawn o'r dewis hwnnw yw sut y *strwythurir* y dewis dros y defnyddiwr.[15] Fodd bynnag, o ran cyfieithu, bydd siaradwyr Cymraeg yn dewis y Saesneg yn aml yn y gred y bydd y fersiwn hwnnw yn haws ei ddarllen, ni waeth pa mor hwylus ydyw i bobl ddewis y Gymraeg. Mae bwlch felly rhwng ansawdd cyfieithu yng ngolwg cyfieithwyr ar y naill law, ac ansawdd cyfieithu yng ngolwg y defnyddwyr ar y llaw arall. Os yw'r defnydd o wasanaethau Cymraeg i gynyddu yng Nghymru, mae'n rhaid cau'r bwlch hwn. Sut y gallwn fynd ati i wneud hynny, a pha egwyddorion y dylai cyfieithwyr newydd i'r maes fod yn ymwybodol ohonynt yn y cyswllt hwn? Dyma'r hyn a fydd dan sylw yn yr adran hon.

### Cyfieithu sy'n rhoi'r defnyddiwr yn gyntaf

Mae'r hyn sy'n nodweddu 'cyfieithiad da' yn amrywio, a sail yr amrywio hwn yw cyd-destun arfaethedig ei ddefnyddio. Fel yr eglurwyd uchod, ni fydd post Facebook byr yn destun yr un broses fanwl o wirio ag a fydd llyfr. Fodd bynnag, un peth a ddylai fod yn sail i'r broses o benderfynu ar beth sy'n nodweddu cyfieithiad da yw barn ei *ddefnyddwyr*. Os cefnwn ar y model traddodiadol nad yw'n cynnwys y defnyddiwr mewn unrhyw fodd ystyrlon, a dechrau meddwl am gyfieithiadau fel testunau sy'n cael eu defnyddio yn rhan o broses gyfathrebu go iawn, yna fe ddown yn nes at gau'r bwlch rhwng cyfieithwyr a rhai elfennau o'r gymuned Gymraeg ei hiaith. Hynny yw, y bwlch rhwng y bobl hynny y mae'n well ganddynt ddefnyddio'r Saesneg yn lle'r Gymraeg wrth ddefnyddio gwasanaethau, a'r bobl hynny sydd wedi hen arfer â meddwl am Gymraeg 'swyddogol' y sector cyhoeddus fel rhyw dafodiaith estron, anodd ei deall. Mae'n rhaid inni sicrhau bod gwasanaethau cyfieithu a'r testunau y maent yn eu llunio yn addas i gynifer o bobl â phosibl. Mae'n anochel na fydd modd plesio pawb, ac yn yr un modd mae'n annhebygol y bydd rhywun heb y gallu angenrheidiol yn codi adroddiad blynyddol swmpus yn y Gymraeg pa un bynnag. O'r herwydd, nid yw'r adran hon yn dadlau bod angen gofyn i bawb am ei farn ym mhob cyd-destun. Y ddadl, fodd bynnag, yw bod angen dechrau meddwl yn ddwysach am y defnyddiwr terfynol, yn enwedig pan ddaw i ddogfennau cyffredin, aml eu defnydd yn y gymdeithas, fel ffurflenni, gwefannau, apiau, taflenni, ymgyrchoedd cyhoeddus, llythyrau, negeseuon ar y cyfryngau cymdeithasol ac arwyddion, i enwi ond ychydig o'r testunau amlaf eu defnydd. O feddwl yn ôl i Bennod 4, dylech allu gweld y cysylltiad yma â theorïau cyfieithu swyddogaethol neu S*kopostheorie*. Mae'r theorïau hyn yn blaenoriaethu defnydd neu swyddogaeth y testun wrth wneud penderfyniadau yn ystod y broses gyfieithu. Y broblem yw mai theorïau ydy'r rhain; fel y nodwyd, fe fydd ymwybyddiaeth ohonynt yn hogi meddwl y cyfieithydd pan ddaw i ansawdd a chofio am y darllenydd, ond nid ydynt yn rhoi'r arfau angenrheidiol i'r cyfieithydd allu gwneud hynny o reidrwydd. Yn yr adran hon, byddwn yn trafod y cysyniad o ddefnyddioldeb testunau a mesur defnyddioldeb mewn ymgais i egluro'r prif egwyddorion yn y maes newydd hwn i gyfieithwyr. Hyd wybodaeth yr awdur, hon yw'r unig drafodaeth gyhoeddedig am ymchwil i ddefnyddioldeb mewn perthynas â chyfieithu i'r Gymraeg, sy'n brawf o'r ffaith nad oes fawr o feddwl ar hyn o bryd am ddefnyddiwr terfynol y cyfieithiad yn y Gymru Gymraeg.

## Defnyddioldeb

Y cysyniad sy'n sail i ystyried defnyddwyr cyfieithiadau yw defnyddioldeb. Y diffiniad a ddefnyddia Tytti Suojanen, Kaisa Koskinen a Tiina Tuominen yn eu llyfr arloesol, *User-Centred Translation* (Abingdon/New York, 2015) yw, '*Usability is the ease of use of a product in a specified context of use; users are able to use a product effectively, efficiently and to their statisfaction*'.[16] I roi enghraifft, o brynu ffôn newydd, byddai defnyddioldeb y ffôn hwnnw, yn ôl y diffiniad hwn, yn dibynnu ar rwyddineb ei ddefnyddio, a'ch gallu i'w ddefnyddio i wneud un o'i swyddogaethau (ffonio, anfon neges), a hynny yn gyflym ac yn ddidrafferth mewn modd sy'n eich bodloni. Ond sut y gellir cymhwyso'r cysyniad pwysig hwn at gyfieithu? Pan ddaw i destunau a'u defnyddioldeb, ac felly cyfieithiadau a'u defnyddioldeb hwythau i ddefnyddwyr, mae tair prif elfen: Eglurdeb y Testun, Darllenadwyedd a Dealladwyedd. Byddwn yn diffinio'r rhain isod.

**Eglurdeb Testun**: Mae angen i ddefnyddwyr testunau allu darllen testun, wrth reswm, ac felly ymddengys trafod 'eglurdeb testun' yn amlwg. Eglurdeb testun yw pa mor hawdd ydyw i'r darllenydd ddarllen y geiriau, neu pa mor hawdd ydyw i'r darllenydd ddehongli'r geiriau ysgrifenedig ar y dudalen. O ystyried pobl sydd â nam ar eu synhwyrau, fel y trafodwyd uchod, mae lliw a maint testun yn ystyriaethau hollbwysig. Ond hyd yn oed i bobl sydd heb broblemau golwg, rhaid i destun fod yn ddarllenadwy. Ni ddylid defnyddio ffontiau gwirion, maint ffont bach iawn na lliwiau llachar, a dylid sicrhau nad yw'r testun wedi ei wasgu ynghyd fel rhyw hen bapur newydd o'r tridegau.

**Darllenadwyedd**: Mae cysyniad 'darllenadwyedd' yn un pwysig yn y cyswllt hwn. A'i rhoi'n syml, mae darllenadwyedd testun yn ymwneud â rhwyddineb y broses ddarllen i'r darllenydd, ac mae sawl elfen yn ynghlwm wrtho. Yr elfennau hyn, yn fras, yw hyd brawddegau, cydlynrwydd testunol digonol, y dewis o eiriau a sut yr ymdrinnir â therminoleg, cywair, strwythur y testun a sut mae gwybodaeth wedi ei threfnu. Wrth reswm, dylid ceisio cadw brawddegau yn weddol fyr heb ormod o gymalau. Mae un rheswm syml am hyn. Wrth i ni ddarllen, mae ein cof tymor byr yn storio gwybodaeth drosom. Mae hyn yn ein caniatáu i ddilyn llif y frawddeg a ffurfio cysylltiadau rhwng y gwahanol eiriau a negeseuon. O ysgrifennu brawddeg rhy hir, byddwn yn gorlwytho cof tymor byr y darllenydd a bydd yn anodd iddo gadw mewn cof wahanol rannau'r frawddeg. O'r herwydd, ni fydd yn deall heb orfod oedi a darllen fwy nag unwaith, rhywbeth i'w osgoi fel y pla. Yr ail elfen yw cydlynrwydd testun, a drafodwyd yn fanwl uchod. Ond i bwysleisio er budd y rhan hon, nid yw testun yn gyfres ddigyswllt o frawddegau. Rhaid sicrhau bod cysylltiadau rhwng y brawddegau fel bod y testun yn llifo. Mae hyn yn fwy na mater o arddull; mae'r edafedd hyn yn clymu gwahanol rannau ynghyd; hebddynt byddai popeth yn cwympo'n ddarnau. O ran geirfa, mae'r dewis o eiriau hefyd yn hollbwysig. Gweler y frawddeg isod:

Mae gan bobl gynhwynol yr Amerig well amgyffrediad o hyn.

Mae'r frawddeg o bosibl yn niwtral o ran arddull ond mae'r eirfa yn rhyfedd. Yn lle 'cynhwynol', 'brodorol' a ddefnyddir yn fwy cyffredin, ac yn lle 'amgyffrediad', 'dealltwriaeth' a ddefnyddir fel arfer. Fel yr eglurwyd ym Mhennod 4, nid yw bodolaeth gair yn gyfiawnhad dros ei ddefnyddio; rhaid defnyddio'r geiriau y bydd y nifer fwyaf o bobl yn debygol o'u deall. O ran terminoleg, gallwn ddweud yr un peth: nid yw bodolaeth term yn gyfiawnhad dros ei ddefnyddio chwaith ac ni ddylid ei ddefnyddio bob tro heb esboniad os yw'r term yn un anghyfarwydd neu'n un newydd ei fathu yn yr iaith. Rhaid i gyfieithwyr fod yn ofalus iawn wrth ymdrin â therminoleg. Yng nghyd-destun ieithoedd lleiafrifol, mae'n anos i dermau newydd ennill eu plwyf a chael eu cylchredeg ar dafodleferydd ac mewn print. O'r herwydd, gall term fod yn anghyfarwydd iawn hyd yn oed os yw wedi bodoli ers amser maith. Mae'n bwysig felly fod y cyfieithydd yn pwyso a mesur a yw pobl yn debygol o ddeall y term y mae wedi dewis ei ddefnyddio. Gall hyn fod yn broblem yn achos ieithoedd mwyafrifol hefyd, er nad i'r un graddau. Y rheol gyffredinol yw ystyried y cyd-destun a chofio'r darllenydd; os yw'r testun yn un cyffredinol i'r cyhoedd, mae'n debyg ei bod yn well peidio â gorddefnyddio degau o dermau technegol heb eu hesbonio hyd yn oed os gwnaed hynny yn y testun ffynhonnell. Cywair yw'r ystyriaeth nesaf. Tynnwyd sylw at bwysigrwydd cywair a'r gwahaniaethau yn hynny o beth rhwng y Gymraeg a'r Saesneg ym Mhennod 4. Dadleuwyd yno fod y Gymraeg a'r Saesneg yn wahanol yn y modd y maent yn 'amgodio' cywair; hynny yw, lle gall y Saesneg ddefnyddio geirfa i raddau helaeth i nodi cywair uwch, mae gan y Gymraeg rychwant o ddulliau ar gael iddi i nodi cywair uwch na'r cywair llafar cyffredinol. Byddwn yn trafod cywair eto isod wrth fwrw golwg dros ganllawiau Cymraeg Clir, ond digon yw nodi yma bod angen i gyfieithwyr ystyried y gynulleidfa bob tro a cheisio 'paru' cywair y testun â'r cyd-destun a'r darllenwyr tebygol. Yn olaf, strwythur y testun a threfnu gwybodaeth. Talwyd sylw i hynny hefyd uchod pan ddadansoddwyd ansawdd testunau mewn perthynas â Thema a Rhema a Hen Wybodaeth / Gwybodaeth Newydd. Y nod felly yw sicrhau bod pwyntiau yn dilyn ei gilydd yn rhesymegol, a bod y wybodaeth a gyflëir mewn trefn resymegol. Mae'n bwynt digon amlwg ond nid yw hynny'n golygu bod awduron testunau ffynhonnell yn ei gofio bob tro. Fel y cyfieithydd, mae'n bwysig cadw'r elfen hon o ddarllenadwyedd mewn cof fel bod eich testun chi yn ddealladwy ac yn ddefnyddiol i'ch darllenwyr chithau.

**Dealladwyedd**: Cysyniad cysylltiedig yw dealladwyedd, Yn y bôn, ystyr dealladwyedd yw pa mor hawdd ydyw i'r darllenydd nid yn unig ddarllen y testun, ond hefyd i *ddeall* y wybodaeth a geir ynddo. Mae'n gysyniad cysylltiedig am fod Darllenadwyedd ac Eglurdeb Testun yn cyfrannu'n fawr at allu pobl i ddeall, wrth reswm. Fodd bynnag, os yw'r wybodaeth a fynegir mewn testun yn gymhleth, neu os yw pwnc neu faes y testun y tu hwnt i'r hyn y mae'r darllenydd yn gyfarwydd ag ef, yna bydd gan y testun ddealladwyedd isel i'r defnyddiwr ni waeth pa mor dda yr ysgrifennwyd ef. Hynny yw, rhaid bod gwybodaeth gefndirol y darllenydd yn ddigonol fel y gall ddeall y wybodaeth newydd o'i flaen. I gyfeirio at enghraifft a ddefnyddiwyd ym Mhennod 4 (*Helicobacter pylori infection is characterized by an inflammatory response in the gastric epithelium, the intensity of which appears to be type-strain specific...*), os nad ydych chi'n deall *Helicobacter pylori* neu *Epithelium,* yna mae'n debygol na fyddwch chi'n gwneud na phen na chynffon o'r frawddeg. Rhaid felly sicrhau fod y wybodaeth nid yn unig yn ddarllenadwy, ond ei bod hefyd yn *ddealladwy* i'w gynulleidfa. Pe bai'r cyfieithydd yn cyfieithu'r uchod i grŵp o fyfyrwyr yn astudio cwrs Bioleg a ddysgir yn y Gymraeg, gellid cynnwys y cyfieithiad o '*Helicobacter pylori*' heb eglurhad am y gellid tybio y byddent yn gyfarwydd â'r term Cymraeg neu y gallent ofyn i diwtor. Pe bai rhaid cyfieithu'r uchod i'r cyhoedd, ni fyddai dim dewis ond cynnig esboniad. A dyna, a'i rhoi'n syml, yw dealladwyedd: sicrhau bod y wybodaeth a fynegir mewn testun yn debygol o gael ei deall o ystyried y darllenwyr terfynol.

## Mesur Defnyddioldeb

A ninnau wedi diffinio defnyddioldeb uchod yng nghyd-destun cyfieithu, mae'n bryd ystyried y gwahanol ddulliau sydd ar gael i sicrhau defnyddioldeb a mesur defnyddioldeb. Mewn cyfrol fel hon, y nod yw eu cyflwyno i'r darllenydd. Ni fyddai disgwyl i gyfieithydd dan hyfforddiant fynd ati i ddefnyddio'r dulliau hyn. Y bwriad serch hynny yw tynnu sylw darpar gyfieithwyr atynt. Os bydd mesur defnyddioldeb cyfieithiadau yn dechrau digwydd yn helaethach ledled Cymru, yna mae'n rhywbeth y dylai darpar gyfieithwyr y Gymraeg fod yn ymwybodol ohono.

## Mynegeion Darllenadwyedd

Un ffordd syml iawn o fesur darllenadwyedd testun yw defnyddio Mynegeion Darllenadwyedd. Mae Mynegai Darllenadwyedd yn ddull o sgorio pa mor ddarllenadwy yw testun. Mae'r rhan fwyaf ohonynt yn gwneud hynny trwy gyfrifo hyd cyfartalog geiriau neu frawddegau. Mae sawl un ar gael, yn eu plith Flesch-Kincaid, Dale-Chall, Fog, Fry Graph, SMOG a'r *Automated Readability Index.* Fodd bynnag, dylid bod yn ofalus iawn. Ni fydd sgôr dda o reidrwydd yn golygu y bydd testun yn hawdd ei ddarllen, am na all y mynegeion hyn ystyried elfennau o ddarllenadwyedd fel cydlynrwydd testunol a'r ymdrinaeth briodol o eirfa a therminoleg. Ni fyddant ychwaith yn gallu dweud dim am gywair. Fel y noda'r ymchwilydd ac ysgolhaig adnabyddus ym maes cyfieithu a chyfieithu awtomatig, Sharon O'Brien, '*[readability formulas] tell us little about how much cognitive effort is involved in reading texts, understanding them, and translating them*'.[17] Gallant fod yn fodd hawdd o wirio darllenadwyedd cyffredinol testunau serch hynny; o gael sgôr ddrwg iawn yna gellid bod yn weddol hyderus bod angen meddwl eto am y testun. Mantais arall yw eu bod yn hawdd eu defnyddio gan eu bod yn rhan fel arfer o Microsoft Word ac mae modd eu canfod yn hawdd ar lein. Byddwch yn ymwybodol o'u diffygion, serch hynny.

## Model Meddyliol o'r Defnyddiwr

Un peth mae'n rhaid ei dderbyn pan ddaw i gyfieithu i'r Gymraeg yw bod sgiliau iaith y gymuned Gymraeg yn amrywio ar y naill law, ac mae gan yr iaith ei hun gyfoeth o gyweiriau ar y llaw arall. O'r herwydd, gall cyfieithu i'r boblogaeth Gymraeg ei hiaith, mewn modd sy'n ceisio plesio cynifer o bobl â phosib, fod yn gryn orchwyl. Yn ogystal, ac i gymhlethu'r mater ymhellach, y mae, wrth reswm, yn anodd iawn gwybod beth fydd pobl yn ei ddeall a beth na fyddant yn ei ddeall. Fodd bynnag, un dull a all helpu yn hynny o beth yw creu 'modelau meddyliol o'r defnyddiwr', sef 'persona'.[18] Wrth lunio hwn, byddech chi'n gofyn i chi eich hun pwy yw'r person, beth mae'n ei wneud fel swydd, y profiadau mae'n debygol o fod wedi eu cael, y lefel o addysg y mae wedi ei derbyn, ei oedran a'r grwpiau cymdeithasol y mae'n perthyn iddynt. Er y gall ymddangos yn ddull gweddol unigryw, mae'r defnydd o fodelau meddyliol, neu o 'bersona' yn ddull cyffredin ym maes ymchwil defnyddioldeb wrth ddylunio gwefannau a gwasanaethau.[19] Er enghraifft, wrth gyfieithu taflen wybodaeth am reoliadau cadw ieir, y defnyddiwr mwyaf tebygol yw ffermwr neu rywun sy'n gweithio ym maes amaethyddiaeth. Mae'r siaradwyr Cymraeg sy'n gweithio yn y maes hwn yn tueddu i siarad Cymraeg fel mamiaith, yn debygol o siarad Cymraeg ar yr aelwyd, byddant yn gyfarwydd fel arfer â'r gwahanol dermau Cymraeg am anifeiliaid a lles anifeiliaid (neu o leiaf yn fwy cyfarwydd na rhywun sy'n byw mewn tref heb unrhyw gysylltiad ag amaethyddiaeth), byddant wedi mynd i'r ysgol a byddant yn rhan o rwydwaith Cymraeg ehangach yng nghefn gwlad. Pa benderfyniadau felly y gellid eu gwneud o 'ddychmygu' y fath ddefnyddwyr? Byddech chi'n gallu bod yn dawel eich meddwl pan ddaw i wybodaeth debygol y defnyddiwr posibl o derminoleg amaethyddol yn y Gymraeg, ac o ruglder y person yn yr iaith hefyd. O'r herwydd, tybed a fyddai angen meddwl cyn ddwysed am addasu'r cyfieithiad fel ei fod yn debygol o gael ei ddeall gan bawb yng Nghymru? Dyma enghraifft arall. Mae ysgol yn llunio adroddiad blynyddol gan y llywodraethwyr. Bydd yn weddol swmpus ac yn defnyddio termau ac iaith weddol dechnegol o'r byd addysg. Dychmygwch eich defnyddiwr terfynol; pwy fyddai fel arfer yn codi adroddiad mawr gan lywodraethwyr ysgol? Gellir tybio y bydd y person yn hyderus ei Gymraeg (fel arall, pam fyddai'n codi adroddiad mawr?), bydd yn ymddiddori mewn addysg a'r ysgol, ac felly yn debygol o fod â gwybodaeth gefndirol ddigonol o sut mae'r ysgol yn gweithio a'r cefndir cyffredinol o ran addysg, bydd wedi cael addysg ei hun, a bydd yn gyfarwydd â darllen Cymraeg gweddol ffurfiol. Eto, pa fath o benderfyniadau y gellid eu gwneud ar sail y persona hwn? A fyddai angen symleiddio o ran arddull, a fyddai rhaid addasu'r wybodaeth a chynnig esboniadau, a fyddai angen proses ddwysach o adolygu o ystyried disgwyliadau'r defnyddiwr a phwysigrwydd cywirdeb? Un enghraifft olaf, rydych chi'n cyfieithu swydd ddisgrifiad nyrs newydd gymhwyso. Bydd y person yn ifanc o bosibl, wedi cael addysg trwy gyfrwng y Gymraeg ac wedi dilyn cwrs nyrsio yn y Gymraeg. Bydd yn chwilio am swydd a heb fod yn gyfarwydd ag ieithwedd swydd ddisgrifiadau. Cafodd ei haddysg ym maes nyrsio a gofal iechyd, nid ym maes y Gymraeg. A ddylid llunio swydd ddisgrifiad ffurfiol iawn ei ieithwedd, neu a ddylid dilyn canllawiau Cymraeg Clir yn gyffredinol, yn gyntaf fel bod y person yn debygol o fod yn hyderus i ymgeisio am y swydd (efallai yn y Gymraeg), a hefyd i sicrhau y bydd yn darllen y ddogfen yn ei chyfanrwydd? Dyma'r math o gwestiynau y gall creu persona helpu eu hateb. Mae'n hawdd iawn, fodd bynnag, feirniadu'r dull hwn o feddwl am ddefnyddioldeb. Un cyhuddiad llwyr ddisgwyliedig yw bod y dull yn dibynnu ar ystrydebau a rhagdybio disail, ac ar gymryd yn ganiataol yr elfennau hynny o gefndir rhywun heb ystyried bod pawb yn wahanol. O wneud cyhuddiad o'r fath, mae perygl o golli'r pwynt yn llwyr. Y nod yw ceisio *canolbwyntio* sylw'r cyfieithydd ar y darllenydd. O ystyried ei bod yn amhosibl gwybod fel arfer pwy fydd y darllenwyr, mae hwn yn fodd o sicrhau bod y cyfieithydd yn cadw mewn cof wahanol anghenion y gynulleidfa. O ddychmygu defnyddiwr penodol drwyddi draw, mae'n llai tebygol y bydd y testun, o geisio bod yn dderbyniol i bawb, yn ddefnyddiol i neb.

## Profion Dealltwriaeth, Holiaduron a Grwpiau Ffocws

Gan symud y tu hwnt i ddulliau o sicrhau darllenadwyedd cyn cyhoeddi cyfieithiad, gellid defnyddio nifer o ddulliau gwahanol i wirio effaith wirioneddol y cyfieithiad ar y defnyddiwr a'i farn wirioneddol am y testun. Un dull o wneud hynny fyddai defnyddio profion dealltwriaeth i weld i ba raddau y llwyddodd y defnyddiwr i ddeall y wybodaeth yn y testun. Mae sawl ffordd o wneud hynny, ond un prawf posibl yw profion Cloze.[20] Mewn profion Cloze, mae gofyn i ddarllenydd ddarllen testun yn ei gyfanrwydd. Wedyn, mae gofyn iddo lenwi bylchau mewn testun arall ar sail y testun a ddarllenwyd. Os gall lenwi'r bylchau â'r wybodaeth sydd ar goll, yna bernir bod yr unigolyn wedi deall digon i allu dehongli beth sydd ar goll. Dull arall, a fyddai'n addas i gyfarwyddiadau, gwybodaeth dechnegol a gwybodaeth glinigol er enghraifft, fyddai gofyn i rywun egluro yn ei eiriau ei hun beth y mae disgwyl iddo ei wneud ar ôl darllen testun perthnasol. Pe gofynnid i ddarllenydd gymryd dos o gyffur penodol ddwywaith y dydd, ond wrth ateb mae'r darllenwyr yn nodi na wŷr pa gyffur y mae i fod i'w gymryd, gellid bod yn weddol sicr bod y cyfieithiad wedi methu. Wrth gyfieithu mesurau iechyd i'r Gymraeg er enghraifft ar gyfer y GIG a gofal iechyd ym Mhrifysgol Bangor, mae chweched cam y broses o'u cyfieithu (sef cam 'Profi Gwybodaeth') yn cynnwys siarad â chleifion 'er mwyn rhoi prawf ar wahanol eiriad (sic) a gweld a yw'r cyfieithiad yn ddaelladwy (sic), yn dehongli'n gywir ac a ydyw yn ddiwylliannol berthnasol'.[21] Byddai holiaduron cyffredinol hefyd yn bosibl, gyda chwestiynau i'r defnyddiwr ynghylch arddull ac ieithwedd yn gyffredinol ac i ba raddau y gallai ddefnyddio'r cyfieithiad yn ddidrafferth. Gellid gofyn hefyd am awgrymiadau i'r testun Cymraeg. Mae Bwrdd Iechyd Prifysgol Cwm Taf Morgannwg yn gwneud hynny er enghraifft yn achos taflenni clinigol, ac mae wedi sefydlu Panel Darllenwyr yn hynny o beth. O ddefnyddio'r fath holiaduron, gellir cael syniad cyffredinol o ansawdd y cyfieithiad (neu'r gwasanaeth cyfieithu) o ofyn i ddigon o bobl gwblhau un. Mae grwpiau ffocws, neu gynnal sesiynau i roi prawf ar ddefnyddio cyfieithiadau, hefyd yn ddull da o gasglu barn defnyddwyr arfaethedig. Er enghraifft, noda

Comisiynydd y Gymraeg mewn adroddiad i'r Gwasanaeth Llysoedd a Thribiwnlysoedd gynnal 'sesiynau profi' gyda defnyddwyr i geisio eu barn am eu cyfieithiadau o ffurflenni ysgariad.[22] Noda hefyd i sawl newid gael ei wneud yn dilyn hynny.

## Dulliau arbrofol a meintiol

Mae'r uchod oll yn dibynnu ar farnau goddrychol defnyddwyr a'u meddyliau personol am ansawdd cyfieithiad mewn perthynas â defnyddioldeb. Mae dulliau mwy gwrthrychol hefyd o fesur ymateb darllenwyr i destun. Un ohonynt yw defnyddio offer tracio llygaid. Cyfeiria 'tracio llygaid' at y broses o gofnodi ymddygiad y llygaid wrth i gyfranogwr wneud tasg sy'n cynnwys darllen, edrych neu wylio.[23] Bydd y traciwr llygaid yn recordio 'sylliadau' unigolyn, sef y man ar y sgrin y bydd cyfranogwr wedi syllu arno. Gall yr offer tracio gofnodi symudiadau'r llygaid wrth i'r cyfranogwr symud ei lygaid o gwmpas y sgrin wrth ddarllen hefyd. Y sail ddamcaniaethol i'r defnydd o dracio llygaid yw'r rhagdybiaeth bod y llygad yn tueddu i syllu ar y gwrthrych y mae'r ymennydd yn ei brosesu, ac nad oes oedi rhwng yr hyn y bydd unigolyn yn syllu arno a'r hyn y bydd yr ymennydd yn ei brosesu.[24] Po fwyaf o amser y bydd y cyfranogwr yn syllu ar y gwrthrych hwn (sef y man ar y sgrin), uchaf yr ymdrech wybyddol hefyd yn ôl y theori. Dull amgen o ymchwilio i'r ymdrech wybyddol yn seiliedig ar ymddygiad y llygaid yw dadansoddi newidiadau ffisiolegol yng nghanhwyll y llygaid. Wrth i'r ymdrech wybyddol gynyddu, y gred yw y bydd newidiadau ffisiolegol yng nghanhwyll y llygaid yn adlewyrchu hynny, ac yn benodol eu maint.[25] Ond ni waeth pa elfen o ymddygiad y llygaid a ddefnyddir, os bydd y llygaid yn oedi uwchben geiriau yn gymharol hir, ac yn symud o'r naill fan i'r llall ar y sgrin yn hytrach na symud trwy'r testun yn fwy llinellol, y rhagdybiaeth yw bod y darllenydd wedi cael cryn drafferth wrth geisio deall y testun hwnnw. Cafodd y dull ymchwil hwn ei ddefnyddio yn achos y Gymraeg a chyfieithu, mewn prosiect ymchwil a geisiodd fesur ymateb darllenwyr i destun a gyfieithwyd a thestun a gafodd ei gyfieithu trwy gywiro allbwn system cyfieithu awtomatig. Dangosodd y canlyniadau nad oedd fawr o wahaniaethau rhwng y ddau grŵp o ran prosesau darllen yn ôl ymddygiad y llygaid, ac felly barnwyd na fu fawr o wahaniaethau ychwaith o ran darllenadwyedd a dealladwyedd y ddau destun.[26]

I grynhoi, mae mwy nag un ffordd o gael adborth am gyfieithiadau. Braf gweld hefyd fod rhai sefydliadau yng Nghymru wedi dechrau gwneud hynny. Fodd bynnag, ni waeth pa ddull a ddewisir, mae tystiolaeth am y defnydd o wasanaethau Cymraeg, a barn y cyhoedd Cymraeg amdanynt, yn dangos ei bod yn bryd meddwl o ddifrif am sut y gallwn wella ansawdd cyfieithiadau mewn modd sy'n bodloni'r defnyddwyr arfaethedig. I orffen y bennod, awn ymlaen isod at set o ganllawiau y gellid ei defnyddio a ddylai, o'i defnyddio'n briodol, gyfrannu rywfaint at y gwaith o greu testunau mwy darllenadwy.

## Canllawiau Cymraeg Clir

Yn 1999 cyhoeddodd Cen Williams lyfryn ynghylch ysgrifennu Cymraeg clir a dealladwy, *Cymraeg Clir – Canllawiau Iaith*.[27] Mae Cymraeg Clir yn ddogfen bwysig iawn i gyfieithwyr ac yn wir mae'n gyfraniad mawr at y nod o sicrhau bod pobl yn defnyddio gwasanaethau

Cymraeg. Cydnabu'r awdur fod Cymraeg aneglur a chymhleth yn nodweddu iaith dogfennau cyhoeddus a chyfieithiadau o'r Saesneg i'r Gymraeg, ac felly aeth ati i lunio canllaw hylaw i awduron a chyfieithwyr i'w helpu i ysgrifennu'n glir. Rhaid cofio, fodd bynnag, nad yw iaith orgymhleth, aneglur ac annelwig yn broblem unigryw i'r Gymraeg. Yn 1979, lansiwyd y *Plain English Campaign* gan ei sylfaenydd, Chrissie Maher.[28] Aeth ati i nodi'r achlysur gan falio llwyth o ddogfennau swyddogol yn Parliament Square, er mwyn dangos ei dirmyg at safon iaith dogfennau o'r fath. Mae'r sefyllfa, fodd bynnag, yn waeth yn y Gymraeg. Yn y Rhagair, mae Cen Williams yn egluro pam:

* Mae llawer o'r deunydd wedi ei gyfieithu o Saesneg sâl a thrwsgl;
* Gallai cyfieithydd dibrofiad ddilyn geiriad y Saesneg gwreiddiol (yn hytrach na dilyn yr ystyr);
* Mae cymaint o wahaniaeth rhwng Cymraeg llafar a'r Cymraeg safonol sy'n cael ei ysgrifennu;
* Mae llawer o'r termau technegol yn newydd i'r darllenydd cyffredin.

Rhaid cofio i ganllawiau Cen Williams gael eu cyhoeddi yn 1999. I ba raddau mae'r sefyllfa wedi newid ers hynny, hyd yn oed o ystyried yr ymchwydd sydd wedi bod yn y nifer o ddogfennau a gyfieithir i'r Gymraeg? Mae osgoi'r ffaeleddau uchod, a strategaethau ar gyfer gwneud hynny, wedi eu cyflwyno trwy gydol y gyfrol hon ac mae craidd dadl yr awdur ynghylch pwysigrwydd cyfathrebu yn llinyn amlwg ym mhob pennod. Fodd bynnag, yn ychwanegol at y technegau a'r strategaethau a drafodwyd hyd yma, mae'r Un Deg Chwech Gorchymyn a geir yn y Canllawiau Cymraeg Clir wedi eu nodi isod. Ar wahân i ddarllen yr isod, mae'n syniad da iawn i chi gael gafael ar y Canllawiau a mynd ati i'w darllen yn drylwyr.

## Un Deg Chwech Gorchymyn y Canllawiau Cymraeg Clir

Dyma'r Canllawiau Cymraeg Clir wedi eu crynhoi mewn cyfres o reolau hwylus.[29]

1) Defnyddiwch frawddegau byr (rhyw 20 - 25 gair);
2) Dilynwch ddull naturiol y Gymraeg wrth sgrifennu e.e. rhowch y ferf (gair gwneud) yn gyntaf os yw'n bosib.;
3) Peidiwch â defnyddio gair ffansi, gair dieithr, gair hir iawn na gair technegol os bydd gair mwy cyffredin yn gwneud yr un gwaith;
4) Cyfarchwch y darllenydd mewn ffordd naturiol (e.e. darllenwch, byddwch yn gwybod a.y.y.b). Peidiwch â 'siarad i lawr atynt';
5) Cofiwch atalnodi gan ei gadw mor syml ag y gallwch. Cofiwch mai'r atalnodi sy'n dweud wrth y darllenydd ble y byddech chi'n oedi:
6) Defnyddiwch fwledi i rannu brawddeg hir yn bwyntiau byr;
7) Cadwch ddigon o wyn ar y dudalen (h.y. peidiwch â gorlwytho'r dudalen â phrint);
8) Rhowch eich gwaith i gydweithiwr edrych drosto. Ydi o/hi yn deall popeth? Oes 'na sgrifennu niwlog a gordechnegol?;
9) Peidiwch â defnyddio gormod o ddywediadau ac idiomau. Gadewch y rheini i nofelwyr y genedl;

10) Defnyddiwch iaith fydd yn gweddu i'r gynulleidfa ac yn addas i'r pwrpas, (Cywair);

11) Peidiwch â defnyddio gormod o gollnodau (') i ddangos bod llythrennau ar goll (e.e. mae ble a rwyf yn dderbyniol; does dim rhaid sgrifennu b'le a ' rwyf);

12) Peidiwch â defnyddio jargon ac ymadroddion llanw e.e. ar ddiwedd y dydd, yn y byr dymor canolig, ar ôl pwyso a mesur, ymhellach i'ch llythyr, ysgrifennaf mewn ymateb i'ch gohebiaeth a.y.y.b;

13) Defnyddiwch rifau e.e. 24, 6, 18 yn hytrach na'u hysgrifennu. Felly hefyd gyda dyddiadau - 1988, 1945 a.y.y.b;

14) Treiglo - ar bosteri, ffurflenni a.y.y.b ceisiwch sgrifennu mewn ffordd sy'n osgoi treiglo. Yr un fath gyda gair dieithr;

15) Amhersonol - peidiwch â gor-ddefnyddio'r ffurfiau yma (gwelir, gwelwyd, aseswyd a.y.y.b). Un ffordd o'u hosgoi yw peidio defnyddio'r amhersonol + gan. Cyfarchwch y darllenydd yn naturiol (edrychwch ar rif 4);

16) Defnyddiwch frawddegau gweithredol lle mae'n bosib (e.e. Ciciodd y ceffyl fi yn hytrach na Cefais fy nghicio gan y ceffyl).

Y cyd-destun yw'r brenin bob tro. Bydd adegau pan fydd yn gwbl dderbyniol defnyddio rhifau ar ffurf geiriau, adegau pan na fydd modd defnyddio pwyntiau bwled ac adegau pan fydd angen defnyddio'r ffurfiau amhersonol (er enghraifft i flaenu goddrych a chadw'r rhythm thema/rhema a drafodwyd eisoes yn y bennod hon). Fodd bynnag, gall dilyn y gyfres hon o reolau, ynghyd ag ymarfer y technegau a'r strategaethau sydd wedi eu cyflwyno yn y gyfrol hon eisoes, eich helpu i sicrhau bod eich gwaith yn glir ac yn ddealladwy. Unwaith eto, cofiwch mai *cyfathrebu* yr ydych chi; mae llawer mwy i waith cyfieithwyr, a hwythau'n ymarferwyr proffesiynol cymwys, nag ysgrifennu unrhyw hen rwtsh. Mae rhywun yn darllen, bob tro.

## Crynhoi

Nod cwbl ymarferol sydd i'r gyfrol hon, felly o drafod ansawdd ceisiwyd canolbwyntio ar yr agweddau ymarferol i'r cyfieithydd proffesiynol. Byddai angen cyfrol gyfan i drafod y pwnc hwn yn fanwl, o ystyried y diffyg cytuno a'r diffyg cysondeb yn y maes ynghylch yr hyn sy'n nodweddu cyfieithiad da. Mae nifer o ymchwilwyr hyd yn oed yn amau a gawn ni ddiffiniad o ansawdd byth o ystyried y diffyg cysondeb hwn o ran beth yw ansawdd cyfieithiad, ac felly ofer fyddai mynd i gors ansawdd a sut y mae Astudiaethau Cyfieithu wedi ymdrin â'r cysyniad mewn cyfrol ymarferol.[30] Yn driw i'r nod ymarferol hwnnw felly, yr agwedd gyntaf dan sylw oedd testunoldeb. Ystyriwyd y nodweddion hynny sy'n perthyn i destun da, a'r elfennau hynny o ysgrifennu da sy'n llwyddo i gyfleu ei neges heb na drysu'r darllenydd nac ennyn ei ddirmyg. Y pwynt pwysicaf a wnaed yw nad yw testunau sy'n 'llifo' yn digwydd trwy hap a damwain; mae angen i'r awdur, ac felly'r cyfieithydd, wneud penderfyniadau penodol a defnyddio elfennau hysbys o ysgrifennu da i greu testun derbyniol. Pwynt arall a godwyd oedd nad oes fawr o wahaniaeth rhwng awdur a chyfieithydd yn hynny o beth; o ystyried rôl cyfieithwyr fel *cyfathrebwyr*, rhaid sicrhau bod testunau a luniwyd trwy gyfieithu yn llifo ni waeth beth yw ansawdd y testun gwreiddiol. Fel y caiff dillad eu dal ynghyd gan edafedd, felly y delir ynghyd destunau gan gysyllteiriau, trefn y disgwrs a strwythur. Ond er mwyn gallu gweld yr elfennau hyn o destunoldeb, rhaid darllen y testun yn ei gyfanrwydd. Ni thâl gwirio brawddegau fesul un; rhaid darllen y testun cyn gallu gweld sut mae'r brawddegau yn cysylltu ynghyd. I bwysleisio'r pwynt, nid cyfres ddigyswllt o frawddegau yw testun; cyfanwaith y mae i fod. I helpu cyfieithwyr newydd i wneud hynny, y pwnc dan sylw nesaf oedd gwirio a thechnegau adolygu gwaith. Pwysleisiwyd bod technegau a strategaethau arbennig y dylai cyfieithwyr cymwys eu mabwysiadu wrth adolygu eu gwaith, ac nid yw adolygu gwaith heb na strwythur na nod penodol mewn golwg yn tycio. Eglurwyd bod ein gallu i ganolbwyntio yn gyfyngedig, ac felly er mwyn sicrhau ein bod yn dal pob gwall, rhaid gwirio am bethau penodol mewn trefn a benderfynir arni ymlaen llaw. Y drefn a awgrymwyd oedd bod y cyfieithydd yn gwirio ystyr ac wedyn yn mynd ati i wirio gramadeg. Awgrymwyd hefyd y dylid darllen y testun yn ei gyfanrwydd, er mwyn eich rhoi eich hun yn safle'r darllenydd terfynol. Fodd bynnag, mae amser yn brin a dylid sicrhau bod y broses a ddilynir yn un effeithlon. Yn hynny o beth, cyflwynwyd y cysyniad o risg wrth adolygu gwaith. Yr hyn sy'n sail i'r risg honno yw defnydd arfaethedig a hirhoedledd y gwaith yn bennaf. Ni fydd rhaid gwirio post Facebook bach a byrhoedlog ei ddefnyddioldeb yn fanwl. Disgwylir, ar y llaw arall, i destunau pwysig, a thestunau mwy hirhoedlog a fydd yn cael eu gweld a'u defnyddio gan nifer fawr o bobl, gael eu hadolygu'n fwy gofalus o lawer. Y pwynt cyffredinol, i grynhoi adolygu, oedd nad proses gyflym, unochrog y mae i fod bob tro. Yr allwedd i destunau o safon yw adolygu pwrpasol a strwythuredig. Aed ymlaen wedi hynny i drafod y defnyddiwr terfynol. Mae cadw'r defnyddiwr mewn cof yn thema gyffredin trwy gydol y gyfrol hon, ac mae cyfieithu mewn modd sy'n addas i'r gynulleidfa darged yn hen syniad fel y gwelsom yn y bennod ynghylch theori, ond dyma grybwyll, unwaith eto, ddarllenwyr gwaith cyfieithwyr. O safbwynt adolygu gwaith a sicrhau ansawdd, mae dulliau o wneud hynny hefyd sydd â'r nod o gynnwys defnyddwyr terfynol yn y gwaith. Heriwyd y dull arferol o feddwl am y llif gwaith, lle mae gwaith yn cael ei dderbyn, ei gyfieithu, ei adolygu (fel arfer) a'i ddychwelyd, a chafodd ei feirniadu am eithrio'r cyhoedd yn aml. Awgrymwyd y dylai prosesau adolygu gwaith gynnwys elfen o gasglu adborth gan y cyhoedd, fel y mae rhai sefydliadau yng Nghymru wedi dechrau gwneud eisoes. Ond hyd yn oed os nad oes modd gwneud hynny, mae modd bod yn llawer mwy ystyriol o'r defnyddiwr terfynol o ran ansawdd gan ddefnyddio iaith glir a llunio testunau o safon uchel. Fel y nodwyd, nid oes fawr o wahaniaeth rhwng awdur da a chyfieithydd da yn hynny o beth.

Byddwn yn gadael y broses adolygu nawr ac yn troi at ddatblygiadau sydd wedi chwyldroi'r proffesiwn cyfieithu. Mae'n bryd bellach trafod cyfieithu peirianyddol a mathau eraill o dechnoleg gyfoes yn y byd gwasanaethau cyfieithu.

## Nodiadau

1    Daw 'rhema' o'r gair Groeg 'rhema', sef 'yr hyn a ddywedir'. Y term a ddefnyddia Kevin J. Rottet a
     Steve Morris am hyn yn *Comparative Stylistics of English and Welsh* yw *Topic* a *Focus*. Dilynir yma y term
     a ddefnyddir yng ngwaith Michael Halliday, y mae ei waith ym maes Ieithyddiaeth Destunol, trwy law'r
     ysgolhaig adnabyddus yn y maes Mona Baker ymhlith eraill, wedi cael dylanwad mawr ar Astudiaethau
     Cyfieithu.

2    Mae'r adran hon yn seiliedig ar *Cohesion in English* gan Michael Halliday a Ruqaiya Hasan (London: Routledge, 1976). Dyma'r model a ddefnyddiwyd gan gyfrol lwyddiannus tu hwnt Mona Baker, *In Other Words: A Coursebook on Translation* (London: Routledge, 2011, ail arg.). O'r herwydd penderfynwyd defnyddio'r un model llwyddiannus hwn a'i gymhwyso at gyfieithu rhwng y Saesneg a'r Gymraeg. Ni thâl ailgreu'r olwyn.

3    Steven Pinker, *A Sense of Style* (London: Penguin, 2008).

4    Hella Breedveld, 'Writing and Revising Processes in Professional Translation', *Across Languages and Cultures*, 3(1) (2002), 91–100; Barbara Dragsted a Michael Carl, 'Towards a Classification of Translation Styles based on Eye Tracking and Key-logging Data', *Journal of Writing Research* 5(1) (2013), 133–158.

5    Ei ddychwelyd i'ch mentor neu'ch rheolwr hynny yw; ni ddylai fod gan gyfieithwyr dibrofiad gleientiaid eto.

6    Mae'r ysgolhaig a'r cyfieithydd hynod o brofiadol, Brian Mossop, yn cynnig teipoleg defnyddiol yn ei gyfrol adnabyddus, *Revising and Editing for Translators* (Abingdon/New York: Routledge, 2020). Mae'r gyfrol honno bellach yn ei phedwerydd argraffiad sy'n brawf o'i boblogrwydd byd-eang yn y maes. Hon hefyd yw'r unig gyfrol yn y maes sy'n trafod adolygu o safbwynt cyfieithwyr. Mae'r teipoleg o wallau a geir yma wedi'i ysbrydoli gan ei deipoleg ef, ond mae wedi ei addasu'n fawr fel bod modd cymhwyso'r teipoleg hwn at Gymru a chyfieithu rhwng y Saesneg a'r Gymraeg. Mae hefyd wedi ei gwtogi, gan fod un gwreiddiol Mossop braidd yn hir. Mae'r esboniadau o'r gwahanol grwpiau o wallau hefyd yn sicrhau ei fod yn berthnasol i gyd-destun cyfieithu yng Nghymru. Fel nifer o lyfrau yn y maes, nid yw gwaith Mossop yn ystyried sefyllfa Cymru am ei fod yn ceisio sicrhau ei fod yn berthnasol i gynifer o barau o ieithoedd â phosibl.

7    Cysill gan Brifysgol Bangor: *https://www.bangor.ac.uk/cymorthcymraeg/cysill_ar_lein.php.en* [Cyrchwyd: 02/11/2020]. Rhagor o wybodaeth am offer prawf ddarllen Cymraeg o fewn Microsoft Office: *https://www.microsoft.com/cy-gb/download/details.aspx?id=52668* [Cyrchwyd: 02/11/2020].

8    Yn ôl data diweddaraf Llywodraeth Cymru, mae 15,000 o bobl wedi cofrestru fel person â nam ar ei olwg. *https://llyw.cymru/sites/default/files/statistics-and-research/2019-06/iechyd-synhwyraidd-ystadegau-gofal-llygaid-a-chlyw-ebrill-2017-i-mawrth-2019-diwygiedig.pdf* [Cyrchwyd: 03/11/2020].

9    Safonau Cymru gyfan ar gyfer darparu gwybodaeth hygyrch i bobl â nam ar eu synhwyrau a chyfathrebu â hwy, Llywodraeth Cymru, *https://llyw.cymru/safonau-cyfathrebu-gwybodaeth-hygyrch-mewn-gofal-iechyd* [Cyrchwyd: 02/11/2020].

10   Comisiwn Ewrop, Cyfarwyddiaeth Gyffredinol Ewrop ar gyfer Cyfieithu, *DGT Translation Quality Guidelines* (Comisiwn Ewrop: Brwsel 2015).

11   Sharon O'Brien, 'Towards a Dynamic Quality Evaluation Model for Translation', *The Journal of Specialized Translation* 17 (2012) 55-77.

12   Virginia Clinton, 'Reading from paper compared to screens: A systematic review and meta-analysis', *Journal of Research in Reading* 42(2) (2019), 288–325.

13   Sanam Maria Qudsiya et al., 'Study of intraocular pressure among individuals working on computer screens for long hours', *Annals of Medical Physiology*, 1(1) (2017), 22–25.

14   Mared Roberts, 'Golygu a Phrawfddarllen' yn Delyth Prys a Robat Trefor (goln) (2015), *Ysgrifau a Chanllawiau Cyfieithu*, Y Coleg Cymraeg Cenedlaethol, ar lein: *https://llyfrgell.porth.ac.uk/View.aspx?id=1414~4k~jCaIVjFR* [Cyrchwyd: 05/11/2020]

15   Nid yw sut y cynigir dewis iaith i bobl yn niwtral; gall sut y gwneir y cynnig lywio'r dewis. Os yw'n anodd cael gafael ar y fersiwn Cymraeg, neu oni fydd y dewis hwnnw'n cael ei hyrwyddo, mae'n debygol y bydd y defnydd o'r gwasanaeth Cymraeg dan sylw yn isel. Gweler Osian Elias a Gwenno Griffith, 'Mae hergwd cyn bwysiced â hawl': newid ymddygiad a pholisi'r iaith Gymraeg,' *Gwerddon* 29 (2019), 59–80.

16   Suojanen, Koskinen a Tuominen, t. 13.

17   Sharon O'Brien, 'Controlled language and readability' yn Gregory M. Shreve ac Erik Angelone (goln), *Translation and Cognition* (Amsterdam/Philadelphia: John Benjamins Publishing Company, 2010), tt. 143-165.

18   Fel y nodwyd eisoes, bydd darllen mewn sawl maes ac mewn sawl cywair yn gymorth yn hynny o beth hefyd, fel y bydd defnyddio corpora i ddadansoddi amledd defnydd geiriau unigol yn achos geiriau neu dermau.

19  Suojanen, Koskinen a Tuominen, t. 70.

20  Cafodd y prawf hwn ei ddefnyddio yng nghyd-destun ansawdd cyfieithiadau er enghraifft gan Stephen Doherty, 'Investigating the Effects of Controlled Language on the Reading and Comprehension of Machine Translated Texts' (traethawd PhD heb ei gyhoeddi, Prifysgol Dinas Dulyn, Dulyn, 2012).

21  'Canllawiau Cyfieithu' Mesurau Iechyd Cymraeg, *http://www.micym.org/llais/static/translationsCymraeg.html* [Cyrchwyd: 05/11/2020].

22  Comisiynydd y Gymraeg, *Hawlio Cyfleoedd: Adroddiad Sicrwydd Comisiynydd y Gymraeg 2018–19*, t. 100.

23  Sharon a O'Brien a Gabriela Saldanha, *Research Methodologies in Translation Studies* (London: Routledge, 2013), tt.136–145

24  Marcel Adam Just a Patricia Carpenter, 'A theory of reading: From eye fixations to comprehension', *Psychological Review* 87 (1980), 329–354.

25  Keith Rayner, 'Eye movements in reading and information processing: 20 years of research', *Psychological Bulletin* 123(3) (1998), 372–422.

26  Ben Screen, 'What effect does post-editing have on the translation product from an end-user's perspective?' *The Journal of Specialized Translation* 31 (2019), 133–157.

27  Mae copi electronig o'r llyfr ar gael yma: *https://www.bangor.ac.uk/canolfanbedwyr/pdf/CymClir.pdf* [Cyrchwyd: 07/11/2020]

28  Gwybodaeth o wefan y mudiad, ar gael yma: *http://www.plainenglish.co.uk/about-us.html* [Cyrchwyd: 9/11/2020].

29  Y Canllawiau Cymraeg Clir, t. 46.

30  Am drafodaeth helaethach, fodd bynnag, ynghylch ansawdd a'r berthynas rhwng hwnnw a chyfieithu proffesiynol, gweler y cyhoeddiadau canlynol (yn ogystal â'r rhai a grybwyllwyd eisoes): Sonia Colina, 'Translation Quality Evaluation', *The Translator* 14(1) (2008), 97–134; Ilse Depraetere (gol.) *Perspectives on Translation Quality* (Berlin/Boston: De Gruyter, 2011); Roberto M. Mateo, 'A Deeper Look into Metrics for Translation Quality Assessment (TQA): A Case Study', *Miscelánea: A Journal of English and American Studies* 49 (2014), 73–94; Christina Schäffner (gol.), *Translation and Quality* (Bristol: Multilingual Matters, 1998).

# PENNOD 7:
# TECHNOLEG CYFIEITHU A CHYFIEITHU PROFFESIYNOL

Yn y bennod hon, byddwn yn trafod y feddalwedd a'r dechnoleg y mae cyfieithwyr proffesiynol yn eu defnyddio wrth eu gwaith bob dydd. Mae'r defnydd priodol o'r technolegau hyn yn sail werthfawr ac angenrheidiol i ymarfer proffesiynol erbyn hyn, ac mae'n mynd yn fwyfwy anghyffredin i gyfieithwyr newydd sy'n dechrau yn y maes gyfieithu heb ddefnyddio'r dechnoleg hon. O'r herwydd, bwriad y bennod hon yw manylu ar wahanol agweddau ar dechnoleg cyfieithu, fel y bydd gan ddarpar gyfieithwyr y wybodaeth angenrheidiol i ddechrau ar yrfa gan gofleidio holl gyfleoedd a chyfraniad technoleg awtomeiddio o'r cychwyn cyntaf. Byddwn hefyd yn trafod y berthynas rhwng technoleg a dyfodol y byd cyfieithu, er mwyn sicrhau dealltwriaeth ar sail ffeithiau, chwalu mythau a chywiro camdybiaethau. Wrth i feddalwedd cyfieithu gael ei defnyddio fwyfwy gan gyfieithwyr proffesiynol, byddwn yn trafod y defnydd priodol o allbwn meddalwedd cyfieithu i osgoi cyfieithu llythrennol ac anaddas yn ogystal.

## Deilliannau Dysgu:

Yn y bennod hon byddwch yn:
1) dysgu bod gan gyfieithu peirianyddol hanes hir ymhell cyn peiriannau diweddar fel Google Translate;
2) dod i ddeall y gwahanol fathau o gyfieithu peirianyddol sydd ar gael;
3) dod i ddeall sefyllfa cyfieithu peirianyddol heddiw;
4) dysgu ychydig am y datblygiadau diweddaraf yn y maes;
5) dod i ddeall buddion defnyddio technoleg cyfieithu mewn prosesau proffesiynol;
6) dysgu am feddalwedd cof cyfieithu, a'i phwysigrwydd yn y maes.

## Systemau Cyfieithu Peirianyddol

Gair yn gyntaf am derminoleg. Mae dau air yn cael eu defnyddio yn y Gymraeg am feddalwedd a all gyfieithu rhwng y Saesneg a'r Gymraeg, sef Cyfieithu Peirianyddol a Chyfieithu Awtomatig. Nid oes dim yn bod ar y naill na'r llall, ond defnyddir yn y gyfrol hon y term 'Cyfieithu Peirianyddol'. Gair hefyd am bwysigrwydd dealltwriaeth o gyfieithu peirianyddol i gyfieithwyr proffesiynol. Mae'r dechnoleg yn gyffredin tu hwnt yn y byd cyfieithu sydd ohoni, felly bydd dealltwriaeth ohoni yn helpu cyfieithwyr i ddeall sut mae systemau wedi cynhyrchu'r allbwn. Roedd yr enghreifftiau cynnar o Google Translate o 2009 ymlaen yn gybolfa eiriol yn aml, ac mor anodd eu dehongli nes peri i bobl ryfeddu at sut y gallai fod yn bosibl cynhyrchu'r fath gybolfa ieithyddol. O ddeall yn fras sut mae meddalwedd cyfieithu gyfoes yn gweithio, fe fydd cyfieithwyr yn fwy ymwybodol o beth sy'n digwydd yn y systemau a sut mae'r allbwn yn cael ei greu. Byddwn yn dechrau trwy adrodd hanes cyfieithu peirianyddol.

## Hanes Byr Cyfieithu Peirianyddol

I lawer o bobl, mae cyfieithu peirianyddol yn gyfystyr â Google Translate, neu o bosibl â Microsoft Translator hefyd (byddwn yn trafod y rhain isod). Y gwir, fodd bynnag, yw bod llawer mwy i gyfieithu peirianyddol na hyn ac mae ei hanes yn mynd yn ôl i ddechrau'r ugeinfed ganrif. Fel y nododd yr ysgolhaig John Hutchins (1939–2021), gellir dadlau bod cyfieithu peirianyddol mor hen â'r cyfrifiadur ei hun.[1] Y camau cyntaf a gymerwyd tuag at 'gyfrifiadur' a all gyfieithu oedd peiriant Georges Artsrouni. Roedd Artsrouni yn beiriannydd o Ffrainc a ddyfeisiodd 'ymennydd mecanyddol' yn 1933. Nod peiriant Artsrouni oedd storio gwybodaeth a'i gwneud yn bosibl i ddefnyddwyr adalw'r wybodaeth honno yn nes ymlaen. Er nad at ddibenion cyfieithu ieithoedd dynol y dyfeisiodd Artsrouni ei beiriant fel y cyfryw, nododd y gallai storio gwybodaeth ieithyddol a chredai mai cyfieithu oedd un o'r meysydd mwyaf addawol ar gyfer ei beiriant. Cafodd geiriau eu cofnodi ar stribyn o bapur mewn gwahanol ieithoedd ac roedd bysellfwrdd cyntefig a'i gwnâi'n bosibl i'r defnyddiwr chwilio am y geiriau. Wrth reswm, go brin y gellid cyfieithu dim â'r fath beiriant, ond mae'n arwyddocaol am mai hwn oedd yr ymgais gyntaf i ddefnyddio technoleg, ni waeth pa mor gyntefig a syml y bo'r dechnoleg honno, i gael gwybod ystyr geiriau mewn iaith arall gan ddefnyddio peiriant. Yr ail system, nas cynhyrchwyd erioed mae'n debyg ond ar ffurf prototeip, oedd system cyfieithu cynorthwyol Petr Petrovitch Smirnov-Trojanskij. Roedd Smirnov-Trojanskij yn athro prifysgol ac roedd ei syniadau am system cyfieithu yn rhai gwreiddiol; yn wir, o ystyried na chafwyd technoleg i *gynorthwyo* cyfieithwyr wrth eu gwaith tan y 1970au (gweler isod am systemau cof cyfieithu), roedd gwaith Smirnov-Trojanskij yn hanner cyntaf yr ugeinfed ganrif yn hynod o flaengar. Dyfeisiodd system a'i gwnaeth yn bosibl i'r defnyddiwr chwilio am eiriau mewn sawl iaith a storiwyd yn y peiriant ymlaen llaw. Yn hynny o beth, roedd hwn yn debyg i'r hyn a wnaeth Georges Artsrouni. Y gwahaniaeth, fodd bynnag, oedd bod Smirnov-Trojanskij wedi dychmygu system oedd yn gweithio ar sail rhyw 200 o gysyniadau 'cynhwynol' ['*primitives*'] a oedd i fod i gynrychioli 'swyddogaeth' gair yn y frawddeg, er mwyn cynhyrchu'r cyfieithiad cywir. Byddai'r defnyddiwr hefyd yn nodi gwahanol fathau o wybodaeth ramadegol ar gyfer y system (a oedd y gair yn wrthrych neu'n oddrych, neu a oedd y ferf yn yr amser presennol neu'r dyfodol a.y.y.b). O nodi hyn, byddai'r peiriant yn gwneud y gweddill ac yn cynnig ei allbwn. Y nod, mae'n debyg, oedd gwneud hynny ar gyfer pob gair i'w gyfieithu. Yr hyn sy'n gwbl anhygoel oedd bod Smirnov-Trojanskij wedi dychmygu y byddai golygydd neu gyfieithydd proffesiynol yn cymryd yr awenau wedyn ac yn llunio'r cyfieithiad ac yn gwneud y cywiriadau. O ystyried i ymchwilwyr ym maes cyfieithu peirianyddol geisio creu systemau a allai awtomeiddio cyfieithu heb unrhyw gymorth gan fod dynol wedi hynny, ac o gofio nad ydynt eto wedi llwyddo i wneud hynny a bod angen i gyfieithwyr fwrw golwg dros yr allbwn o hyd, mae syniadau Smirnov-Trojanskij bron i ganrif yn ôl yn rhyfeddol.

Roedd cryn ddiddordeb mewn cyfieithu peirianyddol ar ôl yr Ail Ryfel Byd, er i ymdrechion cynnar Artsrouni a Smirnov-Trojanskij gael eu hanghofio i raddau helaeth. Y rheswm pennaf am y diddordeb hwnnw oedd dechrau'r Rhyfel Oer a'r angen cynyddol ar y pryd i ddeall cyhoeddiadau mewn Rwsieg yn y Gorllewin ac yn y Saesneg yn yr Undeb Sofietaidd. Roedd llwyddiant y torwyr cod yn ystod yr Ail Ryfel Byd wedi rhoi gobaith hefyd i ddelfrydwyr cynnar maes cyfieithu peirianyddol. Gwnaed yr arbrofion cyntaf, a'r arbrofion dwysaf hyd y pwynt hwnnw, yn y DU yng Nghaergrawnt o dan Andrew Booth. Roedd gwaith Booth yn dilyn patrwm system Artsrouni; geiriadur mecanyddol ydoedd y gellid ei chwilio. Yn y cyswllt hwn, roedd system Booth yn syml iawn. Serch hynny, oherwydd diffyg gallu prosesu'r peiriannau cynnar hyn, ac o'r herwydd yr angen i gwtogi nifer y geiriau a storid ynddynt, datblygodd Booth system a allai chwilio am eiriau anhysbys (sef rhai nas storiwyd yn y system) trwy gwtogi llythrennau oddi arno yn y gobaith o ddod o hyd i'r ffurf wreiddiol a gynhwyswyd. Fel y mae'r ymchwilydd nodedig yn y maes Thierry Poibeau yn nodi, roedd y dull hwn o ddod o hyd i eiriau yn glyfar iawn ac mae'n cael ei ddefnyddio hyd heddiw gan beiriannau chwilio.[2] Yn 1949, cyhoeddodd Warren Weaver (1894–1978) ei ysgrif am gyfieithu peirianyddol, o'r enw *'Translation'*.[3] Yn yr ysgrif honno, gwyntyllodd Weaver y gellid defnyddio cyfrifiaduron i gyfieithu ieithoedd dynol, o sicrhau bod ganddynt y wybodaeth berthnasol am ieithoedd a'r gallu i ddeall rhywfaint o gyd-destun. Nid oedd y syniadau hyn o reidrwydd yn wreiddiol, ond y gwahaniaeth yn yr achos hwn oedd bod gan Weaver, ac yntau'n fathemategydd adnabyddus, ddylanwad. Sbardunodd yr ysgrif lawer iawn o waith ymchwil ar y pwnc, yn sicr fwy o ymchwil nag a ddigwyddasai cyn hynny. O'r herwydd mae un ymchwilydd wedi ei alw yn 'dad cyfieithu peirianyddol'.[4] Yn y degawd a ddilynodd ysgrif Weaver, ac eto oherwydd y cyd-destun arbennig a grëwyd gan y Rhyfel Oer, aeth nifer o brifysgolion ati i geisio creu peiriannau cyfieithu. Yr ymchwilydd pennaf yn eu plith oedd Yehoshua Bar-Hillel (1915–1975), ac ymwelodd â sawl canolfan ymchwil yn ystod hanner cyntaf y degawd i ddarganfod beth oedd ar y gweill. Trefnodd gynadleddau ac arddangosiadau, a chafodd yr arddangosiad cyntaf o beiriant cyfieithu ei gynnal ym Mhrifysgol Georgetown yn 1954. Cafodd y system, a grëwyd ar y cyd gan gwmni technoleg IBM a'r brifysgol, ei dreialu yn y digwyddiad. Cyfieithwyd 49 o frawddegau o Rwsieg, gan ddefnyddio geiriadur syml iawn gyda chwe rheol ramadegol, ac ar sail yr arddangosiad hwnnw dechreuwyd ymddiddori yn helaethach o lawer mewn cyfieithu peirianyddol a chafwyd cynnydd yn y cyllid a oedd ar gael i ymchwilwyr. Yn ôl Harold Somers, ymchwilydd toreithiog ym maes technoleg cyfieithu ac arbenigwr ar hanes cyfieithu peirianyddol, buddsoddodd Llywodraeth UDA rhwng $12 a $20 miliwn mewn cyfieithu peirianyddol yn ystod y cyfnod hwn, swm mawr iawn. Ni ddylai hyn beri syndod serch hynny o ystyried y cyd-destun gwleidyddol.[5] Aeth sylw mawr gan y cyfryngau law yn llaw â'r diddordeb academaidd hwn, felly mae gan ddisgwyliadau mawr ynghylch yr hyn y gall peiriannau cyfieithu ei wneud wreiddiau dwfn iawn.

Roedd y systemau cynnar iawn hyn a ddyfeisiwyd yn y pumdegau a'r chwedegau yn syml iawn eu dyluniad, ac roeddent o hyd yn uniongyrchol iawn o ran sut y ceisient gyfieithu brawddegau; byddai geiriadur mecanyddol ganddynt a rheolau gramadegol syml iawn a fyddai'n addasu'r frawddeg yn yr iaith darged mewn ymgais i sicrhau bod y gystrawen yn dderbyniol. Yn raddol, dechreuodd timau ymchwil gynnwys mwy o wybodaeth gyd-destunol yn eu geiriaduron fel bod modd dadamwyso ystyron, a chafwyd ymchwil hefyd ar gystrawen ieithoedd. Aeth yr ymchwil hon ar gystrawennau law yn llaw ag ymchwil Noam Chomsky ac eraill ynghylch Gramadeg Gynhyrchiol-Drawsffurfiol a theorïau cystrawennol eraill. Wrth i'r degawdau fynd heibio, byddai'r gramadegau hyn yn mynd yn fwyfwy cymhleth, ond cyfyngedig oedd y llwyddiant a geid gyda'r dull hwn o gyfieithu peirianyddol.

Fodd bynnag, erbyn canol y chwedegau, mae'n ymddangos bod diffyg cynnydd yn y maes wedi dechrau peri rhwystredigaeth a chyhoeddwyd adroddiad damniol a arafodd dwf ymchwil ym maes cyfieithu peirianyddol yn yr UDA a'r DU o leiaf. Cyhoeddwyd adroddiad yr *Automatic Language Processing Advisory Committee (ALPAC)*, sef 'Languages and Machines: Computers in Translation and Linguistics' yn 1966. Roedd awduron yr adroddiad yn amau a fyddai modd creu peiriannau a allai lunio cyfieithiadau uchel eu hansawdd heb ymyrraeth gan fod dynol, ac argymhellodd yr awduron fod ymchwil yn cael ei chynnal ar allu cyfrifiaduron i brosesu iaith yn gyffredinol yn lle canolbwyntio ar gyfieithu peirianyddol. Yn ogystal, ac yn gwbl syfrdanol o ystyried yr arian a fuddsoddwyd eisoes, heriodd yr awduron yr angen am y fath dechnoleg yn lle cyntaf, gan nodi fod hen ddigon o gyfieithwyr ar gael! Mae'n bwysig peidio ag anghofio i ymchwil barhau mewn rhai gwledydd, fodd bynnag. Yng Nghanada er enghraifft, parheid â gwaith i greu system cyfieithu peirianyddol i gyfieithu bwletinau tywydd o'r Saesneg i'r Ffrangeg, sef system TAUM. Roedd y system hwnnw ar sail geiriadur a rheolau ieithyddol syml ar waith rhwng 1977 a 2002, a chyfieithodd y system 30 miliwn o eiriau yn y 1990au.[6] Dyma enghraifft wych o system cyfieithu peirianyddol a oedd yn llwyddiannus am ei fod yn gweithio mewn maes cyfyng iawn gydag allbwn cyfyngedig, sef gwybodaeth syml am y tywydd. Dengys hyn, o reoli'r cynnwys sy'n mynd i mewn i beiriannau cyfieithu ac o'u defnyddio mewn meysydd penodol, y gall y systemau hyn fod yn ddefnyddiol iawn. Roedd Systran (byrfodd o '*System Translation*') yn eithriad arall. Parheid i ddatblygu'r system hwnnw ym Mhrifysgol Georgetown yn UDA, a gweithiodd y cwmni gyda'r Llu Awyr yn UDA a chyda Chomisiwn Ewrop o 1975 ymlaen. Serch hynny, rhwng y 1960 a'r 1980au hwyr, tawel iawn oedd maes cyfieithu peirianyddol yn gyffredinol yn dilyn collfarn adroddiad ALPAC. Er bod rhaid cydnabod bod yr ymchwilwyr cyntaf yn gweithio gyda thechnoleg syml iawn, nad oedd yn ddigon pwerus i wireddu syniadau mawr y delfrydwyr cynnar, anodd anghytuno â Thierry Poibeau pan ddywed:[7]

> The approaches considered initially failed largely due to oversimplification: the hopes of advancing rapidly were too optimistic, and initial results proved disappointing. The 1954 demonstration was based on sentences that were prepared in advance, with familiar vocabulary and limited ambiguity that clearly had little to do with the reality of the task, which concerned previously unseen texts from any domain. Similarly, most research groups in the 1950s did not realize the need for syntactic or semantic analysis, and therefore did not evaluate the difficulty of the task properly.

Mewn gair felly, naïfrwydd. Ond nid dyna ddiwedd y stori, a chafwyd gwir arloesi flynyddoedd wedyn trwy ddefnyddio dull cwbl newydd, sef defnyddio corpora anferthol o ddwy iaith.

Chwyldrowyd y maes wedi blynyddoedd llwm, yn y 1980au a'r 1990au cynnar felly, pan ddechreuodd ymchwilwyr yn IBM feddwl am y broses gyfieithu fel proses y gellir ei hawtomeiddio ar sail ystadegau am y cyfatebiaethau rhwng geiriau a rhannau o frawddegau mewn corpora mawr, yn hytrach na phroses y gellir ei hefelychu gan ddefnyddio geiriaduron electronig a rheolau 'trosglwyddo' y gallai cyfrifiaduron eu darllen. Gellir cyfrifo'r tebygolrwydd bod ymadrodd yn yr iaith ffynhonnell yn debygol o 'gyfateb' i ymadrodd yn yr iaith darged gan ddefnyddio corpws cyfochrog o ddau destun sydd wedi eu halinio i ddangos pa ymadroddion sy'n gyfieithiadau o'i gilydd. Wrth wneud hyn, mae modd cyfrifo pa mor debygol ydyw bod ymadrodd ym mrawddeg yr iaith ffynhonnell â chyfieithiad yn y corpws cyfochrog, a pha ymadrodd sy'n gyfatebol. Mae'r broses hon yn creu 'bag o ymadroddion' neu 'salad ymadroddion', ac mae trefn gywir yr ymadroddion i ffurfio'r cyfieithiad iawn yn ffurfio ail ran y cyfrifiad sef y 'model iaith'. Mae'r rhan hon o'r cyfrifiad yn haws gan nad yw'r feddalwedd ond yn gorfod chwilio am ddata yng nghorpws unieithog y model iaith. Yn hynny o beth, defnyddiodd ymchwilwyr IBM theori Bayes am ddosbarthiad tebygolrwyddau ystadegol, sef defnyddio gwybodaeth am ddigwyddiadau yn y gorffennol (yn yr achos hwn, cyfieithiadau a wnaed eisoes) i ddamcaniaethu am yr hyn a allai ddigwydd yn y dyfodol (tebygolrwydd cywirdeb cyfieithiadau newydd o'r iaith ffynhonnell yn yr achos hwn). Y syniad yn y bôn yw bod y cyfrifiadur yn gallu cyfrifo'r set fwyaf tebygol o eiriau i gyd-fynd â'r set o eiriau o fewnbynnir, sef y 'model cyfieithu', ac wedyn gall y cyfrifiadur gyfrifo dilyniant y set o eiriau honno, neu'r gystrawen fwyaf tebygol, sef y 'model iaith'. Sail gyffredinol y dull hwn felly yw tebygolrwydd amodol, a chaiff y tebygolrwyddau ar gyfer y ddau fodel eu cyfrifo ymlaen llaw wrth greu'r corpws cyfochrog. Nid yw'r dull hwn fel arfer yn defnyddio unrhyw reolau ieithyddol o gwbl; yn hytrach mae'n dibynnu'n llwyr ar ddebygolrwydd ystadegol rhwng dau gorpws cyfochrog o gyfieithiadau a wnaed eisoes. Mae'n bosibl y gall unrhyw air yn yr iaith ffynhonnell gyfateb i nifer o eiriau yn yr iaith darged, felly hwylusir y gwaith o ddod o hyd i'r drefn gywir gan amlaf gan n-gramau. Mae n-gramau yn gyfres o lythrennau, ffonemau neu eiriau cyffyrddol (neu eiriau sy'n dilyn ei gilydd), a defnyddir algorithm mathemategol i ddod o hyd iddynt. Mae hynny'n galluogi'r feddalwedd i gyfrifo dilyniant cywir mwyaf tebygol yr iaith darged. Mae systemau cyfieithu cyfoes sy'n gweithio ar sail ystadegau bellach yn fodelau sy'n seiliedig ar ymadroddion mwy, ac nid ar eiriau fel yr oedd modelau cyntaf IBM. Golyga hyn fod ymadroddion yn y corpws cyfochrog yn cael eu cysylltu â'i gilydd yn y broses o alinio yn hytrach na geiriau. Ond nid yw'r ymadroddion hyn bob tro yn cyfateb i ymadroddion ieithyddol traddodiadol; yn syml, ystyr ymadrodd yn y cyswllt hwn yw unrhyw gyfres o eiriau sy'n fwy nag un gair. Mae hynny'n galluogi'r feddalwedd i gyfrifo dilyniant cywir mwyaf tebygol yr iaith darged. Pan ryddhawyd Google Translate ar gyfer y Gymraeg yn 2009, sail y gybolfa ieithyddol a geid yn aml oedd y broses hon o ddod o hyd i ymadroddion a'u cysylltu ar sail algorithm; roedd y system yn dod o hyd i ddarnau hwy o iaith ac yn eu cysylltu eto ar sail ystadegau cyfrifiadurol. Heb unrhyw reolau, nid oedd modd i'r system ddeall ei fod wedi cynhyrchu brawddegau cwbl ddiystyr yn aml. Nid yw'r dull heb ei gymhlethdodau felly, er y gwelliannau mawr dros y blynyddoedd, ac mae sawl problem i'w goresgyn er mwyn i'r dull fod yn gwbl lwyddiannus. Mae'r prif broblemau'n cynnwys diffyg data, yr angen am gorff cyfochrog enfawr sy'n cynnwys cyfieithiadau cywir, mae creu'r corpws hwnnw'n waith mawr ac nid oes cyfatebiaeth 1:1 bob tro rhwng ymadroddion wrth alinio testunau yn gyfochrog.

Systemau cyfieithu peirianyddol ar sail ystadegau fel hyn, sef ystadegau am y cyfatebiaethau mwyaf tebygol i ymadroddion unigol, oedd y prif ddull a ddefnyddid wrth greu systemau cyfieithu peirianyddol am nifer o flynyddoedd, ac mae nifer fawr o systemau cyfieithu o hyd yn gweithio ar sail y dull hwn (gan gynnwys rhai o'r systemau sydd ar gael ar gyfer cyfieithu i'r Gymraeg ac ohoni, gweler isod). Y rheswm dros hynny oedd ei fod yn well dull na cheisio defnyddio rheolau; roedd y canlyniadau'n llawer, llawer gwell o ran ansawdd y cyfieithiadau ac roedd yn llai o waith wrth greu'r systemau.

Fodd bynnag, mae dull arall erbyn hyn hefyd ar sail 'rhwydweithiau niwral' neu 'ddysgu dwfn'. Mae'r term 'rhwydwaith niwral' wedi ei ysbrydoli gan y tebygolrwydd honedig rhwng sut mae'r dull hwn yn gweithio a'r ymennydd dynol; fel y mae niwronau yn yr ymennydd yn trosglwyddo gwahanol ddarnau o wybodaeth y gellid ei defnyddio wedyn i greu syniadau a chysyniadau cymhleth cyfan ar eu sail, mae'r systemau hyn yn gwneud yr un peth ond â meintiau anferthol o ddata cyn dod i'w casgliadau eu hunain. Mae'n bwysig peidio â gwthio'r trosiad yn rhy bell, fodd bynnag, gan fod y systemau hyn yn gwneud hynny ar sail meintiau anhraethol fwy o wybodaeth ddigidol, ac yn 'dysgu'n ddwfn' o ddadansoddi'r meintiau aruthrol hyn o ddata i wneud tasgau penodol. Yn y dull hwn felly, mae'r system yn ei ddysgu ei hun sut y dylid mynd ati i gyfieithu ar sail y cyd-destun y mae'r geiriau a fewnbynnwyd wedi eu gweld ynddynt o'r blaen (h.y. pan aeth y system ati i ddadansoddi ei set ddata i ddod o hyd i'r myrdd o batrymau). Cafodd y systemau cyntaf yn defnyddio'r dull newydd hwn eu rhyddhau yn 2016, ac mae'r prif gwmnïau yn y farchnad, fel Google, Microsoft a Facebook, bellach yn defnyddio'r dull hwn hefyd.[8] Mae gan y dull hwn, fel yn achos y dull ar sail ystadegau, ei broblemau unigryw ei hun. Fel y gallai dulliau ar sail ystadegau gynhyrchu rhyw gymysgedd hynod ryfedd o ymadroddion weithiau heb fawr o gysylltiad rhesymegol rhyngddynt (roedd hyn yn gyffredin yn y dyddiau cynnar), mae systemau ar sail rhwydweithiau niwral yn gallu cynhyrchu cyfieithiadau anghyflawn lle mae unedau o ystyr cyfan heb eu cyfleu. Mae hon yn amlwg yn broblem fawr, ac yn un y mae datblygwyr wrthi'n ceisio ei datrys. Problem arall sy'n nodweddu'r systemau hyn yw eu hanallu i ddelio mewn unrhyw ffordd ystyrlon â geiriau anhysbys. Lle mae systemau ystadegol yn gadael y gair fel y mae yn yr iaith darged, bydd rhai o'r systemau hyn yn ei hepgor yn gyfan gwbl, neu'n ei dorri i lawr i ddod o hyd i ateb ac yn creu allbwn amhosibl ei ddeall. Ond ar y cyfan, mae'r dull hwn yn un newydd iawn ac mae'n cynhyrchu cyfieithiadau rhyfeddol o dda yn aml. Fel y gwelwn isod, serch hynny, mae cymhlethdod cyfieithu yn golygu nad oes lle eto i boeni am ddyfodol y proffesiwn. Yn wir, mae'r fath ddatblygiadau i'w croesawu.

## Cyfieithu Peirianyddol a'r Gymraeg

Mae nifer o systemau cyfieithu peirianyddol ar gael i gyfieithu rhwng y Saesneg a'r Gymraeg, a gellir olrhain ymdrechion i greu system cyfieithu peirianyddol o'r Saesneg i'r

Gymraeg ac o'r Gymraeg i'r Saesneg i 2006, ac i waith ysgolheigion o Brifysgol Saarland.[9] Roedd y system hwn yn un ar sail ystadegau, a daeth y system hwn dair blynedd cyn Google Translate, a gamdybir yn aml i fod y system cyfieithu peirianyddol cyntaf ar gyfer Saesneg a Chymraeg. Er diffyg llwyddiant dulliau ar sail rheolau yn draddodiadol, cafwyd system a ddatblygwyd ar sail rheolau hefyd yn 2009 a fanteisiodd ar beirianwaith cyfrifiadurol Apertium.[10] Mae'r system yn cyfieithu o'r Gymraeg i'r Saesneg, ac roedd y datblygwyr am greu systemau cyfieithu peirianyddol a all ddelio ag ieithoedd llai eu defnydd. Eu cred oedd y byddai'n haws creu systemau cyfieithu peirianyddol ar sail rheolau am ei bod yn anodd cael hyd i'r meintiau enfawr o ddata sydd eu hangen mewn ieithoedd llai eu defnydd ar gyfer dulliau eraill. Fodd bynnag, wrth i'r blynyddoedd fynd heibio, nid oedd y broblem hon mor ddifrifol yn achos y Gymraeg, yn bennaf oherwydd bod data cyfieithu a chorpora mawr dwyieithog ar gael yn dilyn cyfieithu Cofnod y Cynulliad, a'r gallu i chwilio'r we i ddod o hyd i filiynau o eiriau o gyfieithiadau rhwng y ddwy iaith. Mae Uned Technolegau Iaith Canolfan Bedwyr ym Mhrifysgol Bangor wedi arloesi ym maes technoleg cyfieithu hefyd. Yn 2014 cyhoeddwyd CyfieithuCymru/ TranslateWales. Yn ôl gwefan Canolfan Bedwyr, 'Rhaglen gyfieithu gyflawn ar gyfer cyfieithu rhwng y Gymraeg a'r Saesneg yw CyfieithuCymru', ac mae'n cynnwys cyfieithu peirianyddol ar sail ystadegau, cofion cyfieithu (i'w trafod isod), system rheoli llif gwaith, cronfeydd terminoleg a Cysill fel gwiriwr sillafu sydd wedi ei gynnwys yn rhan o'r system ac sy'n cywiro wrth i'r defnyddiwr deipio.[11] Yn rhan o bartneriaeth trosglwyddo gwybodaeth ar y cyd rhwng Canolfan Bedwyr a chwmni Cymen yng Nghaernarfon, ymchwiliodd myfyriwr ymchwil i'r posibilrwydd o greu system gan ddefnyddio corpora dwyieithog oedd eisoes yn meddiant Cymen. Roedd y corpora hyn yn rhai 'parth-benodol', neu'n gorpora a oedd yn ymwneud â chleient neu faes penodol. Wrth greu'r systemau cyfieithu ar sail ystadegau â'r data cyfieithu hyn, y cwestiwn a ofynnwyd oedd a allai defnyddio cyfieithiadau o un maes penodol wella ansawdd cyfieithu i'r maes hwnnw, o'i gymharu â pheiriannau cyfieithu a grëwyd â data cyfieithu mwy cyffredinol? Yr ateb oedd bod modd gwella ansawdd y cyfieithiadau terfynol trwy wneud hynny yn ôl y papur a gyhoeddwyd yn 2019, ac roedd y cyfieithwyr yn gyflymach hefyd wrth gywiro'r allbwn o'r system parth-benodol o gymharu â chyfieithu hebddo.[12] Yn ogystal, mae demo o systemau eraill a grëwyd ar gael ar wefan Porth Technolegau Iaith Cenedlaethol Cymru dan arweiniad Canolfan Bedwyr, lle mae modd i'r defnyddiwr roi cynnig ar ddefnyddio pedwar system cyfieithu peirianyddol gwahanol, tri o'r Saesneg i'r Gymraeg ac un i'r Saesneg o'r Gymraeg.[13] Yn olaf, mae cwmni technoleg o Rwsia, sef Yandex, wedi creu system cyfieithu a all gyfieithu o'r Saesneg i'r Gymraeg ac o'r Gymraeg i'r Saesneg. Lansiwyd Yandex.Translate yn 2011, ac ychwanegwyd y pâr Saesneg-Cymraeg ato yn 2015.[14] Er i'r system newid i system o fath cyfun yn 2017, a oedd yn manteisio ar y dull ystadegol *ac* ar y dull ar sail rhwydweithiau niwral er mwyn cynyddu'r tebygolrwydd o gael cyfieithiad o safon, dim ond ar gyfer pâr Saesneg-Rwsieg yr oedd hynny.[15] O ymchwilio ymhellach i hynny, mae'n debyg felly mai system ar sail ystadegau yw Yandex. Translate ar gyfer y Saesneg a'r Gymraeg.

Mae cryn dipyn o waith wedi bod felly ym maes cyfieithu peirianyddol a'r Gymraeg, ac mae'r ymchwil honno wedi ei chynnal yng Nghymru a thu hwnt. Mae cyfieithu awtomatig hefyd yn hŷn na Google Translate (er mai'r system hwnnw sydd wedi llywio barnau pobl yng Nghymru am dechnoleg cyfieithu i raddau helaeth), ac mae'r ddau brif ddull traddodiadol o greu systemau wedi eu defnyddio ar gyfer y Gymraeg. Dyna ymdrechion ymchwilwyr annibynnol, fodd bynnag, ac mae rhagor i'w ddweud eto gan fod dau o'r cwmnïau technoleg mwyaf yn y byd hefyd wedi troi eu llaw at gyfieithu peirianyddol rhwng y Saesneg a'r Gymraeg, sef Google a Microsoft. Lansiwyd Google Translate yn 2006, yn gyntaf fel system cyfieithu peirianyddol ar sail ystadegau. Ar wahân i ddefnyddio corpora cyfochrog mawr o ddwy iaith, roedd modd i Google fanteisio hefyd ar gynnwys a geid ar y rhyngrwyd a'i allu i ddod o hyd i ddata ieithyddol ar wefannau ac mewn dogfennau electronig a.y.y.b. Yn 2009, rhyddhawyd Google Translate ar gyfer y Gymraeg, ac roedd bellach yn bosibl cyfieithu brawddegau rhwng y Saesneg a'r Gymraeg ar y rhyngrwyd yn rhad ac am ddim (a rhwng y Gymraeg ac ieithoedd eraill gan ddefnyddio'r Saesneg fel iaith yn y canol). Roedd ei gyfieithiadau cyntaf o 2009 ymlaen yn wael iawn at ei gilydd, yn enwedig ar gyfer brawddegau hwy, ac o'r herwydd dioddefodd enw da cyfieithu peirianyddol a defnyddioldeb technoleg cyfieithu ergyd go fawr. Gellid dadlau, fodd bynnag, mai defnyddwyr y system cynnar oedd ar fai am hynny, am gyhoeddi'r allbwn heb ei wirio, yn hytrach na'r system ei hun. Gwellodd y system dros amser fodd bynnag, ac mae ymchwil wedi dangos y gall defnyddio'r allbwn wella cynhyrchedd cyfieithwyr proffesiynol Cymraeg.[16] Dangosodd yr ymchwil hefyd nad oedd cywiro'r allbwn i lunio cyfieithiad, yn lle cyfieithu o'r newydd, wedi effeithio ar ansawdd terfynol y testunau, a hynny yn ôl golygwyr profiadol ac yn ôl defnyddwyr terfynol.[17] Mae safon Google Translate i'w gweld yn aml erbyn hyn gan ddefnyddwyr Twitter hefyd, gan mai Google Translate sy'n cynnig y gwasanaeth cyfieithu o'r Gymraeg i'r Saesneg i'r wefan boblogaidd. Yn 2016 cafwyd cam mawr ymlaen yn hanes cyfieithu peirianyddol pan ryddhawyd Google Translate ei system cyfieithu ar sail rhwydweithiau niwral (gweler uchod). Yn hytrach na dibynnu ar ystadegau am y cyfieithiad mwyaf tebygol yn sgil dadansoddi miliynau o gyfieithiadau, ac am y gystrawen sydd fwyaf tebygol o fod yn gywir ar sail dadansoddi patrymau'r iaith darged, mae Google Translate bellach yn gweithio ar sail 'dysgu dwfn', lle mae'r system yn mynd ati o'i ben a'i bastwn ei hun i ddysgu sut i gyfieithu trwy chwilio am batrymau sydd i'w gweld rhwng miliynau ar ben miliynau o frawddegau, neu 'gyfieithu peirianyddol ar sail rhwydweithiau niwral'. Nid yw'r system yn mynd ati ar sail canfod ac ailgysylltu 'ymadroddion' erbyn hyn; yn hytrach na hynny, gall weithio ar sail brawddegau cyfan. Dyma'r dull y mae Google Translate yn ei ddefnyddio ar gyfer y Gymraeg hefyd.[18]

Yr ail gwmni technoleg mawr i ryddhau system cyfieithu peirianyddol ar gyfer y Gymraeg oedd Microsoft. Mewn digwyddiad yn y Cynulliad ym mis Chwefror 2014, lansiwyd system cyfieithu peirianyddol ar sail ystadegau ar gyfer cyfieithu rhwng y Gymraeg a'r Saesneg. Cafodd y system hwn, a oedd ar gael i'w ddefnyddio ar y we trwy Microsoft Bing, gryn ganmoliaeth pan gafodd ei lansio. Wrth nodi'r lansiad, dywedodd Rhodri Glyn Thomas AC, un o Gomisiynwyr y Cynulliad oedd â chyfrifoldeb dros y Gymraeg, 'Mae hwn yn ddiwrnod gwych i'r Gymraeg', ac aeth yn ei flaen i ddweud:

> Bydd o gymorth i hwyluso'r ffordd i bobl gyfathrebu ag eraill yn eu dewis iaith, a bydd o gymorth i bobl sy'n dysgu Cymraeg neu sydd am ddeall y Gymraeg yn y gweithle – fodd bynnag, mae'r dechnoleg hon yn cefnogi'r defnydd o'r Gymraeg ym mhob agwedd ar fywyd, nid yn y gweithle'n unig.[19]

Dyma ddangos y gwaith gwych y gall defnydd priodol o system cyfieithu peirianyddol ei wneud. Roedd y system hefyd yn gweithio'n debyg i Google Translate am mai system ar sail ystadegau oedd; roedd yn seiliedig ar ddata ieithyddol o gorpora dwyieithog ac o destunau Cymraeg electronig, a chyfrannodd Cofnod y Cynulliad (a defnyddio hen enw Senedd Cymru) yn helaeth at y data a oedd ar gael. Erbyn hyn, yn ôl erthygl ar lein a gyhoeddodd Microsoft ym Mehefin 2020, mae rhwydweithiau niwral a systemau ar sail dysgu dwfn ar gael yn ei wasanaethau cyfieithu peirianyddol bellach, ac nid yw ei system ar gyfer y Saesneg a'r Gymraeg yn defnyddio dulliau ystadegol mwyach.[20]

Mae IBM, yr arloeswyr cynnar ym maes cyfieithu peirianyddol (IBM oedd y cyntaf i ddefnyddio dulliau ystadegol yn y maes, oedd yn gam mawr ymlaen), wedi creu peiriant all gyfieithu o'r Saesneg i'r Gymraeg ac o'r Gymraeg i'r Saesneg hefyd ar sail rhwydweithiau niwral. Datblygwyd un system i fod yn rhan o'r Bot Sgwrsio, IBM Watson (sef technoleg bot sgwrsio artiffisial). Cafodd technoleg IBM Watson ei defnyddio i greu bot sgwrsio o'r enw 'Ceri' yn GIG Cymru, i roi gwybodaeth i gleifion am y Coronafeirws. Wrth ofyn cwestiynau yn y Gymraeg, bydd y cwestiynau'n cael eu cyfieithu ar gyfer y system fel y gall ateb.

Mae cwmni Amazon wedi rhyddhau system cyfieithu peirianyddol hefyd ar gyfer y Saesneg a'r Gymraeg, sef Amazon Translate, ac mae ar gael yn rhan o Amazon Web Services ers Tachwedd 2020.[21] System ar sail rhwydweithiau niwral yw hwn hefyd, ac mae angen talu am ddefnyddio'r gwasanaeth hwn. Gall gyfieithu dogfennau a chynnwys gwe.

O ran cwmnïau technoleg mawr, gellid cynnwys Facebook hefyd gan fod y cwmni wedi creu ei systemau cyfieithu ei hun ar sail rhwydweithiau niwral a Deallusrwydd Artiffisial,[22] ac mae modd i bobl ddi-Gymraeg weld cyfieithiadau yn y Saesneg o byst, sylwadau a negeseuon ar byst a wnaed yn y Gymraeg. Mae'n rhyfeddod hefyd y gall system Facebook wneud hynny, fel nifer o systemau eraill, hyd yn oed os yw'r Gymraeg yn dafodieithol iawn ac yn gwyro oddi wrth yr iaith safonol yr ysgrifennir y rhan fwyaf o Gymraeg swyddogol ynddi.

Un agwedd olaf ar gyfieithu peirianyddol yw apiau y gellir eu lawrlwytho, sy'n honni y gallant gyfieithu brawddegau llawn rhwng y Gymraeg a'r Saesneg, a hyd yn oed rhwng y Gymraeg ac ieithoedd tramor mewn rhai achosion. Ar wefannau apiau megis Google Play mae degau o apiau gwahanol sy'n cynnig gwasanaeth cyfieithu awtomatig, gan gynnwys ambell un sydd i fod i allu cyfieithu rhwng y Gymraeg ac Iseldireg a rhwng y Gymraeg ac Indoneseg hyd yn oed.[23] Wrth feio Google Translate felly am arwyddion doniol, efallai ein bod weithiau yn rhoi'r bai ar hwnnw ar gam. Mae un ap, gan gwmni Klays-Development o Rwsia er enghraifft sy'n honni y gall gyfieithu rhwng y Gymraeg a'r Saesneg, wedi ei lawrlwytho dros 10,000 o weithiau ac sydd â channoedd o adolygiadau.[24] Bydd yr ansawdd yn amrywio rhyngddynt a phrin yw'r wybodaeth a gyhoeddir amdanynt. Fodd bynnag, o edrych ar y nifer o apiau sydd ar gael erbyn hyn, mae'n amlwg bod tipyn o weithgarwch wedi bod y tu hwnt i'r brif ffrwd mewn prifysgolion a chwmnïau technoleg mawr. O ystyried y nifer o bobl sydd wedi lawrlwytho'r apiau hyn hefyd hyd yma, mae gan y systemau mwyaf adnabyddus (gwell eu hansawdd fe ymddengys, er bod angen ymchwil i hyn) gystadleuaeth frwd.

Dyna'r systemau sydd ar gael ar gyfer cyfieithu rhwng y Gymraeg a'r Saesneg felly, rhai am ddim a rhai y mae angen talu amdanynt. Mae sawl un ar gael erbyn hyn gan sawl cwmni technoleg mawr, ac yn y dyfodol rydym yn debygol o weld mwy yn cael eu datblygu.[25] Mae pump o leiaf yn defnyddio'r dechnoleg ddiweddaraf ar gyfer eu systemau Cymraeg (Google, Microsoft, Amazon, Facebook ac IBM). Rydym ni yng Nghymru felly, yn gyfieithwyr ac yn aelodau o'r cyhoedd, yn ffodus iawn o'u cael o ystyried y gwaith, yr ymchwil a'r arian a fuddsoddir. Awn ymlaen isod nawr i drafod sut y gellid, a sut y dylid, ddefnyddio'r systemau hyn yn y proffesiwn cyfieithu. Nid dyna'r unig ddefnydd i systemau cyfieithu peirianyddol wrth gwrs, felly oedwn am ychydig isod i drafod y defnydd o'r systemau hyn yn ehangach.

## Defnyddio Cyfieithu Peirianyddol: Llythrennedd Digidol?

Cafodd Google Translate enw drwg iddo'i hun am fod cynifer o bobl ddi-Gymraeg (llawer ohonynt, mae'n debyg, yn ceisio gwneud cymwynas â'r iaith trwy ei chynnwys ar yr arwydd neu'r fwydlen neu'r poster) wedi defnyddio'r system i gael cyfieithiad i'r Gymraeg heb wirio yn gyntaf ei fod yn gywir.[26] Oherwydd bod Google Translate ei hun yn hawdd ei ddefnyddio ac yn adnabyddus, ac oherwydd yr angen cyson am gyfieithiadau Cymraeg, roedd cryn fynd ar 'Sgymraeg' o 2009 ymlaen.[27] Mae'n debyg hefyd bod diffyg dealltwriaeth o gyfieithu ac o dechnoleg cyfieithu wedi cyfrannu at hynny; mae'r gred y gall unrhyw un â dwy iaith gyfieithu yn rhy gyffredin ymysg siaradwyr Saesneg uniaith a siaradwyr Cymraeg fel ei gilydd, felly pa mor anodd y gallai fod, fe feddylid, i beiriant gan gawr yn y byd technolegol ei wneud hefyd? Fodd bynnag, o feddwl am gyfieithu peirianyddol fel teclyn digidol y mae angen ei ddefnyddio mewn modd cyfrifol a beirniadol, fel unrhyw declyn digidol arall, fe ddown yn nes at ddefnydd mwy deallus o gyfieithu peirianyddol. Pan ddaw i ddefnyddio e-byst, chwilio am wybodaeth ddibynadwy ar y we, defnyddio cyfrifiaduron yn gyffredinol, meddalwedd swyddfa fel prosesyddion geiriau a meddalwedd cyflwyniadau, a thechnoleg i arbed a rhannu gwybodaeth ac i gydweithio, mae pob un ohonom yn cael ein dysgu sut i ddefnyddio'r teclynnau digidol hyn, boed hynny yn yr ysgol, y coleg neu'r brifysgol neu ar gyrsiau proffesiynol. Yr enw ar y sgiliau a'r wybodaeth i ddefnyddio'r teclynnau digidol hyn *i'w llawn botensial ac yn briodol* yw Llythrennedd Digidol. Dyma ddiffiniad mwy manwl:

> Digital literacy is the awareness, attitude and ability of individuals to appropriately use digital tools and facilities to identify, access, manage, integrate, evaluate, analyse and synthesize digital resources, construct new knowledge, create media expressions, and communicate with others, in the context of specific life situations, in order to enable constructive social action; and to reflect upon this process.[28]

Yr allweddeiriau yw'r *defnydd priodol* o declynnau digidol, er mwyn *cyfathrebu*, mewn *sefyllfaoedd penodol*, ac i *fyfyrio* ar y broses. Bydd ymwybyddiaeth well o fanteision ac anfanteision cyfieithu peirianyddol yn cyfrannu at sicrhau hynny, a dylai hynny ddechrau yn yr ysgolion. Un o'r rhannau cyntaf o'r cwricwlwm newydd i ymddangos yn dilyn gwaith yr Athro Graham Donaldson oedd y Fframwaith Cymhwysedd Digidol.[29] Yn ôl y diffiniad a gawn yn y ddogfen i ysgolion, Fframwaith Cymhwysedd Digidol – Canllawiau:

Cymhwysedd digidol yw'r enw ar set o sgiliau, gwybodaeth ac agweddau sy'n caniatáu i rywun ddefnyddio technolegau a systemau'n hyderus, yn greadigol ac yn feirniadol. Mae'n set hanfodol o wybodaeth i ddysgwyr fod yn wybodus, yn alluog ac yn llwyddiannus yn y gymdeithas sydd ohoni.[30]

Mae diffiniad Llywodraeth Cymru felly yn debyg i'r diffiniad o lythrennedd digidol uchod. Mae'n drueni felly nad yw cyfieithu peirianyddol wedi ei gynnwys yn benodol yn y maes llafur ar gyfer cymhwysedd digidol, ond gellid cyfeirio ato wrth drafod *Cyfathrebu* (manteision defnyddio cyfieithu peirianyddol i ddeall negeseuon mewn iaith estron ond y problemau posibl wrth wneud hynny, ac anfanteision defnyddio cyfieithu peirianyddol wrth gyhoeddi gwybodaeth heb wirio ei chywirdeb yn gyntaf). O dan *Hawliau digidol, trwyddedu a pherchenogaeth*, gellid cynnwys trafodaeth am gyfrinachedd data a defnyddio teclynnau ar lein i gyfieithu a'r peryglon posibl o wneud hynny). Y tu hwnt i'r ysgol, dylem ddysgu myfyrwyr am y defnydd priodol o gyfieithu peirianyddol hefyd, ac yn sicr dylai sefydliadau, wrth groesawu aelodau newydd o staff a'u cyflwyno i'w polisïau iaith, gynnwys trafodaeth fer am gyfieithu peirianyddol. Da o beth fyddai gweld cyrsiau ymwybyddiaeth iaith yn trafod y pwnc hwn hefyd. Mae Llythrennedd Digidol hefyd yn rhan o Sgiliau Hanfodol Cymru, sef cyfres o sgiliau hanfodol y dylai unrhyw weithiwr feddu arnynt. Cyn ennill cymhwyster rheolaeth ac arweiniyddiaeth yng Nghymru, mae cael hyfforddiant penodol a sefyll profion mewn Llythrennedd Digidol cyn cael y cymhwyster yn orfodol ar hyn o bryd os mai Llywodraeth Cymru sy'n ariannu'r cymhwyster. Mae cyfle yma felly i sicrhau bod ymwybyddiaeth well o gyfieithu peirianyddol yn rhan o'r maes llafur hwnnw yng Nghymru; o ystyried bod cannoedd os nad miloedd o reolwyr mewn gwasanaethau cyhoeddus yn gorfod cwblhau'r cymhwyster hwn mewn Llythrennedd Digidol yng Nghymru, byddai gorfodi rheolwyr a darpar reolwyr i ddysgu am gyfieithu peirianyddol a'r hyn y gall ei wneud, a'r hyn na all ei wneud, yn gyfraniad clodwiw at fynnu defnydd gwell a mwy beirniadol o'r dechnoleg yn y sector cyhoeddus yng Nghymru.

Mae cyfieithu peirianyddol felly yn declyn digidol fel unrhyw declyn arall, a rhaid ei ddefnyddio yn briodol. Mae hyn yn golygu deall pryd i'w ddefnyddio a sut i fod yn fwy beirniadol o'r hyn y gall ei wneud. Yn benodol, dylai'r saith pwynt isod gael y sylw pennaf.

I'r cyhoedd:
1) Mae cyfieithu peirianyddol yn declyn digidol pwerus iawn y gellid ei ddefnyddio i:
   a) ddeall cynnwys mewn iaith estron, i ddeall erthygl newyddion i gael y prif negeseuon er enghraifft neu i ddeall negeseuon ar y cyfryngau cymdeithasol;
   b) chwilio am wybodaeth mewn iaith arall, wrth wneud ymchwil er enghraifft. Mae rhai ymchwilwyr yn ei ddefnyddio i chwilio am lenyddiaeth mewn ieithoedd eraill wrth wneud ymchwil ac mae cwmnïau yn ei ddefnyddio i chwilio am batentau mewn ieithoedd eraill;
2) O'i ddefnyddio i wneud yr uchod, bydd y wybodaeth o bosibl yn anghywir. O'r herwydd, bydd yn iawn i gael 'syniad bras' o'r cynnwys ond dylid gwirio'r wybodaeth gan ofyn i siaradwr rhugl neu gyfieithydd cyn gweithredu arni, yn enwedig os oes angen gwneud penderfyniadau pwysig ar sail y wybodaeth;

3) Nid yw cyfieithu peirianyddol am ddim wedi cyrraedd safon lle gall gyfieithu yn ddiffael, ni waeth beth yw natur y testun. Bydd angen i gyfieithydd yn achos testunau i'w cyhoeddi fwrw golwg dros y testun i wirio am ystyr *ac* am ramadeg.[31]

I gyfieithwyr:
4) Mae cyfieithu peirianyddol yn declyn defnyddiol iawn, ac er y bydd ei allbwn yn wallus yn aml, gellir ei ddefnyddio i gyfieithu brawddegau nad ydynt yn cynnwys iaith anghyfansoddiadol (gweler Pennod 4), a bydd cywiro'r allbwn yn aml yn gyflymach na chyfieithu heb unrhyw gymorth gan gyfrifiadur;
5) O'i ddefnyddio i wneud yr uchod, rhaid gwirio yn effeithiol fodd bynnag i sicrhau nad yw'r cyfieithu'n rhy lythrennol. Oherwydd bod peiriannau cyfieithu yn gweithio ar sail brawddegau (ac weithiau rannau o frawddegau), gall yr ystyr fod yn rhy lythrennol o bryd i'w gilydd a gall cystrawen y Gymraeg fod yn rhy agos i'r Saesneg;
6) Po fwyaf y nifer o frawddegau sy'n cynnwys ystyron anghyfansoddiadol (gweler Pennod 4), mwyaf anaddas y bydd y defnydd o gyfieithu peirianyddol. Nid yw hyn yn rheswm dros beidio â defnyddio cyfieithu peirianyddol ar gyfer testunau creadigol er enghraifft, achos bydd testunau o'r fath hefyd yn cynnwys iaith arferol ag ystyron cyfansoddiadol, ond dylid bod yn ofalus serch hynny o sut y deliodd y system ag iaith drosiadol, idiomau a phriod-ddulliau ynghyd ag enghreifftiau o chwarae ar eiriau (sef iaith 'anghyfansoddiadol').

I bob defnyddiwr:
7) Mae systemau cyfieithu peirianyddol am ddim yn aml yn cadw'r wybodaeth a roddir ynddynt, ac felly ni ddylid eu defnyddio i gyfieithu gwybodaeth sy'n cynnwys manylion personol, hyd yn oed os yw'r risg y bydd rhywun arall yn eu gweld yn isel.[32]

Gellid yn hawdd gynnwys trafodaeth am gyfieithu peirianyddol felly yn rhan o gymwysterau ac addysg Llythrennedd Digidol yng Nghymru, ac mae cyfleoedd di-ri eraill yn ogystal fel cyrsiau ymwybyddiaeth iaith, sesiynau croeso i weithwyr newydd (sydd fel arfer yn cynnwys cyflwyniad gan y swyddog iaith) a chyrsiau eraill. Mae'n bwysig gwella dealltwriaeth pobl o gyfieithu peirianyddol, sut bynnag y gwneir hynny, ac mae'n anodd anghytuno â Lynne Bowker, yr ysgolhaig o Ganada sydd wedi gwneud cyfraniad mawr at roi cyfieithu peirianyddol ar yr agenda Llythrennedd Digidol yn y wlad honno, pan ddywed:

> Just because machine translation is easily accessible, easy to use, and produces a quality of output that is reasonable for some purposes, this doesn't mean that we instinctively know how to optimize it or even to use it wisely in a given context. The need for a new type of digital literacy is emerging, which we refer to as machine translation literacy.[33]

Ychydig iawn y gall y gyfrol hon ei chyflawni y tu allan i'r byd cyfieithu pan ddaw i hybu cyfieithu peirianyddol fel elfen hanfodol o Lythrennedd Digidol yng Nghymru, er y byddai ysgolheigion fel Bowker yn honni bod gan gyfieithwyr waith pwysig i'w wneud yn y cyswllt hwn (a dyna pam, yn rhannol, y penderfynwyd cynnwys yr adran hon yn y gyfrol hon).[34] Fodd bynnag, awn ymlaen isod i drafod yn fwy manwl gyfieithu peirianyddol yn y byd cyfieithu proffesiynol. Gan gadw at y thema uchod, byddwn yn gwneud hynny trwy drafod cyfieithu peirianyddol fel teclyn digidol y gellid ei ddefnyddio i gyfathrebu a chyfleu gwybodaeth, ond mewn modd *priodol* a *beirniadol* o'n safbwynt ni fel cyfieithwyr.

## Defnyddio cyfieithu peirianyddol yn briodol wrth gyfieithu'n broffesiynol

Mae dwy agwedd ar y defnydd priodol o gyfieithu peirianyddol i gyfieithwyr proffesiynol, sef ei ddefnyddio yn hytrach na gwrthod ei ddefnyddio ar y naill law, a golygu'r allbwn yn effeithiol ar y llaw arall. Trown at agweddau iach tuag ato yn gyntaf oll.

### Pam y dylwn i ddefnyddio cyfieithu peirianyddol?

Awn ati i ateb y cwestiwn hwn trwy dorri'r broses gyfieithu i lawr i'w dwy agwedd bwysicaf, sef meddwl am gyfieithiad a llunio'r cyfieithiad hwnnw. Os derbyniwn fod cyfieithu yn broses feddyliol ddwys, lle mae gofyn i'r ymarferydd ddarllen cynnwys a ffurfio cyfieithiad o ansawdd da ar sail y neges a ddarllenwyd, yna fe ddown at ein mantais gyntaf. Mae ymchwil wedi dangos bod cyfieithwyr yn arbed llawer o egni wybyddol wrth gywiro cyfieithiadau awtomatig yn hytrach na chyfieithu o'r newydd, pan fydd y peiriant cyfieithu o safon uchel.[35] Yn hytrach na gorfod meddwl am gyfieithiad o'r newydd, trwy ddarllen yr iaith ffynhonnell a chywiro allbwn y peiriant cyfieithu wedyn (a fydd bron yno o ran ystyr a chywirdeb yn aml), gall y cyfieithydd ganolbwyntio ar gywiro'r llond llaw o wallau iaith sydd yno neu ar y gwallau ystyr arwynebol. Yn dechnegol, oherwydd bod y tasgau cywiro hyn yn haws ac yn llai dwys na gorfod dod o hyd i gyfieithiad llawn o sawl uned ystyr mewn brawddeg gyfan, mae'r baich ar gof gweithredol y cyfieithydd yn llai.[36] Mewn geiriau eraill, gall cywiro allbwn cyfieithu peirianyddol fod yn wybyddol haws na chyfieithu o'r newydd. Nid yw hyn yn golygu, fodd bynnag, fod y gwaith yn ddiflas nac yn llai o dasg greadigol a deallusol. Mae canfod y gwallau i'w cywiro, a chyfieithu yn lle ôl-olygu lle methodd y system yn llwyr, yn dasg ddigon dymunol a heriol o hyd os ydych chi'n mwynhau gweithio gyda'r iaith. Cofiwch y gwahaniaeth pwysig rhwng 'gwybyddol haws' a 'diflas' felly pan fydd y pwnc hwn dan sylw. Os trown at deipio'r cyfieithiad, mae'r manteision yn amlwg. O gywiro'r allbwn, nid oes cymaint i'w ysgrifennu. O'r herwydd, mae llawer o amser i'w arbed yma hefyd ac mae'r baich ar y cyfieithydd yn llai trwm. Eto, mae ymchwil i brofi hynny hefyd.[37] Mewn astudiaeth am y manteision o ddefnyddio cyfieithu peirianyddol wrth gyfieithu o'r Saesneg i'r Gymraeg, dengys yr ymchwil i'r cyfieithwyr a gywirodd yr allbwn deipio cyfanswm o 5,781 o nodau'n llai na'r cyfieithwyr a gyfieithodd heb gymorth cyfieithu peirianyddol.[38] Mae rhai astudiaethau yn mynd i gryn fanylder ar yr agwedd hon ar ddefnyddio cyfieithu peirianyddol hefyd, ond digon yw dweud y bydd y gwaith teipio yn llai o lawer. Pan ddaw i ysgrifennu pethau ailadroddus fel cyfeiriadau neu enwau, neu yn wir unrhyw fath o destun mewn gwirionedd, nid un i'w diystyru yw'r fantais hon.

Amser neu gynhyrchedd, fodd bynnag, yw'r ffon fesur a ddefnyddir amlaf i werthuso cyfieithu peirianyddol mewn cyd-destunau proffesiynol, a gallu'r systemau hyn i arbed amser i gyfieithwyr a'u helpu i gyfieithu rhagor na'r arfer yw'r ystyriaeth bwysicaf i nifer. Y gwir yw mai'r lleihad yn y baich gwybyddol a'r baich teipio sy'n gyfrifol am y manteision amseryddol hyn, ond bid a fo am hynny. Mae astudiaethau di-ri erbyn hyn sydd wedi dangos y gall cywiro allbwn cyfieithu peirianyddol, yn hytrach na chyfieithu hebddo, arbed amser i'r cyfieithydd a chynyddu ei gynhyrchedd. Mewn papur a gyhoeddwyd yn 2019, adolygwyd 20 o astudiaethau academaidd a oedd, heblaw am un, wedi dangos bod cyfieithu â chymorth cyfrifiadur wedi gwella cynhyrchedd y cyfieithydd, a hynny yn achos 17 o barau iaith gwahanol.[39] Roedd un o'r astudiaethau hyn wedi dadansoddi'r arbedion a ddaw yn achos cyfieithu o'r Saesneg i'r Gymraeg hefyd, a dengys y canlyniadau i'r cyfieithwyr Cymraeg wella eu cynhyrchedd yn ddi-wahân heb effaith negyddol ar ansawdd eu gwaith terfynol.[40]

Gall defnyddio cyfieithu peirianyddol fod yn llai beichus yn feddyliol a gall arbed gwaith teipio ailadroddus felly. Bydd y manteision hyn yn cyfuno wedyn i arbed amser a chynyddu eich cynhyrchedd a hynny, yn ôl ymchwil, heb effaith negyddol ar eich gwaith terfynol (o ddefnyddio'r dechnoleg yn briodol a gwirio'r gwaith yn effeithiol). Bydd gwrthod defnyddio cyfieithu peirianyddol felly yn mynd yn anacronistaidd dros amser, ac yn anos ei gyfiawnhau hefyd yn y byd proffesiynol. O dderbyn bod y systemau hyn yn ddefnyddiol ac y dylid eu defnyddio (ar yr amod eu bod o safon uchel), *sut* y dylech chi eu defnyddio?

*Golygu allbwn cyfieithu peirianyddol yn effeithiol*

Mae cywiro allbwn systemau cyfieithu peirianyddol yn broses gywiro unigryw. Byddwn yn trafod yma yr hyn y mae'r broses yn gofyn amdano ac yn bwrw golwg dros yr egwyddorion a ddylai fod yn sail i'r broses. Y term technegol a ddefnyddir yn y diwydiant cyfieithu rhyngwladol ac yn y byd academaidd i ddisgrifio'r broses o gywiro allbwn o system cyfieithu peirianyddol yw '*Post-editing*', neu 'Ôl-olygu' yn y Gymraeg. Mae'r term ôl-olygu yn cael ei ddefnyddio am ddau reswm. Yn gyntaf, mae'n wahanol i olygu ac adolygu. Mae golygu yn cyfeirio at wirio a gwella testunau mewn cyd-destun unieithog, ac mae adolygu yn cyfeirio at wirio a gwella cyfieithiadau. Yn ail, mae'r 'ôl' yn bwysig; ar ôl i'r testun gael ei brosesu gan beiriant cyfieithu y mae gwaith y cyfieithydd yn dechrau. Oherwydd y gwahanol fathau o brosesau 'gwirio' sydd felly, mae'n bwysig gallu gwahaniaethu rhyngddynt, ac mae'r sgiliau gwahanol sydd eu hangen i wneud pob un yn un o'r prif resymau dros orfod gwneud hynny.

Beth sydd ei angen o ran sgiliau felly ar gyfieithydd sy'n ôl-olygu allbwn system cyfieithu peirianyddol? Mae ysgolheigion yn y maes yn gytûn nad proses syml o 'gywiro' yw gwirio allbwn systemau cyfieithu peirianyddol, ac mae'r sgiliau a'r wybodaeth sydd eu hangen yn gyfuniad o sgiliau cyfieithu, sgiliau adolygu a gwybodaeth benodol am systemau cyfieithu peirianyddol.[41] Mae hyn yn cefnogi'r pwynt a wnaed eisoes nad yw ôl-olygu yn dasg ddienaid a diflas er y gall fod yn haws yn wybyddol. Mae sgiliau cyfieithu ac adolygu sylfaenol wedi eu cyflwyno yn y gyfrol hon ac mae gwybodaeth yma ac yng ngweddill y gyfrol am gyfieithu peirianyddol. Y pwynt pwysicaf i'w nodi yw bod sgiliau cyfieithu, adolygu ac ôl-olygu yn gorgyffwrdd, ac felly ni ddylid disgwyl i rywun dwyieithog allu ôl-olygu'n effeithiol ac yn effeithlon bob tro.

I baratoi darpar gyfieithwyr ymhellach ar gyfer y byd cyfieithu cyfoes, mae egwyddorion isod a ddylai fod yn sail i ôl-olygu effeithiol. O dderbyn bod ôl-olygu allbwn systemau cyfieithu peirianyddol yn dasg unigryw, ni ddylai fod yn ormod o syndod bod egwyddorion penodol y dylid eu dilyn i'w wneud yn effeithiol. Nid yw, i bwysleisio, yn dasg syml o gywiro allbwn gwallus yn ôl mympwy'r cyfieithydd. Yn ôl ymchwil ar yr agwedd hon ar wasanaethau cyfieithu, mae'r rhan fwyaf o egwyddorion neu ganllawiau yn y maes yn gwahaniaethu rhwng dau fath o ôl-olygu, sef ôl-olygu ysgafn ac ôl-olygu llawn.[42] Mae ôl-olygu ysgafn yn cyfeirio at broses ôl-olygu lle mai dim ond y gwallau amlycaf sy'n cael eu cywiro, hynny yw gwallau sy'n llurgunio ystyr y gwreiddiol a gwallau gramadegol sy'n amharu'n fawr ar allu'r darllenydd i ddeall y neges. Nid yw ystyriaethau arddulliol na llif naturiol y testun targed yn cael sylw. Mewn amgylchiadau penodol iawn y gwneir y math hwn o ôl-olygu, sef yr amgylchiadau hynny lle nad oes ond angen i'r darllenydd ddeall hanfod y neges ar frys fel arfer. Byddai'r ddogfen yn un fyrhoedlog na fyddai'n cael ei chyhoeddi, a dim ond rhyw fras syniad y byddai angen i'r darllenydd ei gael cyn diystyru'r ddogfen. Mae ôl-olygu llawn yn cyfeirio at broses hwy a dwysach lle bydd y cyfieithydd proffesiynol yn gwirio'r allbwn i sicrhau ei fod yn gywir o ran ystyr, yn gywir o ran gramadeg ac yn llifo'n dda yn yr iaith darged. Bydd hefyd yn cymryd gofal dros derminoleg ac arddull tŷ. O wneud hynny, byddai modd cyhoeddi'r testun targed ac, fel yn achos cyfieithu traddodiadol, ni ddylai'r darllenydd allu synhwyro mai cyfieithiad ydyw. Mae i fod yn destun naturiol o safon uchel. Os yw'r ddogfen yn un bwysig neu'n un a fydd yn cael ei chyhoeddi, bydd cyfieithydd proffesiynol yn rhan o'r broses a bydd yn ôl-olygu'n llawn. Yng Nghymru, gall siaradwyr Cymraeg at ei gilydd ddarllen Saesneg yn ddidrafferth. Yn ogystal, mae'r gyfraith yn mynnu na ddylid trin y Gymraeg yn llai ffafriol na'r Saesneg, ac nid yw peiriannau cyfieithu cystal â chyfieithwyr dynol. Mae'n dilyn felly nad yw ôl-olygu ysgafn yn berthnasol i'n cyd-destun ni; nid oes cynulleidfa ar gyfer cyhoeddi cyfieithiadau garw am y gall fod yn haws i'r siaradwr Cymraeg ddarllen y Saesneg ac am nad yw'n deg (nac yn gyfreithlon) ddisgwyl i'r gymuned Gymraeg ei hiaith ddarllen testunau bras sy'n cynnwys gwallau iaith (ni waeth pa mor fach y bônt). Ôl-olygu llawn amdani felly i ni fel rheol yng Nghymru. Yn wir, o ystyried sut mae cyfieithu peirianyddol wedi gwella dros y blynyddoedd, tybed a fydd 'ôl-olygu ysgafn' yn dal i fodoli yn y dyfodol o ystyried gallu peiriannau cyfieithu i gynhyrchu allbwn gweddol dderbyniol os yw'r iaith yn gymharol syml? Ymddengys fod cyfieithu peirianyddol eisoes yn cael ei ddefnyddio heb i'w allbwn gael ei wirio, i gynorthwyo staff di-Gymraeg mewn sefydliadau i ddeall e-byst mewnol uniaith Gymraeg er enghraifft.[43] Wrth ôl-olygu yng nghyd-destun cyfieithu proffesiynol, dylech chi ddilyn yr egwyddorion isod yn Nhabl 23. Mae'r egwyddorion isod yn seiliedig ar yr arfer gorau yn y maes hyd yma, ar ganllawiau sefydliadau adnabyddus ac ar ymchwil am ganllawiau ac egwyddorion rhyngwladol, ac maent wedi eu teilwra i gyd-destun Cymru trwy ychwanegu ystyriaethau am derminoleg a Chymraeg Clir.[44] O ddilyn yr egwyddorion isod, dylech chi allu sicrhau eich bod yn gwneud y defnydd gorau o gyfieithu peirianyddol. Nid yw'n achos syml o roi dogfen trwy'r system a gwirio yn ôl eich mympwy felly; mae'n broses fedrus y dylai cyfieithwyr profiadol arwain arni.

Tabl 23 Egwyddorion Ôl-olygu Effeithiol

| Prif Egwyddor 1: |
|---|
| **Cadwch gymaint o'r allbwn â phosib** |
| Os yw'n gywir, wedi gwirio'r isod, dylid gadael yr allbwn o'r system fel y mae. Bydd gorolygu, neu newid gormod o'r allbwn heb fod angen, yn dileu'r arbedion y gellid eu gwneud trwy ôl-olygu.[45] |
| **Prif Egwyddor 2:** |
| **Rhaid i'r testun terfynol gael ei adolygu'n llawn yn dilyn egwyddorion adolygu cydnabyddedig** |
| Mewn cyd-destun proffesiynol, nod ôl-olygu (fel cyfieithu) yw creu drafft. Bydd angen adolygu wedyn, yn ddelfrydol ar ôl gadael cyfnod o amser yn achos dogfennau hwy. Bydd dwysedd yr adolygu hwnnw yn dibynnu ar risg (gweler Pennod 6). Rhaid adolygu'r gwaith terfynol fel testun cyfan ni waeth ai cyfieithu neu ôl-olygu a wnaed, neu gymysgedd o'r ddwy broses. |
| **Prif Egwyddor 3:** |
| **Bydd effeithlonrwydd y broses ôl-olygu a'r arbedion y gellid eu gwneud yn dibynnu ar ddilyn Egwyddor Gyffredinol 1 uchod, ac ar fodolaeth prosesau cyn-brosesu priodol a fydd yn sicrhau bod y system cyfieithu o ansawdd da a bod y testun i'w gyfieithu wedi ei ysgrifennu mewn modd 'cyfeillgar' i gyfieithu peirianyddol (yn ddelfrydol).** |
| Cyn ôl-olygu, rhaid sicrhau bod y system cyfieithu yn addas. Os nad yw'r system yn ddigon da, ni fydd fawr o ddiben ei ddefnyddio. Trafodwyd ymchwil uchod lle dangoswyd bod defnyddio systemau 'parth-benodol', a grëwyd gan ddefnyddio data o'r un maes y mae'r testun yn dod ohono, yn well na systemau cyfieithu peirianyddol 'cyffredinol' a geir ar y we. Cyn i dimau cyfieithu benderfynu ar y system i'w ddefnyddio, dylid ymchwilio i ba un sydd well drwy broses ymchwil o gymharu'r systemau â'i gilydd. Yn ail, ni fydd pob math o destun yn addas fel y mae (gweler isod). Gall golygu testunau i'w cyfieithu trwy ddefnyddio rheolau 'iaith reoledig' ymlaen llaw i symleiddio'r iaith fod o fudd mawr i ansawdd allbwn peiriannau cyfieithu.[46] Gall y rheolau hyn gynnwys defnyddio brawddegau byr, neu osgoi defnyddio ffurfiau y gwyddys na all y system ddelio â hwy. Yn hytrach na rhoi unrhyw ddogfen trwy system, dylai fod yn addas a dylid rheoli cynnwys dogfennau i sicrhau eu bod yn haws eu prosesu i'r system. Nid yw hyn yn digwydd i raddau helaeth yng Nghymru ar hyn o bryd. |

| Egwyddorion Cyffredinol | Esboniad |
|---|---|
| **Egwyddor Gyffredinol 1: Rhaid i ramadeg yr iaith darged fod yn gywir** | Wrth reswm, bydd gwallau yn yr allbwn yn aml a bydd rhaid cywiro'r rhain. |
| **Egwyddor Gyffredinol 2: Rhaid defnyddio cystrawennau ac ieithwedd naturiol yr iaith darged** | Bydd systemau cyfieithu peirianyddol yn creu allbwn gweddol lythrennol a fydd yn dilyn cystrawen a geiriad y gwreiddiol yn agos, a hynny oherwydd sut maent yn gweithio (gweler uchod). Dylech gadw mewn cof y dylai'r testun lifo ac y dylai ddarllen fel darn gwreiddiol. Mae enghraifft isod o sut y deliodd y system â *substantial rainfall*; nid yw 'glawiad sylweddol' yn anghywir ond nid yw'n Gymreigaidd chwaith. Dyna'r union fath o allbwn y byddai rhaid ei gywiro o dan yr egwyddor hon. |
| **Egwyddor Gyffredinol 3: Rhaid i'r ystyr gael ei chyfleu yn ffyddlon** | Rhaid i ystyr y gwreiddiol gael ei chyfleu'n gywir; o feddwl yn ôl i Bennod 4, gall ystyr mewn iaith gael ei chyfleu mewn amryfal ffyrdd. Ni fydd system cyfieithu peirianyddol yn gallu dehongli pob un o'r ystyron hyn (yn enwedig iaith drosiadol), felly byddwch yn ofalus. |

Tabl 23 Egwyddorion Ôl-olygu Effeithiol (*Parhad*)

| | |
|---|---|
| **Egwyddor Gyffredinol 4: Rhaid i atalnodi fod yn gywir** | Digon syml, ac mewn gwirionedd os gwêl y system ebychnod, ebychnod a geir yn yr iaith darged. Nid yw hyn o reidrwydd yn golygu bod yr awdur wedi defnyddio atalnodi'n gywir, fodd bynnag, ac mae rheolau'r Gymraeg ar gyfer yr heiffen a nodau diacritig er enghraifft yn wahanol. |
| **Egwyddor Gyffredinol 5: Rhaid i'r arddull fod yn briodol i'r gynulleidfa** | Nid oes gan systemau cyfieithu peirianyddol 'arddull'. Nid yw'n deall y gwahaniaeth rhwng Cymraeg llafar, Cymraeg safonol neu Gymraeg Llenyddol. Bydd yr arddull a geir mewn allbwn systemau cyfieithu peirianyddol yn adlewyrchu arddull y brawddegau a ddefnyddiwyd wrth eu creu. O'r herwydd, dylid bod yn wyliadwrus o arddull yr allbwn gan y gall yr allbwn fod yn ffurfiol iawn fel rheol (gweler isod). Byddai angen addasu'r cynnwys yn aml er mwyn iddo ddilyn Cymraeg Clir. |

## Defnyddio cyfieithu peirianyddol yn feirniadol wrth gyfieithu'n broffesiynol

A ninnau wedi trafod y cyfraniad cadarnhaol y gall cyfieithu peirianyddol ei wneud a sut orau i'w ddefnyddio, gallwn fynd ymlaen nawr i drafod y defnydd *beirniadol* o gyfieithu peirianyddol. Fel yn achos y defnydd *priodol* o gyfieithu peirianyddol, mae dwy agwedd ar y defnydd *beirnadol* arno hefyd, sef osgoi cyfieithu gorlythrennol a chyfieithu gorffurfiol. Roedd un o'r prif egwyddorion yn Nhabl 23, oedd yn cynnwys yr egwyddorion proffesiynol y dylid eu mabwysiadu, wedi nodi elfen bwysig yng nghyd-destun y defnydd beirniadol o gyfieithu peirianyddol, sef peidio â newid gormod ar yr allbwn os yw'n gywir, er mwyn bod mor effeithlon â phosibl (Prif Egwyddor 1). Mae angen taro'r cydbwysedd iawn mewn cyd-destunau proffesiynol, fodd bynnag, a bod yn feirniadol o'r cynnwys er nad yn ddibrisiol. Trafodwn faint o olygu y dylid ei wneud isod.

Mae'r egwyddor na ddylid newid gormod yn un a ddylai fod yn sail i'r broses ôl-olygu yn gyffredinol. O newid gormod, hynny yw newid yr allbwn er nad oes angen oherwydd bod y cyfieithiad yn addas at y diben fel y mae, bydd y broses ôl-olygu yn ddibwynt. Nod defnyddio cyfieithu peirianyddol yw cyflymu'r broses gyfieithu; o arafu'r broses trwy newid gormod, pam trafferthu ôl-olygu yn y lle cyntaf? Fodd bynnag, mae'n hollbwysig hefyd nad ewch chi'n rhy bell fel arall o ran hynny. Mae'n rhaid i chi fod yn feirniadol o gynnwys y system. Bydd dilyn yr egwyddorion eraill yn fodd i chi wneud hynny, ond at ei gilydd cofiwch nad yw'r egwyddor gyffredinol na ddylech chi newid gormod ar destun cywir yn esgus nac yn gyfiawnhad tros gyfieithiadau prennaidd ac anaddas. Pan ddaw i fod yn gyfaill beirniadol i gyfieithu peirianyddol, mae dwy agwedd ar hynny: cyfieithiadau gorlythrennol ac annaturiol, a chyfieithiadau anaddas o ffurfiol.

### *Cyfaill Beirniadol: Cyfieithu Gorlythrennol ac Annaturiol*
Fel y nodwyd uchod wrth drafod yr egwyddorion a ddylai lywio'r broses ôl-olygu, bydd allbwn systemau cyfieithu awtomatig yn dilyn cystrawen a geiriad y gwreiddiol yn weddol agos. Bydd yr enghreifftiau gwahanol isod o Google Translate yn dangos hynny.

| It's raining cats and dogs outside | Mae'n bwrw glaw cathod a chŵn y tu allan |
| --- | --- |
| The fact is that he is too much of a wimp to tell us why the programme failed at the last hurdle. | Y gwir yw ei fod yn ormod o wimp i ddweud wrthym pam y methodd y rhaglen yn y rhwystr olaf. |
| There has been significant engagement with the public on this, with many noting that would want to see a stop put to this. | Bu ymgysylltiad sylweddol â'r cyhoedd â hyn, gyda llawer yn nodi y byddai eisiau gweld stop yn cael ei roi i hyn. |

Fel y gwelwch felly, ni all cyfieithu peirianyddol ddelio ag iaith drosiadol eto wrth gyfieithu i'r Gymraeg, ac mae'r cyfieithiadau o hyd yn llythrennol iawn. O'r herwydd, mae angen taro'r cydbwysedd rhwng peidio â newid gormod a pheidio â newid digon. Mae'r enghreifftiau y byddwn yn bwrw golwg drostynt isod gan gyfieithwyr proffesiynol profiadol a di-brofiad.

| |
| --- |
| The Leader discussed the upgrading of play areas. <br><br> Trafododd yr Arweinydd uwchraddio'r ardaloedd chwarae. |
| Maes: Llywodraeth Leol |
| Math o destun: Cofnodion Cyfarfod |
| Cynulleidfa: Cynghorwyr a'r cyhoedd |

Mae 'uwchraddio' yma yn drosiad; nid yw'r meysydd chwarae yn cael eu huwchraddio, maent yn cael eu gwella, eu hadnewyddu neu eu hailwampio yn y Gymraeg. Pwy, mewn cyd-destun unieithog, a fyddai'n dweud wrth rywun arall ei fod am 'uwchraddio' ei ardd er enghraifft?

| |
| --- |
| We are expecting significant rainfall. <br><br> Rydym yn disgwyl glawiad sylweddol. |
| Maes: Y Tywydd |
| Math o destun: Hysbysiad |
| Cynulleidfa: Y cyhoedd |

Yn yr ail enghraifft uchod am law, nid yw 'glawiad sylweddol' yn ddull naturiol Cymraeg o gyfleu y bydd llawer iawn o law. Yn y Gymraeg, 'glaw trwm' yw'r ymadrodd mwyaf cyffredin. Dyma enghraifft arall o ôl-olygu 'rhy ysgafn'. Gweler y drydedd un isod.

| |
|---|
| Opening our final four library branches is a major milestone for our local authority and is testament to the great work and commitment shown by all of our staff in achieving this<br><br>Mae agor ein pedair cangen Llyfrgell olaf yn garreg filltir bwysig i'r Awdurdod Lleol ac mae'n dyst i'r gwaith a'r ymroddiad gwych mae ein holl weithwyr wedi ei ddangos wrth gyflawni hyn. |
| Maes: Gwasanaethau Llyfrgelloedd |
| Math o destun: Datganiad i'r wasg |
| Cynulleidfa: Y cyhoedd |

Yn y drydedd enghraifft uchod, mae dwy brif broblem. Yn gyntaf, ymdriniaeth y system â'r gair *'testament'*. Yr ystyr yma yw bod agor y pedair cangen yn 'brawf' o waith ac ymroddiad y gweithwyr. Mynegwyd hynny yn y Saesneg gan ddefnyddio'r gair *'testament'* yn ei ystyr fwy anllythrennol (gweler Pennod 4), sef bod rhywbeth yn brawf o rywbeth. Fodd bynnag, mae'r peiriant cyfieithu, oherwydd ei anallu nodweddiadol i ddeall ystyron anllythrennol geiriau, wedi dehongli'r ystyr lythrennol ac wedi rhoi 'tyst'. Dylai'r cyfieithydd gwreiddiol fod wedi sylweddoli hynny; yn lle hynny, nid oedd yn ddigon beirniadol o'r allbwn ac o'r herwydd mae camddehongliad yn y testun. Yr ail broblem yw'r gwall iaith amlwg; o ddefnyddio dau air ('gwaith' ac 'ymroddiad'), mae angen y rhagenw lluosog. Yr hyn fyddai'n gywir yw '... y mae ein holl weithwyr wedi eu dangos'. Eto, diffyg gofal dros yr allbwn.

Wrth i'r defnydd o gyfieithu peirianyddol gynyddu, cynyddu hefyd y bydd y cyfieithiadau llythrennol hyn oni fydd cyfieithwyr yn cofio talu digon i sylw i gystrawen ac ieithwedd y cyfieithiadau. Gallwn weld hyn ar waith uchod, ond mae dwy astudiaeth academaidd wedi dangos y gall yr allbwn o'r system ymyrryd â'r iaith darged hefyd oni chymerir y gofal hwn. Nid bai'r system yw hwn wrth gwrs nac ychwaith y broses ôl-olygu ei hun.[47] O ddilyn y canllawiau ôl-olygu yn Nhabl 23 uchod, bydd modd osgoi testunau lle mae allbwn y system wedi amharu ar naturioldeb y testun targed. Dengys astudiaeth o 2015 fod cyfieithiadau a wnaed trwy ôl-olygu gan gyfieithydd yn llai amrywiol eu cystrawen a'u geirfa am fod y cyfieithwyr wedi eu hannog yn isymwybodol i ddilyn yr hyn a gynigiodd y system yn ddi-gwestiwn.[48] Dengys astudiaeth arall o 2019 y gall cyfieithiadau a wnaed trwy ôl-olygu fod â dwysedd geirfaol llai (hynny yw, maent yn symlach), mae brawddegau yn yr iaith darged yn tueddu i fod o'r un hyd (canfyddiad sy'n gysylltiedig ag ymyrraeth yr iaith ffynhonnell gan fod y cyfieithiad awtomatig yn dilyn y ffurfiau ieithyddol arwynebol yn unig yn hytrach na'r ystyr waelodol), ac mae trefn rhannau ymadrodd y cyfieithiadau (ac felly hefyd y gystrawen) yn adlewyrchu i raddau helaeth y drefn yn yr iaith ffynhonnell.[49] Oherwydd bod systemau cyfieithu peirianyddol felly yn tueddu i weithio ar sail y ffurfiau ieithyddol arwynebol, rhaid sicrhau nad ydych chi'n cael eich arwain yn ddiarwybod i lunio cyfieithiadau nad ydynt ond yn adlewyrchiad egwan o'r iaith ffynhonnell. Mae'n gwbl resymegol, fodd bynnag, y bydd cyfieithwyr yn gwneud hynny o beidio â bod yn ddigon beirniadol, oherwydd bod ymchwil hefyd wedi dangos, er y gwelliannau diweddar, fod allbwn systemau cyfieithu awtomatig cyn iddo gael ei newid (ar sail ystadegau a rhwydweithiau niwral) â llawer llai o amrywiaeth geirfaol, morffolegol a chystrawennol o gymharu â chyfieithu dynol.[50] Mae'r ymchwil hon felly yn cadarnhau'r astudiaethau ynghylch ôl-olygu uchod. Rydym eisoes wedi trafod Cymraeg Swnllyd oherwydd diffyg amrywiaeth yn y technegau cyfieithu a ddefnyddir a'r anallu i gyfieithu'r ystyron yn hytrach na'r geiriau arwynebol; mae'n bwysig felly i ni beidio â dwysáu'r broblem trwy gamddefnyddio peiriannau cyfieithu. Ni fydd hon yn ormod o broblem yn achos testunau fel cofnodion cyfarfod neu ddogfennau byrhoedlog, ond i ddenu siaradwyr Cymraeg at wasanaethau yn yr iaith, bydd rhaid i'r testunau fod yn gywir, yn Gymreigaidd ac o ansawdd uchel.

### *Cyfaill Beirniadol: Cyfieithu Anaddas o Ffurfiol*

Agwedd arall ar y defnydd beirniadol o gyfieithu peirianyddol yw ymwybyddiaeth o arddull a'r cywair. Gall yr allbwn o systemau cyfieithu peirianyddol fod yn ffurfiol yn aml. Er nad oes fawr o broblem yn hynny o beth pan ddaw i destunau ffynhonnell sy'n ffurfiol eu hunain, gall fod yn broblem pan ddaw i gyfieithu ar gyfer y cyhoedd yn gyffredinol lle mae angen defnyddio Cymraeg Clir. Cymerwch yr enghraifft isod o daflen glinigol a'r allbwn a gafwyd o Google Translate.

| |
|---|
| It is not advised that you take anticoagulants before this procedure. |
| Ni chynghorir eich bod yn cymryd cyffuriau gwrthgeulydd cyn y driniaeth hon. |
| Maes: Iechyd |
| Math o destun: Gwybodaeth i gleifion |
| Cynulleidfa: Y cyhoedd |

Er bod y cyfieithiad yn dechnegol gywir, i ba raddau mae'r cywair yn briodol? Oni fyddai 'dydyn ni ddim yn argymell' neu 'ddylech chi ddim' yn well yma? Mae'r enghraifft isod yn bwt ar gyfer y newyddion, nid yw'n adroddiad swyddogol (pe bai'n adroddiad o'r fath, diau y byddai'r cywair yn berffaith iawn). Fel y gwelwch, mae'r goddefol wedi cael ei ddefnyddio, geiriau a gysylltir â'r cywair mwy ffurfiol fel 'hysbys', a chystrawennau mwy ffurfiol fel 'ag anafiadau'. Yn ogystal, mae cyfieithiadau gorlythrennol ('maint ei anafiadau' yn lle 'difrifoldeb ei anafiadau', a 'nad ydyn nhw eto i glywed' yn lle 'eu bod eto i glywed'.)

> The court was shown footage of the attack which left the man with significant injuries that will be life-changing. It is unknown whether he will make a recovery at all given the extent of his injuries. The police have said they are yet to hear from witnesses.
>
> Dangoswyd lluniau o'r ymosodiad i'r llys a adawodd y dyn ag anafiadau sylweddol a fydd yn newid ei fywyd. Nid yw'n hysbys a fydd yn gwella o gwbl o ystyried maint ei anafiadau. Mae'r heddlu wedi dweud nad ydyn nhw eto i glywed gan dystion.

| Maes: Newyddiaduraeth |
|---|
| Math o destun: Erthygl |
| Cynulleidfa: Y cyhoedd |

Mae cyfieithu peirianyddol wedi cyrraedd pwynt felly lle nad yw'r gwallau iaith mor amlwg, a lle gall gynnig cyfieithiad gweddol dda erbyn hyn a bwrw nad yw'r iaith yn rhy drosiadol. Fodd bynnag, nid yw'r gwelliannau hyn yn esgus dros gyfieithu slafaidd; rhaid sicrhau nad yw'r cyfieithiadau yn rhy lythrennol, rhaid bod yn ofalus gyda thestunau sy'n cynnwys llawer o iaith drosiadol, rhaid sicrhau bod yr arddull yn briodol i'r gynulleidfa, a rhaid ymdrechu i sicrhau cydlynrwydd testunol, pedwar peth nad ydynt wedi eu hawtomeiddio. Yn wir, mae ymchwil ynghylch cydlynrwydd testunol a chyfieithu peirianyddol wedi dangos hyn yn glir; mae elfennau o gydlynrwydd testunol yn un peth na all peiriannau cyfieithu ddelio â hwy o gwbl, heb sôn am ddelio â nhw'n wael.[51]

## Pa fath o destunau sy'n addas?

Yn draddodiadol, pan ofynnwyd y cwestiwn ynghylch pryd y dylid defnyddio cyfieithu peirianyddol, yr ateb a roddid oedd bod rhai testunau addas, a rhai testunau anaddas.[52] Os oedd y testun yn 'greadigol' neu'n 'llenyddol', neu'n ymwneud â 'marchnata' neu 'hysbysebu', yna byddai defnyddio peiriant cyfieithu yn gwbl amhriodol. Ar y llaw arall, byddai defnyddio peiriannau cyfieithu ar gyfer testunau 'technegol', 'cyfreithiol' neu 'ailadroddus' yn berffaith iawn. Mae'r hollt hwn rhwng testunau 'addas' ac 'anaddas' erbyn hyn braidd yn anacronistaidd. Fel y gwyddom, o Bennod 4, mae modd i ystyr gael ei mynegi mewn sawl ffordd. Mae gan eiriau wahanol arlliwiau, ac mae modd i ystyr fod yn gyfansoddiadol ac yn anghyfansoddiadol.[53] Hynny yw, gall fod perthynas rhwng ffurfiau arwynebol geiriau a'r ystyr, ai peidio. Ni all peiriannau cyfieithu ddelio'n llwyddiannus iawn ag ystyron nad ydynt yn llythrennol ac sydd ag arlliwiau gwahanol. Byddai modd i beiriant cyfieithu ddelio'n dda iawn â *'the department was critisized by the auditor'* ond nid yw hanner mor dda yn cyfieithu *'the department was slammed by the auditor'*.[54] Yn yr un modd, gall ddelio'n dderbyniol (er yn rhy lythrennol ac yn orffurfiol) â *'there was substantial rainfall'* ond nid yw cystal yn cyfieithu *'it bucketed it down'*.[55] Wrth ofyn i ni ein hunain felly pa 'destunau sy'n addas', rydym yn gofyn y cwestiwn anghywir. Nid y testun yw'r broblem o reidrwydd, ond y math o ddulliau mae'r awdur wedi eu defnyddio i fynegi ystyr ynddo. Mae'n wir, yn achos testunau mwy creadigol fel adolygiad o sioe, y bydd llawer o drosiadau ac ieithwedd flodeuog, ond mae hefyd yn wir y bydd y fath destunau yn cynnwys brawddegau gweddol syml fel *'the next show will be held in London'*. Yn yr un modd, mae'n wir y bydd adroddiad blynyddol yn cynnwys iaith weddol syml ag ystyron cyfansoddiadol, ond mae hefyd yn wir y gall gynnwys brawddegau fel *'we will keep stakeholders abreast of and up to date with developments'*, sy'n drosiadol mewn gwirionedd ac yn anodd i beiriant ei gyfieithu.[56] Bydd testunau felly yn cynnwys cymysgedd o fathau o ystyron; o gyfieithu â pheiriant ymlaen llaw cyn ôl-olygu, bydd rhai brawddegau yn cael eu cyfieithu'n hawdd a bydd y cyfieithiad yn dderbyniol, bydd eraill yn iawn ond anaddas oherwydd y gynulleidfa neu oherwydd eu bod yn rhy lythrennol, ac ar y llaw arall bydd eraill yn gamgyfieithiadau oherwydd na all peiriannau cyfieithu ddelio ag arlliwiau ystyr nac ag ystyron anghyfansoddiadol. Yr ateb, felly, i'r cwestiwn 'Pa fath o destunau sy'n addas?' yw unrhyw destun, oherwydd eu bod oll yn cynnwys cymysgedd o frawddegau addas ac anaddas i beiriant cyfieithu. Nid yw genre, mewn gair, yr un mor berthnasol erbyn hyn i'r cwestiwn hwn. O ddilyn yr egwyddorion ôl-olygu uchod, dylech chi allu llunio cyfieithiad da o unrhyw destun â chymorth cyfieithu peirianyddol.

## Cyfieithu Peirianyddol a'r Dyfodol

Mae angst i'w deimlo'n aml ymysg cyfieithwyr wrth drafod y dyfodol a chyfieithu peirianyddol, neu o leiaf dyna beth mae ymchwil ddiweddar yn ei awgrymu. Ond er hynny, nid yw cyfieithu peirianyddol wedi cyrraedd y safon lle gall gyfieithu heb ymyrraeth gan fod dynol ym mhob un achos. Y rheswm dros hynny yw bod rhai pethau, er gwaethaf manteision amlwg cyfieithu peirianyddol, na all systemau cyfieithu ddelio'n dda iawn â hwy o gwbl. Un o'r pethau hyn yw dehongli ystyron anghyfansoddiadol ac arlliw geiriau (gweler Pennod 4), fel yr ystyr a fynegir mewn trosiadau a phriod-ddulliau. Mae'r pryderon felly yn ddisail. Hynny yw, os nad yw'r ystyr yn llythrennol, bydd angen cyfieithydd, fel y dadleuwyd uchod. Oherwydd bod iaith drosiadol yn hollbresennol mewn pob math o destunau, mae'n amlwg bod dyfodol i gyfieithwyr. Yn ogystal, o ystyried y gall yr allbwn, hyd yn oed lle mae'n gywir, fod yn rhy lythrennol ac yn rhy ffurfiol, bydd angen sylw gan gyfieithydd proffesiynol i sicrhau bod y testun yn naturiol ac yn addas i'w gynulleidfa. Ac o sôn am sgiliau testunol, ni fyddai'r un peiriant yn deall y llif gwybodaeth, thema a rhema na chydlynrwydd testunol, ond rhaid i'r cyfieithydd fod yn barod i ymyrryd â'r rhain oll er mwyn sicrhau ei fod wedi cyfieithu *testun* i gyfleu neges i ddarllenwyr o gig a gwaed, nid rhyw gyfres ddigyswllt o frawddegau sy'n golygu bron dim i neb. Mae hen ddigon o destunau o'r fath yn y Saesneg; mae'n well peidio â chreu rhagor yn y Gymraeg hefyd. Agwedd arall ar sgiliau testunol yw delio â thestunau ffynhonnell gwallus a'r gallu i gyfieithu er gwaethaf hynny; byddai'n anodd ar y naw i unrhyw system ddehongli'r ystyr gywir ar sail gwybodaeth gefndirol. Os yw'r testun ffynhonnell yn honni bod saith aelod newydd o staff er y gwyddoch chi mai wyth sydd wedi cael swydd newydd, dim ond chi fyddai'n gwybod fel arall. Ond i wneud pwynt difrifol yn hynny o beth, mae gwybodaeth gefndirol ac arbenigedd pwnc yn hanfodol i gyfieithu da, ond mae gwybodaeth gefndirol yn ddiarhebol o anodd ei rhaglennu mewn cyfrifiaduron. Mae cyfieithwyr dynol yn rhagori wrth aralleirio yn gyffredinol hefyd. Fel y gwelwyd ym Mhennod 5, mae cyfres o dechnegau cyffredin ar gael i'r cyfieithydd proffesiynol eu defnyddio. Fel arfer, bydd angen aralleirio oherwydd yr angen i greu cyfieithiad cyfatebol i drosiad neu briod-ddull (fel 'Fel Malwen' ar gyfer *'Dead Slow'*), ond hefyd oherwydd bod yr iaith darged yn mynegi rhyw syniad penodol mewn ffordd wahanol (e.e. 'Cofiwch' ar gyfer *'Don't forget'* neu 'mynd ar drywydd' ar gyfer *'pursue'*). Ni all peiriant wneud hynny gystal â chyfieithwyr dynol. Meddyliwch hefyd am strategaethau addasu a'r angen i ychwanegu neu hepgor gwybodaeth er lles y darllenydd; eto, go brin y gellid disgwyl i beiriant wneud hynny am resymau cwbl amlwg. Gwir y gair, yn sgil dyfod cyfieithu peirianyddol ar sail rhwydweithiau niwral, mai dim ond unigolyn dewr iawn fyddai'n darogan y dyfodol. Mae'n ymddangos bod y dull hwn o gyfieithu peirianyddol yn well na'r dull ar sail ystadegau mewn nifer o ffyrdd (yn eu plith faint o'r allbwn sy'n berffaith gywir), a hynny hyd yn oed yn achos ieithoedd anodd iawn a chyfoethog eu morffoleg.[58] Fodd bynnag, fel y mae ymchwilwyr yn y maes wedi dadlau, mae gwaith yn parhau o hyd ac nid oes lle i ni boeni am ddyfodol y proffesiwn. Hefyd, mae honiadau diweddar am beiriannau sydd cystal (neu hyd yn oed yn well) na chyfieithwyr dynol yn cwympo'n ddarnau weithiau o edrych ar y fethodoleg a ddefnyddiwyd.[59] Cwestiwn perthnasol, fodd bynnag, yw faint o feysydd erbyn hyn nad ydynt wedi manteisio ar dechnoleg ac nad ydynt wedi awtomeiddio'r elfennau symlach o'u prosesau? Yn ôl erthygl yn y Guardian yn 2018, mae system *Versius* yn gallu cynnal llawdriniaeth weddol gymhleth mewn llawer llai o amser na llawfeddygon sydd fel arfer angen rhyw 80 awr o ymarfer i'w gwneud. O'r herwydd, y disgwyl yw y bydd modd i lawer iawn mwy o bobl gael y llawdrinaeth reolaidd sydd ei hangen arnynt, gan adael y gwaith mwy cymhleth i'r arbenigwyr dynol.[60] Ym myd y Gyfraith, yn ôl erthygl gan Gymdeithas y Gyfraith yn yr un flwyddyn, mae deallusrwydd artiffisial o fudd mawr i gyfreithwyr mewn nifer o ffyrdd erbyn hyn.[61] Yn ôl yr erthygl, mae system o'r enw *Lex Machina* hyd yn oed yn gallu helpu cyfreithwyr i ffurfio strategaeth ar gyfer eu hachos ar sail canlyniadau achosion blaenorol. Mae technoleg felly, a ffurfiau ar ddeallusrwydd artiffisial fel cyfieithu peirianyddol ar sail rhwydweithiau niwral, o fudd mawr i gyfieithwyr cyfoes, fel y mae technoleg o fudd i ymarferwyr proffesiynol eraill mewn meysydd fel Llawfeddygaeth a'r Gyfraith heb sôn am Addysg, Cyfrifeg a llwyth o broffesiynau eraill. Y gamp yw i fodau dynol cymwys eu sgiliau cyfieithu ddefnyddio'r dechnoleg honno'n briodol, trwy ddilyn yr egwyddorion ôl-olygu yn Nhabl 23. Rhoddwn y gair olaf i Maite Aragonés Lumeras ac Andy Way, ysgolheigion yn y byd cyfieithu peirianyddol, mewn erthygl yn tafoli galluoedd a diffygion cyfieithu peirianyddol *a* chyfieithwyr dynol:

While the capabilities of MT are often oversold commercially, to the best of our knowledge no MT developers of state-of-the-art engines in academia can be accused of exaggerating their performance. By the same token, some translators take delight in exhibiting where MT falls down, often with spectacular results. While we acknowledge that MT is not (and never will be) perfect, the truth regarding its capabilities lies somewhere in between these two unhelpful extremes.[62]

# Systemau Cof Cyfieithu

Y tu allan i'r maes cyfieithu proffesiynol, cyfieithu peirianyddol yw'r peth cyntaf (a'r unig beth o bosibl) a ddaw i feddwl pobl wrth glywed am dechnoleg a chyfieithu. Fodd bynnag, mae cyfieithu peirianyddol yn un cynhorthwy hanfodol ymhlith nifer o fathau eraill o dechnoleg i gyfieithwyr. Rhoddwyd sylw mawr yn y gyfrol hon i gyfieithu peirianyddol, yn rhannol oherwydd camdybiaethau mynych amdano ond hefyd oherwydd ei fod wedi newid y maes mewn modd arwyddocaol dros y blynyddoedd diwethaf. Er hynny, mae systemau 'cof' cyfieithu yn hynod o gyffredin mewn prosesau cyfieithu proffesiynol ac os nad yw cyfieithwyr yn eu defnyddio i gyfieithu'n barod, maent yn cael eu hannog yn gryf i wneud hynny yng Nghymru a thu hwnt.[63]

## Beth yw systemau cof cyfieithu?

Mae'r gair 'cof' yn bwysig yma; nod systemau cof cyfieithu yw 'cofio' brawddegau y mae cyfieithydd wedi eu cyfieithu yn barod. Mae'r systemau cof cyfieithu hyn yn debyg iawn felly i gronfa ddata sy'n cynnwys corpws o gyfieithiadau y mae cyfieithydd wedi eu gwneud yn barod. Prif waith y systemau hyn felly yw galluogi cyfieithydd dynol i 'ailgylchu' deunydd y mae wedi ei weld a'i drin eisoes, naill ai o fewn yr un prosiect cyfieithu neu rhwng prosiectau, er mwyn arbed amser. Mantais arall defnyddio systemau cof cyfieithu yw cysondeb yn y testun a gwell cysondeb rhwng testunau gwahanol, gan fod y feddalwedd yn medru 'cofio' sut y mae elfennau ieithyddol tebyg yn yr iaith ffynhonnell, fel termau, wedi eu cyfieithu o'r blaen.[64] Canlyniad hyn oll wedyn yw cynnydd yng nghynhyrchedd cyfieithwyr a sicrhau cysondeb. Nid oes fawr o ddadlau ynghylch y manteision hyn yn y maes; mae ymchwil academaidd o'r byd cyfieithu proffesiynol wedi dangos yn glir fod defnyddio systemau cof cyfieithu yn dod â llu o fanteision i'r cyfieithydd proffesiynol a bod modd cynyddu cynhyrchedd cyfieithwyr yn fawr.[65] Mae ymchwil ynghylch defnyddio systemau cof cyfieithu i gyfieithu rhwng y Gymraeg a'r Saesneg hefyd wedi dangos bod defnyddio'r systemau yn cyflymu'r broses gyfieithu ac yn arbed gwaith teipio ac ymdrech feddyliol i'r cyfieithydd.[66] Yn y bôn, ni ddylai fod angen cyfieithu brawddeg am yr eilwaith os cyfieithwyd hi fis yn ôl. Yn yr un modd, ni ddylai sefydliadau dalu'r pris llawn i gyfieithydd am gyfieithu brawddegau sydd wedi eu cyfieithu'n barod ychwaith. I weld sut mae systemau cof cyfieithu yn edrych, mae sgrin-lun o system adnabyddus ar y farchnad o'r enw *Memsource* isod. Yn dilyn y cyflwyniad cyffredinol uchod, byddwn yn trafod prif nodweddion y systemau hyn fesul un. Er bod pob system ar y farchnad ychydig yn wahanol, maent oll yn gwneud yr un peth.

## *Cyfatebiaethau*

Mae systemau cof cyfieithu yn atgynhyrchu brawddegau, neu rannau o frawddegau, y maent wedi eu gweld o'r blaen ar ffurf Cyfatebiaethau, neu '*Matches*' yn ieithwedd y maes. Mae systemau cof cyfieithu yn dod o hyd i'r Cyfatebiaethau hyn gan ddefnyddio algorithm cydweddu neu baru, sy'n cymharu'r brawddegau ffynhonnell newydd â chyfieithiadau o frawddegau ffynhonnell tebyg eraill y mae'r system wedi eu gweld yn y gorffennol. Er nad yw'r cwmnïau masnachol sy'n datblygu ac yn gwerthu'r systemau hyn yn cyhoeddi sut y

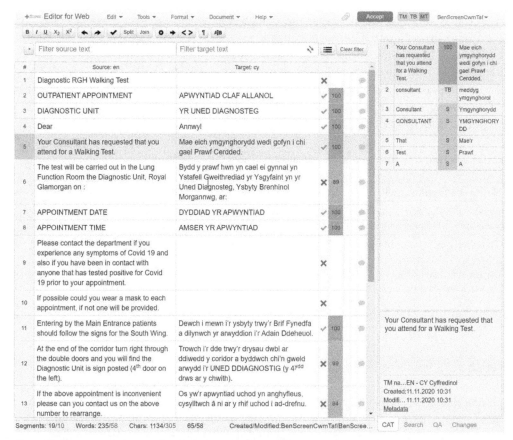

Ffigur 12 Rhyngwyneb System Cof Cyfieithu Memsource[67]

mae'r algorithmau hyn yn gweithio, mae'r rhan fwyaf ohonynt yn gweithio ar sail algorithm sy'n cymharu tebygrwydd nodau mewn cyfres.[68] Pellter Levenshtein yw'r enw ar yr algorithm hwn. Gall y system ddod o hyd i dri phrif fath o Gyfatebiaeth gan ddefnyddio'r algorithm cydweddu hwn, ac yn y broses o gynhyrchu'r Cyfatebiaethau mae hefyd yn rhoi sgôr iddynt ar ffurf canran fel arfer. Y termau a ddefnyddir ar gyfer y tair Cyfatebiaeth hyn yw Cyfatebiaeth Lawn [*Full Match / Perfect Match / 100% Match/ 101 Match*], Cyfatebiaeth Rannol [*Fuzzy Match*] a Dim Cyfatebiaeth [*No Match*]. Yn y llun o system cof cyfieithu cyfoes poblogaidd (Ffigur 12), mae modd gweld y rhif '89' ar yr ochr dde (yn y blwch sy'n dechrau gyda '*The test will be carried out...*'). Mae'r system wedi cyfrifo sgôr o 89 ar gyfer y frawddeg newydd. Golyga hyn fod y system yn nodi bod y frawddeg newydd '89%' yn debyg i frawddeg arall sydd yn ei gronfa o gyfieithiadau blaenorol. Yn ogystal, o edrych ar yr ochr dde bellaf, mae blwch arall gyda'r rhif '100' ynddo wrth ochr brawddeg Gymraeg (sy'n dechrau gyda '*Your Consultant has requested...*'). Dengys hyn fod y frawddeg newydd yn y blwch arall ar y dde â Chyfatebiaeth Lawn (ac felly gyfatebiaeth '100') yn y gronfa hefyd.[69] Yn hytrach na chyfieithu o'r newydd felly, gall y cyfieithydd ddefnyddio'r Gyfatebiaeth Lawn sy'n gyfieithiad o'r frawddeg ffynhonnell eisoes, heb orfod ei chyfieithu eto. Yn y bôn, yr hyn y dylech chi ei gofio yw bod modd i systemau cof cyfieithu gynnig brawddegau sydd wedi eu cyfieithu o'r blaen (gweler y blwch gyda '100' ynddo, sy'n dechrau gyda '*Your Consultant has requested...*') neu frawddegau tebyg y gellid eu haddasu i greu cyfieithiad (y blwch â '89' ynddo, sy'n dechrau gyda '*The test will be carried out...*'). I esbonio ymhellach, mae enghraifft syml isod. Mae'r frawddeg gyntaf yn Gyfatebiaeth Lawn felly ni fyddai rhaid gwneud dim â hi oni bai bod y cyd-destun a'r cywair yn newid. Yn yr ail frawddeg, mae'r system wedi cynnig cyfieithiad o'r gronfa sydd 77% yn debyg, ac mae'r gwahaniaethau (y byddai rhaid eu haddasu) i'w gweld mewn ffont italig ac wedi eu tanlinellu.

**Tabl 24 Enghraifft o Gyfatebiaeth Lawn a Rhannol o System Cof Cyfieithu**

| Segment Ffynhonnell | Lefel y Gyfatebiaeth | Cynnig y System |
| --- | --- | --- |
| Ni fydd yr adroddiad ar gael ar y we tan y flwyddyn newydd | 100% (Cyfatebiaeth Lawn) | The report will not be available online until the New Year |
| This issue is not explored here as it is a web2.0 issue and organisations will have to decide where this boundary lies. | 77% (Cyfatebiaeth Rannol) | Ni chaiff y mater hwn ei drafod yma gan ei fod yn fater *ehangach* i we2.0 a bydd angen i sefydliadau benderfynu *drostynt eu hunain* ble mae'r ffin*iau* i fod. |

## Defnyddio Cyfieithu Peirianyddol a Systemau Cof Cyfieithu

Yn draddodiadol, defnyddid y ddwy dechnoleg hyn ar wahân, ac os defnyddid cyfieithu peirianyddol mewn cyd-destun proffesiynol byddai'r cyfieithydd wedi gorfod ôl-olygu mewn rhaglen trydydd parti megis prosesydd geiriau yn y gorffennol. Wrth i gyfieithu peirianyddol wella, mae nifer o werthwyr systemau cof cyfieithu wedi cynnwys ategyn cyfieithu peirianyddol yn eu systemau sy'n cysylltu'r system cof cyfieithu â darparwr cyfieithu peirianyddol. Mae'r prif systemau sydd ar y farchnad, fel fersiynau diweddar Memsource, SDL Trados Studio, Déjà Vu a WordFast Pro, oll yn caniatáu i'r defnyddiwr fanteisio ar systemau Google Translate, Microsoft Translator, Amazon Translate a nifer o systemau eraill, ynghyd â systemau a grëwyd gan y defnyddiwr ar sail cronfeydd data penodol (h.y. '*customized MT*' a grëwyd â meddalwedd Moses er enghraifft, gan ddefnyddio ffeiliau cof cyfieithu mawr cwmni cyfieithu hirsefydledig).[70] Yn hytrach na rhagbrosesu testun i'w gyfieithu yn ei gyfanrwydd gan ddefnyddio cof cyfieithu yn unig, mae'r prif systemau ar y farchnad heddiw yn galluogi'r cyfieithydd i lenwi segmentau gwag, sef brawddegau yn y testunau ffynhonnell nad oes deunydd cyfatebol yn y system cof cyfieithu ar ei gyfer, â deunydd o system cyfieithu peirianyddol o ddewis y cyfieithydd. Os nad oes dim yn y cof cyfieithu o dan ganran benodol (sef 70% er enghraifft; o dan y trothwy hwn nid yw'r system yn debygol o ganfod data ieithyddol defnyddiol), gellid ôl-olygu'r allbwn o system cyfieithu peirianyddol a roddir yn awtomatig yn y segment nad oes dim allbwn o'r system cof cyfieithu ar ei gyfer. Golyga hyn y gall y cyfieithydd elwa o destun awtomatig wrth ffurfio cyfieithiad hyd yn oed os nad yw'r system cof cyfieithu yn gallu ei gynorthwyo. Bydd yr hyn a ôl-olygwyd i ffurfio cyfieithiad llwyddiannus ar gael yng nghronfa'r system cof cyfieithu wedyn i gael ei ailddefnyddio yn y dyfodol.

*Natur gylchol cyfieithu â chymorth cyfrifiadur*

Mae systemau cof cyfieithu felly yn ei gwneud yn bosibl i gyfieithwyr ailddefnyddio brawddegau sydd wedi eu cyfieithu eisoes. Wrth 'ailddefnyddio', bydd angen eu gwirio eto'n sydyn, i sicrhau eu bod yn cyfateb o ran ystyr a bod y cywair yn iawn, ond ni fydd angen cyfieithu dim eto y rhan fwyaf o'r amser yn achos cyfatebiaethau llawn. Bydd yr un brawddegau, felly, yn dod yn ôl dro ar ôl tro. Mae goblygiadau i deithiau cylchol y brawddegau hyn ar wahân i arbed amser ac ymdrech a chynyddu cynhyrchedd, a thrafodwn y rhain yn fras i gryfhau'r ddadl dros ddefnyddio technoleg cyfieithu ymhellach.

Yn gyntaf, natur gylchol brawddegau a thestunau. Unwaith i frawddeg gael ei chyfieithu, o'r newydd neu drwy ôl-olygu allbwn system cyfieithu peirianyddol, ni ddylai fod angen ei chyfieithu eto o ddefnyddio system cof cyfieithu. Bydd yn ymddangos yn barod i gael ei chynnwys yn y testun targed bob tro. Bydd y brawddegau hyn felly yn cylchdroi trwy ddogfen ar ôl dogfen, neu'n ymddangos ar dudalen we ar ôl tudalen we, heb fawr o ymdrech wedi'r broses gyfieithu wreiddiol. Wrth oedi i feddwl am hyn am ennyd, mae hyn yn syfrdanol. Yr hyn sy'n drawiadol am hyn yw y bydd cannoedd os nad miloedd, ac yn achos rhai brawddegau ar wefannau a'r cyfryngau cymdeithasol, gannoedd o filoedd o bosibl, o bobl yn darllen brawddegau sydd wedi eu cynnig gan y cof cyfieithu. Wrth gyfieithu felly, rhaid cofio ei bod yn werth cyfieithu pob un frawddeg i safon uchel, am y gall y frawddeg unigol honno ymddangos sawl gwaith yn unrhyw le. Hynny yw, yn lle meddwl na fydd rhyw lawer yn darllen y ddogfen sych hon ac felly ildio i'r gred nad oes fawr o bwynt cymryd gofal, cofiwch y gall pob un darn o waith a wneir mewn system o'r fath gael ei ailddefnyddio eto naill ai yn ei gyfanrwydd, neu'n rhannol ar ffurf 'cyfatebiaeth rannol' [*fuzzy match*], rywbryd yn y dyfodol. Yn ogystal, bydd rhai rheolwyr a gwarcheidwaid y ceiniogau yn dadlau bod cyfieithu'n ddrud a bod cyfieithu rhai mathau o ddogfennau, nad yw llawer o bobl yn eu darllen yn Saesneg hyd yn oed, yn wastraff ar adnoddau. Fodd bynnag, mae cyfieithu â chymorth cyfrifiadur yn cyfrannu at 'gadwyn gyfieithu' lle bydd y cyfieithiad dan sylw, rywle yn y broses, yn cael ei ddarllen gan rywun, rywle, bob tro. Erbyn i 'oes' brawddeg ddod i ben, gallai hi fod wedi cael ei darllen filoedd os nad cannoedd o filoedd o weithiau, er mai dim ond unwaith y cyfieithwyd hi ac, yn ddelfrydol, er mai dim ond unwaith y talwyd amdani. Arbed arian yw hwnnw, nid ei wastraffu.

Yn ail, arbed arian. Os yw rhannau helaeth o ddogfen wedi eu cyfieithu yn barod, gellid talu'r pris llawn i'r cyfieithydd gyfieithu'r darnau newydd yn unig, a gofyn am ostyngiad wedyn ar gyfer y gweddill lle byddai'n rhaid i'r cyfieithydd wirio'n sydyn eu bod yn gywir. Wrth reswm, pe bai angen eu newid wedyn, byddai angen talu'r cyfieithydd yn deg. Trwy ailgylchu cyfieithiadau a wnaed eisoes felly, mae modd i sefydliadau arbed arian a gall y swm hwnnw fod yn un mawr os yw'r sefydliad yn un mawr. Gellir gwneud hynny yn achos ôl-olygu hefyd, lle mae modd talu pris fesul gair llai i'r cyfieithydd am ôl-olygu testunau yn hytrach na'u cyfieithu, neu godi ffi fesul awr yn lle fel y gweir mewn proffesiynau eraill. Wrth gytuno i wneud hynny, fodd bynnag, dylai'r cyfieithydd fwrw golwg dros y testun i'w ôl-olygu i sicrhau bod y cyfieithu peirianyddol o safon uchel, mynnu gweld y testun ffynhonnell hefyd a sicrhau bod y model prisio yn un hyblyg (hynny ydy, bod y pris i'ch talu'n gallu codi os yw'r gwaith ôl-olygu'n fwy nag a ragwelwyd; gall hyn ddigwydd os yw safon y cyfieithu peirianyddol yn wael, os oes rhaid gwneud newidiadau testunol i sicrhau cydlynrwydd testunol (gweler Pennod 6) ac os oes rhaid gwneud ymchwil i gyfieithu'n gywir er enghraifft). O ran modelau prisio ar gyfer ôl-olygu testunau, mae angen yng Nghymru i ni gael canllawiau pendant a thrafodaeth helaethach rhwng pob rhanddeiliad cyn i ni ddechrau gwneud hyn ymysg y gymuned o gyfieithwyr llawrydd.

Yn drydydd, cyfrannu at gorpws electronig cyffredinol ar gyfer y Gymraeg, a fydd o fudd mawr ym maes technoleg iaith. Mae corpora cyfochrog mawr yn hollbwysig wrth greu peiriannau cyfieithu da, a gellir eu defnyddio hefyd ar gyfer ymchwil ieithyddol ac i gynorthwyo cyfieithwyr eraill wrth iddynt chwilio am gyfieithiad i fannau anodd mewn brawddegau. Po fwyaf o gofau cyfieithu sydd felly, y gorau oll. Braf fyddai gweld hefyd rywfath o gof cyfieithu cenedlaethol i Gymru gyfan y gallai cyfieithwyr ledled Cymru gyfrannu ato a dibynnu arno, i hwyluso gwell cyfieithu a chyfieithu cyflymach ym mhob cwr o'r wlad. Byddai'r 'gadwyn gyfieithu' y soniwyd amdani uchod felly yn wir yn talu ar ei chanfed pe bai system cenedlaethol o'r fath yn gweld golau dydd.

## Cronfeydd Terminoleg

Mae systemau cof cyfieithu hefyd yn cynnwys cronfeydd terminoleg. Mae cronfeydd terminoleg yn gronfeydd electronig lle gellid storio termau. Ystyr 'term' yw gair ag ystyr benodol mewn cyd-destun penodol i gyfleu cysyniad penodol; er enghraifft, mae 'Prawf Electrocardiograff 12-gwifren' yn derm iechyd ac mae 'Gorchymyn Cyfyngu Cyfrif' yn derm cyfreithiol. Yn hynny o beth, nid yw gair cyffredinol fel 'drws' neu 'ysgrif' yn dermau fel y cyfryw. Gall cronfeydd terminoleg storio termau a gwybodaeth amdanynt fel gwybodaeth am y rhan ymadrodd (ai berf, enw neu ansoddair ydyw) neu'r cyd-destun y dylid eu defnyddio ynddo er enghraifft. Gall defnyddio cronfa derminoleg sicrhau bod y cyfieithydd neu dîm o gyfieithwyr i gyd yn defnyddio'r un termau. Gall arbed amser hefyd gan na fydd rhaid chwilio am dermau cyfatebol yn yr iaith darged. Fel arfer, o roi term mewn cronfa dermau a chysylltu'r gronfa honno â phrosiect cyfieithu, bydd y system cof cyfieithu yn lliwio'r term perthnasol yn yr iaith ffynhonnell ar y sgrin ac yn dangos y term cywir yn yr iaith darged ar yr ochr i dynnu eich sylw ato. Am enghraifft o hyn, gweler Ffigur 12 uchod a'r ymdriniaeth o'r term 'Consultant'.

## Rhannu ffeiliau cof cyfieithu a chronfeydd terminoleg

Mae systemau cof cyfieithu yn dangos y cyfieithiadau ar y sgrin lle byddwch chi'n teipio (gweler y ddelwedd uchod). Fodd bynnag, mae'r cyfieithiadau hyn yn cael eu cadw mewn ffeil arbennig yn y system, ac mae modd lawrlwytho'r ffeil hon a'i rhannu. Yr estyniad ffeil yw .tmx, ac nid oes ots pa system sydd gennych, bydd modd rhannu'r ffeiliau hyn a'u defnyddio ym mhob system. Y ffeil gyfatebol ar gyfer cronfeydd terminoleg yw .tbx, ac mae modd rhannu'r rhain hefyd â chyfieithwyr eraill.[71] Mae hyn yn gweithio'r ffordd arall hefyd ac mae modd *uwchlwytho'r* ffeiliau hyn er mwyn cael budd gan gyfieithiadau o rywle arall. Mae'n bwysig sicrhau bod ansawdd y cyfieithiadau yn ddigon da cyn rhannu neu dderbyn ffeiliau cof cyfieithu mewn cyd-destun proffesiynol.

## Crynhoi

Mae maes technoleg cyfieithu yn un eang ac amlweddog, ond canolbwyntiwyd yma ar y ddwy brif dechnoleg y mae cyfieithwyr yn eu defnyddio erbyn hyn wrth eu gwaith, sef systemau cof cyfieithu a chyfieithu peirianyddol. Ni fydd modd osgoi defnyddio'r rhain yn y byd cyfieithu cyfoes, a thrafodwyd ymchwil a ddangosodd nad oes fawr i'w ennill o wneud hynny pa un bynnag. Mae ofnau y bydd swyddi yn y fantol hefyd yn ddisail; ymddengys fod y nifer o swyddi cyfieithu yng Nghymru wedi cynyddu dros y blynyddoedd diwethaf ochr yn ochr â datblygiadau ym maes technoleg cyfieithu, ac roedd Comisiwn Ewrop hyd at Fawrth 2020 yn ceisio dod o hyd i ddim llai na 50 cyfieithydd Gwyddeleg er enghraifft, sy'n ymgyrch recriwtio fawreddog o ystyried yr honiadau gan rai bod dim angen cyfieithwyr.[72] Mae gan y Wyddeleg ei systemau cyfieithu peirianyddol hefyd, ond nid oedd y ffaith honno'n faen tramgwydd o fath yn y byd i'r ymgyrch honno. Er hynny, mae cyfieithu peirianyddol a systemau cof cyfieithu wedi newid y byd cyfieithu am byth ac o'r herwydd bydd gofyn i fyfyrwyr cyfieithu'r dyfodol ymgyfarwyddo â'r dechnoleg a chadw meddwl agored. Oherwydd natur iaith, mathau gwahanol o ystyr a chyfyngiadau ar y math o wybodaeth y gall meddalwedd ei phrosesu, disail yw unrhyw honiadau y bydd swydd y cyfieithydd yn anacronistaidd ac yn ddibwynt yn y dyfodol. Rhaid troi nawr nid at honiadau am gael gwared ar gyfieithwyr ar y naill law neu warafun i systemau cyfieithu unrhyw le o gwbl mewn prosesau proffesiynol ar y llaw arall, ond at ganolbwyntio ar *sut* y dylid defnyddio'r systemau hyn. Oherwydd lle canolog cyfieithwyr mewn ymdrechion cynllunio ieithyddol a'u cyfraniad at sicrhau cydraddoldeb ieithyddol, o ystyried y gall defnyddio technoleg cyfieithu gynyddu cynhyrchedd y cyfieithydd yn fawr o'i defnyddio'n iawn, mae'r buddion i siaradwyr y Gymraeg a chynllunio ieithyddol yn amlwg. Dylid ymgyfarwyddo â gwahanol systemau cof cyfieithu a chyfieithu peirianyddol felly cyn dechrau ym maes cyfieithu. Fel y dywed Andy Way a Maite Aragonés Lumeras, '*While we acknowledge that MT is not (and never will be) perfect, the truth regarding its capabilities lies somewhere in between these two unhelpful extremes*'. Y gwir, felly, yw bod cyfieithu proffesiynol ledled y byd bellach yn mynd rhagddo i raddau helaeth dan reolaeth cyfieithydd proffesiynol â chymorth mawr gan gyfieithu peirianyddol, systemau cof cyfieithu, adnoddau terminoleg technegol cynhwysfawr a systemau llif gwaith wedi'u hawtomeiddio. Neu, a defnyddio ymadrodd sy'n cyson ennill ei blwyf, '*AI augmented translation*'.[73]

## Nodiadau

1    John Hutchins, 'Machine translation: History of research and applications', yn Sin-Wai Chan (gol.), *Routledge Encyclopedia of Translation Technology* (London: Routledge, 2014).

2    Thierry Poibeau, *Machine Translation* (Cambridge Massachusetts: MIT Press, 2017), t. 51.

3    Mae'r ysgrif wedi ei hailgyhoeddi yn Sergei Nirenburg, Harold Somers a Yorick Wilks (goln), *Readings in Machine Translation* (Cambridge Massachusetts: MIT Press, 2003), tt. 13–19.

4    Poibeau, t. 52.

5    Harold Somers, 'Introduction' yn Harol Somers (gol.), *Computers and Translation: A Translator's Guide* (Amsterdam/Philadelphia: John Benjamins Publishing Company, 2003), tt. 1–11.

6    Poibeau, t. 87.

7    Poibeau, t. 73.

8    Poibeau, t. 194.

9    Dafydd Jones ac Andreas Eisele, 'Phrase-based statistical machine translation between English and Welsh', yn *Strategies for developing machine translation for minority languages, 5th SALTMIL Workshop on Minority Languages* LREC-2006 Genoa, Yr Eidal, 75–78.

10   Francis Tyers a Kevin Donnelly, 'Apertium-cy - a collaboratively-developed free RBMT system for Welsh to English', *The Prague Bulletin of Mathematical Linguistics*, 91 (2009), 57–66.

11   *http://techiaith.bangor.ac.uk/rheolyn-a-cyfieithyn/* [Cyrchwyd: 12/12/2020]

12   Myfyr Prys a Dewi Bryn Jones, 'Embedding English to Welsh MT in a Private Company, yn *Proceedings of the Celtic Language Technology Workshop 2019*, Dulyn, Iwerddon. *European Association for Machine Translation*, 41-47. *https://www.aclweb.org/anthology/W19-6906/* [Cyrchwyd: 29/12/2020].

13   *http://techiaith.cymru/cyfieithu/demo/* [Cyrchwyd: 29/12/2020].

14   Ben Screen, 'Defnyddio Cyfieithu Awtomatig a Chof Cyfieithu wrth gyfieithu o'r Saesneg i'r Gymraeg: Astudiaeth ystadegol o ymdrech, cynhyrchedd ac ansawdd gan ddefnyddio data Cofnodwyr Trawiadau Bysell a Thracio Llygaid' (traethawd PhD heb ei gyhoeddi, Prifysgol Caerdydd, Caerdydd, 2018).

15   *https://yandex.com/company/blog/one-model-is-better-than-two-yu-yandex-translate-launches-a-hybrid-machine-translation-system/* [Cyrchwyd: 29/12/2020].

16   Screen, 'Productivity and Quality when editing Machine Translation and Translation Memory Outputs: An Empirical Analysis of English to Welsh Translation', *Studia Celtica Posnaniensia* 2 (2017), 119–142.

17   Screen, 'What effect does post-editing have on the translation product from an end-user's perspective', *The Journal of Specialized Translation* 30 (2019), 133–157.

18   *https://cloud.google.com/translate/docs/languages* [Cyrchwyd: 29/12/2020].

19   *https://senedd.cymru/senedd-nawr/newyddion/llwyfan-byd-eang-i-r-gymraeg-y-cynulliad-yn-gweithio-gyda-microsoft-i-lansio-cyfleuster-cyfieithu-peirianyddol-cymraeg/* [Cyrchwyd: 07/03/2021]

20   *https://docs.microsoft.com/en-us/azure/cognitive-services/translator/language-support* [Cyrchwyd: 29/12/2020].

21   Amazon Web Services, 'Amazon Translate: Developers Guide', Amazon 2021

22   *https://engineering.fb.com/2018/09/11/ml-applications/expanding-automatic-machine-translation-to-more-languages/* [Cyrchwyd: 06/03/2021]

23   *https://bit.ly/3ngAerh* [Cyrchwyd: 29/12/2020].

24   *https://play.google.com/store/apps/details?id=free_translator.cyen* [Cyrchwyd: 29/12/2020].

25   Mae Llywodraeth Cymru, yn rhan o'i Chynllun Gweithredu Technoleg Cymraeg, yn awyddus i ragor o beiriannau cyfieithu gael eu datblygu, ac mae'n ariannu gweithgarwch yn y maes hwn er enghraifft yn y sector addysg uwch (gweler Llywodraeth Cymru, *Cynllun Gweithredu Technoleg Cymraeg: Adroddiad Cynnydd 2020* (Caerdydd, Llywodraeth Cymru). Ar lein: *https://llyw.cymru/sites/default/files/publications/2020-12/cynllun-gweithredu-technoleg-cymraeg-adroddiad-cynnydd-2020.pdf* [Cyrchwyd: 29/12/2020].

26   Nid oes modd defnyddio'r esgus hon bob tro; mewn etholaeth â mwyafrif Cymraeg ei iaith, nid oes modd cyfiawnhau defnydd yr Aelod Seneddol Ceidwadol dros Fôn o declyn cyfieithu i gyfieithu gwefan i etholwyr, yn enwedig pan fo cyfundrefn ariannol ar gael i ariannu'r fath fentrau a llond y lle o gyfieithwyr proffesiynol yn byw yno. Ar gael: *https://www.bbc.co.uk/news/uk-wales-politics-53282713* [Cyrchwyd: 30/12/2020].

27   Meleri W. James, *Sgymraeg* (Tal-y-bont: Y Lolfa, 2011); Meleri W. James, *Mwy o Sgymraeg* (Tal-y-bont: Y Lolfa, 2013).

28   Allan Martin, 'A European Framework for Digital Literacy', *Digital Kompetanse*, 2 (2006), 151–161.

29   Llywodraeth Cymru, *Fframwaith Cymhwysedd Digidol – Canllawiau* (Caerdydd: Llywodraeth Cymru, 2018).

30   Llywodraeth Cymru, t.2.

31   Mae systemau ar sail rhwydweithiau niwral yn gallu hepgor unedau ystyr fel y nodwyd uchod, a gallent gynhyrchu iaith sydd mor gywir yn ieithyddol (weithiau) fel y gall ymddangos nad oes gwallau er bod gwallau ystyr.

32   Mae hyn yn arbennig o wir yn achos cyfieithu proffesiynol, ond o dalu am y gwasanaeth yn hytrach na defnyddio peiriannau am ddim, bydd mwy o reolaeth gan y defnyddiwr ac ni fydd y data yn cael eu rhannu.

33   Lynne Bowker, 'Machine Translation Literacy as a social responsibility', *UNESCO Language Technologies for All Conferences*, Paris, 4-6 Rhagfyr 2019.

34   Bowker.

35   Christopher Mellinger, 'Computer-Assisted Translation: An Investigation of Cognitive Effort' (traethawd PhD heb ei gyhoeddi, Prifysgol Kent State, Talaith Ohio, 2014); Michael Carl, Silke Gutermuth a Silvia Hansen-Schirra, 'Post-editing Machine Translation: Efficiency, Strategies and Revision Processes in Professional Translation Settings' yn Aline Ferreira a John W. Schwieter (goln), *Psycholinguistic and Cognitive Inquiries into Translation and Interpreting* (Amsterdam/Philadelphia: John Benjamins Publishing Company, 2015), tt. 145–174; Arlene Koglin, 'An empirical investigation of cognitive effort required to post-edit machine translated metaphors compared to the translation of metaphors', *Translation and Interpreting* 7(1) (2015), 126–141.

36   Am drafodaeth fanwl am hyn a darluniad o'r broses gyfieithu a'r broses gywiro ar waith gan ddefnyddio theori wybyddol, gweler traethawd doethurol yr awdur, *Defnyddio Cyfieithu Awtomatig a Chof Cyfieithu wrth gyfieithu o'r Saesneg i'r Gymraeg: Astudiaeth ystadegol o ymdrech, cynhyrchedd ac ansawdd gan ddefnyddio data Cofnodwyr Trawiadau Bysell a Thracio Llygaid*, tt. 100–111.

37   Sharon O'Brien, 'An Empirical Investigation of Temporal and Technical Post-editing Effort', *Translation and Interpreting Studies* 2(1) (2007), 83–136; Michael Carl et al., *The Process of Post-Editing: A pilot study* Ar gael: *https://research.cbs.dk/en/publications/the-process-of-post-editing-a-pilot-study* [Cyrchwyd: 04/06/2020].

38   Screen, 'Machine Translation and Welsh: Analysing free Statistical Machine Translation for the professional translation of an under-researched language pair', *The Journal of Specialized Translation* 28(1) (2017), 317–344.

39   Screen, 'What effect does post-editing have on the translation product from an end-user's perspective?'.

40   Screen, 'Productivity and Quality when editing Machine Translation and Translation Memory Outputs: An Empirical Analysis of English to Welsh Translation', *Studia Celtica Posnaniensia* 2 (2017), 119–142.

41   Jean Nitzke, Silvia Hansen-Schirra a Carmen Canfora, 'Risk management and post-editing competence', *The Journal of Specialized Translation*, 31 (2019), 239–259; Sharon O'Brien, 'Teaching Post-editing: A Proposal for Course Content', yn Harold Somers (gol.) *6th EAMT Workshop on Teaching Machine Translation*, Manchester, England, Tachwedd 14–15 2002; Celia Rico ac Enrique Torrejón, 'Skills and Profile of the New Role of the Translator as MT Post-editor', *Revista Tradumàtica* 10 (2012), 166–178.

42   Ke Hu a Patrick Caldwell, 'A Comparative Study of Post-editing Guidelines', *Baltic Journal of Modern Computing*, 4(2) (2016), 346–353.

43   Hearn, Elgan (2021), 'Council proposes cuts to Welsh language translation budget', *Nation.Cymru*, 1 Chwefror 2021. Ar lein: *https://nation.cymru/news/council-proposes-cuts-to-welsh-language-translation-budget/* [Cyrchwyd: 09/03/2021].

44   Translation Automation Users Society, 'MT Post-editing Guidelines' [Ar lein] (Amsterdam, 2016). Ar gael: *https://www.taus.net/academy/best-practices/postedit-best-practices/machine-translation-post-editing-guidelines* [Cyrchwyd: 07/10/2020].

45   Valentina Uswak, 'Einsatz der Maschinellen Übersetzung im Übersetzungsprozess in Unternehmen' yn Jan Mugele, Gabriele Helga Franke a Doreen Schincke (goln), *Tagungsband der Nachwuchswissenschaftlerkonferenz* Magdeburg, 24 Ebrill 2014, 70-73.

46   Sharon O'Brien, 'Machine-Translatability and Post-Editing Effort: An Empirical Study using Translog and Choice Network Analysis' (traethawd PhD heb ei gyhoeddi, Prifysgol Dinas Dulyn, Dulyn, 2006).

47   Er enghraifft, dangosodd astudiaeth o 2017 nad oedd modd i'r cyfranogwyr wahaniaethu rhwng testun a gyfieithwyd heb dechnoleg a thestun a gyfieithwyd trwy ôl-olygu priodol ac effeithiol â'r nod o greu testun o ansawdd uchel (gweler Joke Daems, Orphée De Clercq a Lieve Macken, 'Translationese and

post-editese: How comparable is comparable quality?' *Linguistica Antverpiensia, New Series: Themes in Translation Studies*, 16 (2017), 89–103.

48    Srinivas Bangalore et al., 'The role of syntactic variation in translation and postediting', *Translation spaces*, 4(1) (2015), 119–144.

49    Atonio Toral, 'Post-editese: an Exacerbated Translationese' yn *Proceedings of MT Summit XVII*, Volume 1. Dulyn, Awst 19-23 2019, 273–281.

50    Eva Vanmassenhove, Dimitar Shterionov a Matthew Gwilliam, '*Machine Translationese: Effects of Algorithmic Bias on Linguistic Complexity in Machine Translation*', fersiwn cyn cyhoeddi o Ionawr 2021. Ar gael: *https://arxiv.org/abs/2102.00287v1* [Cyrchwyd: 01/02/2021]; Eva Vanmassenhove, Dimitar Shterionov ac Andy Way, 'Lost in Translation: Loss and Decay of Linguistic Richness in Machine Translation' yn Mikel Forcada, Andy Way, Barry Haddow a Rico Sennrich (goln), *Proceedings of Machine Translation Summit XVII Volume 1: Research Track* Dulyn, 2019. Ar gael: *https://www.aclweb.org/anthology/W19-6622/* [Cyrchwyd: 01/02/2021].

51    Billy T. M. Wong a Chunyu Kit, 'Extending Machine Translation Evaluation Metrics with Lexical Cohesion To Document Level', yn Jun'ichi Tsujii, James Henderson a Marius Paşca (goln), *Proceedings of the 2012 Joint Conference on Empirical Methods in Natural Language Processing and Computational Natural Language Learning*, Ynys Jeju, Corea, 12–14 Gorffennaf 2012, tt. 1060–1068; Beata Beigman Klebanov a Michael Flor, 'Associative Texture is Lost in Translation' yn Bonnie Webber et al. (goln), *Proceedings of the Workshop on Discourse in Machine Translation*, Sofia, Bwlgaria Awst 2013, tt. 27–32.

52    John Newton, 'Introduction and Overview' yn John Newton (gol.), *Computers in Translation: A Practical Appraisal* (London: Routledge, 1992), tt. 1–14; Chiew Kin Quah, *Technology and Translation* (London: Palgrave Macmillan, 2006).

53    I ddeall y ddadl hon, mae'n syniad da i chi ddarllen Pennod 4 eto a'ch atgoffa eich hun o beth yw ystyron cyfansoddiadol ac anghyfansoddiadol. Gan symleiddio, ystyron cyfansoddiadol yw ystyron llythrennol fwy neu lai lle mae perthynas rhwng yr ystyr waelodol a'r ffurfiau ieithyddol arwynebol. Ystyron anghyfansoddiadol ar y llaw arall yw iaith drosiadol, idiomatig neu anllythrennol lle nad oes perthynas uniongyrchol rhwng yr ystyr waelodol a'r ffurfiau ieithyddol arwynebol.

54    Yn ôl Google Translate: Beirniadwyd yr adran yn hallt gan yr archwilydd v. Cafodd yr adran ei slamio gan yr archwilydd.

55    Yn ôl Google Translate: Cafwyd glawiad sylweddol v. Mae'n bwced i lawr.

56    Yn ôl Google Translate: Byddwn yn cadw'r rhanddeiliaid yn gyfredol ac yn y ddolen.

57    Patrick Cadwell, Sharon O'Brien a Carlos Teixeira, 'Resistance and accommodation: factors for the (non-) adoption of machine translation among professional translators', *Perspectives in Translatology* 26(3) (2018), 301–321; Sergi Alvarez Vidal, Antoni Oliver a Toni Badia, 'Post-editing for Professional Translators: Cheer or Fear?', *Revista Tradumàtica* 18 (2020), 49–69.

58    Luisa Bentivogli et al., 'Neural versus Phrase-Based Machine Translation Quality: a Case Study' yn *Proceedings of the 2016 Conference on Empirical Methods in Natural Language Processing*, Texas 2016, 257–267; Sheila Castilho et al., A Comparative Quality Evaluation of PBSMT and NMT using Professional Translators yn *Proceedings of MT Summit XVI*, Vol.1: Research Track Nagoya, Medi 18-22 2017, 116–131; Maria Stasimioti et al., 'Machine Translation Quality: A comparative evaluation of SMT, NMT and tailored-NMT outputs' yn *Proceedings of the 22nd European Association for Machine Translation Conference*, Tachwedd 3–5 2020 a gynhaliwyd ar lein, 441-450; Filip Klubička, Antonio Toral a Victor M. Sánchez-Cartagena, 'Fine-grained human evaluation of neural versus phrase-based machine translation', *Prague Bulletin of Mathematical Linguistics* 108 (2017), 121–132; Filip Klubička, Antonio Toral, a Victor M. Sánchez-Cartagena, Quantitative finegrained human evaluation of machine translation systems: a case study on English to Croatian, *Machine Translation* 32(3) (2018), 195–215; Yanfang Jia, Michael Carl a Xiangling Wang, Post-editing neural machine translation versus phrase-based machine translation for English–Chinese, *Machine Translation* 33 (2019), 9–29.

59    Antonio Toral, 'Reassessing Claims of Human Parity and Super-Human Performance in Machine Translation at WMT 2019' yn *Proceedings of the 22nd European Association for Machine Translation Conference*, Tachwedd 3-5 2020 a gynhaliwyd ar lein, 185–195.

60  Devlin, Hannah (2018), 'The robots helping NHS surgeons perform better, faster – and for longer', *The Guardian*, 4 Gorffennaf 2018. Ar lein: *https://www.theguardian.com/society/2018/jul/04/robots-nhs-surgeons-keyhole-surgery-versius* [Cyrchwyd: 06/10/2020].

61  The Law Society (2018), 'Six ways the legal sector is using AI right now'. Ar lein: '*https://www.lawsociety.org.uk/campaigns/lawtech/features/six-ways-the-legal-sector-is-using-ai* [Cyrchwyd: 06/10/2020].

62  Maite Aragonés Lumeras ac Andy Way, 'On the Complementarity between Human Translators and Machine Translation', *Journal of Language and Communication in Business* 56 (2017), t. 30.

63  Comisiynydd y Gymraeg, '*Drafftio dwyieithog, cyfieithu a defnyddio'r Gymraeg wyneb yn wyneb*' (Caerdydd: Comisiynydd y Gymraeg, 2019), t. 26.

64  Am ymchwil i effaith gadarnhaol cofau cyfieithu ar gysondeb wrth gyfieithu rhwng y Saesneg a'r Gymraeg, gweler Ben Screen, 'Defnyddio Cyfieithu Awtomatig a Chof Cyfieithu wrth gyfieithu o'r Saesneg i'r Gymraeg: Astudiaeth ystadegol o ymdrech, cynhyrchedd ac ansawdd gan ddefnyddio data Cofnodwyr Trawiadau Bysell a Thracio Llygaid' (traethawd PhD heb ei gyhoeddi, Prifysgol Caerdydd, Caerdydd, 2018), yn benodol tt. 233–244 a tt. 249–251.

65  Marija Brkić et al., 'Using Translation Memory to Speed up Translation Process' yn *Proceedings of the 2nd International Conference 'The Future of Information Sciences: INFuture2009 – Digital Resources and Knowledge Sharing'*, 4–6 Tachwedd 2009, Zagreb, Croatia; Ana Guerberof, 'Productivity and quality in the post-editing of outputs from translation memories and machine translation', *International Journal of Localization* 7(1) (2009), 11–21; Ana Guerberof, 'Productivity and Quality in the Post-editing of Outputs from Translation Memories and Machine Translation' (traethawd PhD heb ei gyhoeddi, Prifysgol Rovira I Virgili, Tarragona, 2012).

66  Ben Screen, 'What Does Translation Memory do to translation? The effect of Translation Memory output on specific aspects of the translation process', *Translation and Interpreting* 8(1) (2016), 1–18.

67  Hoffwn ddiolch i Memsource am ganiatâd i ddefnyddio'r llun hwn o'i system.

68  Harold Somers, 'Translation memory systems', yn Harold Somers (gol.) *Computers and Translation: A Translator's Guide* (Amsterdam/Philadephia: John Benjamins Publishing Company, 2003), tt. 31–49.

69  Mae'r '101' yn lle '100' yn yr achos hwn yn golygu bod y frawddeg yn y gronfa wedi ei gweld yn yr un cyd-destun o'r blaen (hynny yw, ar ôl yr un frawddeg ag y daeth y frawddeg bresennol). Nid awn ar ôl hyn yn fanwl, ond yr enw arferol ar y cyfatebiaethau hyn yw '*context matches*'.

70  Am enghraifft o sut y gwnaed hyn yn ddiweddar yng Nghymru, â data o feysydd penodol, gweler papur Myfyr Prys a Dewi Bryn Jones, '*Embedding English to Welsh MT in a Private Company*', y cyfeiriwyd ato eisoes.

71  Mae Llywodraeth Cymru er enghraifft yn cyhoeddi ffeiliau TMX y gall cyfieithwyr eu defnyddio ar ei gwefan: *https://llyw.cymru/bydtermcymru/cofau-cyfieithu* [Cyrchwyd: 06/03/2021].

72  *https://www.irishtimes.com/news/ireland/irish-news/european-commission-seeking-50-irish-language-translators-1.4172960* [Cyrchwyd: 06/03/2021].

73  Gweler, er enghraifft, erthygl gan Donald De Palma o gwmni ymchwil a melin drafod y Common Sense Advisory yn UDA, *https://csaresearch.com/Insights/ArticleID/140/Augmented-Translation-Powers-up-Language-Services* [Cyrchwyd: 06/03/2021]. Mae'r ymadrodd 'AI-augmented translation' bellach yn un cyffredin.

# PENNOD 8:
# CLYMU'R EDAFEDD YNGHYD: CYFIEITHU DA, CYFIEITHU SÂL

Ym Mhennod 2, manylwyd ar ymchwil drylwyr i'r hyn sy'n nodweddu cyfieithu proffesiynol. Wrth wneud hynny, trafodwyd y prif fodelau o faes Cymhwysedd Cyfieithu mewn ymgais i ddangos i'r darllenydd beth y mae disgwyl i gyfieithwyr ei wneud, a'r wybodaeth a'r sgiliau sy'n angenrheidiol. Aed ymlaen wedyn trwy'r gwahanol benodau i ymhelaethu ar y prif dechnegau a'r sgiliau sydd eu hangen ar gyfieithwyr newydd cyn iddynt fentro i'r maes. I gloi'r gyfrol hon, byddwn nawr yn troi at yr hyn sy'n nodweddu cyfieithu *aflwyddiannus* yng nghyd-destun y Gymraeg, yn hytrach na'r hyn sy'n nodweddu cyfieithu llwyddiannus, mewn ymgais i dynnu popeth ynghyd ar sail y gwallau a wneir amlaf gan gyfieithwyr dibrofiad y Gymraeg. Mae dau nod yn hynny o beth. Yn gyntaf, cysylltu cynnwys y gyfrol hon nid yn unig â'r wybodaeth a'r sgiliau sydd, yn ôl ymchwil, ym meddiant cyfieithwyr proffesiynol, ond hefyd â'r prif themâu sy'n nodweddu cyfieithu aflwyddiannus yng nghyd-destun y Gymraeg gan ddarpar gyfieithwyr. Yn ail, rhoi cyfieithwyr newydd ar ben ffordd cyn iddynt gychwyn arni a'u cynorthwyo i osgoi'r amryfuseddau y mae cynifer o gyfieithwyr y Gymraeg yn eu gwneud. I wneud hynny, byddaf yn tynnu ar Adroddiadau Prif Arholwr Cymdeithas Cyfieithwyr Cymru oddi ar wefan y sefydliad.[1] Fel hyn y disgrifia Cymdeithas Cyfieithwyr Cymru ei gwaith ar ei gwefan, 'Nod y Gymdeithas yw cynnal, sicrhau a hyrwyddo safonau cyfieithu proffesiynol, a gwella, cynyddu a datblygu sgiliau a gwybodaeth cyfieithwyr'.[2] Yn rhan o hynny, mae'r Gymdeithas wedi bod yn cynnal arholiadau aelodaeth ers 1999. Mae Prif Arholwr y Gymdeithas wedyn yn llunio adroddiad ar sail gwaith marcwyr yr arholiadau, ac yn nodi enghreifftiau o gyfieithu da ac o gyfieithu aflwyddiannus ar ôl pob rownd o arholiadau. Wrth wneud hynny, mae'n tynnu sylw at feini prawf llwyddo'r Gymdeithas ar gyfer ei harholiadau aelodaeth[3], sef, yn fras ac ar sail cyngor i ddarpar aelodau gan y Gymdeithas:

**Ystyr:** ydych chi wedi deall y pwnc a chyfleu'r holl wybodaeth yn gywir?
**Cywair:** ydych chi wedi dewis y geiriau, y termau a'r priod-ddulliau addas i'r cyd-destun?
**Cystrawen:** ydych chi wedi trefnu a chydlynu'ch brawddegau yn ystyrlon a chrefftus?
**Cywirdeb:** ydych chi wedi cymryd gofal o ran sillafu, treiglo, morffoleg, y cysylltnod, atalnodi ac acenion?

Mae'r pedair elfen hollbwysig hyn wedi cael sylw trwy gydol y gyfrol hon, ond byddwn yn troi nawr at yr adroddiadau. Wrth lunio'r bennod hon, dadansoddwyd pob adroddiad ar gyfer Aelodaeth Sylfaenol ers 2012 a phob adroddiad ar gyfer Aelodaeth Gyflawn ers

Tabl 25 Prif Themâu'r Prif Arholwr: Amlder fesul Blwyddyn ers 2012

| Thema | | 2012 | 2013 | 2014 | 2015 E | 2015 H |
|---|---|---|---|---|---|---|
| Diffyg cywirdeb gramadegol technegol | | x | x | x | x | x |
| Methiant i ddarllen yn ddigon gofalus ymlaen llaw i ddeall naws y darn ond hefyd i ddehongli ystyr yn gywir | | x | x | x | x | |
| Gwallau ystyr a chyfieithu'n anfanwl | Hepgor unedau ystyr | | x | | | x |
| | Ychwanegu gormod o wybodaeth | | | | | x |
| | Cam-drin Ystyr Osodiadol | x | x | x | x | x |
| | Cam-drin Ystyr Ramadegol | x | x | x | | x |
| | Cam-drin Ystyr Ragfynegedig | | x | | x | x |
| | Cam-drin Ystyr Fynegiannol | | | | | x |
| | Camddehongli Iaith Drosiadol | | | | | |
| | Dewis anaddas o eirfa o ran yr Ystyr Ysgogol neu oherwydd amlder defnydd | | | | x | |
| Glynu'n oragos at batrwm yr iaith ffynhonnell gan greu cyfieithiad chwithig (a hyd yn oed anghywir o ran ystyr o ganlyniad hefyd) | | | | x | x | x |
| Iaith orffurfiol neu rhy anffurfiol | | | | x | x | |
| Methiant i wirio'r darn yn effeithiol a gofalus a diffyg sgiliau prawf ddarllen | | | | x | x | |

| 2016 E | 2016 H | 2017 E | 2017 H | 2018 E | 2018 H | 2019 E | 2019 H |
|--------|--------|--------|--------|--------|--------|--------|--------|
| x | x | x | x | x | x | x | x |
| x |   | x | x | x |   | x |   |
| x |   |   |   |   | x | x | x |
|   |   |   |   |   |   |   | x |
| x | x | x |   | x | x | x | x |
|   | x | x | x | x | x | x | x |
|   | x |   |   | x |   |   |   |
|   |   | x |   |   |   |   |   |
| x |   |   | x |   |   |   |   |
|   |   | x |   |   |   |   |   |
| x | x | x | x | x | x | x | x |
|   |   |   |   |   |   |   |   |
| x |   | x | x | x | x |   | x |

2013. Hynny yw, dadansoddwyd 26 o adroddiadau ar y ddwy lefel ac ar gyfer y ddau bapur (cyfieithu o'r Saesneg i'r Gymraeg ac o'r Gymraeg i'r Saesneg). Wrth wneud hynny, aed ati â chrib fân (sawl gwaith fesul papur) i ganfod prif themâu sylwadau'r Prif Arholwr wrth dafoli ymdrechion yr ymgeiswyr. Mae canlyniad y dadansoddiad hwnnw i'w weld uchod yn Nhabl 25. Mae 'X' yn dynodi bod y thema honno i'w gweld yn adroddiad y Prif Arholwr ar gyfer y papur dan sylw.

Cyn mynd ymlaen, dyma wneud ychydig o sylwadau am y fethodoleg a ddefnyddiwyd. Nodwyd uchod y byddaf yn ceisio cysylltu cynnwys y gyfrol hon 'â'r prif themâu sy'n nodweddu cyfieithu aflwyddiannus yng nghyd-destun y Gymraeg gan ddarpar gyfieithwyr'. Mae cyfieithwyr ac ymchwilwyr yn y maes hwn yn ffodus iawn bod Cymdeithas Cyfieithwyr Cymru wedi cyhoeddi adroddiadau'r Prif Arholwr yn gyson dros y blynyddoedd am eu bod yn gyforiog o sylwadau bachog am gyfieithu ac am y gwallau a'r anawsterau sy'n codi bob blwyddyn. Mae'n adnodd defnyddiol iawn felly i'r rhai a fyn wybod pa elfennau o'r broses gyfieithu sy'n tueddu i achosi problemau i ddarpar gyfieithwyr y Gymraeg yn arbennig, yn enwedig yr adroddiadau ar lefel Aelodaeth Sylfaenol. Yn ail, mae'n ddigon posibl bod y themâu cyffredin hyn yn nodweddu cyfieithu ar draws y byd, ond ar gyfieithu yng nghyd-destun Cymru y mae'r gyfrol hon yn canolbwyntio. Yn drydydd, y themâu eu hunain. Wrth reswm, bydd y themâu, yn fras, yn dilyn meini prawf llwyddo'r Gymdeithas. Y meini prawf hyn (heb gynnwys y lefelau o dan bob un a'i hystyron) yw Ystyr, Cywair, Cystrawen a Chywirdeb, fel y nodwyd uchod. Fodd bynnag, ar sail yr enghreifftiau a ddarparodd y Prif Arholwr o dan bob un o'r categorïau, mae modd tyrchu'n ddyfnach a gweld bod y gwallau Ystyr, er enghraifft, yn cyd-fynd â'r categorïau a ddefnyddiwyd ym Mhennod 4. Mae modd felly, o ddadansoddi themâu'r adroddiadau yng ngoleuni'r gyfrol hon, gynnig cyngor ymarferol i ddarpar gyfieithwyr a'u helpu i godi safon eu gwaith uwchben y safon israddol a welir mor aml yng ngwaith cyfieithwyr amatur neu ddibrofiad. Yn olaf, y cyfnod o amser dan sylw. Dadansoddwyd arholiadau rhwng 2012 a 2019. Oherwydd hyd y cyfnod hwnnw, a'r nifer o arholiadau a sylwadau a ddadansoddwyd, hyderaf fod modd dod i gasgliadau cyffredinol am gynigion darpar gyfieithwyr, yn hytrach na bod yr hyn a ddadansoddir isod yn adlewyrchu'r cyfnod dan sylw yn unig. Gobeithir felly y bydd yr isod yn ddefnyddiol am gryn amser i ddod.

## Themâu Adroddiadau Prif Arholwr Cymdeithas Cyfieithwyr Cymru

Mae'r themâu yn cyd-fynd â thair prif ran y broses gyfieithu, sef darllen am ystyr a dehongli, ffurfio cyfieithiad a sicrhau testun sy'n parchu teithi cystrawennol yr iaith darged, a gwirio'r gwaith a sgiliau testunol ar ôl gorffen drafft. Mae'r tabl uchod yn manylu ar y themâu hyn, ac yn nodi pa mor aml y mae'r themâu yn codi ac ym mha adroddiadau. Mae 'E' yn dynodi Ebrill ac mae 'H' yn dynodi Hydref, sef adeg cynnal yr arholiad.[4]

## Gramadeg

Gair yn gyntaf am un thema amlwg iawn a gododd ym mhob un adroddiad. Roedd diffyg cywirdeb gramadegol technegol dan y lach mor aml nes peri i'r Prif Arholwr ofyn, mewn un adroddiad, sut y gall yr ymgeiswyr hyd yn oed ymhonni'n gyfieithwyr.[5] Mor sylfaenol yw rhai o'r enghreifftiau nes ei bod yn anodd anghydweld â'r Prif Arholwr yn hynny o beth. Ymddengys nad achos o ddiffyg gwirio sy'n gyfrifol am hyn bob tro, ond diffyg dealltwriaeth o ramadeg yr iaith. Dyma ddweud eto felly fod rhaid i ddarpar gyfieithwyr allu trin y ddwy iaith yn gyfewin ac mae'n rhaid bod ganddynt wybodaeth dechnegol ddofn o'r ddwy iaith er mwyn llwyddo yn y byd cyfieithu. Heb hynny, bydd y gwaith wrth reswm yn wallus ac islaw'r safon broffesiynol ddisgwyliedig, ond bydd hefyd yn anos sicrhau bod y cyfieithiad terfynol yn dilyn teithi'r iaith unwaith bod yr ystyr wedi ei dehongli. Y dulliau gorau o fireinio sgiliau iaith a gramadeg yw darllen yn helaeth yn yr iaith dan sylw, a darllen y llyfrau gramadeg awdurdodol.[6]

I ddod at y thema amlwg gyntaf heblaw am ramadeg, sef 'Methiant i ddarllen yn ddigon gofalus ymlaen llaw i ddeall naws y darn, ond hefyd i ddehongli ystyr yn gywir'. Y thema amlwg gyntaf y daethpwyd ar ei thraws yn yr adroddiadau oedd anallu'r ymgeiswyr i neilltuo amser i ymgyfarwyddo â'r darn ymlaen llaw a hefyd i ddarllen yn ofalus i ddehongli'r ystyr yn gywir. Mae cyfundrefn arholi'r Gymdeithas yn caniatáu 5 munud ar ddechrau'r arholiad i'r ymgeisydd fwrw golwg dros y darn ac ymglywed â'i naws a'i arddull. Mae'n amlwg o'r adroddiadau nad yw nifer fawr o'r ymgeiswyr dros y blynyddoedd wedi gwneud hynny, ac o'r herwydd fe nodir yn yr adroddiadau fod cryn dipyn o'r cyfieithiadau yn anaddas o ran cywair ac arddull. Mae cysylltiad felly rhwng diffyg darllen ymlaen llaw, ac addasrwydd y gwaith o ran naws ac arddull. O ddwyn i gof Bennod 4, fe gofiwn y manteision a ddaw o ddefnyddio'r fframwaith yno i wirio testunau cyn dechrau arni a phenderfynu ar y strategaethau cyffredinol priodol o ran arddull, ymchwil angenrheidiol, termau arbenigol ac yn y blaen. Yr ail agwedd ar hynny yw diffyg darllen yn ofalus *wrth* gyfieithu. Mae'r adroddiadau yn frith o enghreifftiau o gamgyfieithu diofal; o droi un frawddeg gadarnhaol yn un negyddol mewn un achos i nifer fawr o achosion o gamgyfieithu geiriau syml am eu bod yn edrych yn debyg i eiriau eraill. Teg dweud felly mai diffyg oedi sy'n gyfrifol am hynny; o ddwyn i gof Bennod 4 eto, rhaid oedi a darllen yn ofalus er mwyn cyfieithu'n gywir ac mae nifer o enghreifftiau yn y bennod honno o wneud hynny.

Daw hyn â ni at yr ail thema, sef 'Gwallau Ystyr a Chyfieithu'n anfanwl'. Mae Ystyr wrth reswm yn un o bedwar maen prawf llwyddo'r Gymdeithas. Rhaid cyfieithu'r ystyr yn gywir; oni wneir hynny, go brin bod y frawddeg yn gyfieithiad. Trwy gydol yr adroddiadau, sonnir am wallau ystyr ond ni nodir yn fanwl bob tro *pa fath* o ystyr sydd dan sylw. Y bwriad yma, ar sail yr enghreifftiau a geir yn yr adroddiadau, yw manylu ar y gwallau ystyr hyn yn ôl y fframwaith a gynhwyswyd yn y gyfrol hon, sy'n dod yn ei dro o waith yr ieithydd Alan Cruse ym maes Semanteg. Ni fyddwn yn trafod 'Hepgor unedau ystyr' nac 'Ychwanegu gormod o wybodaeth' am ei bod yn amlwg beth ydynt. Y neges mewn perthynas â'r rhain, fodd bynnag, yw bod rhaid darllen yn ofalus wrth gyfieithu i osgoi hynny, a phrawf ddarllen yn effeithiol ar ôl llunio drafft. Mae Penodau 4 a 6 yn mynd i'r afael â'r agweddau hyn ar gyfieithu.

Yn gyntaf, 'Cam-drin yr Ystyr Osodiadol'. I fynd yn ôl at Bennod 4, yr Ystyr Osodiadol [*Propositional Meaning*] yw'r 'ystyr arferol a dadogir ar wrthrychau neu weithredoedd heb unrhyw arlliwiau arbennig'. Hynny yw, y geiriau am bethau pob dydd fel 'cath', 'ysgol' a 'cyfrifiadur', ansoddeiriau syml fel 'glas', 'mawr' a 'gofalus' a berfau syml heb iddynt arlliw fel 'mynd', 'bwyta', a 'creu'. Mae modd gweld yn yr enghreifftiau isod wallau ar lefel yr Ystyr Osodiadol:

ysbryd mileinig un o *gyn-feistresi'r tŷ*.
...the savage spirit of one of the *former masters* of the house.[7]
Parish churches have been *enduring* features of the landscape...
Mae sawl eglwys blwyf wedi *goddef* effaith natur...[8]
...*undue* interference...
...*ormod* o ymyrraeth...[9]

Dyma dair enghraifft felly o gamgyfieithu'r Ystyr Osodiadol; tri gair syml ag ystyr syml hefyd. Mae amledd gwallau wrth gyfleu Ystyron Gosodiadol yn syndod; mentraf ddweud mai diffyg darllen sydd i gyfrif am y math hwn o wallau. Eto felly, dylid darllen yn ofalus.

Nesaf yn y tabl yw'r Ystyr Ramadegol [*Grammatical Meaning*]. Dyma'r ystyr a fynegir trwy forffemau mewn geiriau a thrwy gystrawennau gramadegol. Bydd enghreifftiau yn hwyluso'r rhan hon o'r drafodaeth:

They *were given*...
Maent *wedi derbyn*...[10]
...a glimpse of what *could* happen in the future.
...cipolwg o beth *all* ddigwydd yn y dyfodol.[11]

Mae trafferth gyda ffurfiau berfol a chamdrin morffoleg y Gymraeg yn thema gyffredin yn yr adroddiadau. Anodd gwybod wrth gwrs beth sydd ar feddwl ymgeiswyr a rhaid derbyn bod pwysau arholiad yn gallu effeithio ar yr ymgeiswyr gorau, ond gall fod mai diffyg meistrolaeth o ramadeg ynghyd â diffyg darllen sydd i gyfrif yma.

Y trydydd math o wallau ystyr a welwyd oedd cam-drin yr Ystyr Ragfynegedig [*Presupposed Meaning*]. Ym Mhennod 4, dadleuwyd bod arwyddocâd i ystyr geiriau weithiau pan gânt eu defnyddio gyda'i gilydd. Yr Ystyr Osodiadol arferol fydd i '*high*' a '*speed*' a '*hard*' a '*bargain*' felly hyd nes y cânt eu cyfuno yn un uned annibynnol (y byddai rhaid ei thrin fel un uned wrth gyfieithu fel y trafodwyd ym Mhennod 5), i ffurfio '*high speed*' a '*hard bargain*'. Yr enw technegol ar y fath unedau ym maes Semanteg, fel y nodwyd ym Mhennod 4, yw Cydleoliadau [*Collocations*]. Rhaid eu trin yn gywir neu bydd yr ystyr yn cael ei cholli'n llwyr. Yn yr enghraifft isod, fe welwn fod yr ymgeisydd wedi trin '*rough*' yn llythrennol, heb ystyried bod ystyr '*rough*' yn cael ei 'rhagfynegi' iddo gan y gair '*sleepers*'. Nid '*rough*' fel 'garw', 'gwyllt' neu 'anystywallt' yw'r ystyr yma felly, eithr 'cysgu ar y stryd':

*rough* sleepers...
...cysgu'n *wyllt*/*walch*...[12]

Agwedd arall ar yr Ystyr Ragfynegedig yw Detholiadau Ffafredig a '*cliché*' ieithyddol. Eto, a chyfeirio'n ôl at Bennod 4, mae defnyddwyr iaith yn ffafrio rhai cyfuniadau o eiriau wrth fynegi cysyniad dros rai eraill, er nad yw'r cyfuniad o reidrwydd yn orfodol. Gall fod gwahaniaethau mawr iawn rhwng ieithoedd yn hynny o beth. Yn y Gymraeg, fe fyddwn yn 'cyfansoddi cân', ond '*write a song*' a wneir fel arfer yn y Saesneg, er y byddai gan 'ysgrifennu cân' yr un ystyr. Yn y Saesneg, gwelwn '*perform surgery*', ond yn y Gymraeg 'rydym yn cynnal/gwneud llawdriniaeth'. Mae'n rhaid i gyfieithwyr proffesiynol fod yn effro i unedau o'r fath rhwng y ddwy iaith, a'r unig ffordd o wneud hynny yw darllen yn helaeth yn y ddwy iaith dan sylw. Gweler yr enghraifft isod:

> *datganiad* i'r wasg
> ...*declaration* in the press[13]

Er y gallai'r darllenydd ddehongli'r neges yma (o ddwys ystyried a chrafu pen yn gyntaf), byddai'r ymadrodd wedi taro'r darllenydd arferol yn chwithig gan mai 'press release' yw'r term arferedig.

Cam-drin yr Ystyr Fynegiannol [*Expressive Meaning*] yw'r math nesaf o wall i'w drafod, ac a welwyd yn aml yn yr adroddiadau. Fel yr eglurwyd ym Mhennod 4, 'Mae'r math hwn o eiriau yn cyfleu teimladau neu farnau personol y siaradwyr neu'r awduron, ac maent yn rhoi arlliw penodol ar yr hyn a ddywedir neu a ysgrifennir'. Dyma sy'n cyfrif am y gwahaniaeth rhwng '*hit*' a '*wallop*', a rhwng '*very nice*' ac '*amazing*'. Yn yr enghraifft isod, fe welwn fod 'beirniadol' wedi ei gamgyfieithu oherwydd bod y gair '*damming*' yn rhy gryf o ran yr Ystyr Fynegiannol i gyfleu 'beirniadol'. Byddai '*critical*' wedi bod yn fwy addas:

> ...yn dilyn adroddiad *beirniadol*...
> ...following a *damming* report...[14]

Yn yr enghraifft arall isod, mae Ystyr Osodiadol blaen '*sparked*' wedi ei chyfleu, ond mae'r Ystyr Fynegiannol wedi ei chelu:

> Unrest that *sparked*...
> Ymladd *a arweiniodd at*...[15]

Mae gwahaniaeth rhwng '*to spark*' a '*to cause*', a'r gwahaniaeth hwnnw yw'r elfen fynegiannol sy'n awgrymu rhyw ruthr gwyllt neu gyffro mawr. O'r herwydd, 'taniodd' fyddai'n well yma. Mae'r Ystyr Fynegiannol felly yn berthnasol hyd yn oed mewn testunau ymddangosiadol ffurfiol neu ffeithiol.

Trown yn awr at iaith drosiadol. Ym Mhennod 4, pan ddadansoddwyd gwahanol fathau o destunau er mwyn gweld y gwahanol ffyrdd y mae ystyr yn cael ei mynegi, fe welwyd natur hollbresennol iaith drosiadol. Nid yw iaith drosiadol yn nodweddu iaith greadigol a llenyddol yn unig, ac mae i'w gweld yn y testunau mwyaf cyffredin. I atgoffa'r darllenydd, ystyr iaith drosiadol yw unrhyw ddefnydd o air neu unrhyw ymadrodd nad yw'n arddel ei ystyr *lythrennol*. Yn yr enghraifft isod, gallwn weld bod yr ymgeisydd wedi deall ystyr lythrennol '*look out for*', yn hytrach na'r ystyr drosiadol:

Don't forget to *look out for* your mates too.
Peidiwch ag anghofio *edrych mas dros* eich ffrindiau chwaith.[16]
*(Cofiwch gadw cefn eich ffrindiau hefyd)*

Yn yr un modd, methwyd â dehongli ystyr drosiadol *'sign up for'* isod:

failed to *sign up to* new healthy school meal standards...
wedi *methu â chofrestru* ar gyfer safonau...[17]
*(heb gefnogi'r safonau newydd ar gyfer prydau ysgol iach)*

Rhaid felly i gyfieithwyr allu dehongli iaith drosiadol yn gywir. O fethu â gwneud hynny, bydd yr ystyr yn cael ei llurgunio'n llwyr. Mae llu o enghreifftiau o Bennod 5 am y strategaethau cyfieithu y gellid eu defnyddio i gyfleu iaith drosiadol yn gywir.

Yn olaf, 'dewisiadau geirfaol anaddas'. Cwyn gyson trwy gydol yr adroddiadau yw bod yr ymgeiswyr wedi dewis y geiriau anaddas wrth gyfieithu a bod hynny wedi amharu ar y testun. I dyrchu'n ddyfnach na hyn, fe welir o ddadansoddi'r enghreifftiau o hyn fod dau beth sydd i gyfrif amdanynt, sef dewis anaddas oherwydd yr Ystyr Ysgogol [*Evoked Meaning*], a dewis anaddas oherwydd bod y gair Cymraeg yn llai cyffredin (sydd felly, y gellid dadlau, yn codi cywair y cyfieithiad rywfaint). Cymerwn yr agwedd gyntaf ar hynny yn gyntaf oll. Ym Mhennod 4, wrth ddiffinio'r Ystyr Ysgogol, dywedwyd bod '[...] geiriau yn magu ystyr yma trwy amrywiadau tafodieithol ac amrywiadau mewn cywair ac fe allant ysgogi rhyw ymateb, teimlad neu emosiwn fel arfer hefyd'. Nid yw'r dewis o eirfa felly yn gwbl rydd hyd yn oed os yw'r ystyr (osodiadol) waelodol yr un peth. Fe all geiriau amgodio arlliwiau cyweiriol ac arddulliol hefyd, ynghyd â dynodi maes neu genre benodol. Rhaid sicrhau wrth gyfieithu bod yr ymadrodd yn yr iaith darged yn cyfateb o ran yr agwedd hon. Yn yr enghraifft isod, mae'r frawddeg yn dod o destun ffurfiol ei naws a gyhoeddwyd yn y cylchgrawn materion cyfoes *Barn*. O'r herwydd, nid oedd *'chunk'* isod yn gywir am fod y gair yn rhy anffurfiol. Byddai *'proportion'* wedi bod yn well.

mae *carfan sylweddol* o'r boblogaeth...
a *significant chunk* of the population...[18]

Cadwch mewn cof felly bwysigrwydd cywair wrth gyfieithu; er y gall yr ystyr fod yr un peth yn ei hanfod, gall y cywair a amgodir gan y gair hwnnw oherwydd cyd-destun neu gylch ei ddefnydd fod yn bur wahanol. Cofiwch yr enghraifft ym Mhennod 4 – *'has deceased'* a *'popped his cloggs'*, a *'will be present'* a *'will be here'*.

Yr ail agwedd ar ddewisiadau geirfaol anaddas yw geiriau nad ydynt mor gyffredin yn y Gymraeg ag ydynt yn y Saesneg. Fel y nodwyd ym Mhennod 4, nid yw bodolaeth gair yn gyfiawnhad dros ei ddefnyddio. Er mwyn i destun daro tant â darllenwyr, ac er mwyn sicrhau dealladwyedd testunau fel y trafodwyd ym Mhennod 6, mae'n rhaid i'r dewisiadau geirfaol fod yn addas i'r cywair ac i'r gymuned iaith dan sylw. Bydd yr enghreifftiau isod yn dangos y pwynt hwn ar waith.

dull and *uninspiring*
yn ddiflas ac heb fod *yn symbylol*[19]

Mae '*uninspiring*' yn air a welir yn ddigon aml yn y Saesneg. Fodd bynnag, go brin y gellir dweud yr un peth am 'symbylol'. Mae'r ystyr i ryw raddau yno, ond mae mor anghyffredin nes bod y cyfieithu yn aflwyddiannus. Eto isod, fe welwn gyfieithu llythrennol a diffyg dealltwriaeth o'r ffaith nad yw bodolaeth gair yn gyfiawnhad dros ei ddefnyddio:

parental *controls*
*rheolaethau* rhieni[20]

Roedd yr enghraifft uchod yn dod o erthygl am ddiogelu plant ar y we. Cyfieithiad gwell yma felly fyddai 'camau rheoli [gan] rhieni/camau diogelu [gan] rhieni' (a threiglo wrth reswm o gynnwys 'gan'). Mae hyn yn mynd â ni yn ôl at Bennod 5 hefyd pan oedd yr uned leiaf i'w chyfieithu dan ystyriaeth a'r gred rhy gyffredin bod angen i gyfieithiadau gyd-fynd o ran nifer y geiriau. Nid yw hyn yn wir, a gall ymadrodd cyfan yn yr iaith darged gyfleu gair neu ddau yn yr iaith ffynhonnell os oes angen, er mwyn osgoi cyfieithu aneglur a chwithig.

Dyma ddirwyn i ben y drafodaeth am y gwallau ystyr a nodwyd yn adroddiadau Prif Arholwr Cymdeithas Cyfieithwyr Cymru rhwng 2012 a 2019. Y gobaith yw felly bod y drafodaeth hon wedi gwneud dau beth. Yn gyntaf, cysylltu'r ymdriniaeth yn y gyfrol hon o ystyr â'r ymdriniaeth fwy haniaethol o ystyr o bosibl yn yr adroddiadau, a chysylltu'r cyngor yma â'r gwallau a wneir amlaf gan ddarpar gyfieithwyr yng nghyd-destun y Gymraeg. Trwy hynny, fe obeithir y bydd modd i ddarpar gyfieithwyr ochel rhag baglu dros yr hyn sy'n faen tramgwydd i gynifer. Yn ail, gobeithiaf fy mod wedi dangos i'r darllenydd bod modd dadansoddi ystyr mewn iaith a chategoreiddio gwahanol fathau o ystyr. O wneud hynny, mae modd cyfieithu'n gywir yn gyson. Hynny yw, yn lle gweld rhyw ddrysni o eiriau a brawddeg ar ben brawddeg, gweld yn lle hynny bob un gair ac ymadrodd yn glir ac ymdeimlo â'r dulliau cynnil y mae ystyr yn ei mynegi ei hun. Y cam nesaf wedyn, wrth gwrs, yw cymryd cam yn ôl a gweld y testun cyfan eto er mwyn prawf ddarllen yn llwyddiannus.

Y thema nesaf i'w thrafod yw 'Glynu'n oragos at batrwm yr iaith ffynhonnell gan greu cyfieithiad chwithig (neu hyd yn oed anghywir o ran ystyr o ganlyniad hefyd)'. Wrth ddarllen yr adroddiadau, mae'n glir bod gan nifer fawr o siaradwyr Cymraeg gamsyniadau mawr am beth yw cyfieithu (meddyliwch yn ôl i Bennod 2, pan drafodwyd sgiliau a gwybodaeth cyfieithwyr cymwys a'r hyn sy'n ddisgwyliedig gan gyfieithwyr proffesiynol). Mae'r adroddiadau'n frith o gyfieithiadau llythrennol iawn, ac fel y gwelir yn Nhabl 25, mae cyfieithu llythrennol a chystrawennau trwsgl wedi cael sylw bron bob blwyddyn rhwng 2012 a 2019. Fodd bynnag, mae modd datrys hynny trwy feithrin ymwybyddiaeth o ddau beth; yn gyntaf, hawl y cyfieithydd i ddargyfeirio oddi wrth strwythur cystrawennol yr iaith ffynhonnell pan fo angen, a'r disgwyliad bod yr iaith darged yn taro tant o ran normau geirfaol, cystrawennol a thestunol yr iaith honno, ac yn ail *sut* i wneud hynny. Ym Mhennod 3, trafodwyd theori cyfieithu. Y nod wrth wneud hynny oedd helpu darpar gyfieithwyr i ddatblygu'r meddylfryd iawn am beth yw cyfieithiad a chyfieithu, trwy ddarllen beth sydd wedi ei ddweud a'i honni am y broses gyfieithu gan y theorïwyr pwysicaf dros y canrifoedd. Wedyn, ym Mhennod 5, trafodwyd y technegau safonol i sicrhau bod modd osgoi ymyrraeth o du'r iaith ffynhonnell a chreu cyfieithiad sy'n taro tant yn gystrawennol. Yn ogystal â hynny, dangoswyd wrth wneud hynny fod y dargyfeirio cystrawennol hwn yn gallu bod yn angenrheidiol hefyd i ddiogelu'r ystyr a'i chyfleu'n gywir. Bydd yr enghreifftiau isod yn dangos sut y gall y wybodaeth honno fod wedi helpu'r ymgeiswyr. Mae'r cyfieithiadau rhwng cromfachau yn gyfieithiadau derbyniol posibl.

Yn yr enghraifft gyntaf isod, fe welwn fod 'rheoli' wedi ei ddefnyddio yn y cyfieithiad cywir posibl (rhwng cromfachau), er mwyn cadw at ffafriaeth y Gymraeg dros ferfenwau yn lle enwau. O feddwl yn ôl i Bennod 5, dyma enghraifft o'r dechneg Ailgategoreiddio – yn yr achos hwn, newid 'enw' i 'berf'.

...a not-for-profit community group is responsible *for the overall management* of what happens on the land...

...mae grŵp cymuned, dim am elw, yn gyfrifol *am reolaeth o beth fydd yn digwydd* ar y tir...[21]

(*mae grŵp cymunedol dim-er-elw yn gyfrifol am reoli beth sy'n digwydd ar y tir*)

Yn yr ail enghraifft isod, mae brawddeg oddefol wedi ei throi'n un weithredol, ac mae goddrych, sef pobl/dilynwyr (Gemau'r Gymanwlad sydd dan sylw) wedi ei gynnwys. Roedd y newid hwn yn angenrheidiol; nid oedd cywair y Saesneg yn ddigon uchel i ganiatáu berfau amhersonol yn yr iaith darged felly roedd rhaid newid y strwythur cystrawennol cyfatebol yn yr iaith darged. Dyma enghraifft arall o'r dechneg Ailgategoreiddio, yn yr achos hwn troi berf amhersonol yn un bersonol.

as they are fondly *known*
fel *y'u hadnabyddir* yn hoffus/wresog[22]
(*fel y mae pobl/eu dilynwyr yn eu galw yn hoffus*)

Yn y drydedd enghraifft isod, mae'r ymgeisydd wedi dilyn patrwm y Saesneg bron â bod air am air:

...the costs involved with *getting* their children ready for the new term.

...y costau sydd yn gysylltiedig *â chael* eu plant yn barod ar gyfer y tymor newydd.[23]

(*y costau sydd ynghlwm wrth sicrhau bod plant yn barod ar gyfer y tymor newydd*).

Yma, mae enghraifft o'r dechneg Cyfieithu o Safbwynt Gwahanol i gyfleu '*getting the children ready*', ac mae 'sicrhau bod' wedi ei ddefnyddio i gyfleu hynny. Rydym wedi symud felly o'r cysyniad o 'gael', sy'n dderbyniol yn Saesneg, i'r cysyniad o 'sicrhau bod'. Nid yw'r ystyr waelodol wedi newid, ond mae'r *ffordd* y mae'r ystyr wedi ei mynegi yn y Gymraeg yn wahanol er mwyn parchu teithi'r iaith Gymraeg ac osgoi llurgunio'r ystyr go iawn. Yn yr enghraifft isod, roedd angen mynd ati o safbwynt cwbl wahanol i'r Saesneg, fel y gwelir rhwng y cromfachau:

...to take a litigious approach...
...i ddilyn dull cyfreithgar...
...i ddynesu yn gyfreithiol...[24]
(*i gymryd camau cyfreithiol*)

Nid '*take an approach*' felly, ond '*take legal steps*', o ôl-gyfieithu. Roedd newid safbwynt y frawddeg yma yn gwbl angenrheidiol er mwyn sicrhau bod y Gymraeg yn ystyrlon. Dyma enghraifft o'r dechneg Cyfieithu o Safbwynt Gwahanol.

Gall ymwybyddiaeth felly o hawl y cyfieithydd i amrywio sut mae gwybodaeth yn cael ei chyfleu ar lefel gystrawennol fel y trafodwyd ym Mhennod 3, a dealltwriaeth o'r ffyrdd safonol o wneud hynny fel y disgrifiwyd ym Mhennod 5, fod o fudd mawr i'r cyfieithydd nid yn unig pan ddaw i ddelio ag iaith drosiadol a chreadigol iawn, ond hefyd pan ddaw i sicrhau bod y cyfieithiad yn yr iaith darged yn gywir ac yn taro tant o ran cystrawen.

Y thema olaf ond un yw cywair. Fel y dengys yr enghreifftiau uchod, mae modd 'amgodio' cywair ar lefel y gair (fel y gwneir yn aml yn Saesneg os bydd yr awdur am godi'r cywair), neu drwy gystrawen, morffoleg a geirfa ymysg dulliau eraill (fel y gwneir yn aml yn y Gymraeg i godi'r cywair). Thema arall felly a welir yn yr adroddiadau yw na all rhai darpar gyfieithwyr wahaniaethu rhwng cyweiriau, ac o'r herwydd mae eu cyfieithiad naill ai'n rhy ffurfiol neu'n rhy anffurfiol. Rydym wedi trafod pwysigrwydd cywair ac arddull eisoes, ym Mhennod 4 mewn perthynas â dadansoddi'r testun cyn ei gyfieithu i ymdeimlo â'i gywair, ac ym Mhennod 6 wrth drafod darllenadwyedd a phwysigrwydd y defnyddiwr. Mae'r enghraifft isod yn dangos anallu i wneud hynny, gan fod y frawddeg yn dod o destun i'r cyhoedd yn gyffredinol:

...known as store cards...
...a elwir yn gardiau storio...
...a adnabyddir fel cardiau siop...[25]

Nid yw pob un darn yn gofyn am yr un strategaeth gyfieithu; rhaid amrywio'r ieithwedd, y cywair a'r arddull i gyd-fynd â chyd-destun arfaethedig y cyfieithiad terfynol ac ag anghenion y rhai sy'n debygol o'i ddefnyddio.

Yn olaf, 'Methiant i wirio'r darn yn effeithiol a gofalus a diffyg sgiliau prawf ddarllen'. Rhaid cydnabod pwysau arholiad yma, a bod ymgeiswyr o bosibl yn brin o amser ar y diwedd, ond mae'n syfrdanol gweld pa mor aml mae'r Prif Arholwr yn codi'r mater hwn trwy gydol yr adroddiadau. Gweler yr enghreifftiau isod:

arbennigwyr
Mae'r lechen, sy'n 4 troedfedd o hyd
bwydydd wedi'i ffrio[26]
25% o bobl droes 80 oed
beth â ddigwyddai cynyrchu
ymarfefion[27]

237

Yn y Gymru gyfoes, mae sgiliau Cymraeg y boblogaeth yn amrywio. Bydd rhai â gafael gadarn ar ramadeg yr iaith, ac eraill heb hynny. Fodd bynnag, anodd dychmygu sefyllfa lle na fyddai'r rhan fwyaf o ddefnyddwyr cyfieithiadau yn sylwi ar gamsillafu diofal a chamdreiglo elfennol. Trafodwyd ym Mhennod 6 bob un elfen y mae disgwyl i'r cyfieithydd ei gwirio, a chyflwynwyd hefyd ddull o wirio i ddal pob un. I grynhoi'r bennod honno, defnyddiwch offer gwirio sillafu a gramadeg ar y cyfrifiadur, ewch ati mewn modd strwythuredig i wirio a cheisiwch ddarllen darnau hwy o waith **yn gwbl annibynnol ar yr iaith ffynhonnell ac ar bapur.**

I grynhoi'r adran hon felly, gair eto am gynnwys y gyfrol ar ei hyd a'i pherthynas â gwaith darpar gyfieithwyr yng Nghymru. Dengys Tabl 25 ffrwyth y gwaith o ddadansoddi adroddiadau'r Prif Arholwr er mwyn gweld a ellid dod o hyd i themâu cyffredin sy'n nodweddu cynigion aflwyddiannus darpar gyfieithwyr yng Nghymru mewn arholiad cyfieithu proffesiynol. O wneud hynny, fe welwyd bod modd gwneud hynny, a daeth sawl thema i'r amlwg. Mae'r adroddiadau hyn felly yn hynod o ddefnyddiol. Gobeithiaf yn fawr felly fod y gyfrol hon yn gyfraniad bach at gynorthwyo darpar gyfieithwyr i sylweddoli bod modd bod yn fanwl wrth drafod cyfieithu, a bod modd gweithio ar wahanol elfennau o'u hymarfer proffesiynol trwy wneud hynny.

O ystyried bod yr uchod yn ddadansoddiad o gynnwys adroddiadau Prif Arholwr cymdeithas broffesiynol, dyma air cyn cloi am bwysigrwydd aelodaeth o gorff cyfieithu proffesiynol. Mae amryw fanteision o ymaelodi â chorff o'r fath. Ymhlith y manteision hyn y mae cyfleoedd hyfforddiant yn rhan o ddatblygu proffesiynol parhaus, y cyfle i rwydweithio gydag aelodau eraill mewn digwyddiadau, a chael eich cynrychioli gan gorff proffesiynol a fydd yn lleisio pryderon ar ran ei aelodau i sicrhau chwarae teg i'r sector cyfieithu. Fodd bynnag, y fantais bennaf yw sicrhau eich statws fel ymarferydd iaith proffesiynol. Trwy ymaelodi â chorff proffesiynol trwy arholiad neu asesiad proffesiynol safonol, rydych chi'n dangos bod gennych y gallu a'r sgiliau angenrheidiol a'ch bod yn cymryd y gwaith o ddifrif. Rydych yn dangos mai hwn yw eich *proffesiwn* chi, nid rhyw weithgarwch i wneud arian 'ar yr ochr'. Trwy hynny, byddwch chi'n dangos i gleientiaid a chyflogwyr bod gennych y crebwyll a'r cymhwysedd iawn i wneud y gwaith ynghyd â'r dibynadwyedd a'r proffesiynoldeb a ddisgwylir. O'r herwydd, ac er nad yw swydd y cyfieithydd yn un sy'n cael ei rheoleiddio'n llawn, fel swyddi meddygol neu gyfreithiol er enghraifft lle nad oes modd ymarfer o gwbl heb drwydded, mae aelodaeth o gorff cyfieithu proffesiynol yng Nghymru yn orfodol yn aml i allu cystadlu am gontractau cyfieithu yn y sector cyhoeddus a phreifat fel ei gilydd.[28] Mae'r aelodaeth hefyd yn cael ei nodi'n un o feini prawf 'dymunol' swyddi cyfieithu yn aml, ar wahân i fod yn orfodol ar gyfer gwaith masnachol. O ran ymarfer felly, bydd yn anodd cael gwaith heb yr aelodaeth hon fel cyfieithydd llawrydd a byddwch yn cystadlu yn erbyn pobl am swyddi mewnol sydd wedi ennill yr aelodaeth yn aml. Y gymdeithas broffesiynol ar gyfer cyfieithwyr sy'n gweithio rhwng y Gymraeg a'r Saesneg yw Cymdeithas Cyfieithwyr Cymru. Anogir felly bob darpar gyfieithydd, unwaith eich bod wedi ennill y profiad angenrheidiol o dan hyfforddiant, i sefyll arholiad aelodaeth y Gymdeithas. Mae dwy lefel o aelodaeth, sef Aelodaeth Sylfaenol (i gyfieithwyr sy'n gweithio o dan oruchwyliaeth cyfieithydd profiadol ers blwyddyn a rhagor) ac Aelodaeth Gyflawn (lefel gwbl broffesiynol lle gall yr aelod gyfieithu heb oruchwyliaeth). Fel y mae'r gyfrol hon wedi dangos, mae llawer mwy i swydd y cyfieithydd na'r gallu i siarad dwy iaith, ac mae'r gofyniad i feddu ar aelodaeth broffesiynol cyn derbyn gwaith cyfieithu yn dangos hynny'n glir. Mae manylion ynghylch ymaelodi â Chymdeithas Cyfieithwyr Cymru i'w cael ar ei gwefan.[29]

## Nodiadau

1   Mae'r adroddiadau a ddefnyddiwyd ar gael yma: *https://www.cyfieithwyr.cymru/cy/ymaelodi/hen-bapurau-arholiad* [Cyrchwyd: 06/03/2021].

2   *https://www.cyfieithwyr.cymru/cy/amdanom-ni* [Cyrchwyd: 06/03/2021].

3   *https://www.cyfieithwyr.cymru/cy/hyfforddiant/ymarferion* [Cyrchwyd: 06/03/2021].

4   Yn 2012, dim ond yr adroddiad ar gyfer Aelodaeth Sylfaenol oedd ar gael. Mae'r gweddill, fel y nodwyd, yn nodi'r themâu cyffredin a welwyd ar y ddwy lefel.

5   'Siom hefyd oedd gweld rhai gwallau cywirdeb elfennol na fyddid yn disgwyl eu gweld gan neb oedd yn honni bod yn gyfieithydd', Aelodaeth Sylfaenol, Papur 1 Hydref 2016.

6   Fel yr awgrymwyd eisoes, Peter Wynn Thomas, *Gramadeg y Gymraeg* (Caerdydd: Gwasg Prifysgol Cymru, 1996) a David Thorne *Gramadeg Cymraeg* (Llandysul: Gwasg Gomer. 1996).

7   Aelodaeth Sylfaenol, Papur 2 2012.

8   Aelodaeth Sylfaenol, Papur 1 2013.

9   Aelodaeth Gyflawn, Papur 1 2013

10   Aelodaeth Sylfaenol, Papur 1 Ebrill 2019.

11   Aelodaeth Sylfaenol, Papur 1 Ebrill 2019.

12   Aelodaeth Sylfaenol, Papur 1 Hydref 2016.

13   Aelodaeth Gyflawn, Papur 2 Hydref 2015

14   Aelodaeth Sylfaenol, Papur 2 Ebrill 2017.

15   Aelodaeth Gyflawn, Papur 1 Hydref 2015

16   Aelodaeth Sylfaenol, Papur 1, Hydref 2017.

17   Aelodaeth Sylfaenol, Papur 1 Ebrill 2016

18   Aelodaeth Gyflawn, Papur 2 Ebrill 2016.

19   Aelodaeth Gyflawn, Papur 1 Ebrill 2015.

20   Aelodaeth Gyflawn, Papur 1 Ebrill 2015.

21   Aelodaeth Sylfaenol, Papur 1 Ebrill 2017.

22   Aelodaeth Sylfaenol, Papur 1, Ebrill 2018.

23   Aelodaeth Sylfaenol, Papur 1, Hydref 2016.

24   Aelodaeth Gyflawn, Papur 1 Mai 2014.

25   Aelodaeth Sylfaenol, Papur 1 Ebrill 2015.

26   Aelodaeth Sylfaenol, Papur 1 Ebrill 2016.

27   Aelodaeth Sylfaenol, Papur 1 Ebrill 2017.

28   Gweler, er enghraifft, yr amod hon mewn dogfen ynghylch cyfieithu i Gomisiynydd y Gymraeg o wefan GwerthwchiGymru: 'Dylai pob darn o waith cyfieithu testun a wneir yn rhan o'r cytundeb fframwaith hwn gael ei gwblhau gan aelod cyflawn o Gymdeithas Cyfieithwyr Cymru'. Comisiynydd y Gymraeg (2019), *Manyleb Gwasanaethau Cyfieithu Testun* (Comisiynydd y Gymraeg, Caerdydd), t. 5. Ar lein: *https://www.sell2wales.gov.wales/search/show/search_view.aspx?ID=OCT311454* [Cyrchwyd: 1/03/2021]. Gweler hefyd yr amod hon yn hysbyseb y Gwasanaeth Caffael Cenedlaethol ar gyfer amryw wasanaethau cyfieithu, a gyhoeddwyd ar wefan GwerthwchiGymru yn 2017, 'Un o feini prawf y Fframwaith fydd y gofyniad i gyflenwr fod yn aelod achrededig o gymdeithas neu gorff cyfieithu/cyfieithu ar y pryd proffesiynol. Rhaid i'r corff cyfieithu/cyfieithu ar y pryd fod yn un lle mae aelodaeth gyflawn yn dibynnu ar lwyddo mewn arholiad neu asesiad', ar lein: *https://www.gwerthwchigymru.llyw.cymru/search/show/search_view.aspx?ID=NOV222171* [Cyrchwyd: 02/03/2021].

29   *https://www.cyfieithwyr.cymru/cy/ymaelodi* [Cyrchwyd: 06/03/2021].

# GAIR I GLOI

Y bwriad trwy gydol y gyfrol hon oedd cyflwyno cyfieithu i newydd ddyfodiaid i'r maes a'r rhai sydd heb fawr o ddealltwriaeth o beth yw cyfieithu proffesiynol. Ni fydd darllen y gyfrol hon yn creu cyfieithwyr cyflawn a medrus dros nos; mae cyfieithu da yn gofyn am gryn brofiad, a mesurir y profiad hwnnw yn achos cyfieithu mewn blynyddoedd. Fodd bynnag, ceisiwyd cyflwyno sylfeini'r maes i ddarllenwyr. Ni allwn farnu i ba raddau y llwyddwyd i wneud hynny, ond y gobaith yw y bydd y wybodaeth, y strategaethau a'r technegau a gyflwynwyd yn sylfaen gadarn i'r rhai sydd am fentro i'r maes hwn, sef sylfaen y gallant adeiladu arni trwy brofiad ymarferol.

I grynhoi felly, dechreuwyd trwy drafod y maes cyfieithu yng Nghymru. Gwendid mawr llyfrau Saesneg yn y maes yw eu bod yn anwybyddu ieithoedd lleiafrifol. Teimlwyd felly ei bod yn bwysig cychwyn trwy drafod sefyllfa cyfieithu yng Nghymru, ac yn benodol yr hyn sydd wedi siapio'r maes. Polisïau iaith â'r nod o sicrhau dwyieithrwydd yn y sector cyhoeddus, ac i raddau hefyd ddatblygiadau ym maes addysg a darlledu, sydd wedi creu sector cyfieithu Cymru. Er bod y sector preifat a busnesau yn defnyddio gwasanaethau cyfieithu, go brin y byddai'r galw ganddynt yn cadw bron i 500 o gyfieithwyr yn brysur. Yn gysylltiedig â hyn y mae'r cyfraniad y mae cyfieithwyr yn ei wneud at ddwyieithrwydd ac at sicrhau cydraddoldeb ieithyddol yng Nghymru, ac o ddod i'r maes hwn, ni ddylid diystyru rôl cyfieithwyr wrth sicrhau chwarae teg i siaradwyr y Gymraeg. Mae angen cryn fedrusrwydd i wneud y cyfraniad hwn yn y lle cyntaf, fodd bynnag, a dyna pam yr aed ymlaen ym Mhennod 2 i drafod yr hyn sydd ei angen ar gyfieithwyr o ran gwybodaeth a sgiliau. Penderfynwyd ateb y cwestiwn hwn trwy adolygu ymchwil yn y maes Cymhwysedd Cyfieithu, sy'n mynd i'r afael â'r hyn sy'n nodweddu cyfieithwyr da a sut mae Cymhwysedd Cyfieithu yn datblygu dros amser. Mae'r cymhwysedd hwn yn gofyn am fwy na'r gallu i ddefnyddio dwy iaith, a manylwyd hefyd ar natur dwyieithrwydd a'r gamdybiaeth rhy gyffredin y gall unrhyw unigolyn dwyieithog gyfieithu. Ym Mhennod 3, cafodd theori cyfieithu sylw a manylwyd ar theorïau cyfieithu pwysig yn ymwneud â sut y dylai cyfieithwyr wneud eu gwaith. Dewiswyd y theorïau hynny oedd yn cynnig cyngor ymarferol i gyfieithwyr, a dangoswyd trwy hynny fod gan theori ei lle pan ddaw i hyfforddi cyfieithwyr. Trowyd wedyn at yr ymarferol ac ym Mhennod 4 gofynnwyd i ddarpar gyfieithwyr oedi am ennyd ac ystyried y gwaith i'w gyfieithu o'u blaenau. Trwy ddadansoddi nod y gwaith a'i gynulleidfa, mae modd sicrhau bod y cyfieithydd yn gwneud y penderfyniadau iawn er lles y defnyddiwr pan ddaw i iaith, strategaethau cyfieithu, arddull a dyluniad ymysg pethau eraill. Ar lefel y frawddeg, cyflwynwyd yn ogystal fframwaith ar gyfer canfod ystyron. Mae camgyfieithu oherwydd camddehongli yn bell o fod yn anghyffredin, fel y gwelwyd yn yr adroddiadau yn y bennod ddiwethaf, felly mae'n hollbwysig bod cyfieithwyr yn gwybod am beth maent yn chwilio wrth ddarllen ac yn gwybod sut y gall ystyr ei mynegi ei hun. Mae hyn hefyd yn hanfodol er mwyn dewis y technegau cyfieithu priodol; o beidio â darllen yn ddigon gofalus felly, sut mae modd osgoi cyfieithu llythrennol ac anaddas? Ar ddiwedd y broses o ddehongli er cyfieithu, mae angen llunio cyfieithiad. Ym Mhennod 5, cyflwynwyd cyfres safonol o dechnegau y gellid eu defnyddio i lunio cyfieithiadau naturiol yn yr iaith darged ac i ddelio â gwahanol fathau o ystyron nad ydynt yn rhai llythrennol. Dadansoddwyd wedyn y gwahanol ddulliau a ddefnyddiodd cyfieithwyr proffesiynol wrth eu gwaith. Nid yw'r broses o lunio cyfieithiad naturiol felly yn digwydd trwy hap a damwain; mae dulliau safonol ar gael o wneud hynny. Nid yw'r technegau a ddefnyddir gan gyfieithwyr yn gyfyngedig i lunio brawddegau fodd bynnag; ar destunau y mae cyfieithwyr yn gweithio, ac felly mae angen sicrhau bod y testun a gyflwynir yn dilyn normau testunol ni waeth sut y crëwyd y testun hwnnw, boed hynny trwy gyfieithu neu ysgrifennu unieithog. Bwriad Pennod 6 felly oedd cyflwyno testunoldeb a'r egwyddorion i'w dilyn er mwyn llunio testun safonol. Cyfieithiad 'sy'n llifo'n dda' yw'r disgrifiad amlaf ei ddefnydd o gyfieithiad o bosibl, lle mae'r cyfieithydd wedi cymryd gofal dros gydlynrwydd testunol a llif gwybodaeth ymysg pethau eraill. Mae elfennau pendant iawn i 'lifo'n dda', a chyflwynwyd hwy yn y bennod honno. Yn olaf, technoleg cyfieithu. Technoleg sydd â'i chyfeillion a'i hamheuwyr yw technoleg cyfieithu, ond ar ôl adrodd braslun o hanes cyfieithu peirianyddol, trafodwyd sut y mae'r dechnoleg hon o fudd mawr i gyfieithwyr proffesiynol o'i defnyddio'n iawn. Trafodwyd cyfieithu peirianyddol o safbwynt Llythrennedd Digidol hefyd; mae modd defnyddio a chamddefnyddio cyfieithu peirianyddol fel unrhyw declyn digidol arall, a rhaid i gyfieithwyr fod yn barod i ddweud hynny ac esbonio sut y dylid ei ddefnyddio. Bu cryn drafod hefyd ar berthynas cyfieithu peirianyddol â dyfodol y proffesiwn cyfieithu. Camddealltwriaeth, ond odid, sydd wrth wraidd yr honiadau a'r ofnau y bydd cyfieithu peirianyddol yn ergyd i gyfieithu fel bywoliaeth. Cynhorthwy ydyw â'i ddiffygion a'i ffaeleddau niferus, er ei fanteision amlwg, ac o ddeall gwir natur cyfieithu nid oes fawr ddim i'w ofni. Nid cyfieithu peirianyddol serch hynny yw'r unig dechnoleg a ddefnyddir a chyflwynwyd hefyd systemau cof cyfieithu. Gall y systemau hyn atgynhyrchu'n awtomatig gyfieithiadau a wnaed eisoes ynghyd â rhannau o gyfieithiadau, sy'n gallu arbed amser a chynyddu cynhyrchedd yn fawr. O ymuno â'r maes cyfieithu heddiw, mae'n annhebygol iawn y bydd cyfieithwyr yn gweithio heb system o'r fath erbyn hyn. Trwy gydol y gyfrol hon hefyd gwnaed ymdrech fawr i gynnwys cyfieithiadau a gyhoeddwyd mewn cyd-destun proffesiynol, ac mae rhyw 50 cyfieithiad o'r fath wedi eu cynnwys yn y gyfrol i ddangos y gwych a'r gwachul. Elfen arall o'r gyfrol y teimlwyd ei bod yn bwysig tu hwnt ei chynnwys oedd ymchwil academaidd. Yn sail i'r cyngor a'r wybodaeth yn y gyfrol hon y mae nifer fawr o bapurau a chyhoeddiadau academaidd o feysydd Astudiaethau Cyfieithu ac i raddau llai Ieithyddiaeth. Y nod wrth wneud hynny oedd sicrhau bod gan y darllenwyr hyder bod y wybodaeth a'r cyngor a geir yn y gyfrol yn seiliedig nid yn unig ar ymarfer proffesiynol yr awdur, ond ar yr ymchwil ddiweddaraf hefyd lle bo'n berthnasol.

I orffen, codaf eto bwynt a wneir yn gyson trwy gydol y gyfrol hon: cyfathrebu â phobl y mae cyfieithwyr ac mae gan unrhyw un a fyn gyfathrebu ddyletswydd i fod yn eglur. O weithio'n gydwybodol, darllen yn ofalus a meddwl sut yr ydym yn cyfleu negeseuon, ni waeth beth fo ffurfiau ieithyddol arwynebol yr iaith ffynhonnell, fe ddaw'r eglurder hwnnw.

# DARLLEN PELLACH

Isod mae rhestr ddarllen gyffredinol i'r rhai sydd am ddarllen yn helaethach yn y maes hwn. Mae rhestr o gyhoeddiadau cyffredinol ynghyd â rhestrau o gyhoeddiadau arbenigol. Mae rhestr yn ogystal o gyhoeddiadau ynghylch gwneud ymchwil ym maes Astudiaethau Cyfieithu i fyfyrwyr. Yn olaf, mae rhestr o'r cyfnodolion pwysicaf yn y maes a fydd yn cynnwys gwaith academaidd sy'n berthnasol i ymarfer proffesiynol a gwaith ymchwil myfyrwyr fel ei gilydd. Noder nad hon yw'r llyfryddiaeth o ffynonellau y cyfeiriwyd atynt wrth ysgrifennu'r gyfrol. Rhestr yw hon o gyhoeddiadau y gall myfyrwyr a chyfieithwyr ei defnyddio os ydynt am ddarllen ymhellach.

## Cyhoeddiadau Cymraeg neu o Gymru sy'n berthnasol i ymarfer proffesiynol

Comisiynydd y Gymraeg (2019), *Dogfen gyngor: Drafftio dwyieithog, cyfieithu a defnyddio'r Gymraeg wyneb yn wyneb*, (Comisiynydd y Gymraeg, Caerdydd). Ar lein: *https://bit. ly/35J519r* [Cyrchwyd: 10/03/2021].

Gruffudd, Heini, *Dechrau Cyfieithu* (Aberystwyth: Y Ganolfan Astudiaethau Addysg, 2010)

Prys, Delyth a Robat Trefor (goln), *Ysgrifau a Chanllawiau Cyfieithu*, Y Coleg Cymraeg Cenedlaethol. Ar lein: *https://llyfrgell.porth.ac.uk/View.aspx?id=1414~4k~jCaIVjFR* [Cyrchwyd: 03/03/2020].

Rottet, Kevin a Steve Morris, *Comparative Stylistics of English and Welsh* (Cardiff: University of Wales Press, 2018).

## Cyhoeddiadau Saesneg Ymarfer cyffredinol

Baker, Mona, *In other words: A coursebook on translation* (Abingdon: Routledge, 2014).

Bermann, Sandra a Catherine Porter (goln) *A Companion to Translation Studies* (London: Wiley-Blackwell, 2011).

Boase-Beier, Jean, *A Critical introduction to Translation Studies* (London: Bloomsbury, 2011).

Colina, Sonia, *Fundementals of Translation* (Cambridge: Cambridge University Press, 2015).

Cragie, Stella ac Ann Pattison, *Thinking English Translation* (Abingdon: Routledge, 2018).

Drugan, Joanna, *Quality in Professional Translation* (London: Bloomsbury Academic, 2013).

Fawcett, Peter, *Translation and Language. Linguistic Theories Explained* (Manchester: St. Jerome Publishing, 1997).

Gambier , Yves a Luc van Doorslaer (goln), *Handbook of Translation Studies* (Amsterdam/ Philadelphia: John Benjamins Publishing Company, 2010).

Goudec, Daniel (2007), *Translation as a profession* (Amsterdam/Philadelphia: John Benjamins Publishing Company, 2007).

Hatim, Basil a Jeremy Munday, *Translation: An advanced resource book* (London: Routledge, 2004).

Hatim, Basil ac Ian Mason, *Discourse and the Translator* (London: Longman, 1990).

———, *The translator as communicator* (London: Routledge, 1997).

Kopenen, Maarit et al. (goln), *Translation, Revision and Post-editing: Industry Practices and Cognitive Processes* (Abingdon: Routledge, 2020).

Kruger, Alet, Kim Wallmach a Jeremy Munday (goln), *Corpus-based translation studies: Research and Applications* (London: Bloomsbury, 2011).

Lederer, Marianne, *Translation: The Interpretive Model* (Manchester: St Jerome Publishing, 2003), cyfieithwyd o'r Ffrangeg i'r Saesneg gan Ninon Larché.

Mossop, Brian, *Revising and Editing for Translators*, 4ydd Argraff. (Abingdon: Routledge, 2020).

Munday, Jeremy (gol.), *The Routledge Companion to Translation Studies* (London and New York: Routledge, 2009).

———, *Introducing Translation Studies,* 4ydd Argraff. (London and New York: Routledge, 2016).

Nida, Eugene A. a Charles R. Taber, *The Theory and Practice of Translation* (Leiden: E. J. Brill, 1969).

Nord, Christiane, *Translating as a purposeful activity: Functionalist approaches explained* (Manchester: St. Jerome Publishing, 1997).

Robinson, Douglas, *Becoming a Translator: An introduction to the Theory and Practice of Translation*, 4ydd Argraff. (Abingdon: Routledge, 2020).

Suojanen, Tytti, Kaisa Koskinen a Tiina Tuominen, *User-centred Translation* (Abingdon: Routledge, 2015).

## Ymarfer arbenigol

Alcaraz, Enrique a Brian Hughes, *Legal Translation Explained* (Manchester: St. Jerome Publishing, 2002).

Byrne, Jody, *Scientific and Technical Translation Explained* (Abingdon: Routledge, 2015).

Cao, Deborah, *Translating Law* (Bristol: Multilingual Matters, 2007).

Creeze, Inneke, *Introduction to Healthcare for Interpreters and Translators* (Amsterdam a Philadelphia: John Benjamins Publishing Company, 2013).

Esselink, Bert, *A Practical Guide to Localisation*, Ail argraffiad (Amsterdam a Philadelphia: John Benjamins Publishing Company, 2000).

————, *A Practical Guide to Software Localization* (Amsterdam a Philadelphia: John Benjamins Publishing Company, 2000).

Mayoral, Roberto, *Translating Official Documents* (Manchester: St. Jerome Publishing, 2003).

Montalt, Vicent a Maria Gonzalez Davies, *Medical Translation Step by Step* (Manchester: St Jerome Publishing, 2007).

Olohan, Maeve, *Scientific and Technical Translation* (Abingdon: Routledge, 2015).

Torresi, Ira, *Translating Promotional and Advertising Texts* (Abingdon: Routledge, 2020).

## Technoleg cyfieithu – cyffredinol

Bowker, Lynne, *Computer-aided Translation Technology: A practical Introduction* (Ottawa: University of Ottawa Press, 2002).

Chan, Sin-wai, *The Future of Translation Technology: Towards a World without Babel* (Abingdon: Routledge, 2017).

————, (gol.), *Routledge Encyclopedia of Translation Technology* (Abingdon: Routledge, 2015).

Koehn, Philip, *Neural Machine Translation* (Cambridge: Cambridge University Press, 2020).

Mitchell-Schuitevoerder, Rosemary, *A Project-Based Approach to Translation Technology* (Abingdon: Routledge, 2020).

O'Hagan, Minako, *The Routledge Handbook of Translation and Technology* (Abingdon: Routledge, 2020).

Poibeau, Thierry, *Machine Translation* (Cambridge MA: MIT Press, 2017).

Quah, Chiew Kin, *Translation and Technology* (Basingstoke: Palgrave Macmillan, 2009).

Somers, Harold (gol.), *Computers and Translation: A Translator's Guide* (Amsterdam a Philadelphia, John Benjamins Publishing Company, 2003).

## Methodolegau a Dulliau Ymchwil ym maes Cyfieithu

Angelelli, Claudia a Brian James Baer, *Researching Translation and Interpreting* (Abingdon: Routledge, 2016).

Mellinger, Christopher a Thomas A. Hanson, *Quantitative Research Methods in Translation and Interpreting Studies* (Abingdon: Routledge, 2017).

Saldanha, Gabriela a Sharon O'Brien, *Research Methodologies in Translation Studies* (Abingdon: Routledge, 2015).

Williams, Jenny ac Andrew Chesterman, *The Map: A beginner's guide to doing research in translation studies* (Manchester: St Jerome Publishing, 2002).

## Theori

Baker, Mona a Gabriela Saldanha (goln), *Routledge Encyclopedia of Translation Studies*, 3ydd Argraffiad (London: Routledge, 2020).

Bassnett, Susan, *Translation Studies*, 4ydd Argraffiad (London: Routledge, 2014).

Gentzler, Edwin, *Contemporary Translation Theories* (Bristol: Multilingual Matters, 2001).

Malmkjaer, Kirsten (gol.), *The Routledge Handbook of Translation Studies and Linguistics* (Abingdon: Routledge, 2018).

Massimiliano, Morini, *The Pragmatic Translator: An Integral Theory of Translation* (London: Bloomsbury, 2012).

Millán, Carmen a Francesca Bartrina (goln), *The Routledge Handbook of Translation Studies* (Abingdon: Routledge, 2013).

Palumbo, Giuseppe, *Key Terms in Translation Studies* (London: Bloomsbury, 2009).

Pym, Anthony, *Exploring Translation Theories* (Abingdon: Routledge, 2014).

Robinson, Douglas (gol.), *Western Translation Theory from Herodotus to Nietzsche* (Abingdon: Routledge, 2002).

Steiner, George, *After Babel: Aspects of Language and Translation* (Oxford: Oxford University Press, 1975).

Venuti, Lawrence, *The Translator's Invisibility: A History of Translation.* (London: Routledge, 1995/2017).

Venuti, Lawrence (gol.), *The Translation Studies Reader*, 3ydd Argraff. (London: Routledge, 2012).

Weissbort, Daniel ac Astradur Eysteinsson (goln), *Translation: theory and practice: A historical reader* (Oxford: Oxford University Press, 2006).

Williams, Jenny, *Theories of Translation* (Basingstoke: Palgrave Macmillan, 2013).

## Cyfnodolion academaidd pwysig

Across Languages and Cultures

Approaches to Translation Studies

Babel: Revue international de la traduction

CLINA An Interdisciplinary Journal of Translation, Interpreting and Intercultural Communication

Exchanges: A Journal of Literary Translations

FORUM, international journal of interpretation and translation

International Journal of Comparative Literature and Translation Studies

Translation and Interpreting / The International Journal of Translation and Interpreting Research

inTRAlinea

Journal of Applied Linguistics and Language Research

Linguistica Antverpiensia, New Series – Themes in Translation Studies

Machine Translation

Meta: Translator's Journal

MTIJ – The Graduate Journal of Translation and Interpretation Studies

mTm: Minor Translating Major; Major Translating Minor; Minor Translating Minor

Mutatis Mutandis

New Voices in Translation Studies

Perspectives: Studies in Translation Theory and Practice

Revista Tradumàtica

SKASE Journal of Translation and Interpretation

Target

Terminology: International Journal of Theoretical and Applied Issues in Specialized Communication

Trans-kom: Zeitschrift für Translationswissenschaft und Fachkommunikation (*mae llawer o'r erthyglau ar gael yn y Saesneg hefyd*)

Translation and Interpreting Studies (TIS)

Translation and Literature

Translation and Translanguaging in Multilingual Contexts

Translation Journal: TJ

Translation Review

Translation Spaces: A multidisciplinary, multimedia, and multilingual journal of translation

Translation Studies

Translation, Cognition and Behavior

The Interpreter and Translator Trainer

The Journal of Specialised Translation

The Translator

## Adnoddau Gramadeg ac Iaith Hanfodol

Rhestrir isod y llyfrau iaith hanfodol a ddylai fod ar ddesg y cyfieithydd. Mae nifer fawr o lyfrau eraill na chynhwysais mohonynt yma, ond y pump isod yw'r rhai pwysicaf.

Ifans, Rhiannon, *Y Golygiadur: Llawlyfr i awduron a golygyddion* (Aberystwyth: Cymdeithas Lyfrau Ceredigion, 2006).

King, Gareth, *Modern Welsh: A Comprehensive Grammar* (Abingdon: Routledge, 2015).
   (*Mae'r gyfrol hon yn arbennig o ddefnyddiol ar gyfer egluro'r iaith lafar safonol ac amrywiadau llafar y Gymraeg, sef y math o iaith y dylid ei ddefnyddio ar y cyfryngau cymdeithasol er enghraifft neu mewn cyd-destunau anffurfiol*).

Rottet, Kevin, J a Steve Morris, *Comparative Stylistics of Welsh and English* (Cardiff: University of Wales Press, 2018).

Thomas, Peter Wynne, *Gramadeg y Gymraeg* (Caerdydd: Gwasg Prifysgol Cymru, 1996).
   (*Mae'r gyfrol hon yn arbennig o ddefnyddiol ar gyfer egluro'r iaith ysgrifenedig safonol*).

Thorne, David, *Gramadeg Cymraeg* (Llandysul: Gwasg Gomer, 1996).

## Adnoddau Terminoleg a Geiriadurol Hanfodol

Dyma'r adnoddau terminolegol a geiriadurol pwysicaf. Mae nifer o rai eraill, ond dyma'r ffynonellau mwyaf cynhwysfawr sydd ar gael yn gyffredinol. Dylai cyfieithwyr sefydlu eu cronfeydd terminoleg eu hunain hefyd wrth gyfieithu yn eu system cof cyfieithu fel y trafodwyd, i arbed gwaith chwilio ac i sicrhau cysondeb.

Byd Term Cymru (sef casgliad o dermau safonol gan Lywodraeth Cymru) (llyw.cymru/ bydtermcymru)

Cownie, Alun Rhys a Wyn G. Roberts, *A Dictionary of Welsh and English Idiomatic Phrases* (Cardiff: University of Wales Press, 2001).

Geiriadur Prifysgol Cymru (sef geiriadur hanesyddol a chynhwysfawr y Gymraeg) (*https://geiriadur.ac.uk/gpc/gpc.html*).

Geiriadur yr Academi (fersiwn ar lein o'r geiriadur Saesneg-Cymraeg mwyaf cynhwysfawr erioed gan Bruce Griffiths a Dafydd Glyn Jones) (*https:// geiriaduracademi.org/*).

Lewis, D. Geraint, *Ar Flaen Fy Nhafod* (Llandysul: Gwasg Gomer, 2012).

Lewis, D. Geraint a Nudd Lewis, *Geiriadur Cymraeg Gomer* (Llandysul: Gwasg Gomer, 2016).

Porth Termau Prifysgol Bangor (sy'n cynnwys y termau a geir yn Cysgair ac o sawl ffynhonnell arall ar bapur ac ar lein gan gynnwys y Termiadur Addysg a.y.y.b) (*http:// termau.cymru/*)

# LLYFRYDDIAETH

Acioly-Régnier, Nadja M., Daria B. Koroleva, Lyubov V. Mikhaleva a Jean-Claude Régnier, 'Translation Competence as a Complex Multidimensional Aspect', *Procedia – Social and Behavioral Sciences*, 200 (2015), 142–148.

Albir, Amparo H., 'The Acquisition of Translation Competence: Competences, Tasks and Assessment in Translator Training', *Meta*, 602 (2015), 256–280.

———, (gol.), *Researching Translation Competence by PACTE Group* (Amsterdam/Philadelphia: John Benjamins Publishing Company, 2017).

Al-Issa, Ahmad, 'Schema Theory and L2 Reading Comprehension: Implications For Teaching', *Journal of College Teaching & Learning*, 3(7) (2006), 41–48.

Alvarez Vidal, Sergi, Antoni Oliver a Toni Badia, 'Post-editing for Professional Translators: Cheer or Fear?', *Revista Tradumàtica* 18 (2020), 49–69.

Alves, Fábio a José Luiz Gonçalves 'Modelling Translator's Competence: Relevance and Expertise under Scrutiny' yn Yves Gambier, Miriam Shlesinger a Radegundis Stolze (goln), *Doubts and Directions in Translation Studies: Selected Contributions from the EST Congress in Lisbon* (Amsterdam/Philadelphia: John Benjamins Publishing Company, 2004), tt. 41–55.

Amazon Web Services, *Amazon Translate: Developers Guide*, Amazon 2021.

Askehave, Inger a Karen Korning Zethsen, 'Translating for laymen', *Perspectives: Studies in Translatology*, 10(1) (2002), 15–29.

Bangalore, Srinivas et al., 'The role of syntactic variation in translation and postediting', *Translation spaces*, 4(1) (2015), 119–144.

Baker, Colin a Wayne E. Wright, *Foundations of Bilingual Education and Bilingualism*, 6ed argraff. (Bristol, 2017).

Baker, Mona, *In Other Words: A Coursebook on Translation* Ail argraff. (London: Routledge, 2011).

Bardaji, Anna Gil, 'Procedures, techniques, strategies: translation process operators', *Perspectives: Studies in Translatology* 17(3) (2009), 161–173.

Basnett, Susanne, *Translation Studies*, 4ydd argraff. (Abingdon: Routledge, 2014).

Beeby, Allison, Amparo H. Albir a Mònica Fernández et al., 'Results of the Validation of the PACTE Translation Competence Model: Translation Project and Dynamic Translation Index' yn Sharon O'Brien (gol.), *Cognitive Explorations of Translation* (London: Continuum, 2012), tt. 30–56.

Bentivogli, Luisa et al., 'Neural versus Phrase-Based Machine Translation Quality: a Case Study' yn *Proceedings of the 2016 Conference on Empirical Methods in Natural Language Processing*, Texas 2016, 257–267.

Bowker, Lynne, 'Machine Translation Literacy as a social responsibility', *UNESCO Language Technologies for All Conferences*, Paris, 4–6 Rhagfyr 2019.

Breedveld, Hella, 'Writing and Revising Processes in Professional Translation', Across Languages and Cultures, 3(1) (2002), 91–100.

Brkić, Marija et al., 'Using Translation Memory to Speed up Translation Process' yn *Proceedings of the 2nd International Conference 'The Future of Information Sciences: INFuture2009 – Digital Resources and Knowledge Sharing'*, 4-6 Tachwedd 2009, Zagreb, Croatia.

Brooks, Simon, 'Dwyieithrwydd a'r Drefn Symbolaidd', yn Simon Brooks a Richard G. Roberts, (goln) *Pa Beth yr Aethoch Allan i'w Achub?* (Llanrwst: Gwasg Carreg Gwalch, 2013), tt. 102–127.

Brown, H. Douglas, *Teaching by Principles: An Interactive Approach to Language Pedagogy* (Michigan: Longman, 2001).

Cadwell, Patrick, Sharon O'Brien a Carlos Teixeira, 'Resistance and accommodation: factors for the (non-) adoption of machine translation among professional translators', *Perspectives in Translatology* 26(3) (2018), 301–321.

Carl, Michael et al., 'Long Distance Revisions in Draffting and Post-editing', yn Alexander Gelbukh (gol.), yn *Proceedings of the 11th International Conference on Computational Linguistics and Intelligent Text Processing*, Iasi, Romania, Mawrth 21–27 (Tokyo, 2010).

Carl, Michael, et al., *The Process of Post-Editing: A pilot study* Ar gael: https://research.cbs.dk/en/publications/the-process-of-post-editing-a-pilot-study [Cyrchwyd: 07/05/2020]

Carl, Michael, Silke Gutermuth a Silvia Hansen-Schirra, 'Post-editing Machine Translation: Efficiency, Strategies and Revision Processes in Professional Translation Settings' yn Aline Ferreira a John W. Schwieter (goln), *Psycholinguistic and Cognitive Inquiries into Translation and Interpreting* (Amsterdam/ Philadelphia: John Benjamins Publishing Company, 2015), tt. 145–174.

Castilho, Sheila et al., A Comparative Quality Evaluation of PBSMT and NMT using Professional Translators yn *Proceedings of MT Summit XVI, Vol.1: Research Track* Nagoya, Medi 18-22 2017, 116–131.

Castillo, Luis Miguel, 'Acquisition of *Translation Competence and Translation Acceptability: An Experimental Study, Translation and Interpreting*, 7(1) (2015), 72–85.

Cintrão, Heloísa Pezza, 'Development of Translation Competence in Novices: A Corpus Design and Key Logging Analysis' yn Sharon O'Brien (gol.) *Cognitive Explorations of Translation* (London: Continuum, 2012), tt. 86–107.

Clinton, Virginia, 'Reading from paper compared to screens: A systematic review and meta-analysis', *Journal of Research in Reading* 42(2) (2019), 288–325.

Colina, Sonia, 'Translation Quality Evaluation', *The Translator* 14(1) (2008), 97–134.

Comisiwn Ewrop, Cyfarwyddiaeth Gyffredinol Ewrop ar gyfer Cyfieithu, *DGT Translation Quality Guidelines* (Brwsel: Comisiwn Ewrop, 2015).

———, *European Masters in Translation: Competence Framework* (Brwsel: Comisiwn Ewrop, 2017), t. 3.

Comisiynydd y Gymraeg, *Drafftio dwyieithog, cyfieithu a defnyddio'r Gymraeg wyneb yn wyneb* (Caerdydd: Comisiynydd y Gymraeg, 2019).

———, *Adroddiad Blynyddol 2012–2013* (Caerdydd: Comisiynydd y Gymraeg, 2012).

———, *Hawlio Cyfleoedd: Adroddiad Sicrwydd Comisiynydd y Gymraeg 2018–19* (Caerdydd: Comisiynydd y Gymraeg, 2019).

Cownie, Alun Rhys, *A Dictionary of Welsh and English Idiomatic Phrases* (Cardiff: University of Wales Press, 2001).

Cragie, Stella ac Ann Pattison, *Thinking English Translation: Analysing and Translating English Source Texts* (Abingdon/New York: Routledge, 2018).

Cragie, Stella et al., *Thinking Italian Translation* (Abingdon/New York: Routledge, 2015).

Cronin, Michael, 'The Cracked Looking Glass of Servants', *The Translator*, 4(2) (1998), 145–162.

Cruse, Alan, *Meaning in Language: An Introduction to Semantics and Pragmatics*, 3ydd argraff. (Oxford: Oxford University Press, 2011).

Cyngor ar Bopeth, *Hefyd ar gael yn Gymraeg: Deall y defnydd a'r diffyg defnydd o wasanaethau Cymraeg* (Caerdydd: Cyngor ar Bopeth, 2015).

Chesterman, Andrew ac Emma Wagner, *Can Theory Help Translators? A Dialogue Between the Ivory Tower and the Wordface* (London: Routledge, 2002).

Chodkiewicz, Marta, *Understanding the Development of Translation Competence* (Berlin: Peter Lang, 2020)

Daems, Joke, Orphée De Clercq a Lieve Macken, 'Translationese and post-editese: How comparable is comparable quality?' *Linguistica Antverpiensia, New Series: Themes in Translation Studies*, 16 (2017), 89–103.

Davies, Gwilym Prys, 'Statws Cyfreithiol yr Iaith Gymraeg yn yr Ugeinfed Ganrif' yn Geraint H. Jenkins (gol.), *Eu Hiaith a Gadwant? Y Gymraeg yn yr Ugeinfed Ganrif* (Caerdydd: Gwasg Prifysgol Cymru, 2000), tt. 207–239.

De Palma, Donald, 'AI-augmented translation'. Ar gael: https://csa-research.com/Insights/ArticleID/140/Augmented-Translation-Powers-up-Language-Services [Cyrchwyd: 06/03/2021].

Deignan, Alice, *Metaphor and Corpus Linguistics* (Amsterdam/Philadelphia: John Benjamins Publishing Company, 2005).

Depraetere, Ilse (gol.) *Perspectives on Translation Quality* (Berlin/Boston: De Gruyter, 2011).

Dickins, James, 'Two models of metaphor translation', *Target* 17(2) (2005), 227–273.

Doherty, S, 'Investigating the Effects of Controlled Language on the Reading and Comprehension of Machine Translated Texts' (traethawd PhD heb ei gyhoeddi, Prifysgol Dinas Dulyn, Dulyn, 2012).

Douglas Robinson (gol.), *Western Translation Theory from Herodotus to Nietzsche* (Abingdon/New York: Routledge, 2002).

Dragsted, Barbara, 'Co-ordination of Reading and Writing Processes in Translation: An Eye on Unchartered Territory', yn Gregory M. Shreve ac Erik Angelone (goln), *Translation and Cognition* (Amsterdam/Philadelphia: John Benjamins Publishing Company, 2010), tt. 41–63.

Dragsted, Barbara a Michael Carl, 'Towards a Classification of Translation Styles based on Eye Tracking and Key-logging Data', *Journal of Writing Research* 5(1) (2013), 133–158.

Drugan, Joanna, *Quality in Professional Translation* (London/New York: Bloomsbury Academic, 2013).

Edwards, Gwilym Lloyd, *Iaith y Nefoedd: Dyfyniadau ynglŷn â'r Iaith Gymraeg* (Llanrwst: Gwasg Carreg Gwalch, 2011), tt. 197–198.

Englund Dimitrova, Birgitta, *Expertise and Explicitation in the Translation Process* (Amsterdam/Philadelphia: John Benjamins Publishing Company, 2005).

Ehrensberger-Dow, Maureen a Gary Massey, 'Indicators of Translation Competence: Translators' Self-Concepts and the Translation of Titles', *Journal of Writing Research* 5(1) (2013), 103–31.

Elias, Osian, a Gwenno Griffith, 'Mae hergwd cyn bwysiced â hawl': newid ymddygiad a pholisi'r iaith Gymraeg,' *Gwerddon* 29 (2019), 59–80.

Esfandiari, Mohammad R., Nasrin Shokrpour a Forough Rahimi, 'An Evaluation of the EMT: Compatibility with the Professional Translator's Needs, *Cogent Arts and Humanities*, 6 (2019), 1–17.

Esfandiari, Mohammad R., Tengku Sepora a Tengku Mahadi, 'Translation Competence: Aging Towards Modern Views, *Procedia – Social and Behavioral Sciences*, 192 (2015), 44–52.

Esser, Oktay, 'A Model of Translator's Competence from an Educational Perspective', *International Journal of Comparative Literature and Translation Studies*, 3(1) (2015), 5–15.

Evans, J.J, *Diarhebion Cymraeg – Welsh Proverbs*, 6ed Argraffiad (Llandysul: Gwasg Gomer, 1992).

Gentzler, Edwin, *Contemporary Translation Theories*, ail argraff. (Bristol: Multilingual Matters, 2001).

Goatly, Andrew, *The Language of Metaphors* (Abingdon/New York: Routledge, 1997).

González, Marta, 'Translation of minority languages in bilingual and multilingual communities' yn Albert Branchadell a Lovell Margaret West (goln), *Less Translated Languages* (Amsterdam/Philadelphia: John Benjamins Publishing Company, 2005), tt. 105–125.

Göpferich, Susanne, 'The Translation of Instructive Texts from a Cognitive Perspective: Novices and Professionals Compared' yn Arnt Lykke Jakobsen ac Inger M. Mees (goln), *New Approaches in Translation Process Research* (Copenhagen: Samfundslitteratur Press, 2010), tt. 5–55.

Göpferich, Susanne, Gerrit Bayer-Hohenwarter, Friederike Prassl a Johanna Stadlober, 'Towards a Model of Translation Competence and its Acquisition: The Longitudinal Study TransComp' yn Susanne Göpferich, Arnt L. Jakobsen ac Inger M. Mees (goln), *Behind the Mind: Methods, Models and Results in Translation Process Research* (Copenhagen: Samfundslitteratur Press, 2009), tt. 11–39.

Susanne Göpferich, Gerrit Bayer-Hohenwarter, Friederike Prassl a Johanna Stadlober, 'Exploring Translation Competence Acquisition: Criteria of Analysis Put to the Test,' yn Sharon O'Brien (gol.), *Cognitive Explorations of Translation* (London: Continuum, 2012), tt. 57–86.

Guerberof, Ana, 'Productivity and quality in the post-editing of outputs from translation memories and machine translation', *International Journal of Localization* 7(1) (2009), 11–21.

———, 'Productivity and Quality in the Post-editing of Outputs from Translation *Memories* and Machine Translation' (traethawd PhD heb ei gyhoeddi, Prifysgol Rovira I Virgili, Tarragona, 2012).

Halliday, Michael a Ruqaiya Hasan, *Cohesion in English* (London: Routledge, 1976).

Hans J. Störig, *Das Problem Des Übersetzens* (Darmstadt: Wissenschaftliche Buchgesellschaft, 1963).

Hervey, Sándor, Michael Loughridge ac Ian Higgins, *Thinking German Translation* (Abingdon/New York: Routledge, 2006),

Hitti, Phillip, *The History of the Arabs* (London: Macmillan Company 1979).

House, Juliane (gol.), *Translation: A Multidisciplinary Approach* (Basingstoke: Palgrave Macmillan, 2014).

Hu, Ke a Patrick Caldwell, 'A Comparative Study of Post-editing Guidelines', *Baltic Journal of Modern Computing*, 4(2) (2016), 346–353.

Hung, Eva a David Pollard, 'The Chinese Tradition', yn Mona Baker a Gabriela Saldanha (goln), *The Routledge Encyclopedia of Translation Studies*, Ail argraff. (Abingdon/New York: Routledge, 2011), tt. 369–378.

Hutchins, John, 'Machine translation: History of research and applications', yn Sin-Wai Chan (gol.), *Routledge Encyclopedia of Translation Technology* (London: Routledge, 2014).

Institute of Translation and Interpreting, *Applicant Handbook – Assessment Guide for Translators* (Milton Keynes: Institute of Translation and Interpreting, 2021).

IoL Educational Trust, *Diploma in Translation – Handbook for Candidates* (London: Chartered Institute of Linguists, 2017).

Jakobsen, Arnt L., 'Investigating expert translators' processing knowledge', yn Helle V. Dam, Jan Engberg a Heidrun Gerzymisch-Arbogast (goln), *Knowledge Systems and Translation* (Berlin/New York: De Gruyter, 2005), tt. 173–193.

————, 'Translation Drafting by Professional Translators and by Translation Students', yn Gyde Hansen (gol.), *Empirical Translation Studies* (Copenhagen: Samfundslitteratur Press, 2002), tt. 191–204.

Jakobsen, Arnt L. a Kristian Jensen, 'Eye movement behaviour across four different types of reading task' yn Susanne Göpferich, Arnt L. Jakobsen, Inger M. Mees (goln), *Looking at Eyes: Eye Tracking Studies of Reading and Translation Processing* (Copenhagen: Samfundslitteratur Press, 2008), tt. 103–124.

Jakobson, Roman, 'On Linguistic Aspects of Translation', yn Lawrence Venuti (gol.), *The Translation Studies Reader* (Abingdon/New York: Routledge, 2004), tt. 138–143.

James, Meleri Wyn, *Sgymraeg* (Tal-y-bont: Y Lolfa, 2011).

————, *Mwy o Sgymraeg* (Tal-y-bont: Y Lolfa, 2013).

Janson, Tore, *Speak: A Short History of Languages* (Oxford: Oxford University Press, 2002).

Jia, Yanfang, Michael Carl a Xiangling Wang, Post-editing neural machine translation versus phrase-based machine translation for English–Chinese, *Machine Translation* 33 (2019), 9–29.

Jones, Dafydd ac Andreas Eisele, 'Phrase-based statistical machine translation between English and Welsh', yn *Strategies for developing machine translation for minority languages, 5th SALTMIL Workshop on Minority Languages LREC-2006* Genoa, Yr Eidal, 75–78.

Jones, R.E, *Llyfr o Idiomau Cymraeg* (Abertawe: Gwasg John Penry, 1976).

Jones, Sylvia Prys, 'Theori ac Ymarfer Cyfieithu yng Nghymru Heddiw' yn Delyth Prys a Robat Trefor (goln), *Ysgrifau a Chanllawiau Cyfieithu* (Caerfyrddin: Y Coleg Cymraeg Cenedlaethol, 2015). Ar lein: *https://llyfrgell.porth.ac.uk/View.aspx?id=1414~4k~jCaIVfFR* [Cyrchwyd: 03/02/2019].

Just, Marcel Adam a Patricia Carpenter, 'A theory of reading: From eye fixations to comprehension', *Psychological Review* 87 (1980), 329–354.

Karwacka, Wioleta, 'Quality assurance in medical translation', *The Journal of Specialised Translation* 21 (2014), 19–34.

Kaufmann, J, 'Cymdeithaseg Cyfieithu: Dylanwad Cyfieithu ar y Pryd ar y defnydd o'r Gymraeg yng Ngwynedd' (traethawd PhD heb ei gyhoeddi, Prifysgol Bangor, Bangor 2009).

————, 'The Darkened glass of bilingualism? Translation and interpreting in Welsh language planning', *Translation Studies* 5(3) (2012), 327–344.

Kelly, Louis G., 'The Latin Tradition', yn Mona Baker a Gabriela Saldhana (goln), *The Routledge Encyclopedia of Translation Studies*, Ail argraff, tt. 477–486.

Kenny, Dorothy, 'Equivalence', yn Mona Baker a Gabriela Saldhana (goln), *The Routledge Encyclopedia of Translation Studies*, Ail argraff, tt. 96–99.

Klebanov, Beata a Michael Flor, 'Associative Texture is Lost in Translation' yn Bonnie Webber et al. (goln), *Proceedings of the Workshop on Discourse in Machine Translation*, Sofia, Bwlgaria Awst 2013, tt. 27–32.

Klubička, Filip, Antonio Toral a Victor M. Sánchez-Cartagena, 'Fine-grained human evaluation of neural versus phrase-based machine translation', *Prague Bulletin of Mathematical Linguistics* 108 (2017), 121–132.

————, 'Quantitative finegrained human evaluation of machine translation systems: a case study on English to Croatian', *Machine Translation* 32(3) (2018), 195–215.

Koehn, Phillip, 'A process study of computer-aided translation', *Machine Translation* 23(4) (2009), 241–263.

Koglin, Arlene, 'An empirical investigation of cognitive effort required to post-edit machine translated metaphors compared to the translation of metaphors', *Translation and Interpreting* 7(1) (2015), 126–141.

Krein-Kühle, Monika, 'Translation and Equivalence', yn Juliane House (gol.), *Translation: A Multidisciplinary Approach* (Basingstoke: Palgrave Macmillan, 2014), tt.15–36.

Kumpulainen, Minna, 'Translation Competence from the Acquisition Point of View', *Translation, Cognition, & Behavior*, 1(1) (2018), 147–167.

Künzli, Alexander, 'Investigating translation proficiency – A study of the knowledge employed by two engineers in the translation of a technical text', *Bulletin Suisse de Linguistique Appliquée* 81 (2005), 41–56.

Lasnier, François, *Réussir la formation par compétences* (Montreal: Guérin, 2000).

Lederer, Marianne, *Translation: The Interpretive Model* (Manchester/Nothampton: St. Jerome Publishing, 2003), cyfieithiad o'r Ffrangeg gan Ninon Larché.

———, 'Can Theory Help Translator and Interpreter Trainers and Trainees?' *The Interpreter and Translator Trainer* 1(1) (2007), 15–36.

Lewis, D. Geraint, *Ar flaen fy nhafod* (Llandysul: Gwasg Gomer, 2012).

Lörsher, Wolfgang, 'Bilingualism and Translation Competence: A Research Project and its First Results', *SYNAPS – A Journal of Professional Communication* 27 (2012), 3–15.

Lu, Fengmei a Zhen Yuan, 'Explore the Brain Activity during Translation and Interpreting Using Functional Near-Infrared Spectroscopy' yn Defeng Li, Victoria Lai Cheng Lei a Yuanjian He (goln), *Researching Cognitive Processes of Translation. New Frontiers in Translation Studies* (Singapore: Springer, 2019), tt. 109–120;

Lumeras, Maite Aragonés ac Andy Way, On the Complementarity between Human Translators and Machine Translation, *Journal of Language and Communication in Business* 56 (2017), 22–42.

Llywodraeth Cymru, *Cynllun Gweithredu Technoleg Cymraeg: Adroddiad Cynnydd 2020* (Caerdydd: Llywodraeth Cymru, 2020). Ar gael: *https://llyw.cymru/sites/default/files/publications/2020-12/cynllun-gweithredu-technoleg-cymraeg-adroddiad-cynnydd-2020.pdf* [Cyrchwyd: 29/12/2020].

———, *Fframwaith Cymhwysedd Digidol – Canllawiau* (Caerdydd: Llywodraeth Cymru, 2018).

———, *Y Defnydd o'r Gymraeg yng Nghymru, 2013–15* (Caerdydd: Llywodraeth Cymru, 2015).

Martin, Allan, 'A European Framework for Digital Literacy', *Digital Kompetanse*, 2 (2006), 151–161.

Mateo, Roberto M., 'A Deeper Look into Metrics for Translation Quality Assessment (TQA): A Case Study', *Miscelánea: A Journal of English and American Studies* 49 (2014), 73–94.

Mellinger, Christopher, 'Computer-Assisted Translation: An Investigation of Cognitive Effort' (traethawd PhD heb ei gyhoeddi, Prifysgol Kent State, Talaith Ohio, 2014).

Mossop, Brian, *Revising and Editing for Translators* (Abingdon/New York: Routledge, 2020).

Newmark, Peter, *A Textbook of Translation* (London/New York/Toronto: Prentice-Hall International 1988).

———, *Approaches to Translation* (Oxford: Pergamon Press, 1981).

Newton, John, 'Introduction and Overview' yn John Newton (gol.), *Computers in Translation: A Practical Appraisal* (London: Routledge, 1992), tt. 1–14.

Nida, Eugene, *Toward a Science of Translating* (Leiden: Brill Archive, 1964).

Nisbeth Jensen, Matilde a Karen Korning Zethsen, 'Translation of patient information leaflets: Trained translators and pharmacists-cum-translators – A comparison', *Linguistica antverpiensia: New Series - Themes in Translation Studies* (2012), 31–49.

Nitzke, Jean, Silvia Hansen-Schirra and Carmen Canfora, 'Risk management and post-editing competence', *The Journal of Specialized Translation*, 31 (2019), 239–259.

Noor Rosa, Rusdi, Tengku Silvana Sinar, Zubaidah Ibrahim-Bell ac Eddy Setia, 'Pauses by Student and Professional Translators in Translation Process', *International Journal of Comparative Literature & Translation Studies* (2018), 18–28.

Nord, Christiane, *Translating as a purposeful activity: Functionalist approaches explained* (Manchester/Northampton: St. Jerome Publishing, 1997).

Núñez, Gabriel González, *Translating in Linguistically Diverse Societies: Translation Policy in the United Kingdom* (Amsterdam/Philadelphia: John Benjamins Publishing Company, 2016).

Nirenburg, Sergei, Harold Somers a Yorick Wilks (goln), *Readings in Machine Translation* (Cambridge Massachusetts: MIT Press, 2003).

O'Brien, Sharon a Gabriela Saldanha, *Research Methodologies in Translation Studies* (London: Routledge, 2013).

O'Brien, Sharon, 'An Empirical Investigation of Temporal and Technical Post-editing Effort', *Translation and Interpreting Studies* 2(1) (2007), 83–136.

———, 'Controlled language and readability' yn Gregory M. Shreve ac Erik Angelone (goln), *Translation and Cognition* (Amsterdam/Philadelphia: John Benjamims Publishing Company, 2010), tt. 143–165.

———, 'Machine-Translatability and Post-Editing Effort: An Empirical Study using Translog and Choice Network Analysis' (traethawd PhD heb ei gyhoeddi, Prifysgol Dinas Dulyn, Dulyn, 2006).

———, 'Teaching Post-editing: A Proposal for Course Content', yn Harold Somers (gol.) *6th EAMT Workshop on Teaching Machine Translation*, Manchester, England, Tachwedd 14-15 2002.

———, 'Towards a Dynamic Quality Evaluation Model for Translation', *The Journal of Specialized Translation* 17 (2012), 55–77.

Owen, Morfydd, 'Functional Prose: Religion, Science, Grammar, Law' yn A. O. H. Jarman a Gwilym Rees Hughes (goln), *A Guide to Welsh Literature Volume* 1 (Cardiff: University of Wales Press, 1992), tt. 248–276.

Paredes, Natalia, Pedro Macizo a Maria T. Bajo, 'Activation of lexical and syntactic target language properties in translation', *Acta Psychologica* 128(4) (2007), 490–500.

Pedro, Macizo a Maria T. Bajo, 'When Translation Makes the Difference: Sentence Processing in Reading and Translation', *Psicológica* 25 (2004), 181–205.

Pinker, Steven, *A Sense of Style* (London: Penguin, 2008).

Piotrowska, Maria, A Compensational Model for Strategy and Techniques in Teaching Translation (Kraków: Wydawn. Nauk. Akademii Pedagogicznej, 2002).

Pöchhacker, Frank, *Introducing Interpreting Studies* (London/New York: Routledge, 2009).

Poibeau, Thierry, *Machine Translation* (Cambridge Massachusetts: MIT Press, 2017).

Presas, Marisa, 'Bilingual Competence and Translation Competence' yn Christina Schäffner a Beverly Adab (goln), *Developing Translation Competence* (Amsterdam/Philadelphia: John Benjamins Publishing Company, 2000), tt. 19–33.

Price, Cathy J., David W. Green a Roswitha von Studnitz, 'A functional imaging study of translation and language switching', *Brain*, 122(12) (1999), 2221–2235.

Prys, Delyth, a Dewi Bryn Jones, *Canllawiau Safoni Termau Gwasanaeth Cyfieithu Llywodraeth Cynulliad Cymru a Bwrdd yr Iaith Gymraeg / Guidlines for the Standardization of Terminology for the Welsh Assembly Government and the Welsh Language Board* (Bangor: Prifysgol Bangor, 2007).

Prys, Delyth, Tegau Andrews a Gruff Prys, 'Term formation in Welsh: Problems and solutions', yn *Svijet od riječi. Terminološki i leksikografski ogledi. Institute of Croatian Language and Linguistics* (Zagreb: Institute of Croatian Language and Linguistics, 2020), tt. 159–184.

Prys, Myfyr a Dewi Bryn Jones, 'Embedding English to Welsh MT in a Private Company', yn *Proceedings of the Celtic Language Technology Workshop 2019*, Dulyn, Iwerddon. *European Association for Machine Translation*, 41–47. Ar gael: https://www.aclweb.org/anthology/W19-6906/ [Cyrchwyd: 29/12/2020].

Pym, Anthony, 'A typology of translation solutions', *The Journal of Specialized Translation* 30 (2018), 41–65.

Quah, Chiew Kin, *Technology and Translation* (London: Palgrave Macmillan, 2006).

Qudsiya, Sanam Maria et al., 'Study of intraocular pressure among individuals working on computer screens for long hours', *Annals of Medical Physiology*, 1(1) (2017), 22–25.

Ramanujan Keerthi, Man Wi Kong M a Brendan Weekes, An fMRI study of executive control during translation and oral reading in Cantonese-English bilingual speakers. *Academy of Aphasia 55th Annual Meeting 2019*. Ar gael: *https://www.frontiersin.org/10.3389%2Fconf.fnhum.2017.223.00040/event_abstract* [Cyrchwyd: 4/5/2020].

Ramos, Fernando Prieto, 'The evolving role of institutional translation service managers in quality assurance: Profiles and challenges' yn Tomáš Svoboda, Łucja Biel a Krzysztof Łoboda (goln), *Quality aspects in institutional translation* (Berlin: Language Science Press, 2017), tt. 59–74.

Rayner, Keith, 'Eye movements in reading and information processing: 20 years of research', *Psychological Bulletin* 123(3) (1998), 372–422.

Rico, Celia ac Enrique Torrejón, 'Skills and Profile of the New Role of the Translator as MT Post-editor', *Revista Tradumàtica* 10 (2012), 166–178.

Roberts, Mared, 'Golygu a Phrawfddarllen' yn Delyth Prys a Robat Trefor (goln) (2015), *Ysgrifau a Chanllawiau Cyfieithu*, Y Coleg Cymraeg Cenedlaethol, ar lein: *https://llyfrgell.porth.ac.uk/View.aspx?id=1414~4k~jCaIVfFR* [Cyrchwyd: 05/11/2020]

Rottet, Kevin J. a Steve Morris, *Comparative Stylistics of Welsh and English* (Cardiff: University of Wales Press, 2018).

Russ, Charles V.J, *The German Language Today* (London: Routledge,1994).

Screen, Ben, 'Effaith defnyddio cofion cyfieithu ar y broses gyfieithu: Ymdrech a chynhyrchedd wrth gyfieithu i'r Gymraeg', *Gwerddon* 23 (2017), 10–38.

———, 'Machine Translation and Welsh: Analysing free Statistical Machine Translation for the professional translation of an under-researched language pair', *The Journal of Specialized Translation* 28(1) (2017), 317–344.

———, 'Productivity and Quality when editing Machine Translation and Translation Memory Outputs: An Empirical Analysis of English to Welsh Translation', *Studia Celtica Posnaniensia* 2 (2017), 119–142.

———, 'What does Translation Memory do to translation? The effect of Translation Memory output on specific aspects of the translation process', *Translation and Interpreting* 8(1) (2016) 1–18.

———, 'What effect does post-editing have on the translation product from an end-user's perspective?' *The Journal of Specialized Translation* 31 (2019), 133–157.

———, 'Defnyddio Cyfieithu Awtomatig a Chof Cyfieithu wrth gyfieithu o'r Saesneg i'r Gymraeg: Astudiaeth ystadegol o ymdrech, cynhyrchedd ac ansawdd gan ddefnyddio data Cofnodwyr Trawiadau Bysell a Thracio Llygaid' (traethawd PhD heb ei gyhoeddi, Prifysgol Caerdydd, Caerdydd, 2018).

Schäffner, Christina (gol.), *Translation and Quality* (Bristol: Multilingual Matters, 1998).

Shreve, Gregory M., Christina Schäffner, Joseph H. Danks a Jennifer Griffin, 'Is there a special kind of reading for translation? An empirical investigation of reading in the translation process', *Target* 5 (1993), 21–41.

Shuttleworth, Mark a Moira Cowie, *Dictionary of Translation Studies* (Manchester: St Jerome Publishing, 1997).

Somers, Harold, 'Introduction' yn Harol Somers (gol.*), Computers and Translation: A Translator's Guide* (Amsterdam/Philadelphia: John Benjamins Publishing Company, 2003), t. 1–11.

———, 'Translation memory systems', yn Harold Somers (gol.) *Computers and Translation: A Translator's Guide* (Amsterdam/Philadephia: John Benjamins Publishing Company, 2003), tt. 31–49.

Smith, Llinos Beverly, 'Yr Iaith Gymraeg cyn 1536', yn Geraint H. Jenkins (gol.), *Y Gymraeg yn ei Disgleirdeb* (Caerdydd: Gwasg Prifysgol Cymru, 1997), tt. 1–15.

Stasimioti, Maria et al., 'Machine Translation Quality: A comparative evaluation of SMT, NMT and tailored-NMT outputs' yn *Proceedings of the 22nd European Association for Machine Translation Conference*, Tachwedd 3-5 2020 a gynhaliwyd ar lein, 441-450.

Stevenson, Patrick et al., *The German Speaking World: A Practical Guide to Sociolinguistic Issues*, Ail Argraff. (Abingdon: Routledge, 2018).

Suojanen, Tytti, Kaisa Koskinen a Tiina Tuominen, *User-centered Translation* (Abingdon: Routledge, 2015).

Thomas, Isaac, 'Translating the Bible', yn R. Geraint Gruffydd (gol.), *A Guide to Welsh Literature c. 1530-1700* (Cardiff: University of Wales Press, 1997), tt. 154–175.

Thomas, Peter Wynn, 'Cymraeg Swnllyd', *Taliesin* Haf (1998), 39–65.

———, *Gramadeg y Gymraeg* (Caerdydd: Gwasg Prifysgol Cymru, 1996).

Thorne, David, *Gramadeg Cymraeg* (Llandysul: Gwasg Gomer, 1996).

T. M. Wong, Billy a Chunyu Kit, 'Extending Machine Translation Evaluation Metrics with Lexical Cohesion To Document Level', yn Jun'ichi Tsujii, James Henderson a Marius Paşca (goln), *Proceedings of the 2012 Joint Conference on Empirical Methods in Natural Language Processing and Computational Natural Language Learning*, Ynys Jeju, Corea, 12–14 Gorffennaf 2012, tt. 1060–1068.

Toral, Antonio, 'Post-editese: an Exacerbated Translationese' yn *Proceedings of MT Summit XVII, Volume 1,* Dulyn, Awst 19-23 2019, 273–281.

———, 'Reassessing Claims of Human Parity and Super-Human Performance in Machine Translation at WMT 2019' yn *Proceedings of the 22nd European Association for Machine Translation Conference*, Tachwedd 3-5 2020 a gynhaliwyd ar lein, 185–195.

Tyers, Francis a Kevin Donnelly, 'Apertium-cy - a collaboratively-developed free RBMT system for Welsh to English', *The Prague Bulletin of Mathematical Linguistics*, 91 (2009), 57–66.

Tzou, Yeh-zu, Jyotsna Vaid a Hsin-Chin Chen, 'Does formal training in translation/interpreting affect translation strategy? Evidence from idiom translation', *Bilingualism: Language and Cognition* 20(3) (2017), 632–641.

Uswak, Valentina, 'Einsatz der Maschinellen Übersetzung im Übersetzungsprozess in Unternehmen' yn Jan Mugele, Gabriele Helga Franke a Doreen Schincke (goln), *Tagungsband der Nachwuchswissenschaftlerkonferenz Magdeburg*, 24 Ebrill 2014, 70–73.

Van der Broek Paul, a Christine Espin, 'Improvinng Reading Comprehension: Connecting Cognitive Science and Education', *Cognitive Critique* 5(2) (2010), 1–26.

Vandepitte, Sonia, Robert J. Hartsuiker ac Eca Van Assche, 'Process and Text Studies of a Translation Problem' yn Aline Ferreira a John Schwieter (goln), *Psycholinguistic and Cognitive Inquiries into Translation and Interpreting* (Amsterdam/Philadelphia: John Benjamins Publishing Company, 2015), tt. 127–145.

Vanmassenhove, Eva, Dimitar Shterionov a Matthew Gwilliam, '*Machine Translationese: Effects of Algorithmic Bias on Linguistic Complexity in Machine Translation*', fersiwn cyn cyhoeddi o Ionawr 2021. Ar gael: *https://arxiv.org/abs/2102.00287v1* [Cyrchwyd: 01/02/2021].

Vanmassenhove, Eva, Dimitar Shterionov ac Andy Way, ' Lost in Translation: Loss and Decay of Linguistic Richness in Machine Translation' yn Mikel Forcada, Andy Way, Barry Haddow a Rico Sennrich (goln), *Proceedings of Machine Translation Summit XVII Volume 1: Research Track Dulyn,* 2019. Ar gael: https://www.aclweb.org/anthology/W19-6622/ [Cyrchwyd: 01/02/2021].

Williams, Howard, 'Marcus Tullius Cicero, Y Prif Dda a'r Weriniaeth', yn John Daniel a Walford L. Gealy (goln), *Hanes Athroniaeth y Gorllewin* (Caerdydd: Gwasg Prifysgol Cymru, 2009), tt. 91–105.

Weaver, Warren, 'Translation', yn Nirenburg, Sergei, Harold Somers a Yorick Wilks (goln), *Readings in Machine Translation* (Cambridge Massachusetts: MIT Press, 2003), tt. 13–19.

Williams, Jenny, Theories of Translation (Basingstoke: Palgrave Macmillan, 2013).

Zheng, Bingham, 'The Translator's Brain', *The Linguist*, cylchgrawn Cymdeithas Siartredig yr Ieithyddion. Ar lein: *https://www.ciol.org.uk/translator%E2%80%99s-brain* [Cyrchwyd: 06/03/2021].

**Gwefannau**

BBC Wales Politics (2020), Conservative MP apologises for Welsh website translation errors. Ar lein: *https://www.bbc.co.uk/news/uk-wales-politics-53282713* [Cyrchwyd: 03/07/2020]

Canolfan Bedwyr Prifysgol Bangor, Corpws Cyfochrog Cofnod y Cynulliad. Ar lein: *http://corpws. cymru/ycofnod/* [Cyrchwyd: 30/12/2020].

———, Prifysgol Bangor, Cysill Ar lein :: Gwirydd Sillafu a Gramadeg Cymraeg. Ar lein: *https:// www.bangor.ac.uk/cymorthcymraeg/cysill_ar_lein.php.en* [Cyrchwyd: 02/11/2020].

———, Prifysgol Bangor, CyfieithuCymru. Ar lein: *http://techiaith.bangor.ac.uk/rheolyn-a-cyfieithyn/* [Cyrchwyd: 12/12/2020].

———, Prifysgol Bangor, Cymraeg Clir. Ar lein: *https://www.bangor.ac.uk/canolfanbedwyr/pdf/CymClir. pdf* [Cyrchwyd: 07/11/2020].

———, Prifysgol Bangor, Demo Cyfieithu Peirianyddol. Ar lein: *http://techiaith.cymru/cyfieithu/demo/* [Cyrchwyd: 29/12/2020].

Comisiynydd y Gymraeg (2019), Manyleb Gwasanaethau Cyfieithu Testun. Ar lein: *https://www. sell2wales.gov.wales/search/show/search_view.aspx?ID=OCT311454.* [Cyrchwyd: 1/03/2021].

Corpws Cenedlaethol Cymraeg Cyfoes (2021), Welcome. Ar lein: *htttp://www.corcencc.cymru/* [Cyrchwyd: 1/01/2021].

Cymdeithas Cyfieithwyr Cymru (2021), Amdanom ni. Ar lein: *https://www.cyfieithwyr.cymru/cy/ amdanom-ni* [Cyrchwyd: 06/03/2021].

——— (2021), Hen bapurau arholiad. Ar lein: *https://www.cyfieithwyr.cymru/cy/ymaelodi/hen-bapurau- arholiad* [Cyrchwyd: 06/03/2021].

——— (2021), Ymaelodi. Ar lein:
*https://www.cyfieithwyr.cymru/cy/ymaelodi* [Cyrchwyd: 06/03/2021].

———— (2021), Ymarferion Cyfieithu i'r Gymraeg. Ar lein: *https://www.cyfieithwyr.cymru/cy/hyfforddiant/ymarferion* [Cyrchwyd: 06/03/2021].

Cynulliad Cenedlaethol Cymru (2014), Llwyfan byd-eang i'r Gymraeg – y Cynulliad yn gweithio gyda Microsoft i lansio cyfleuster cyfieithu peirianyddol Cymraeg. Ar lein: *https://senedd.cymru/senedd-nawr/newyddion/llwyfan-byd-eang-i-r-gymraeg-y-cynulliad-yn-gweithio-gyda-microsoft-i-lansio-cyfleuster-cyfieithu-peirianyddol-cymraeg/* [Cyrchwyd: 7/03/2021].

Devlin, Hannah (2018), 'The robots helping NHS surgeons perform better, faster – and for longer', *The Guardian*, 4 Gorffennaf 2018. Ar lein: *https://www.theguardian.com/society/2018/jul/04/robots-nhs-surgeons-keyhole-surgery-versius* [Cyrchwyd: 06/10/2020].

Facebook (2018), Expanding automatic machine translation to more languages. Ar lein: *https://engineering.fb.com/2018/09/11/ml-applications/expanding-automatic-machine-translation-to-more-languages/* [Cyrchwyd: 06/03/2021].

Google Cloud (2020), Language Support. Ar lein: *https://cloud.google.com/translate/docs/languages* [Cyrchwyd: 29/12/2020].

Google Play (2020), More by TTMA Apps. Ar lein: *https://bit.ly/3ngAerh* [Cyrchwyd: 29/12/2020].

Google Play (2020), Welsh-English Translator. Ar lein: *https://play.google.com/store/apps/details?id=free_translator.cyen* [Cyrchwyd: 29/12/2020].

Linguee (2021), Linguee. Ar lein: *https://www.linguee.com* [Cyrchwyd: 08/03/2021].

Llywodraeth Cymru (2019), Sensory Health: Eye Care and Hearing Statistics, 2017-18 & 2018-19 – Revised. Ar lein: *https://llyw.cymru/sites/default/files/statistics-and-research/2019-06/iechyd-synhwyraidd-ystadegau-gofal-llygaid-a-chlyw-ebrill-2017-i-mawrth-2019-diwygiedig.pdf* [Cyrchwyd: 03/11/2020].

————, Safonau Cymru gyfan ar gyfer darparu gwybodaeth hygyrch i bobl â nam ar eu synhwyrau a chyfathrebu â hwy, Llywodraeth Cymru. Ar lein: *https://llyw.cymru/safonau-cyfathrebu-gwybodaeth-hygyrch-mewn-gofal-iechyd* [Cyrchwyd: <u>02/11/2020</u>].

———— (2021), Cofau Cyfieithu. Ar lein: https://llyw.cymru/bydtermcymru/cofau-cyfieithu [Cyrchwyd: 06/03/2021].

Mesurau Iechyd Cymraeg, Prifysgol Bangor, Canllawiau Cyfieithu. Ar lein: *http://www.micym.org/llais/static/translationsCymraeg.html* [Cyrchwyd: <u>05/11/2020</u>].

Microsoft (2020), Language and region support for text and speech translation. Ar lein: *https://docs.microsoft.com/en-us/azure/cognitive-services/translator/language-support* [Cyrchwyd: 29/12/2020].

Microsoft Office (2021), Offer Prawfddarllen Microsoft Office 2016. Ar lein: *https://www.microsoft.com/cy-gb/download/details.aspx?id=52668* [Cyrchwyd: <u>02/11/2020</u>].

MyMemory (2021), Results for memory translation from English to Welsh. Ar lein: *https://mymemory.translated.net/en/English/Welsh/memory* [Cyrchwyd: 08/03/2021].

Hearn, Elgan (2021), 'Council proposes cuts to Welsh language translation budget', *Nation.Cymru*, 1 Chwefror 2021. Ar lein: *https://nation.cymru/news/council-proposes-cuts-to-welsh-language-translation-budget/* [Cyrchwyd: 09/03/2021].

Plain English Campaign (2021), About us. Ar lein: http://www.plainenglish.co.uk/about-us.html [Cyrchwyd: 9/11/2020].

Translation Automation Users Society (2010), MT Post-editing Guidelines. Ar lein: *https://www.taus.net/academy/best-practices/postedit-best-practices/machine-translation-post-editing-guidelines* [Cyrchwyd: 07/10/2020].

The Irish Times (2020), European Commission seeking 50 Irish language translators. Ar lein: *https://www.irishtimes.com/news/ireland/irish-news/european-commission-seeking-50-irish-language-translators-1.4172960* [Cyrchwyd: 06/03/2021].

The Law Society (2018), Six ways the legal sector is using AI right now. Ar lein: *https://www.lawsociety.org.uk/campaigns/lawtech/features/six-ways-the-legal-sector-is-using-ai* [Cyrchwyd: 06/10/2020].

Wikipedia (2021), Bodily Integrity. Ar lein: https://en.wikipedia.org/wiki/Bodily_integrity [Cyrchwyd: 1/06/2020].

Yandex (2017), One model is better than two. Yandex.Translate launches a hybrid machine translation system. Ar lein: *https://yandex.com/company/blog/one-model-is-better-than-two-yu-yandex-translate-launches-a-hybrid-machine-translation-system/* [Cyrchwyd: 29/12/2020].

Ystadegau Cymru (2019), Cyfrifiad 2011: Canlyniadau cyntaf ar yr iaith Gymraeg. Ar lein: *https://llyw.cymru/sites/default/files/statistics-and-research/2019-03/121211sb1182012cy.pdf* [Cyrchwyd: /02/2021].

# MYNEGAI